# मेलूहा के मृत्युंजय

आई.आई.एम. (कोलकाता) से प्रशिक्षित, 1974 में पैदा हुए **अमीश** एक बैंकर से सफल लेखक तक का सफर तय कर चुके हैं। अपने पहले उपन्यास *मेलूहा के मृत्युंजय,* (शिव रचना त्रय की प्रथम पुस्तक) की सफलता से प्रोत्साहित होकर उन्होंने फाइनेंशियल सर्विस का करियर छोड़कर लेखन पर ध्यान केंद्रित किया। एक लेखक होने के साथ ही, अमीश भारत-सरकार के राजनयिक, टीवी डॉक्यूमेंट्री के होस्ट और फिल्म-प्रोडूसर भी हैं।

इतिहास, पुराण और दर्शन में उनकी विशेष रुचि है और दुनिया के प्रत्येक धर्म की सार्थकता और ख़ूबसूरती को सराहते हैं। उनकी किताबों की 60 लाख से अधिक प्रतियां बिक चुकी हैं और उनका 20 से अधिक भाषाओं में अनुवाद हुआ है। भारतीय प्रकाशन इतिहास में अमीश की 'शिव त्रयी' सबसे तेजी से बिकने वाली सीरीज है और 'रामचंद्र सीरीज' का स्थान दूसरे नंबर पर है। अमीश से संपर्क करने के लिए:

www.authoramish.com
www.facebook.com/auth
www.instagram.com/au
www.twitter.com/autho

GN00649994

Celebrating
30 Years of Publishing
in India

# अमीश की अन्य किताबें

## शिव रचना त्रयी

भारतीय प्रकाशन क्षेत्र के इतिहास में सबसे तेज़ी से बिकने वाली पुस्तक शृंखला

*नागाओं का रहस्य* (शिव रचना त्रयी की दूसरी किताब)
*वायुपुत्रों की शपथ* (शिव रचना त्रयी की तीसरी किताब)

## राम चंद्र शृंखला

भारतीय प्रकाशन क्षेत्र के इतिहास में दूसरी सबसे तेज़ी से बिकने वाली पुस्तक शृंखला

*राम – इक्ष्वाकु के वंशज* (शृंखला की पहली किताब)
*सीता – मिथिला की योद्धा* (शृंखला की दूसरी किताब)
*रावण – आर्यवर्त का क्षत्रु* (शृंखला की तीसरी किताब)
*लंका का युद्ध* (शृंखला की चौथी किताब)

## भारत गाथा

*भारत का रक्षक महाराजा सुहेलदेव*

## कथेतर

*अमर भारत : युवा देश, कालातीत सभ्यता*
*धर्म: सार्थक जीवन के लिए महाकाव्यों की मीमांसा*

*www.authoramish.com*

'{अमीश के} लेखन ने भारत के समृद्ध अतीत और संस्कृति के विषय में गहन जागरूकता उत्पन्न की है।'

—**नरेन्द्र मोदी** (भारत के माननीय प्रधानमंत्री)

'{अमीश के} लेखन ने युवाओं की जिज्ञासा को शांत करते हुए, उनका परिचय प्राचीन मूल्यों से करवाया है...'

—**श्री श्री रवि शंकर**

(आध्यात्मिक गुरु व संस्थापक, आर्ट ऑफ़ लिविंग फाउंडेशन)

'{अमीश का लेखन} दिलचस्प, सम्मोहक और शिक्षाप्रद है।'

—**अमिताभ बच्चन** (अभिनेता एवं सदी के महानायक)

'भारत के महान कहानीकार अमीश इतनी रचनात्मकता से अपनी कहानी बुनते हैं कि आप पन्ना पलटने को मजबूर हो जाते हैं।'

—**लॉर्ड जेफ्री आर्चर** (दुनिया के सबसे कामयाब लेखक)

'{अमीश के लेखन में} इतिहास और पुराण का बेमिसाल मिश्रण है... ये पाठक को सम्मोहित कर लेता है।'

—**बीबीसी**

'विचारोत्तेजक और गहन, अमीश, किसी भी अन्य लेखक की तुलना में नए भारत के सच्चे प्रतिनिधि हैं।'

—**वीर सांघवी** (वरिष्ठ पत्रकार एवं स्तम्भकार)

'अमीश की मिथकीय कल्पना अतीत को खंगालकर, भविष्य की संभावनाओं को तलाश लेती है। उनकी किताबें हमारी सामूहिक चेतना की

*www.authoramish.com*

गहनतम परतों को प्रकट करती हैं।'

—**दीपक चोपड़ा**
(दुनिया के जाने-माने आध्यात्मिक गुरु और कामयाब लेखक)

'{अमीश} अपनी पीढ़ी के सबसे ज़्यादा मौलिक चिन्तक हैं।'

—**अर्नब गोस्वामी** (वरिष्ठ पत्रकार व एमडी, रिपब्लिक टीवी)

'अमीश के पास बारीकियों के लिए पैनी नज़र और बाँध देने वाली कथात्मक शैली है।'

—**डॉ. शशि थरूर** (सांसद एवं लेखक)

'{अमीश के पास} अतीत को देखने का एक नायाब, असाधारण और आकर्षक नज़रिया है।'

—**शेखर गुप्ता** (वरिष्ठ पत्रकार एवं स्तम्भकार)

'नये भारत को समझने के लिए आपको अमीश को पढ़ना होगा।'

—**स्वप्न दासगुप्ता** (सांसद एवं वरिष्ठ पत्रकार)

'अमीश की सारी किताबों में उदारवादी प्रगतिशील विचारधारा प्रवाहित होती है: लिंग, जाति, किसी भी क़िस्म के भेदभाव को लेकर... वे एकमात्र भारतीय बैस्टसेलिंग लेखक हैं जिनकी वास्तविक दर्शनशास्त्र में पैठ है—उनकी किताबों में गहरी रिसर्च और गहन वैचारिकता होती है।'

—**संदीपन देब** (वरिष्ठ पत्रकार एवं सम्पादकीय निदेशक, स्वराज्य)

'अमीश का असर उनकी किताबों से परे है, उनकी किताबें साहित्य से परे हैं, उनके साहित्य में दर्शन रचा-बसा है, जो भक्ति में पैठा हुआ है जिससे भारत के प्रति उनके प्रेम को शक्ति प्राप्त होती है।'

—**गौतम चिकरमने** (वरिष्ठ पत्रकार एवं लेखक)

'अमीश एक साहित्यिक करिश्मा हैं।'

—**अनिल धाड़कर** (वरिष्ठ पत्रकार एवं लेखक)

*www.authoramish.com*

# मेलूहा के मृत्युंजय

**शिव रचना त्रयी की प्रथम पुस्तक**

## अमीश

अनुवाद

**विश्वजीत 'सपन'**

हार्पर
हिन्दी

*www.authoramish.com*

प्रथम प्रकाशन 2010
हार्पर हिन्दी
(हार्परकॉलिंस पब्लिशर्स इंडिया) द्वारा प्रकाशित 2023
बिल्डिंग नं. 10, टावर A, 4th फ्लोर,
डीएलएफ साइबर सिटी, फेज II, गुरुग्राम 122002, भारत
www.harpercollins.co.in

P-ISBN: 9789356296374
E-ISBN: 9789356296381

लेखक इस पुस्तक का मूल रचनाकार होने का नैतिक दावा करता है।
इस पुस्तक में व्यक्त किए गए सभी विचार, तथ्य और दृष्टिकोण लेखक के
अपने हैं और प्रकाशक किसी भी तौर पर इनके लिए जिम्मेदार नहीं है।

For sale in the Indian subcontinent

कवर डिजाइन © : रश्मि पुसलकर
टाइपसेटिंग : निओ साफ्टवेयर कन्सलटैंट्स, प्रयागराज (इलाहाबाद)
मुद्रक : थॉम्सन प्रेस (इंडिया) लि.

🅕 🅝 🅘 🅨 HarperCollinsIn

*www.authoramish.com*

## समर्पण

प्रीति एवं नील के लिए...
तुम दोनों मेरे लिए सब कुछ हो,
मेरे शब्द और उनके अर्थ,
मेरी प्रार्थना और मेरे आशीर्वाद,
मेरा चांद और मेरा सूरज,
मेरा प्यार और मेरी ज़िंदगी,
मेरी आत्मिक मित्र और मेरी आत्मा का अंश।

*www.authoramish.com*

ओऽम नमः शिवाय

ब्रह्मांड भगवान शिव के समक्ष सिर झुकाता है।

मैं भी भगवान शिव के समक्ष सिर झुकाता हूँ।

# अनुक्रम

*www.authoramish.com*

*www.authoramish.com*

# कृतज्ञता

ये आभार 2010 में तब लिखा गया था, जब यह किताब प्रकाशित हुई थी। मैं *मेलूहा के मृत्युंजय* का ये संस्करण छापने वाली टीम का आभार व्यक्त करना चाहता हूँ। हार्पर कॉलिंस की टीम: स्वाति, शबनम, आकृति, गोकुल, विकास, राहुल, पॉलोमी और उदयन के साथ उनका नेतृत्व करने वाले प्रतिभाशाली अनंत। इन सभी के साथ शुरू हुए इस सफर के प्रति मैं बहुत उत्साहित हूँ।

— 人◎Ոᛉ⊕ —

लोग कहते हैं कि लेखन एक एकाकी पेशा है। वे झूठ बोलते हैं। बहुत ही विशिष्ट प्रकार के लोगों के समूह ने इस पुस्तक की रचना को साकार किया है। और मैं उन्हें धन्यवाद देना चाहता हूँ।

सुंदरता, बुद्धि एवं उत्साह का एक अद्वितीय मेल, मेरी पत्नी प्रीति, जिसने इस पुस्तक के सभी पहलुओं में मेरी सहायता की और मुझे सुझाव दिये।

मेरे पिताजी, श्री वी.के. त्रिपाठी को जिन्होंने इस पुस्तक के हिंदी रूपांतर को संशोधित किया।

अत्यधिक सकारात्मक व्यक्तियों का एक गुट, मेरा परिवार, जिसने लंबे समय तक चली इस परियोजना के दौरान मुझे उत्साहित किया, धक्का दिया और सहारा दिया।

*www.authoramish.com*

मेरे प्रथम प्रकाशक एवं अभिकर्ता, अनुज बिहारी को उनके शिव रचना त्रय में निरपेक्ष आत्मविश्वास के लिए।

गौतम पद्मनाभन के नेतृत्व वाले मेरे प्रकाशक वैस्टलैंड लिमिटेड को एक सपना मेरे साथ बांटने के लिए।

मेरे संपादक शर्वणी पंडित एवं गौर डंगे को मेरे फुटपाथीय अंग्रेजी को अत्यधिक बढ़िया बनाने एवं कहानी के प्रवाह को सुंदर बनाने के लिए।

रश्मि पुसल्कर, सागर पुसल्कर और विक्रम बावा को सारधारण आवरण पृष्ठ के लिए।

अतुल मंजरेकर, अभिजीत पौडवाल, रोहन धुरी अमित चिटनिस को उस अभिनव फिल्म ट्रेलर के लिए जिसने इस पुस्तक के विक्रय को एक नए स्तर तक पहुँचा दिया है। और तौफीक कुरेशी को उस फिल्म ट्रेलर के संगीत के लिए।

मोहन विजयन को उनके अद्वितीय प्रेस विज्ञापन के लिए।

आलोक कालरा, ऋषिकेश सावंत और मंदार भूरे को पुस्तक के क्रय-विक्रय एवं प्रचार-प्रसार के लिए प्रभावी सुझावों के लिए।

डोनेट्टा डिट्टोन एवं मुकुल मुखर्जी को वेबसाइट के लिए।

आप पाठकों को जिन्होंने इस रचनाकार में विश्वास कर उसकी इस पहली कृति को पढ़ा।

और अंत में, मेरा विश्वास है कि यह कथा प्रभु शिव की ओर से मेरे लिए एक आशीर्वाद है। इस अनुभव से विनीत हुआ, मैं स्वयं को एक अलग व्यक्तित्व का पाता हूँ। कम चिड़चिड़ेपन वाला और दुनिया के अलग-अलग दृष्टिकोणों को स्वीकार करने वाला। अतः, सबसे महत्वपूर्ण रूप से, मैं प्रभु शिव के सामने अपना सिर झुकाता हूँ। मुझे अत्यधिक आशीष देने के लिए जो मेरी पात्रता से कहीं अधिक है।

# शिव रचना त्रय

**शि**व! महादेव। देवों के देव। बुराई के विनाशक। भावुक प्रेमी। भीषण योद्धा। सम्पूर्ण नर्तक। चमत्कारी मार्ग दर्शक। सर्व-शक्तिमान, फिर भी सच्चरित्र। हाजिरजवाबी के साथ-साथ उतनी ही शीघ्रता से और भयंकर रूप से क्रुद्ध होने वाले।

कई शताब्दियों से, विजेता, व्यापारी, विद्वान, शासक, पर्यटक, जो भी हमारी भूमि पर आए, उनमें से किसी ने भी यह विश्वास नहीं किया था कि ऐसे महान व्यक्ति सचमुच में ही अस्तित्व में थे। उन्होंने कल्पित किया कि वे कोई पौराणिक गाथाओं के ईश्वर होंगे, जिनका अस्तित्व मात्र मानवीय कल्पनाओं के क्षेत्राधिकार में ही संभव हो सकता था। दुर्भाग्यवश यह विश्वास ही हमारा प्रचलित ज्ञान बन गया।

लेकिन अगर हम गलत हैं? अगर भगवान शिव एक अच्छी कल्पना से कपोल-कल्पित नहीं थे, बल्कि रक्त एवं मांस के बने एक व्यक्ति थे। आपके और मेरे समान ही। ऐसे व्यक्ति जो अपने कर्म के कारण ईश्वर के समान हो गए हों। यही इस शिव रचना त्रय का आधार वाक्य है जो ऐतिहासिक तथ्यों के साथ काल्पनिक कथा का मिश्रण कर प्राचीन भारत के पौराणिक धरोहर की व्याख्या करता है।

यह पुस्तक भगवान शिव को एवं उनके जीवन को एक श्रद्धांजलि है, जो हमें ढेर सारी शिक्षाएं देता है। वो शिक्षाएं जो समय एवं अज्ञानता की गहराई में खो गए थे। वह शिक्षा जिससे हम सभी लोग एक बेहतर मनुष्य बन सकते हैं। वह शिक्षा कि प्रत्येक जीवित व्यक्ति में एक

संभावित ईश्वर का वास होता है। हमें मात्र इतना करना है कि स्वयं को सुनना है।

मेलूहा के *मृत्युंजय* रचना त्रय की प्रथम पुस्तक है जो एक असाधारण नायक की जीवन यात्रा का वृत्तांत है। दो और पुस्तकें इसके बाद आनी हैं, *नागाओं का रहस्य* और *वायुपुत्रों की शपथ।*

# मेलूहा के मृत्युंजय
## चरित्र सूची

आनंदमयीः अयोध्या की राजकुमारी, सम्राट दिलीप की पुत्री।

अरिष्टनेमीः मेलूहा की प्रसिद्ध नागरिक सेना, मंदार पर्वत और उस तक पहुंचाने वाले मार्ग की संरक्षक।

आयुर्वतीः मेलूहा की चिकित्सा अधिकारी।

भद्र, या वीरभद्रः शिव का बालसखा और विश्वस्त। उसका नाम वीरभद्र एक शेर को अकेले पराजित करने की वजह से पड़ा।

भगीरथः अयोध्या के राजकुमार, सम्राट दिलीप के पुत्र।

भरतः चंद्रवंशी राजवंश के प्राचीन सम्राट जिनका विवाह एक सूर्यवंशी राजकुमारी से हुआ।

बृहस्पतिः मेलूहा के प्रमुख वैज्ञानिक; ब्राह्मणों के राजहंस कबीले से।

ब्रह्माः प्राचीन अतीत के महान वैज्ञानिक।

ब्रह्मनायकः दक्ष के पिता, मेलूहा के भूतपूर्व सम्राट।

चेनर्ध्वजः श्रीनगर स्थित कश्मीर के राज्यपाल।

चित्रांगधः श्रीनगर में प्रवासी शि[illegible] के [illegible]ार्यपालक।

दक्षः मेलूहा के सूर्यवंशी साम्राज्य के सम्राट, वीरिनी के पति और सती के पिता।

दिलीपः स्वद्वीप के सम्राट, अयोध्या के राजा और चंद्रवशियों के प्रमुख।

द्रपकुः मेलूहा में कोटद्वार का एक निवासी।

जट्टाः हरियुप का एक अधिकारी।

झूलेश्वरः मेलूहा में करचप के राज्यपाल।

कनखलाः मेलूहा की प्रधानमंत्री, वह प्रशासन, राजस्व और शिष्टाचार संबंधी मामलों की प्रभारी हैं।

कृत्तिकाः सती की करीबी मित्र व सहायक।

मनुः वैदिक जीवन शैली के संस्थापक; जिनका जन्म शताब्दियों पूर्व संगमतमिल में हुआ था।

नंदीः मेलूहाई सेना के कप्तान।

पाणिनीः मंदार पर्वत पर बृहस्पति के सह वैज्ञानिक।

पर्वतेश्वरः मेलूहा के सेनानायक; सेना, जलसेना, विशेष बल और पुलिस प्रभारी।

रामः सातवें विष्णु, जिन्होंने सदियों पहले राज किया था। उन्होंने मेलूहा साम्राज्य की स्थापना की थी।

रुद्रः पूर्व महादेव, बुराई के संहारक, जो सदियों पहले अस्तित्व में थे।

सतीः महाराज दक्ष और महारानी वीरिनी की पुत्री, मेलूहा की राजकुमारी।

सत्यध्वजः पर्वतेश्वर के परदादा।

शिवः गुण कबीले का सरदार। तिब्बतवासी, जिसे बाद में नीलकंठ, धरती

का संरक्षक पुकारा गया।

तारकः करचप निवासी।

फणदार नागाः नागाओं का रहस्यमयी सरदार।

वीरिनीः मेलूहा की महारानी, दक्ष की पत्नी और सती की मां।

विश्वद्युम्नः फणदार नागा का करीबी सहायक।

यख्यः पक्रति कबीले का सरदार, तिब्बत में गुण कबीले का विरोधी।

अध्याय - 1

# वे आ गए हैं!

*1900 ई.पू., मान सरोवर झील*
*(तिब्बत के कैलाश पर्वत की तलहटी में)*

**शि** व ने नारंगी छटा बिखेरते आकाश को देखा। मानसरोवर के ऊपर मचलते बादलों के छंटते ही सूर्यास्त का संकेत हो चुका था। एक बार फिर उस तेजस्वी जीवन दाता ने दिन समाप्ति की घोषणा कर दी थी। शिव ने अपने इक्कीस सालों में कुछ ही सूर्योदय देखे थे। किंतु सूर्यास्त! उसने प्रयास किया था कि वह सूर्यास्त देखना कभी न भूले। कोई और दिन होता तो हिमालय की पृष्ठभूमि में जहां तक दृष्टि जाती वहां तक सूर्य एवं उस विस्तृत झील के इस दृश्य-विस्तार को शिव ने अवश्य देखा होता। किंतु आज नहीं।

वह झील के अंदर तक जाती कगार पर पालथी मारकर बैठ गया और अपने सुडौल मांसल शरीर को वहीं टिका लिया। झील के निर्मल जल से परावर्तित होते चमकीले प्रकाश में उसे लगे युग-युगांतर के अनेक घावों के दाग चमक उठे। यह देख शिव को अपने उन्मुक्त बालपन की याद हो आई। वह तो तभी से कई कलाओं में दक्ष हो गया था। उसने झील में पत्थर के टुकड़े फेंकने की कला में भी महारथ हासिल कर ली थी। अपने कबीले में सबसे अधिक बार पत्थर उछालने का कीर्तिमान उसी के नाम था : सत्रह बार।

कोई सामान्य दिन होता तो अपने उल्लासपूर्ण अतीत पर, जो अब वर्तमान की चिंता के वशीभूत था, शिव अवश्य मुस्कुरा उठता। किंतु, आज उसके मुख पर उल्लास का कोई भाव नहीं था। वह उस क्षण का आनंद लिए बिना ही अपने गांव की ओर लौट पड़ा था।

गांव के मुख्य प्रवेश द्वार के पहरे पर भद्र चौकन्ना खड़ा था, किंतु उसके सहायक चौकन्ने नहीं थे। शिव ने अपनी आंखों के इशारे से भद्र को यह बताया। भद्र पीछे मुड़ा तो उसने घेरे के बाड़े पर अपनी सहायता के लिए लगाए गए दो सैनिकों को ऊंघते पाया। उसने पहले तो उन दोनों को बुरा-भला कहा और फिर उन्हें जगाने के उद्देश्य से जोर से ठोकर मारी। वे दोनों हड़बड़ाकर उठ बैठे।

शिव निश्चिंत होकर झील की ओर पुनः मुड़ गया। उसने मन ही मन कहा।

*ईश्वर भद्र का कल्याण करे। कम से कम वह कुछ जिम्मेदारियों का निर्वाह तो करता है।*

झील पर पहुंचकर शिव ने याक की हड्डी से बनी चिलम को अपने होंठों से लगाकर एक लंबा कश लगाया। कोई और दिन होता तो गांजे से उसके चिंतित मन को थोड़ी राहत मिलती और वह शांति के कुछ पल बिता पाता। किंतु आज नहीं।

उसने झील के बाईं ओर देखा, जहां अपरिचित विदेशी आगंतुकों को सैनिकों के पहरे में रखा गया था। उनके पीछे झील थी और शिव के बीस सैनिकों के पहरे में होने से इसकी संभावना बहुत ही कम थी कि वे चकित कर देने वाला कोई आक्रमण कर पाते।

शिव के मन में विचार पनपा।

*उन्होंने अपने हथियार बड़ी आसानी से दे दिए। ये लोग हमारे देश के रक्तपिपासु दुष्टों की भांति नहीं हैं जो लड़ाई लड़ने का कोई न कोई बहाना ढूंढ़ते रहते हैं।*

विदेशियों के कहे हुए शब्द बारम्बार शिव के कानों में गूंज रहे थे,

'हमारे देश में आइए। वह इन पहाड़ों के पार है। वह भारत का सबसे संपन्न और शक्तिशाली साम्राज्य है। यही नहीं, पूरे विश्व में वह सबसे संपन्न और शक्तिशाली है। अप्रवासियों को हमारी सरकार सुविधाएं प्रदान करती है। आपको उपजाऊ भूमि एवं कृषि के लिए संसाधन दिए जाएंगे। आज आपका कबीला इस पथरीली उजाड़ भूमि में उत्तरजीविता के लिए लड़ाई लड़ रहा है। मेलूहा आपको ऐसी जीवनशैली प्रदान करता है जिसकी आपने कभी कल्पना भी नहीं की होगी। हम इसके बदले में कुछ नहीं चाहते। आप शांति से रहें, अपने करों का भुगतान करें और देश की विधियों का पालन करें।'

शिव ने यह चिंतन कर लिया था कि उस नए देश में वह निश्चित रूप से मुखिया नहीं होगा।

*क्या सच में मुझे इसकी कमी खलेगी?*

उसके कबीलेवालों को विदेशियों की विधियों के अधीन जीवनयापन करना पड़ेगा। उन्हें अपनी जीविका के लिए प्रतिदिन काम करना होगा।

*जीवित रहने के लिए प्रतिदिन लड़ने की तुलना में तो यही बेहतर होगा।*

शिव को यह विचार उत्तम प्रतीत हुआ। उसने अपनी चिलम से एक और कश लिया। जब धुएं के बादल छंटे तो उसने गांव के बीच बनी उस झोपड़ी को मुड़कर देखा जहां उन विदेशियों को रखा गया था। यह उसकी झोपड़ी के ठीक बगल में थी। शिव को सूचित किया गया था कि उन्हें आरामदायक नींद नसीब नहीं हुई थी। वास्तव में शिव उन्हें बंदी बना कर नहीं रखना चाहता था। किंतु वह कोई जोखिम भी मोल नहीं लेना चाहता था।

*हम पक्रति कबीलेवालों से लगभग प्रत्येक महीने लड़ाई लड़ते रहते हैं ताकि पवित्र झील के निकट हमारा अस्तित्व अक्षुण्ण रहे। नए-नए कबीलों के साथ मित्रता करके वे प्रतिवर्ष और अधिक शक्तिशाली बनते जा रहे हैं। हम पक्रति कबीलेवालों को पराजित कर सकते हैं, किंतु समस्त पर्वतीय कबीलेवालों को नहीं। मेलूहा जाकर हम इस अनावश्यक हिंसा से छुटकारा पा सकते हैं और एक सुविधाजनक जीवन जी सकते हैं। इसमें कुछ गलत हो, क्या इसकी कोई संभावना भी है? हम क्यों न इस आग्रह को स्वीकार*

*कर लें? यह सचमुच कितना अच्छा प्रतीत होता है!*

राख को झाड़ने के लिए चिलम को एक चट्टान पर उलटने से पहले शिव ने अंतिम कश लिया और अपने आसन से उठ खड़ा हुआ। अपने नंगे सीने पर राख के कुछ कणों को मसलकर उसने अपने बघछाल के घाघरे में हाथ पोंछा, चिलम उठाई और तेज कदमों से गांव की ओर चल पड़ा। जब शिव गांव के प्रवेश द्वार के निकट से गुजरा तो भद्र और उसके सहयोगी सावधान की मुद्रा में खड़े हो गए। शिव ने त्योरी चढ़ाई और अपनी मुद्रा से भद्र को विश्राम करने के लिए आश्वस्त किया।

*यह हमेशा क्यों भूल जाता है कि बचपन से ही वह मेरा परम प्रिय मित्र रहा है? मेरे मुखिया बन जाने से वास्तव में कुछ नहीं बदला। उसे अन्य के सामने अनावश्यक गिड़गिड़ाने की आवश्यकता नहीं है।*

शिव ने मन ही मन सोचा।

उस प्रदेश में अन्य गांवों की अपेक्षा शिव के गांव की झोपड़ियां अधिक वैभवशाली थीं। उनकी ऊंचाई इतनी थी कि एक युवक सचमुच में उनके अंदर सीधा खड़ा हो सकता था। वे झोपड़ियां मजबूत थीं और ये शरण-स्थली उन कठोर पर्वतीय हवाओं के प्रहार सहते हुए तीन वर्षों तक अडिग खड़ी रह सकती थीं। झोपड़ी के अंदर प्रवेश करने पर उसने हाथ में पकड़ी चिलम को उस ओर उछाल दिया जहां वह आगंतुक बड़ी शांति से सो रहा था।

*या तो उसको यह अनुभूति नहीं कि वह बंदी है, या फिर उसे सच में ऐसा लगता है कि अच्छा व्यवहार ही अच्छे व्यवहार को जन्म देता है।*

शिव के मन में विचार कौंधा।

शिव को अपने चाचा जी का वचन याद था, जो उसके गुरु भी थे। वे अक्सर कहा करते थे कि 'लोग वही करते हैं जिसके लिए समाज उनको प्रोत्साहित करता है। यदि समाज विश्वास को प्रोत्साहित करता है तो लोग विश्वासी होते हैं।'

*यदि वे अपने सैनिकों को शिक्षा देते हैं कि किसी अजनबी से भी उत्तम व्यवहार की अपेक्षा करे तो मेलूहा अवश्य ही एक विश्वासी समाज*

*होगा।*

शिव ने अपनी वैभवहीन दाढ़ी को खुजलाते हुए उस आगंतुक को गहरी दृष्टि से देखा तो उसे स्मरण हुआ।

*उसने कहा था कि उसका नाम नंदी था।*

उस मेलूहावासी का भारी-भरकम शरीर और विशाल लग रहा था क्योंकि वह अपनी गहन निंद्रा में भूमि पर ही पसर गया था और उसका विशालकाय पेट प्रत्येक सांस के साथ नृत्य की शैली में फूल-पिचक रहा था। किंतु मोटापे के बावजूद उसकी त्वचा तनी और निखरी हुई थी। सोते समय उसका किसी बालक जैसा आधा खुला मुंह और भी निर्दोष प्रतीत हो रहा था।

*क्या यह वही व्यक्ति है जो मुझे मेरे प्रारब्ध की ओर ले जाएगा? क्या सचमुच ही मेरा ऐसा कोई प्रारब्ध है जिसके बारे में मेरे काका ने कहा था?*

शिव की वैचारिक यात्रा अनवरत चल रही थी।

'इन विशाल पर्वतों की तुलना में तुम्हारा प्रारब्ध कहीं विशालकाय है। किंतु उसे सच करने के लिए तुम्हें इन्हीं विशाल पर्वतों को पार करना होगा।' चाचा जी ने कहा था।

*क्या मैं अच्छी नियति का पात्र हूं? मेरे लिए मेरे लोग पहले आते हैं। क्या वे मेलूहा में खुश रह सकेंगे?*

शिव के मन में वैचारिक द्वंद्व छिड़ने लगा था। वह सोते हुए नंदी को निरंतर घूर रहा था। तभी उसने शंख-ध्वनि सुनी।

***पक्रति वाले!***

'अपना-अपना स्थान लो!' तलवार निकालते हुए शिव चिल्लाया।

अपनी बगल में रखे रोंयेंदार लबादे में छुपाई हुई तलवार को निकालकर नंदी तत्काल ही खड़ा हो गया। वे दोनों तेजी से गांव की ओर दौड़ पड़े। पूर्व नियोजित रणनीति के अंतर्गत महिलाएं अपने बाल-बच्चों को लेकर गांव के बीच त्वरित गति से इकट्ठा होने लगीं। उनके विपरीत पुरुष अपनी तलवारें निकालते हुए बाहर की ओर दौड़ पड़े।

'भद्र! झील पर हमारे सैनिक!' प्रवेश द्वार पर पहुंचते हुए शिव चिल्लाया।

भद्र ने उस आदेश को अग्रसारित किया और गुण कबीले के सैनिकों ने तत्काल ही उस आदेश का पालन किया। गुण कबीलेवाले तब आश्चर्यचकित रह गए जब उन्होंने देखा कि मेलूहावासियों ने अपने लबादों में छुपाए हुए हथियार निकाले और गांव की ओर तेजी से दौड़ पड़े थे। कुछ ही क्षणों में पक्रतिवाले उनके निकट आ पहुंचे थे।

जो भी दिन बिना किसी मुठभेड़ के बीत जाता तो शाम के धुंधलके में सामान्यतः गुण कबीले के सैनिक उस दिन के लिए ईश्वर का धन्यवाद करते थे। महिलाएं झील के किनारे अपने घरेलू काम-काज करतीं। यदि उन क्षमतावान गुणवालों के लिए कोई दुर्बलता के क्षण होते, जब वे आक्रामक कबीलेवाले नहीं बल्कि मात्र ऐसे पर्वतीय कबीले होते जो उस दुर्गम एवं विपरीत भूमि पर जैसे-तैसे जीवनयापन करने में प्रयासरत होते तो वे क्षण यही थे। ऐसे क्षणों में पक्रति कबीलेवालों की ओर से यह एक सुनियोजित घात लगाकर किया गया हमला था।

लेकिन एक बार पुनः पक्रतिवालों का भाग्य उनके विरुद्ध था। सौभाग्य से विदेशियों की उपस्थिति के कारण शिव ने गुण कबीलेवालों को चौकन्ना रहने के लिए कहा था। और इस प्रकार वे पहले से ही सचेत थे और पक्रति कबीलेवालों के लिए अचानक हमला करके उन्हें चौंका देने वाली बात नहीं हो पाई थी। मेलूहावासियों की उपस्थिति ने भी निर्णायक भूमिका निभाई और उस छोटी रक्तपातपूर्ण मुठभेड़ की दिशा को गुण कबीलेवालों के पक्ष में मोड़ दिया। पक्रति कबीलेवालों को मैदान छोड़ना पड़ा।

रक्तरंजित और चोटिल शिव ने उस मुठभेड़ के बाद हुए नुकसान का जायजा लिया। गुण कबीले के दो सैनिकों ने घातक चोट लगने के कारण दम तोड़ दिया था। उन्हें कबीले के वीर पुरुषों का सम्मान दिया जाएगा। किंतु जो इससे भी अधिक बुरा हुआ, वह था कि गुण कबीले की दस महिलाओं एवं बच्चों के लिए यह चेतावनी देर से आई थी। झील के किनारे

उनके अंग-भंग किए शरीर पाए गए। नुकसान कुछ अधिक ही हुआ था।

*कैसे नीच लोग हैं, जो हमसे मुकाबला नहीं कर सकते तो औरतों और बच्चों की हत्या करते हैं।*

अत्यधिक क्रुद्ध शिव ने कबीले के समस्त लोगों को गांव के मध्य में बुलाया। उसने अपना मन बना लिया था। शिव ने कहा, 'यह भूमि बर्बर लोगों के योग्य है। हमने बिना कारण के युद्ध किए हैं, जिसका अंत दिखाई नहीं दे रहा है। आप लोग जानते ही हैं कि मेरे काका ने शांति के प्रयास किए थे। यहां तक कि झील के किनारे तक पर्वतीय कबीलों की पहुंच को भी स्वीकारा। किंतु इन नीच लोगों ने हमारी शांति की इच्छा को हमारी कमजोरी समझा। हम सब को पता है कि उसके बाद क्या हुआ!'

युद्ध की बर्बरता के आदी होने के बावजूद गुण कबीलेवाले औरतों एवं बच्चों पर इस निर्दयतापूर्ण आक्रमण से पूरी तरह स्तंभित थे। शिव बोलता रहा, 'मैंने आपसे कभी कुछ भी नहीं छुपाया। आप सबको विदेशियों द्वारा दिए गए आमंत्रण की जानकारी है,' नंदी एवं मेलूहावासियों की ओर संकेत करते हुए शिव ने वक्तव्य जारी रखा, 'उन्होंने आज हमारे साथ कंधे से कंधा मिलाकर लड़ाई की। उन्होंने मेरे विश्वास को जीत लिया है। मैं उनके साथ मेलूहा जाना चाहता हूं। किंतु यह मेरे अकेले का निर्णय नहीं हो सकता।'

'आप हमारे मुखिया हो शिव,' भद्र ने कहा। 'आपका निर्णय हमारा निर्णय है। यही हमारी परंपरा रही है।'

'लेकिन इस बार नहीं,' शिव ने अपने हाथ से इशारा कर कहा, 'यह हमारे जीवन को पूरी तरह परिवर्तित कर देगा। मेरा विश्वास है कि यह परिर्वतन हमारे भले के लिए ही होगा। वह जो कुछ भी होगा प्रतिदिन की इस उद्देश्यहीन हिंसा की तुलना में अच्छा ही होगा। मैंने आपको बता दिया है कि मैं क्या करना चाहता हूं। किंतु जाने या नहीं जाने की इच्छा आपकी अपनी है। गुणवालों को बोलने दें। इस बार मैं आपका अनुसरण करूंगा।'

गुण कबीलेवाले अपनी परंपरा के बारे में पूरी तरह स्पष्ट थे। किंतु शिव के लिए आदर केवल परिपाटी पर ही नहीं, बल्कि उसके चरित्र पर भी आधारित था। उसने अपनी बुद्धिमत्ता और बहादुरी से ही गुणवालों के लिए

अनेक महान सैन्य विजय अभियानों का नेतृत्व किया था।

उन्होंने एक स्वर में कहा, 'आपका निर्णय हमारा निर्णय है।'

— 人◎∪↑⊕ —

कबीले को अपनी भूमि छोड़े पांच दिन बीत चुके थे। मेलूहा जाने वाले मार्ग में एक बहुत बड़ी घाटी के तल के किनारे उनका कारवां रुका था। शिव ने तीन गोल घेरों में अपने पड़ाव को व्यवस्थित किया। सबसे बाहरी घेरे में याकों को बांधा गया, ताकि घुसपैठ की दशा में वे सचेतक के साथ-साथ रक्षा-कवच का भी काम कर सकें। और उसके बाद भी यदि किसी प्रकार का संग्राम होता है तो मध्य घेरे में पुरुषों को लड़ाई करने के लिए रखा गया था। और सबसे भीतर औरतों एवं बच्चों को आग के पास एक गोल घेरे में रखा गया था। शूरवीरों को सबसे पहले, प्रतिरक्षक उसके बाद और सबसे भीतरी घेरे में आघात योग्य को रखा गया था।

शिव बुरी से बुरी परिस्थितियों के लिए तैयार था। उसका मानना था कि घात लगाकर आक्रमण अवश्य होगा। केवल देखना यह है कि वह कब होगा।

झील के सामने के स्थल पर दखल के साथ-साथ उस महत्वपूर्ण भू-भाग पर पहुंच से पक्रति कबीलेवालों को खुश होना चाहिए था। किंतु शिव को पता था कि पक्रति कबीले का मुखिया यख्य उन्हें शांतिपूर्ण तरीके से जाने देने वाला नहीं था। यख्य इससे कम कुछ नहीं चाहेगा कि वह एक ख्यातिप्राप्त व्यक्ति की तरह स्थापित हो। जो यह दावा कर सके कि उसने शिव के गुण कबीले को पराजित किया और पक्रति कबीले को वह भू-भाग जीतकर दिया। निश्चित रूप से यह एक अजीबोगरीब कबीलाई तर्क था, जो शिव को नापसंद था। शिव जानता था कि इस प्रकार की परिस्थितियों में कभी शांति की आशा नहीं की जा सकती।

शिव को संग्राम अच्छा लगता था और वह युद्ध कला से आनंदित होता था। किंतु उसे यह भी पता था कि उनके प्रदेश में ये संग्राम निरर्थक थे।

उसने नंदी की ओर घूमकर देखा जो कुछ दूरी पर चौकन्ना बैठा हुआ था। पड़ाव के दूसरे घेरे के चारों ओर मेलूहा के पच्चीस सैनिक बैठे हुए थे।

*इसने गुण कबीले को ही देशांतरवास के लिए क्यों चुना? पक्रति कबीले को क्यों नहीं चुना?*

शिव की विचारधारा बीच में ही भंग हो गई क्योंकि उसने कुछ दूरी पर एक साये को हिलते-डुलते देख लिया था। उसने पुनः उस ओर ध्यान से देखा, किंतु सबकुछ सामान्य-सा प्रतीत हुआ। ऐसी जगहों में कई बार प्रकाश इस प्रकार के भ्रम उत्पन्न कर देते थे। शिव ने अपनी मुद्रा शिथिल कर ली।

किंतु कुछ क्षणों के बाद उसने पुनः उस साये को देखा।

'सभी अपने-अपने हथियार उठा लो।' शिव जोर से चिल्लाया।

गुण कबीलेवालों और मेलूहावासियों ने अपने हथियार बाहर निकाले और संघर्ष करने के लिए अपने-अपने स्थान ग्रहण कर लिए क्योंकि पक्रति कबीले के लगभग पचास सैनिकों ने धावा बोल दिया था। बिना सोचे-विचारे धावा बोलने के कारण उनको बहुत मुश्किलों का सामना करना पड़ा क्योंकि सबसे पहले आतंकित पशुओं की दीवार उनके सामने थी। याकों ने अनियंत्रित हो चोट लगाना और दुलत्ती मारना प्रारंभ कर दिया था। इससे पहले कि वे झड़प शुरू कर पाते, अनेक पक्रतिवाले बुरी तरह घायल हो चुके थे। कुछ इनसे बचकर अंदर घुस ही आए और हथियारों के बीच टकराहट शुरू हो गई।

पक्रति कबीले के एक नौसिखिए ने तलवार लहराते हुए शिव पर धावा बोल दिया। उसके आक्रमण से बचते हुए शिव पीछे हट गया। उसके बाद शिव ने अपनी तलवार को वलयाकार घुमाते हुए पक्रति कबीले के उस आक्रमणकारी के सीने पर हल्का घाव लगाया। उस युवा योद्धा ने शिव को कोसा और फिर वह अपने शरीर के कुछ हिस्से को खुला छोड़ते हुए, बिना अधिक सावधानी के शिव पर झपट पड़ा। शिव को बस इतना ही अवसर चाहिए था। उसने बर्बरता से शत्रु की आंत को काटते हुए अपनी तलवार उसके पेट में घुसेड़ दी। फिर तत्काल ही उस तलवार को

अंदर ही घुमाते हुए बाहर निकाल लिया और उस पक्रति कबीले के नवयुवक को शनैः-शनैः दर्दनाक मृत्यु के लिए वहीं छोड़ दिया। शिव ने पीछे पलटकर देखा तो एक पक्रतिवाला एक गुण कबीलेवाले पर आक्रमण करने के लिए तत्पर था। उसने तत्काल ही ऊंची छलांग लगाई और उस पक्रतिवाले के तलवार लिए हाथ पर वार कर उसका विच्छेदन कर दिया।

इसी दौरान शिव समान युद्धकला में निपुण भद्र भी अपने दोनों हाथों में तलवार लिए दो पक्रतिवालों से एक साथ लड़ रहा था। उसका कूबड़ उसकी तलवारबाजी में बाधा नहीं डाल रहा था क्योंकि वह अपना भार एक ओर से दूसरी ओर सरलता से ले जा रहा था। उसने अपनी तलवार की धार से एक पक्रतिवाले के गले पर बाईं ओर वार किया। वह वहीं गिरकर तड़पने लगा। उसे धीरे-धीरे मरने के लिए छोड़, भद्र ने अपने दाएं हाथ को हवा में लहराकर दूसरे सैनिक के चेहरे को बीचोबीच काटते हुए वार किया, जिसके कारण उसकी आंख बाहर निकल आई। जैसे ही वह सैनिक गिरा, भद्र ने अपने बाएं हाथ की तलवार से बड़ी निर्ममता से उस पर वार कर दिया और उस विवश शत्रु के दुखों का अंत कर दिया।

मेलूहावासियों की ओर से संघर्ष का स्वरूप बिल्कुल ही अलग था। वे अत्यधिक दक्ष एवं प्रशिक्षित सैनिक थे किंतु हिंसक कदापि नहीं थे। वे युद्ध के नियमों का पालन कर रहे थे और किसी के भी प्राण हरने से हरसंभव बच रहे थे।

पक्रतिवालों के सैनिकों की कम संख्या एवं कमजोर नेतृत्व के कारण कुछ ही समय में उन्हें मुंह की खानी पड़ी। लगभग आधे से अधिक लोग मारे गए थे और जो बच गए थे वो अपने घुटनों के बल गिरे क्षमाप्रार्थी बने हुए थे। उन्हीं में से एक था पक्रति कबीले का मुखिया यख्य जिसके कंधे पर नंदी ने गहरी चोट पहुंचाई थी और इसी कारण वह तलवार चला पाने में अक्षम हो चुका था।

पक्रति के मुखिया यख्य के ठीक पीछे भद्र अपनी तलवार उठाए, उस पर वार करने के लिए तैयार खड़ा था। 'शिव बताइए, शीघ्र एवं सरल अथवा धीरे एवं पीड़ादायक?'

इससे पहले कि शिव कुछ बोलता नंदी ने बीच में ही कहा, 'श्रीमान!'

शिव ने मेलूहावासी की ओर मुड़कर देखा।

'यह अनुचित है! वे क्षमा की भीख मांग रहे हैं! उनके प्राण हरना युद्ध के नियमों के विरुद्ध है।'

'तुम लोग पक्रतिवालों को नहीं जानते!' शिव ने कहा, 'वे बर्बर हैं। वे हम पर आक्रमण करते ही रहेंगे, उन्हें कोई लाभ न हो तब भी। इसे समाप्त करना ही होगा। हमेशा के लिए।'

'यह तो समाप्त होने ही वाला है। आप यहां अब नहीं रहने वाले। आप बहुत शीघ्र मेलूहा में होंगे।'

शिव शांत मुद्रा में खड़ा था।

नंदी ने कहना जारी रखा, 'आप इसे किस प्रकार समाप्त करना चाहते हैं, यह आप पर निर्भर करता है। वैसा ही जैसाकि वे करते आए हैं अथवा उनसे पृथक?'

भद्र ने शिव की ओर देखा। वह प्रतीक्षा में था।

'आप पक्रतिवालों को दिखा सकते हैं कि आप उनसे बेहतर हैं,' नंदी ने कहा। शिव ने क्षितिज में दूर उन विशाल पर्वतों को देखा।

*प्रारब्ध? एक बेहतर जीवन की संभावना?*

शिव के मन में एक विचार कौंधा। वह भद्र की ओर मुड़ा और उससे कहा, 'इनके हथियार ले लो। रसद आदि ले लो और इन्हें छोड़ दो।'

*यदि पक्रति वाले इतने मूर्ख हैं कि अपने गांव जा हथियारबद्ध हो वापस आएंगे तो भी उस समय तक हम बहुत दूर निकल चुके होंगे।*

नंदी ने शिव की ओर ध्यान से देखा, उसे एक आशा की किरण दिखाई दी। उसके मन में एक ही विचार गुंजायमान था कि शिव के पास दिल है। उनमें संभावना है। कृपा कर उसे वही रहने दें। हे भगवान राम, मैं आपसे प्रार्थना करता हूं कि उन्हें वैसा ही रहने दें।

शिव उस नवयुवक सैनिक के पास गया, जिसे उसने अपनी तलवार

से घायल कर दिया था। वहीं भूमि पर पड़ा वह छटपटा रहा था। पीड़ा के कारण उसका मुख विकृत था। उसकी आंत से रक्त निरंतर रिस रहा था। पहली बार शिव को पक्रतिवालों के ऊपर दया आई। उसने अपनी तलवार निकाली और सैनिक को पीड़ा से मुक्ति प्रदान कर दी।

— ⅄ⓞ⅂⅃♤⊛ —

निरंतर चार सप्ताहों के प्रयाण के बाद आमंत्रित अप्रवासियों का कारवां अंतिम पर्वत की चढ़ाई चढ़ कश्मीर घाटी की राजधानी श्रीनगर की बाहरी सीमा में पहुंचा। नंदी ने उस उत्तम भूमि की कीर्ति के बारे में बड़े जोश से बातें बताई थीं। शिव ने कुछ और अतुल्य दृश्यों को देखने के लिए स्वयं को तैयार कर लिया था, जिनके बारे में वह अपनी साधारण मातृभूमि में कल्पना भी नहीं कर सकता था। उन विशुद्ध एवं वर्णनातीत दृश्यों से वह सम्मोहित हो गया, वह सचमुच स्वर्ग था। *मेलूहा। विशुद्ध जीवनदायी भूमि!*

पर्वतों में गर्जना करती सिंहनी जैसी वेगवान झेलम नदी ने जब घाटी में प्रवेश किया तो उसकी गति किसी सुस्त गाय-सी मंथर होती चली गई थी। शिव ने कश्मीर की धरती को बड़े प्रेम से स्पर्श किया और घुमावदार मार्ग से विशालकाय डल झील की ओर आगे बढ़ गया। उसके बाद भी उसकी यात्रा रुकी नहीं। उसमें डल झील से भी आगे समुद्र तक की यात्रा जो समाई थी।

उस वृहद-विस्तारित घाटी में हरी घास की चादर-सी बिछी हुई थी जिस पर एक श्रेष्ठ कृति चित्रित की गई थी; और वह कृति थी कश्मीर की। एक के बाद एक बिछी फूलों की क्यारियों की प्रभावशाली श्रृंखलाएं ईश्वरीय रंग बिखेर रही थीं। मात्र आकाश छूते, हुलसकर स्वागत करते भव्य चिनार के वृक्ष उनकी दीप्ति के वलय को कहीं-कहीं भंग करने का दुस्साहस कर रहे थे। शिव के कबीले के लोगों के थके कानों को चिड़ियों की मधुर स्वर-लहरी से आत्मिक शांति मिली, जो केवल पर्वतीय बर्फीली हवाओं की उजड्ड चिल्लाहट के आदी थे।

'यदि यह सीमांत प्रांत है तो देश का शेष भाग कितना उत्तम होगा?'

शिव विस्मय में फुसफुसाया।

डल झील मेलूहावासियों का एक प्राचीन सैन्य पड़ाव-स्थल था। झेलम के बगल में झील के पश्चिमी किनारे पर यह सीमांती नगर था जो सामान्य शिविर से एक वैभवशाली *श्रीनगर*, वस्तुतः एक 'सम्मानित नगर' के रूप में, विकसित हो चुका था।

श्रीनगर को लगभग सौ हेक्टेयर की भूमि की एक विशालकाय वेदिका पर स्थापित किया गया था। यह वेदिका मिट्टी से निर्मित थी, जिसकी ऊंचाई लगभग पांच मीटर थी। उस वेदिका के पर्वत पर नगर की बाहरी दीवार बनाई गई थी, जो बीस मीटर ऊंची और चार मीटर मोटी थी। पूरा का पूरा शहर एक वेदिका पर स्थापित करने की सादगी और उसकी भव्यता ने गुणवालों को भौंचक्का कर दिया था। यह शत्रुओं से सुरक्षा का एक ठोस उपाय था। उन्हें दुर्ग की दीवार से लड़ना होगा जो अवश्य ही बहुत उत्कृष्ट एवं स्थिर भूमि थी। इस वेदिका से एक अन्य लाभ भी थाः इसने नगर की भूमि के स्तर को ऊंचा उठा दिया था जिससे बारम्बार आती बाढ़ से प्रभावशाली ढंग से सुरक्षा हो जाती थी। उस प्रदेश में बहुधा बाढ़ के कारण तबाही हुआ करती थी। दुर्ग के अंदर सड़कों की जालदार व्यवस्था से नगर को अनेक क्षेत्रों में विभाजित किया गया था। उन्होंने विशेषकर बाजार क्षेत्र, मंदिर, बाग-बगीचे, सभागार एवं उन सभी प्रकार की व्यवस्थाओं का निर्माण किया जो किसी सुनियोजित नगरीय जीवन के लिए आवश्यक थे। आरंभ में तो बहुमंजिली संरचना वाले भवन-खंड ही दिख रहे थे। धनी व्यक्ति के भवन का अंतर केवल इस बात से पता चलता था कि उनका भवन-खंड थोड़ा बड़ा था।

कश्मीर घाटी के विशुद्ध प्राकृतिक भूदृश्यों से विषमता केवल इतनी थी कि श्रीनगर पूर्वनिर्धारित भूरे, नीले एवं सफेद रंगों में चित्रित था। समस्त नगर स्वच्छता, व्यवस्था एवं गांभीर्य का द्योतक था। लगभग बीस हजार लोग श्रीनगर को अपना निवास कहते थे। अब उनमें शामिल होने के लिए कैलाश पर्वत से दो सौ अतिरिक्त लोग आ गए थे। और उनके नेता ने हल्कापन महसूस किया। जैसाकि उसने कई सालों पहले उस भयानक दिन

के बाद से कभी अनुभव नहीं किया था, जब वह गुण कबीले का नेता बना था।

शिव ने अपने मन में कहा।

*मैं बचकर निकल आया हूं। मैं अब एक नई शुरुआत कर सकता हूं। मैं पुरानी बातों को सदा के लिए भूल सकता हूं।*

— 🜨◍Ⅎ⚕⊕ —

उस काफिले ने श्रीनगर के बाहर अप्रवासी शिविर तक की यात्रा की। वह शिविर एक पृथक वेदिका पर नगर के दक्षिण की ओर निर्मित किया गया था। नंदी ने शिव एवं उनके कबीलेवालों की अगुवाई करके उनको शिविर के बाहर स्थित विदेशियों के कार्यालय तक पहुंचाया। नंदी ने शिव को बाहर ही प्रतीक्षा करने के लिए कहा और स्वयं कार्यालय के अंदर चला गया। थोड़ी ही देर बाद वह एक युवा अधिकारी के साथ वापस आया। उस अधिकारी ने अभ्यस्त मुस्कान के साथ हाथ जोड़कर औपचारिक रूप से नमस्ते करते हुए कहा, 'मेलूहा में आपका स्वागत है। मैं चित्रांगध हूं। मैं आपका अनुकूलन प्रबंधक हूं। आप जब तक यहां रहें मुझे अपना एकमात्र संपर्क सूत्र समझें। जैसा मुझे पता चला है कि आपके नेता का नाम शिव है। क्या वे कृपा करके आगे आने का कष्ट करेंगे?'

शिव ने एक कदम आगे बढ़ाया और कहा, 'मैं ही शिव हूं।'

'बहुत अच्छा,' चित्रांगध ने कहा, 'क्या आप कृपा करके पंजीकरण मेज तक मेरे साथ आने का कष्ट करेंगे? आपको अपने कबीले के प्रभारी के रूप में पंजीकृत किया जाएगा। उनसे संबंधित जो भी चिंताएं या समस्याएं होंगी वे सभी आपके माध्यम से उन तक पहुंचाई जाएंगी। चूंकि आप नामित नेता हैं, अतः आपके कबीले के अंतर्गत सभी प्रकार के निर्देशों के पालन का उत्तरदायित्व आपका होगा।'

नंदी ने चित्रांगध के आधिकारिक भाषण को बीच में ही रोकते हुए शिव से कहा, 'श्रीमान, यदि आप मुझे अनुमति दें तो मैं अप्रवासी शिविर निवास में जाता हूं और आपके कबीले के लिए जीवन-यापन की अस्थायी

व्यवस्था का प्रबंध करता हूं।'

शिव ने अनुभव किया कि जब नंदी ने उसके भाषण के मध्य हस्तक्षेप किया तो चित्रांगध की चिरपरिचित मुस्कान कुछ क्षण के लिए विलीन हो गई, किंतु वह शीघ्र ही संभल गया और मुस्कुराहट उसके मुख पर पुनः लौट आई। शिव मुड़ा और नंदी की ओर देखा।

'निस्संदेह, तुम जा सकते हो। तुम्हें मेरी आज्ञा लेने की आवश्यकता नहीं है नंदी,' शिव ने कहा, 'किंतु इसके बदले में मुझे एक वचन देना होगा, मेरे मित्र।'

'निस्संदेह, श्रीमान,' नंदी ने सम्मान में थोड़ा झुकते हुए उत्तर दिया।

'तुम मुझे शिव कह कर पुकारो, न कि श्रीमान,' शिव मुस्कुराया, 'मैं तुम्हारा मित्र हूं, न कि प्रमुख।'

चकित नंदी ने ऊपर देखा, पुनः झुका और कहा, 'जी हां, श्रीमान, मेरा मतलब है शिव।'

शिव चित्रांगध की ओर पुनः मुड़ा, जिसकी मुस्कुराहट किसी कारण से अब वास्तविक प्रतीत हो रही थी। चित्रांगध ने कहा, 'अच्छा तो शिव, यदि आप मेरे साथ पंजीकरण मेज तक चलेंगे तो हम औपचरिकताओं को शीघ्रता से निपटा लेंगे।'

— 人◎∪⇞⊛ —

अप्रवासी शिविर के आवासीय निवास-स्थलों में जब नवपंजीकृत कबीला पहुंचा तो देखा कि मुख्य द्वार के बाहर नंदी उनकी प्रतीक्षा कर रहा था। वह उनकी अगुवानी करके भीतर ले गया। शिविर की सड़कें भी श्रीनगर की सड़कों की तरह ही थीं। वे उत्तर-दक्षिण एवं पूर्व-पश्चिम दिशाओं में सलीके से निर्मित की गई थीं। सावधानीपूर्वक निर्मित पगडंडियां शिव के देश में बने धूल भरे पथ-मार्ग के ठीक विपरीत थीं। उसने उन सड़कों पर एक अजीब-सी वस्तु का आलोकन किया।

'नंदी, सड़क के बीचोबीच अलग प्रकार के पत्थरों से यह क्या बना

हुआ है?' शिव ने पूछा।

'ये भूमिगत नालियों को ढकने के लिए लगाए गए हैं, शिव। ये नालियां शिविर से गंदे पानी को बाहर ले जाती हैं। यह सुनिश्चित करता है कि शिविर स्वच्छ एवं स्वस्थ रहे।'

मेलूहावासियों की अत्यधिक कुशलतापूर्ण योजनाओं को देखकर शिव अचंभित रह गया।

कुछ समय बाद गुण कबीलेवाले उनके लिए नियत किए गए एक बहुत बड़े मकान में पहुंचे। उन्होंने अपने नेता की बुद्धिमत्ता पर उन्हें बारम्बार धन्यवाद दिया, जो उन्होंने मेलूहा आने का निर्णय लिया। उस तीन तल वाले मकान में प्रत्येक परिवार के लिए एक पृथक आरामदायक निवास-स्थान दिया गया था। प्रत्येक कमरे में आरामदेह समस्त आवश्यक सामान सज्जित थे। साथ ही एक अत्यंत ही परिष्कृत तांबे की थाली भी दीवार पर लटकी हुई थी, जिसमें अपना प्रतिबिंब देखा जा सकता था। कमरों में सन की बनी हुई स्वच्छ चादरें, तौलिये और यहां तक कि कुछ कपड़े भी थे। उस कपड़े को छूकर किंकर्त्तव्यविमूढ़ शिव ने पूछा, 'यह किस वस्तु से बना है?'

चित्रांगध ने उत्साहपूर्वक उत्तर दिया, 'यह सूती कपड़ा है, शिव। इसके पौधे खेतों में उगाए जाते हैं और उनसे ऐसे कपड़े बनाए जाते हैं जैसे आपके हाथ में है।'

सूरज के प्रकाश और गर्माहट के लिए प्रत्येक दीवार पर एक बड़ी-सी खिड़की बनी हुई थी। प्रत्येक दीवार पर लगे खांचे में धातु का बना डंडा लगा हुआ था जिसके ऊपरी हिस्से में प्रकाश हेतु ज्वाला को नियंत्रित करने वाले यंत्र लगे हुए थे। प्रत्येक कमरे से एक स्नानघर संलग्न था, जिसका फर्श ढलानदार था ताकि पानी एक छिद्र के माध्यम से निकास नाली में चला जाए। प्रत्येक स्नानघर के अंदर दाईं ओर अंत में एक खड़ंजेदार नाद थी, जिसके नीचे बहुत बड़ा-सा गड्ढा बना हुआ था। इस प्रकार के जुगत का क्या उद्देश्य था यह इन कबीलेवालों के लिए एक रहस्य था। उसकी बगल की दीवार पर एक यंत्र लगा हुआ था, जिसे खोलने पर उसमें से पानी बहने

लगता था।

'जादू!' भद्र की माताजी फुसफुसाईं।

मकान के मुख्य द्वार से सटकर एक घर बना हुआ था। शिव से मिलने के लिए उस घर से निकलकर एक वैद्य और परिचारिका आई। छोटी कद-काठी की एक श्वेतवर्णीय वैद्य अपनी कमर से पांव तक श्वेत वस्त्र बांधे हुई थी, जिसे मेलूहावासी धोती कहते थे। एक अपेक्षाकृत छोटा श्वेत वस्त्र चोली की तरह सीने के चारों ओर बंधा हुआ था। जबकि एक अन्य वस्त्र, जिसे अंगरखा कहा जाता था, कंधे पर आच्छादित था। उस स्त्री के मस्तक के बीचोबीच एक श्वेत बिंदु बना हुआ था। उसके सिर के बाल बड़ी स्वच्छता से साफ किए हुए थे और केवल एक गुच्छा पीछे की ओर लटका हुआ था, जिसे चोटी कहा जाता था। उसने बाएं कंधे से डालकर दाहिनी कमर तक एक धागा पहना हुआ था, जिसे जनेऊ कहा जाता था।

वास्तव में, नंदी उसे देखकर आश्चर्यचकित था। अभ्यस्त प्रकार से नमस्ते करते हुए उसने कहा, 'देवी आयुर्वती! मैंने आपके समान उच्च पदस्थ वैद्य के यहां होने की आशा नहीं की थी।'

आयुर्वती ने नंदी की ओर नम्रता से नमस्ते करते हुए देखा और मुस्कुराते हुए कहा, 'क्षेत्र कार्य अनुभव कार्यक्रम में मेरा अटूट विश्वास है, कप्तान। मेरा दल कड़ाई से इसका अनुसरण करता है। परंतु, मुझे क्षमा करें मैंने आपको पहचाना नहीं। क्या हम पहले मिले हैं?'

'मेरा नाम कप्तान नंदी है, देवी,' नंदी ने उत्तर दिया, 'हम पहले तो नहीं मिले, किंतु आपको कौन नहीं जानता? आप इस देश की महानतम वैद्य हैं।'

'धन्यवाद, कप्तान नंदी,' प्रकट रूप से झेंपते हुए आयुर्वती ने कहा, 'किंतु मेरे विचार से आप बढ़ा-चढ़ाकर कह रहे हैं। कई ऐसे वैद्य हैं, जो मुझसे कहीं बेहतर हैं।' यह कहकर आयुर्वती शिव की ओर मुड़ती हुई बोली, 'मेलूहा में आपका स्वागत है। मैं आयुर्वती हूं, आपकी नामित वैद्य। मैं और मेरी परिचारिकाएं आपके सहयोग के लिए होंगी, जब तक आप लोग यहां निवास करेंगे।'

शिव की ओर से कोई प्रतिक्रिया ना पाकर चित्रांगध ने अपने गंभीर स्वर में कहा, 'ये अस्थायी निवास हैं, शिव। जो निवास आपके कबीलेवालों को स्थायी तौर पर रहने के लिए दिए जाएंगे, वे इनसे कहीं अधिक आरामदायक और सुविधासंपन्न होंगे। यहां आप लोगों को संगरोधन की अवधि तक ही रहना होगा, जो सात दिन से अधिक नहीं होगा।'

'नहीं-नहीं बंधु! ये निवास आवश्यकता से अधिक आरामदायक हैं। ये हमारी कल्पनाओं से कहीं अधिक अच्छे और सुविधाजनक हैं। आपका क्या विचार है मौसी?' भद्र की माताजी की ओर उपहास से मुस्कुराते हुए शिव ने कहा और फिर भृकुटि चढ़ाकर चित्रांगध से बोला, 'किंतु यह संगरोधन क्यों?'

नंदी ने बात संभालते हुए कहा, 'शिव, यह संगरोधन केवल रोगनिवारण के लिए है। मेलूहा में अधिक बीमारियां नहीं हैं। कई बार संभव है कि जो अप्रवासी आते हैं वे कुछ बीमारियां लेकर आए हों। अतः इन सात दिनों की अवधि में वैद्य उनकी जांच-परख करते हैं और यदि किसी ऐसी बीमारी का पता चलता है तो उसका उपचार कर देते हैं।'

'और इन बीमारियों के नियंत्रण के लिए जिन दिशा-निर्देशों का आपको अनुसरण करना होता है, वह है स्वास्थ्य मानकों का पालन करना,' आयुर्वती ने कहा।

शिव ने मुंह बनाकर नंदी की ओर देखा और फुसफुसाया, 'स्वास्थ्य मानकों का पालन?'

नंदी ने रोषपूर्वक मस्तक पर बल देते हुए खेद प्रकट किया, जबकि हाथों से मौन सहमति दे दी। वह बुदबुदाया, 'शिव, कृपया ये जैसा कहें वैसा ही आप करें। यह उन बहुत से कार्यों में से एक है, जिन्हें हम मेलूहावासियों को करना पड़ता है। देवी आयुर्वती को इस देश का सर्वोत्तम वैद्य माना जाता है।'

'यदि आपके पास अभी समय है तो मैं आपको आपके लिए जो निर्देश हैं, वे बताना चाहती हूं।' आयुर्वती ने कहा।

'मैं अभी बिल्कुल खाली हूं,' शिव ने सपाट भाव से कहा, 'किंतु बाद में आपको क्षतिपूर्ति करनी पड़ सकती है।'

भद्र के मुंह से अस्फुट हंसी निकली जबकि आयुर्वती ने शिव को भावविहीन चेहरे से घूर कर देखा। इससे स्पष्ट था कि वह शिव की श्लेषोक्ति को समझ नहीं पाई थी।

'मैं समझ नहीं पाई कि आप कहना क्या चाहते हैं,' आयुर्वती ने रूखेपन से कहा, 'खैर, जो कुछ भी हो, सबसे पहले हम स्नानघर से आरंभ करते हैं।'

'ये असभ्य अप्रवासी...' आयुर्वती ने मन ही मन बड़बड़ाते हुए विश्राम गृह में प्रवेश किया।

शिव ने अपनी भौंहें उचकाकर भद्र की ओर शरारत भरी मुस्कान के साथ देखा।

— ⵣ ⵀ ⵠ ⵕ ⵛ —

देर शाम बहुत ही शानदार भोजन के बाद गुण कबीले के लोगों के कमरों में एक औषधीय पेय पीने के लिए दिया गया।

'छिः' भद्र ने मुंह बनाकर कहा। उसका चेहरा विकृत हो गया था, 'इसका स्वाद तो याक के पेशाब की तरह है!'

'तुम्हें कैसे पता कि याक का पेशाब कैसा होता है?' शिव ने ठहाका मारकर हंसते हुए और अपने मित्र की पीठ पर बलपूर्वक एक धौल जमाते हुए कहा, 'अब तुम अपने कमरे में जाओ। मुझे सोना है।'

'आपने बिस्तर देखा है? मुझे लगता है कि यह मेरे जीवन की सबसे सुंदर नींद होने वाली है।'

'मैंने बिस्तर देखा है, बेवकूफ!' शिव ने मुंह बनाकर कहा, 'और अब मुझे उसका आनंद लेना है। तुम बाहर निकलो, अभी इसी समय।'

जोर से हंसते हुए भद्र शिव के कमरे से बाहर निकल गया। उस अप्राकृतिक रूप से नरम बिस्तर को लेकर वह अकेला ही उत्साहित नहीं था। उसके कबीले के सभी लोग अपने-अपने कमरों की ओर रुख कर चुके थे क्योंकि उन्हें ऐसा महसूस हो रहा था कि उनके जीवन की वह सबसे अच्छी नींद होने वाली थी। वे अचंभे के लिए तैयार थे।

— 🏹◎ᵾ৭⊕ —

शिव अपने बिस्तर पर लगातार इधर से उधर करवटें बदल रहा था। उसे नींद नहीं आ रही थी। इसलिए छटपटाहट थी। उसने नारंगी रंग की धोती पहन रखी थी। उसका बघछाला धुलने के लिए चला गया था, स्वच्छता के कारणों से। उसका सूती अंगवस्त्रम् दीवार के बगल में रखी एक छोटी कुर्सी पर रखा हुआ था। अधजली बेदम चिलम पास की मेज पर पड़ी हुई थी।

*यह शापित बिस्तर तो कुछ अधिक ही नरम है। इस पर सोना तो असंभव है।*

उसके बाद शिव ने एक झटके में बिस्तर के गद्दे पर बिछी हुई चादर को खींच लिया। उसे फर्श पर बिछाया और लेट गया। यह थोड़ा बेहतर था। नींद चोरी-चोरी उसे आगोश में लेती जा रही थी। किंतु उस तरह नहीं जिस तरह अपने घर में लिया करती थी। उसे अपनी झोपड़ी के खुरदुरे ठंडे फर्श की कमी खल रही थी। उसे कैलाश पर्वत की कनकनाती हवाओं की कमी खल रही थी, जिनकी उपेक्षा करने का कितना भी दृढ़ प्रयास करें वे अपना एहसास दिला ही जातीं थीं। उसे अपने बघछाले की आराम पहुंचाने वाली दुर्गंध की कमी खल रही थी। इसमें कोई संदेह नहीं था कि वर्तमान में उसके आसपास की परिस्थितियां अत्यंत ही आरामदायक थीं, किंतु वे अपरिचित एवं अन्यदेशीय थीं।

हमेशा की तरह उसकी सहज प्रवृत्ति ने सच का बोध करायाः *'यह कमरे के संबंध में नहीं है। यह तो तुम्हारे स्वयं से संबंधित है।'*

उसके बाद ही शिव को ध्यान आया कि वह पसीने से तर हो रहा था। ठंडी मंद हवा उसके शरीर को छू रही थी, फिर भी वह पसीने से तरबतर होता जा रहा था। ऐसा प्रतीत हो रहा था, जैसे वह कमरा घूम रहा हो। उसने अनुभव किया, जैसे उसके शरीर से कोई उसे निष्काषित कर रहा हो। उसे ऐसा प्रतीत हो रहा था कि जैसे उसके शीतदंशयुक्त दाएं पांव का अंगूठा आग में दहक रहा हो। संग्राम में लगे घावों के दाग वाला बायां घुटना जैसे खिंचता चला जा रहा हो। उसकी थकी हुई पीड़ित मांसपेशियों को जैसे

किसी के अदृश्य हाथ पुनः पुराना स्वरूप प्रदान कर रहे हों। उसके कंधे की हड्डी, जो कुछ दिनों पहले जोड़ से उखड़ गई थी और फिर कभी सही तरीके से जुड़ नहीं पाई थी, ऐसा लग रहा था कि जैसे मांसपेशियों को एक ओर ढकेलकर पुनः अपने सही स्थान में जुड़ने का प्रयास कर रही हो। साथ ही मांसपेशी भी जैसे उसे स्थान दे रही हों ताकि वह हड्डी अपना काम पूरा कर सके।

उसे सांस लेने में विशेष प्रयास करना पड़ रहा था। फेफड़े की सहायता करने के उद्देश्य से उसने अपना मुंह खोला। किंतु पर्याप्त हवा अंदर नहीं जा सकी। शिव ने अपना मुंह खोला और पूरी शक्ति लगाकर जितनी हवा खींच सकता था उतनी खींची। उसी समय बगल की खिड़की का पर्दा सरसराया और कृपालु हवा अंदर घुस आई। सहसा आए हवा के झोंके ने शिव के शरीर को थोड़ा आराम अवश्य पहुंचाया लेकिन उसके बाद पुनः संघर्ष प्रारंभ हो गया। उसने ध्यान केंद्रित किया और हांफते हुए सांस लेने लगा।

ठक! ठक!

द्वार पर हल्की खटखटाहट ने शिव को चौकन्ना कर दिया। इस समय वह अपने आपे में नहीं था। वह गहरी-गहरी सांस ले रहा था। उसका कंधा फड़क रहा था। किंतु वह चिर-परिचित पीड़ा अब नहीं थी। उसने अपने घुटने को देखा। उसमें अब कोई पीड़ा नहीं हो रही थी। घाव के दाग लुप्त हो चुके थे। अब भी वह सांस लेने के प्रयास में हांफ रहा था। उसने झुककर अपने अंगूठे को देखा। शीतदंश का प्रभाव समाप्त हो चुका था। वह अंगूठा पूर्व की भांति अब पूर्ण था। उसका परीक्षण करने के लिए वह झुका तो चटकने का एक स्वर कमरे में गुंजायमान हुआ, क्योंकि सालों के बाद उसके अंगूठे में गतिविधि हुई थी। अब भी वह गहरी सांस ले रहा था। साथ ही अपरिचित सिहरन पैदा करती ठंड उसके गले में थी। अत्यधिक ठंड।

ठक! ठक! अब यह खटखटाहट आग्रही थी।

शिव किंकर्तव्यविमूढ़ था। उसे कुछ भी नहीं सूझ रहा था कि वह क्या करे। फिर भी वह लड़खड़ाते हुए अपने पैरों पर खड़ा हुआ ! अंगवस्त्रम् को उठाकर उसने गले में लपेटा ताकि उसमें गर्माहट आ सके और द्वार खोल

दिया। अंधेरे ने उसके चेहरे को ढका हुआ था किंतु शिव ने भद्र को पहचान ही लिया। हड़बड़ाहट में भद्र फुसफुसाया, 'शिव, देर रात परेशान करने के लिए मुझे क्षमा करें। किंतु मेरी माता जी को अचानक ही तीव्र ज्वर हो गया है। मुझे क्या करना चाहिए?'

शिव ने सहजता से भद्र के मस्तक को छुआ और बोला, 'तुम्हें भी ज्वर है। तुम अपने कमरे में जाओ। मैं वैद्य को बुलाकर लाता हूं।'

जब शिव गलियारे से होते हुए वैद्य को बुलाने के लिए जाने लगा तो कई और कमरों के द्वार खुलने लगे और वही परिचित संदेश उसे मिलने लगे, 'अचानक ही ज्वर आ गया। सहायता करें।'

शिव लगभग दौड़ते हुए उस मकान की ओर भागा, जहां वैद्य निवास कर रहे थे। वहां पहुंचकर उसने उनके द्वार को जोर से खटखटाया। आयुर्वती ने तुरंत द्वार खोल दिया, जैसे वह उसके आने की प्रतीक्षा ही कर रही थी। शिव ने शांत स्वर में कहा, 'आयुर्वती, मेरे कबीले के लगभग सभी लोगों को ज्वर आ रहा है। आप शीघ्र चलें, उनको सहायता की आवश्यकता है।'

आयुर्वती ने शिव के मस्तक को छुआ और पूछा, 'आपको ज्वर नहीं है?'

शिव ने इंकार करते हुए सिर हिलाया और कहा, 'नहीं।'

आयुर्वती की भृकुटि तन गई। स्पष्टतः वह चकित थी। वह मुड़ी और परिचारिकाओं से कहा, 'आप लोग आइए। प्रभाव प्रारंभ हो चुका है। चलों चलें।'

जैसे ही आयुर्वती और परिचारिकाएं तेजी से उस भवन की ओर बढ़े, तो चित्रांगध न जाने कहां से आ टपका। उसने शिव से पूछा, 'क्या हुआ?'

'मुझे नहीं पता कि क्या हुआ है। लेकिन मेरे कबीले के लगभग सभी लोगों को ज्वर हो गया है।'

'आपको भी तो बहुत पसीना आ रहा है।'

'आप मेरी चिंता न करें। मुझे ज्वर नहीं है। देखिए, मैं उस भवन में वापस जा रहा हूं। मैं जाकर देखना चाहता हूं कि कितने लोग इसकी

चपेट में हैं।'

चित्रांगध ने सहमति में सिर हिलाया और कहा, 'मैं नंदी को बुलाता हूं।'

चित्रांगध नंदी की खोज में तेजी से बाहर निकला और शिव लगभग दौड़ते हुए उसी भवन में प्रवेश कर गया। जब वह भवन में प्रविष्ट हुआ तो चकित रह गया। जितनी भी प्रकाश हेतु डंडियां (मशाल) लगाई गई थीं, वे सभी प्रकाशित हो चुकी थीं। परिचारिकाएं प्रत्येक कमरे में क्रमबद्ध ढंग से जाकर औषधियां दे रही थीं और भयभीत रोगियों को समझा रही थीं कि उन्हें क्या करना था। प्रत्येक परिचारिका के साथ एक लेखक चल रहा था, जो ताड़पत्र से बनी पुस्तिका पर प्रत्येक रोगी का विवरण लिख रहा था। स्पष्ट था कि मेलूहावासी इस प्रकार की आपात स्थिति के लिए पूरी तरह से तैयार थे। आयुर्वती गलियारे के अंत में अपने कूल्हों पर हाथ रखे खड़ी हुई थी। ठीक उसी प्रकार जिस प्रकार एक सेनापति अपनी अत्यंत दक्ष एवं प्रशिक्षित टुकड़ी का पर्यवेक्षण करता है। शिव तेजी से उसके पास गया और उससे पूछा, 'दूसरे और तीसरे तल पर लोगों का क्या होगा?'

बिना उसकी ओर मुड़े ही आयुर्वती ने उत्तर दिया, 'परिचारिकाएं मकान में सभी स्थानों में पहुंच चुकी हैं। मैं ऊपर के माले पर तब जाऊंगी जब इस तल पर सब कुछ सामान्य हो जाएगा। अगले आधे घंटे में हम सभी बीमारों का परीक्षण कर लेंगे।'

'आप लोग असाधारण रूप से प्रभावी हैं, किंतु मैं ईश्वर से प्रार्थना करता हूं कि सभी लोग भले-चंगे हो जाएं।' चिंतित शिव ने कहा।

अबकी बार आयुर्वती शिव की ओर मुड़ी। उसकी भौंहें तनिक ऊपर हुईं और उसके गंभीर चेहरे पर विजयी मुस्कान के संकेत दिखाई दिए। उसने कहा, 'आप चिंता न करें। हम मेलूहावासी हैं। हम लोग किसी भी प्रकार की आपात स्थिति से निपटने में सक्षम हैं। सभी लोग स्वस्थ हो जाएंगे।'

'क्या मैं आपकी सहायता करने के लिए कुछ कर सकता हूं।' शिव का स्वर गंभीर था।

'जी हां। कृपया जाकर स्नान कर लीजिए।' आयुर्वती ने सपाट स्वर

में कहा।

'क्या?' शिव चौंक पड़ा।

'कृपया जाकर स्नान कर लीजिए। अभी इसी समय,' आयुर्वती ने यह कहते हुए पुनः अपनी टोली की ओर ध्यान दिया, 'कृपया सब लोग याद रखें कि पंद्रह वर्ष से कम आयु के सभी बच्चों के मुंडन होने हैं। मस्त्रक आप कृपया ऊपर जाएं और द्वितीयक औषधि की खुराक देने का कार्य प्रारंभ करें। मैं पांच मिनट में वहां पहुंच जाऊंगी।'

'जैसी आपकी आज्ञा, देवी।' उस नवयुवक ने कहा और तेजी से पग धरता आगे बढ़ गया। उसके पास कपड़े का एक बड़ा-सा थैला था। संभवतः उसी में औषधि थी।

'आप अभी भी यहीं खड़े हैं?' आयुर्वती ने पूछा क्योंकि उसने देखा कि शिव वहां से नहीं गया था।

शिव ने अपने बढ़ते क्रोध पर नियंत्रण रखते हुए नरमी से कहा, 'मेरे स्नान करने से क्या अंतर पड़ जाएगा? मेरे लोग मुश्किल में हैं। मैं उनकी मदद करना चाहता हूं।'

'मेरे पास न तो समय है और न ही धैर्य कि आपसे बहस कर सकूं। आप अभी जाएंगे और स्नान करेंगे!' स्पष्ट रूप से आयुर्वती ने अपने क्रोध को छुपाने की कोई चेष्टा नहीं की थी।

शिव ने घूर कर आयुर्वती को देखा। उसे अपने मुंह से निकलने वाले शापित वचन को न बोलने के लिए अत्यधिक चेष्टा करनी पड़ी। उसकी भींचीं हुई मुट्ठियां आयुर्वती से बहस करने का संकेत दे रही थीं।

परंतु वह एक स्त्री थी।

आयुर्वती ने भी शिव को घूर कर देखा। उसके निर्देश का पालन अक्षरशः किया जाता था। वह एक वैद्य थी। यदि उसने किसी बीमार को कुछ करने के लिए कहा तो उसे आशा थी कि वह बिना किसी प्रश्न के उसकी बात पर अमल करेगा। परंतु अपने सुदीर्घ अनुभव में उसे शिव जैसे रोगियों से भी वास्ता पड़ा था, विशेषकर आभिजात्य वर्गों से। ऐसे रोगियों

को कारण बता कर *संतुष्ट* करना पड़ता था। उन्हें *निर्देश* देने से काम नहीं चलता था। और यह तो एक साधारण अप्रवासी था न कि कोई कुलीन व्यक्ति!

अपने आपको कठिनाई से नियंत्रित करते हुए आयुर्वती ने कहा, 'शिव, आप पसीने से तर हो। यदि आप इसे नहीं धोएंगे तो यह प्राण-हारक सिद्ध हो सकता है। कृपया, मुझ पर भरोसा रखें। यदि आप स्वयं ही जीवित न रहे तो अपने कबीले के लोगों की मदद नहीं कर सकेंगे।'

चित्रांगध ने जोर से द्वार खटखटाया। बुरा-भला कहते हुए अलसाई आंखों के साथ नंदी उठा। उसने झटके के साथ द्वार खोला और गुर्राया, 'यह अवश्य ही महत्वपूर्ण होना चाहिए, वरना!'

'शीघ्र आइए। शिव के कबीलेवाले बीमार पड़ गए हैं।'

'अभी से ही? किंतु यह तो पहली ही रात्रि है!' नंदी ने चिल्लाकर, अपना अंगवस्त्रम् उठाते हुए कहा, 'चलो चलें!'

स्नान करने के लिए स्नानघर एक अजनबी स्थल प्रतीत हुआ। शिव को सर्द मानसरोवर झील में डुबकी लगाकर नहाने की आदत थी और वह भी महीने में केवल दो बार। वह स्नानघर उसे असाधारण रूप से संकीर्ण अनुभूत हुआ। उसने दीवार पर लगे जादुई यंत्र को घुमाया ताकि पानी का बहाव तेज हो जाए। उसने उस अनजानी टिकिया को अपने शरीर पर मला ताकि शरीर स्वच्छ हो जाए जिसे मेलूहावासी साबुन कहते थे। आयुर्वती ने स्पष्ट कर दिया था कि साबुन लगाना आवश्यक था। उसने स्नान करने के बाद उस यंत्र को बंद किया और तौलिया उठा लिया। जब वह तौलिये से अपने शरीर को रगड़-रगड़कर साफ करने लगा तो उसे पुनः बड़ी तीव्रता से वही रहस्यात्मक अनुभूति होने लगी जो कुछ घंटे पहले हुई थी और जिसकी उस समय उसने उपेक्षा कर दी थी। उसके कंधे अब नवीन से कहीं श्रेष्ठ अनुभूत

हो रहे थे। उसने विस्मय से झुककर अपने घुटने को देखा। कोई पीड़ा नहीं थी, कोई दाग नहीं था। उसने आश्चर्यचकित हो अपने पैर के अंगूठे को देखा जो पूरी तरह स्वस्थ हो चुका था। इतना ही नहीं बल्कि उसके बाद उसे एहसास हुआ कि उसके शरीर के कुछ अंग ही नहीं बल्कि उसका समस्त शरीर ही नवजीवन का अनुभव कर रहा था, पुनः युवा हो चुका था और पहले से भी अधिक शक्तिशाली महसूस कर रहा था। यद्यपि उसका गला अब भी असह्य रूप से ठंडा था।

*यह क्या तमाशा हो रहा है?*

उसका मन चंचल था। वह तेजी से स्नानघर से बाहर आया और शीघ्र एक नई धोती पहन ली। आयुर्वती का कड़ा निर्देश था कि कोई अपने पुराने वस्त्र को धारण न करे जो पसीने से गंदे हो चुके थे। वह जब अंगवस्त्रम् को अपने गले में लपेट रहा था ताकि उसको गर्मी प्रदान कर सके तभी किसी ने द्वार खटखटाया। यह आयुर्वती थी और उसने बाहर से पुकारा, 'शिव, क्या आप द्वार खोलने की कृपा करेंगे? मैं परीक्षण करना चाहती हूं कि आप ठीक-ठाक हैं।'

शिव ने द्वार खोल दिया। आयुर्वती ने अंदर प्रवेश किया और शिव के शरीर के ताप का परीक्षण किया। उसका ताप सामान्य था। आयुर्वती ने सिर हिलाया और कहा, 'आप स्वस्थ प्रतीत होते हैं और आपके कबीलेवाले भी शीघ्रता से भले-चंगे होते जा रहे हैं। संकट के क्षण बीत गए हैं।'

शिव ने कृतज्ञतापूर्ण मुस्कान के साथ कहा, 'आपके दल की कार्य-कुशलता एवं सक्षमता को बहुत-बहुत धन्यवाद। मुझे सचमुच बहुत खेद है कि मैंने आपसे अनावश्यक ही तर्क-वितर्क किया। वास्तव में वह अनावश्यक था क्योंकि आप हमारे भले के लिए ही सब कुछ कर रही थीं।'

आयुर्वती ने ताड़पत्र की पुस्तक से दृष्टि हटाकर हल्के-से मुस्कुराकर ऊपर की ओर देखा और अपनी भौंहें उचकाकर कहा, 'शालीन, क्या हम ऐसे हैं?'

'मैं उतना भी अक्खड़ नहीं हूं, जितना आप समझ रही हैं,' शिव ने हल्की मुस्कान के साथ कहा, 'आप लोग कुछ अधिक ही सौम्य हैं।'

आयुर्वती ने जैसे ही शिव को देखा तो वह उन्हें देखती ही रह गई। उसका चेहरा भावहीन हो चुका था और सहसा उसे कुछ भी सुनाई नहीं दे रहा था। वह इससे पहले इस बात पर गौर क्यों नहीं कर सकी? उसने कभी भी लोककथा (पौराणिक गाथा) पर विश्वास नहीं किया था। क्या वह मानव जाति में प्रथम होगी जो इस सत्य को सच होते देखेगी? अत्यधिक दुर्बलता से हाथ से संकेत करके उसने बुदबुदाते हुए पूछा, 'आपने अपने गले को क्यों बांध रखा है?'

'न जाने क्यों इसमें अत्यधिक ठंड की अनुभूति हो रही है। क्या यह सचमुच ही चिंता का विषय है?' शिव ने अपने अंगवस्त्रम् को हटाते हुए पूछा।

उस शांत कमरे में आयुर्वती की चीख गुंजायमान हो गई। चीखते ही सहसा उछलकर वह पीछे हो गई। बड़ा सदमा लगे किसी मनुष्य की भांति उसके हाथ मुंह पर थे, जैसे उसे विश्वास नहीं हो रहा हो और उसके हाथ से ताड़पत्र छूटकर कमरे के अंदर बिखर गए थे। उसके घुटने इतने निर्बल हो गए थे कि उसके लिए खड़ा होना कठिन जान पड़ रहा था। वह अपनी पीठ के सहारे पीछे दीवार पर धम्म से टिक गई, किंतु उसकी आंखें अब भी शिव पर टिकी हुई थीं। उसकी गर्वीली आंखों से अश्रुधारा बहने लगी। वह लगातार इन्हीं शब्दों का उच्चारण करती जा रही थी, 'ओऽम ब्रह्माय नमः, ओऽम ब्रह्माय नमः।'

'क्या हुआ? क्या कोई गंभीर बात है?' चिंतित शिव ने पूछा।

'आप आ गए हैं! मेरे प्रभु, आप आ गए हैं!'

इससे पहले कि आश्चर्यचकित शिव आयुर्वती की इस असाधारण प्रतिक्रिया पर कुछ कर पाते, नंदी ने तेजी से कमरे में प्रवेश किया और देखा कि आयुर्वती भूमि पर बैठी हुई शिव को अपलक देख रही हैं और उनके नयनों से अविरल अश्रुधारा प्रवाहित हो रही है।

'हे देवी, क्या हुआ? कृपया बताइए?' चकित नंदी ने पूछा।

आयुर्वती ने कुछ कहा नहीं केवल शिव के गले की ओर संकेत किया। नंदी ने ऊपर देखा। शिव का गला रहस्यमयी तेजस्वी नीला दिख रहा था।

पिंजरे से मुक्ति के समय किसी पशु के मुख से जैसी चीख निकलती है, ठीक वैसी चीख उसके मुंह से निकली और उसने भी अपने घुटनों के बल धम्म से गिरकर कहा, 'मेरे प्रभु, आप आ गए हैं! नीलकंठ आ गए हैं।'

कप्तान नंदी सम्मानपूर्वक नीचे झुका और नीलकंठ के चरणों में भक्तिपूर्वक सिर नवाते हुए स्पर्श करने को हुआ तो उसके प्रार्थनीय पीछे हट गये। वह संभ्रमित और उद्विग्न था। उसे समझ में नहीं आ रहा था कि क्या हो रहा है।

'आखिर ये सब क्या बकवास हो रहा है?' उसने क्रोधपूर्वक पूछा।

अपनी बर्फीली गर्दन पर एक हाथ रखते हुए वह मुड़ा और उसने दीवार पर टंगी तांबे की परिष्कृत प्लेट की ओर देखा और फिर उसने उस *नीलकंठ;* उस *नीले गले* के प्रतिबिंब को देखा तो स्वयं उस अचंभे से स्तब्ध रह गया।

द्वार की चौखट को सहारे के लिए पकड़े चित्रांगध एक बच्चे की भांति यह कहते हुए रोने लगा, 'हम लोग बच गए! हम लोग बच गए! वे आ गए हैं।'

अध्याय - 2

# पवित्र जीवन की भूमि

कश्मीर का राज्यपाल चेनर्ध्वज समस्त विश्व में यह प्रसारित करना चाहता था कि उसकी राजधानी में नीलकंठ प्रकट हुए थे, न कि तक्षशिला, करचप या लोथल के सीमांत नगरों में बल्कि उसके अपने श्रीनगर में! किंतु मेलूहा की राजधानी अर्थात *देवताओं के निवास-स्थल देवगिरि* से संदेशवाहक पक्षी ने तत्काल ही आगमन कर लिया था। आदेश अत्यंत ही स्पष्ट था। जब तक कि सम्राट नीलकंठ को स्वयं नहीं देख लेते उनके आगमन के इस समाचार को गुप्त रखा जाए। चेनर्ध्वज को आदेश मिला कि वह मार्गदर्शकों के साथ नीलकंठ को देवगिरि तक पहुंचवाने की कार्यवाही तत्काल करें। इसके साथ ही शिव को भी पौराणिक कथा सुनाने या बताने की आवश्यकता नहीं है। 'सम्राट नीलकंठ को उपयुक्त समय में इसके संबंध में बताएंगे।' संदेश में ये शब्द कहे गए थे।

शिव को इस यात्रा के बारे में बताने का सौभाग्य चेनर्ध्वज को प्राप्त हुआ। किंतु शिव सहज अनुगामी मनोवृत्ति में नहीं था। जब से वह गवर्नर के आलीशान महल में विलासितापूर्ण निवास कर रहा था, तभी से वह अपने आसपास रहने वाले प्रत्येक मेलूहावासी की इस अचानक भक्ति से हैरान था। और यह भी एक विचित्र बात थी कि श्रीनगर के मात्र अति विशिष्ट व्यक्तियों को ही उससे मिलने का सौभाग्य प्राप्त हो पा रहा था।

'हे प्रभु, हम लोग आपका हमारी राजधानी देवगिरि तक मार्गदर्शन करेंगे। वह यहां से लगभग एक सप्ताह की दूरी पर स्थित है।' चेनर्ध्वज

अपनी विशालकाय काया एवं मांसल शरीर को जितना झुका सकता था उतना झुकाते हुए बड़ी कठिनाई से बोला।

'जब तक कि कोई मुझे यह नहीं बताता कि आखिर हो क्या रहा है, मैं कहीं नहीं जा रहा! नीलकंठ की यह क्या पौराणिक गाथा है?' शिव ने क्रुद्ध होकर कहा।

'हे प्रभु, हम पर विश्वास रखें। आपको सच का पता शीघ्र ही चल जाएगा। जब आप देवगिरि पहुंचेंगे तो सम्राट स्वयं आपका इस सच से परिचय करवाएंगे।'

'और मेरे कबीलेवालों का क्या होगा?'

'उन्हें यहीं कश्मीर में भूमि दी जाएगी, प्रभु। एक सुखमय जीवन जीने के लिए जिन संसाधनों की आवश्यकता होगी, वे उन्हें प्रदान की जाएंगी।'

'क्या उन्हें बंधक बनाकर रखा जा रहा है?'

'नहीं, नहीं प्रभु,' प्रकट रूप से थोड़े परेशान चेनर्ध्वज ने कहा, 'वे आपके कबीलेवाले हैं, प्रभु। यदि मेरा बस चलता तो वे जीवनपर्यंत कुलीनों की भांति जीवनयापन करते। किंतु विधि-व्यवस्था को तोड़ा नहीं जा सकता है, प्रभु। यहां तक कि आपके लिए भी नहीं। हम उन्हें वही दे सकते हैं, जिनका उन्हें वादा किया गया है। प्रभु, समय के साथ यदि आप आवश्यक समझें तो इस देश के विधि-विधानों में फेरबदल कर सकते हैं। उसके बाद हम उन्हें कहीं भी विस्थापित कर सकते हैं।'

'कृपा करें, प्रभु,' नंदी ने प्रार्थना की, 'हम पर विश्वास रखें। आप संभवतः इसकी कल्पना भी नहीं कर सकते कि आप मेलूहा के लिए कितने विशिष्ट हैं। हम लोग बहुत लंबे समय से आपकी प्रतीक्षा में थे। हमें आपकी सहायता की आवश्यकता है।'

*कृपा कर सहायता करें ! हम पर कृपा करें !*

कुछ वर्षों पूर्व की एक अन्य निराशाजनक मनोक्षिप्त महिला की प्रार्थना की याद उसे सताने लगी तो वह चुप्पी के आगोश में समा गया।

*'तुम्हारा प्रारब्ध इन विशाल पर्वतों से भी विशाल है।'*

*'यह सब बकवास है! मैं किसी प्रारब्ध का पात्र नहीं हूं। यदि इन लोगों को मेरे पापों का पता होता तो ये तत्क्षण ही ये सब बंद कर देते।'*

शिव ने मन ही मन सोचा और भद्र से कहा, 'भद्र, मुझे कुछ भी समझ में नहीं आ रहा है कि मैं क्या करूं।'

शिव अपने मित्र के साथ डल झील के किनारे राजसी बाग में बैठा हुआ था। उसका मित्र उसकी बगल में बैठकर बड़ी ही सावधानी से गांजे को चिलम में भर रहा था। जब भद्र जान फूंकने के लिए आग जलाने वाली तीली को चिलम के पास ले जा रहा था तो शिव ने अपना धैर्य खो दिया, 'यह तुम्हारे बोलने के लिए इशारा था, बेवकूफ।'

'नहीं, दरअसल यह मेरे लिए इशारा था कि मैं आपको चिलम दे दूं शिव।'

'तुम मुझे परामर्श क्यों नहीं देते?' शिव ने व्यथित होकर पूछा, 'हम लोग अभी भी वही पुराने मित्र हैं, जिन्होंने कभी भी बिना एक-दूसरे से विचार-विमर्श किए कोई काम नहीं किया।'

भद्र मुस्कुराया, 'नहीं, अब हम नहीं हैं। अब आप हमारे मुखिया हैं। कबीलेवाले आपके निर्णयों के अनुसार जीवन जीते हैं और उनके लिए प्राण भी दे सकते हैं। यह किसी व्यक्ति के प्रभाव से भ्रष्ट नहीं किया जा सकता है। हम लोग पक्रतिवालों की तरह नहीं हैं, जहां परिषद के सबसे मुखर वक्ता की बात उनके मुखिया को भी सुननी पड़ती है। हम गुणवालों के मध्य केवल हमारे प्रमुख की बुद्धिमत्ता ही सर्वोत्तम है। यही हमारी परंपरा है।'

शिव ने रोष में भौहें चढ़ाकर कहा, 'कुछ परंपराएं तोड़ी भी जा सकती हैं।'

भद्र ने चुप्पी साधे रखी। अपने हाथ आगे बढ़ाकर शिव ने झपटकर भद्र से चिलम ले ली। उसने एक गहरा कश लिया ताकि गांजे की दानशीलता का प्रभाव उसके शरीर में प्रभावी हो सके।

'मैंने नीलकंठ की पौराणिक कथा के बारे में केवल एक पंक्ति सुनी है,' भद्र ने कहा, 'ऐसा प्रतीत होता है कि मेलूहा बहुत गहरे संकट में है और केवल

नीलकंठ ही उसे इस संकट से उबार सकते हैं।'

'लेकिन मुझे ऐसा कोई संकट दिखाई नहीं पड़ता है। सब कुछ बहुत अच्छी तरह से चल रहा प्रतीत होता है। यदि वे सही में संकट देखना चाहते हैं तो इन्हें हमें अपने देश में ले जाना चाहिए।'

भद्र हल्के से मुस्कुराया और बोला, 'लेकिन यह नीले गले वाली क्या बात है जिसके कारण इन्हें ऐसा विश्वास है कि आप इन्हें संकट से उबार सकते हैं?'

'काश मुझे पता होता। ये लोग हमसे बहुत ही अधिक विकसित हैं। और इसके बावजूद ये लोग मेरी पूजा कर रहे हैं जैसे कि मैं कोई भगवान हूं। केवल इस धन्य नीले गले के कारण।'

'चाहे जो भी कहिए, मुझे ऐसा लगता है कि इनकी औषधियां जादुई हैं। क्या आपने महसूस किया कि मेरे पीछे का कूबड़ थोड़ा कम हो गया है?'

'हां, ऐसा ही लगता है! इनके वैद्य सचमुच ही गुणी हैं।'

'आपको पता है, इनके वैद्यों को ब्राह्मण कहा जाता है?'

'जैसे आयुर्वती?' शिव ने भद्र को चिलम वापस देते हुए पूछा।

'हां। लेकिन ब्राह्मण केवल लोगों को रोगों से छुटकारा ही नहीं दिलाते। वे शिक्षक, वकील, पुजारी भी होते हैं, बल्कि यूं कहा जाए कि वे सभी प्रकार के बुद्धिजीवी व्यवसाय में होते हैं।'

'प्रतिभावान लोग लगते हैं,' नाक सुड़कते हुए शिव ने कहा।

'इतना ही नहीं है,' भद्र ने एक गहरा कश लेने के मध्य में कहा, 'इनके पास विशिष्टता की अवधारणा है। और इसलिए ब्राह्मणों के अतिरिक्त एक ऐसा समूह है जिन्हें क्षत्रिय कहा जाता है, जो योद्धा और शासक होते हैं। यहां तक कि औरतें भी क्षत्रिय हो सकती हैं।'

'वाकई? ये लोग सेना में औरतों को रखने की अनुमति देते हैं?'

'वैसे देखने पर क्षत्रिय औरतें कम ही दिखाई पड़ती हैं, लेकिन हां ये लोग औरतों को सेना में रखने की अनुमति देते हैं।'

'ओह हो, इसलिए इसमें चकित होने वाली बात नहीं है कि ये लोग गहरे संकट में हैं।'

दोनों मित्र मेलूहावासियों की इस विचित्र प्रथा पर दिल खोलकर हंसे। अपनी कहानी जारी करने से पहले भद्र ने एक और कश लिया और कहा, 'और उसके बाद आते हैं वैश्य, जो कारीगर, व्यापारी और उद्योग से जुड़े लोग होते हैं और अंत में आते हैं शूद्र जो किसान और मजदूर होते हैं। और एक बात यह भी अजीब है कि एक जाति के लोग दूसरी जाति के काम नहीं कर सकते।'

'जरा रुकना,' शिव ने भद्र को मध्य में ही रोकते हुए पूछा, 'इसका मतलब यह है कि चूंकि तुम योद्धा हो तो तुम्हें बाजार में व्यापार करने की अनुमति नहीं होगी?'

'जी हां।'

'ये तो बड़ी बेवकूफी है! तुम मेरा गांजा कैसे ला पाओगे? आखिरकार यही तो एक वस्तु है जिसके लिए तुम उपयोगी हो!'

यह कहकर शिव भद्र के मजाक भरे मुक्के से बचने के लिए एक ओर झुक गया, 'ठीक है, ठीक है। आराम से!' वह हंसा और उसने हाथ बढ़ाकर भद्र से चिलम ले लिया और एक गहरा कश खींचा।

*हम लोग वो सब बातें कर रहें है, उस एक बात को छोड़कर जिसके बारे में हमें बात करनी चाहिए।*

शिव एक बार पुनः गंभीर हो गया, 'इनके तरीके सही में विचित्र हैं, लेकिन अब मुझे क्या करना चाहिए?'

'आप क्या करने की सोच रहे हैं?'

शिव ने दूर उस बाग में अपनी दृष्टि घुमाई, जैसे कोने में खिले गुलाब के फूल को देख रहा हो, 'मैं एक बार फिर से भागना नहीं चाहता।'

'क्या?' भद्र ने शिव की उस संतप्त फुसफुसाहट वाले स्वर को न सुनने के कारण पूछा।

'मैंने कहा,' शिव ने दुबारा थोड़ा ऊंचे स्वर में बोलकर कहा, 'कि मैं

दुबारा भागने के अपराध बोध को सहन नहीं कर पाऊंगा।'

'वह आपका दोष नहीं था...'

'हां, वह मेरा ही दोष था!'

भद्र चुप्पी लगा गया। इसके बाद कुछ भी नहीं था जो कहा जा सकता था। अपनी आंखों को ढकते हुए शिव ने गहरी सांस लेते हुए पुनः दुहराया -'हां, वह मेरा ही दोष था...'

भद्र ने अपने मित्र के कंधे पर हाथ रखकर बड़ी ही नम्रता से दबाया ताकि वह दुखदायी क्षण निकल जाए। शिव ने अपना मुंह उसकी ओर घुमाकर पूछा, 'मैं सलाह मांग रहा हूं, मेरे दोस्त। मुझे क्या करना चाहिए? यदि इन्हें मेरी सहायता की आवश्यकता है तो मैं इससे मुकर नहीं सकता। साथ ही मैं अपने कबीले को अपने भरोसे पर रहने के लिए कैसे छोड़ सकता हूं? मैं क्या करूं?'

भद्र शिव के कंधे को लगातार पकड़े हुए था। उसने एक गहरी सांस ली। वह इस प्रश्न का उत्तर पा चुका था। वह उत्तर *उसके मित्र* शिव के लिए तो उचित हो सकता था। लेकिन क्या वह उत्तर उस शिव के लिए उचित था जो *एक नेता था, प्रमुख था?*

'इस बारे में आपको ही सोचना है शिव। यही परंपरा है।'

'तुम भाड़ में जाओ!'

शिव ने चिलम भद्र की ओर उछाल दिया और वहां से तीव्रता से निकल गया।

— ⅄ⵙⵡ⇡⊛ —

इसके कुछ दिनों के बाद ही शिव, नंदी और तीन सैनिकों के एक छोटे काफिले को श्रीनगर छोड़ना था। छोटे दल का अर्थ था कि वे उस क्षेत्र से शीघ्रता से निकल पाएंगे और जितनी जल्दी हो सके देवगिरि पहुंच पाएंगे। राज्यपाल चेनर्ध्वज इस बारे में चिंतित था कि शिव को जल्द से जल्द सम्राट द्वारा नीलकंठ के रूप में स्वीकृत कर लिया जाए। वह चाहता था कि

इतिहास में ईश्वर को ढूंढ़ने वाले के रूप में उसका नाम सदा के लिए अमर हो जाए।

सम्राट के लिए शिव को प्रस्तुत करने योग्य बनाया गया था। उनके सिर के बालों में तेल लगाकर नरम करके संवारा गया था। उसके हृष्ट-पुष्ट शरीर के श्रृंगार के लिए तरह-तरह के कपड़े, आकर्षक कुंडल, हार और अन्य आभूषणों को लाया गया था। उसके श्वेतवर्णीय मुख को विशिष्ट आयुर्वेदिक जड़ी-बूटियों से रगड़-रगड़कर साफ किया गया ताकि वर्षों से मृत एवं मुरझायी त्वचा को दीप्तिमान बनाया जा सके। सूती कपड़े से बना एक गुलूबंद बनवाया गया था ताकि उसके दीप्तिमान कंठ को ढका जा सके। उसके ऊपर मोतियों के अनेक दाने जड़े गए ताकि वह गुलूबंद मेलूहावासियों के परंपरागत हार की तरह लगे, जिन्हें वे धर्मिक अवसरों पर धारण करते थे। वह गुलूबंद उसके गले को आवश्यक गरमाहट भी प्रदान कर रहा था।

'मैं शीघ्र ही वापस आऊंगा,' शिव ने भद्र की माता जी को अलिंगनबद्ध करते हुए कहा। वह इस बात पर भी चकित था कि मौसी का लंगड़ाना अब बहुत ही कम दिखाई देने लगा था।

*इनकी औषधियां वास्तव में जादुई हैं।*

जैसे ही दुखी भद्र ने उसकी ओर देखा तो शिव ने फुसफुसा कर कहा, 'कबीलेवालों का ध्यान रखना। जब तक मैं वापस नहीं आता तुम प्रभारी हो।'

भद्र चकित होकर एक कदम पीछे चला गया, 'शिव आपको ऐसा इसलिए नहीं करना चाहिए क्योंकि मैं आपका मित्र हूं।'

'मुझे ऐसा अवश्य करना चाहिए, मूर्ख। और ऐसा करने का कारण यह है कि तुम मुझसे भी अधिक योग्य हो।'

भद्र ने आगे बढ़कर शिव को गले लगा लिया ताकि कहीं ऐसा न हो कि उसका मित्र उसकी आंखों के आंसू देख ले, 'नहीं शिव, मैं इतना योग्य नहीं हूं। यह तो मैं सपने में भी नहीं सोच सकता।'

'चुप रहो और मेरी बात ध्यान से सुनो,' शिव ने कहा तो भद्र दुखी

नन से मुस्कुराने लगा, 'मुझे नहीं लगता कि गुण कबीलेवालों पर यहां कोई संकट होगा। कम से कम उतना तो नहीं ही होगा जितना कैलाश पर्वत पर होता था। लेकिन इसके बावजूद, यदि तुम्हें ऐसा लगता है कि तुम्हें सहायता की आवश्यकता है तो बिना झिझक के आयुर्वती के पास जाना। जब हमारे कबीलेवाले बीमार हो गए थे तो मैंने उन्हें समीप से देखा है। उसने हम लोगों को बचाने में अत्यधिक निष्ठा का परिचय दिया था। वह हमारे विश्वास करने योग्य है।'

भद्र ने सहमति में सिर हिलाया, शिव को पुनः आलिंगनबद्ध किया और कमरे से बाहर चला गया।

— ⚕◎⛎⚶⊛ —

आयुर्वती ने बड़ी विनम्रता से द्वार खटखटाया और पूछा, 'मैं अंदर आ सकती हूं, प्रभु?'

सात दिनों पहले उस घटना के घटित होने के बाद आज पहली बार वह शिव के सामने आई थी। उसके लिए यह अवधि एक युग बीत जाने के समान थी। यद्यपि पूर्व की भांति ही वह आत्मविश्वास से भरी हुई लग रही थी, तथापि उसके स्वरूप में कुछ भिन्नता अवश्य दिखाई दे रही थी। उसके व्यक्तित्व में कुछ ऐसा जान पड़ रहा था कि जैसे उसे किसी दिव्य शक्ति ने स्पर्श कर लिया हो।

'आइए आयुर्वती और कृपया ये 'प्रभु' आदि कहना छोड़ दीजिए। मैं अब भी वही असभ्य अप्रवासी हूं, जिससे आपकी भेंट कुछ दिनों पहले हुई थी।'

'उस टिप्पणी के लिए मुझे क्षमा करें, प्रभु। वैसा कहना मेरी गलती थी और उसके लिए आप जो भी दंड मुझे देना चाहें मुझे वह स्वीकार्य है।'

'यह आपको क्या हो गया है? मैं आपको सच बोलने के लिए क्यों दंड दूंगा? क्यों इस अर्थहीन नीले गले से सब कुछ परिवर्तित हो जाना चाहिए?'

'आप इसका कारण अवश्य जान पाएंगे, प्रभु,' अपना सिर झुकाए हुए

आयुर्वती ने फुसफुसाहट भरे स्वर में कहा, 'हमने सदियों आपके आने की प्रतीक्षा की है।'

'सदियों?! कृपा कर उस पवित्र झील के नाम पर मुझे बताइए, लेकिन क्यों? वह मैं क्या कर सकता हूं जो आप लोगों जैसे सक्षम लोग नहीं कर सकते?'

'सम्राट आपको बता देंगे, प्रभु। आपको संतुष्ट करने के लिए बस इतना ही कहा जा सकता है कि आपके कबीलेवालों से जो कुछ भी मैंने सुना है, उससे तो यही कहा जा सकता है कि यदि कोई व्यक्ति नीलकंठ बनने के सुपात्र हैं तो वे केवल आप हैं।'

'मेरे कबीलेवालों से मुझे याद आया कि मैंने उनसे कहा है कि यदि उन्हें कभी भी किसी भी सहायता की आवश्यकता होती है तो वे आपसे अनुरोध कर सकते हैं। मुझे आशा है कि आप ना नहीं करेंगी।'

'उन्हें किसी प्रकार की सहायता प्रदान करना मेरे लिए गर्व की बात होगी, प्रभु।' यह कहते हुए भारतीय पारंपरिक तरीके से उन्हें सम्मान देने के लिए वह झुकी। अधिकतर मेलूहावासियों द्वारा किए जाने वाले इस प्रकार के भाव अभिनयों को स्वीकार करने में शिव ने लगभग आत्म-समर्पण कर दिया था, किंतु जब आयुर्वती झुकी तो शिव तत्काल ही पीछे हट गया।

'ये आप क्या तमाशा कर रही हैं, आयुर्वती?' अत्यंत ही भयभीत शिव ने पूछा, 'आप एक वैद्य हैं, जीवन देने वाले। मेरे पांव का स्पर्श करके मुझे इस प्रकार दुविधा में न डालें।'

आयुर्वती ने सिर उठाकर शिव को देखा। उसकी आंखें आदर और भक्ति से दीप्तिमान हो रही थीं। यही वे व्यक्ति हैं जो निश्चित रूप से नीलकंठ होने के योग्य हैं। उसने मन ही मन कहा।

— 人◎ᚤ୫⊛ —

नंदी ने शिव के कमरे में एक केसरिया रंग के कपड़े के साथ प्रवेश किया, जिस पर प्रत्येक इंच पर 'राम' नाम लिखा हुआ था। उसने शिव से अनुरोध

किया वे इसे कंधे के ऊपर धारण कर लें। शिव ने जैसे ही उसे पहना, नंदी ने देवगिरि की सुरक्षित यात्रा के लिए मंत्र पढ़ते हुए बुदबुदाकर एक छोटी-सी प्रार्थना की।

'हमारे अश्व बाहर प्रतीक्षारत हैं, प्रभु। जब भी आप कहें हम अपनी यात्रा प्रारंभ कर सकते हैं,' नंदी ने कहा।

'नंदी,' बुरी तरह से खीजते हुए शिव ने कहा, 'तुम्हें कितनी बार बताना पड़ेगा कि मेरा नाम शिव है। मैं तुम्हारा मित्र हूं न कि प्रभु।'

'नहीं, नहीं प्रभु,' लंबी सांस भरते हुए नंदी ने कहा, 'आप नीलकंठ हैं। आप ईश्वर हैं। मैं आपका नाम कैसे ले सकता हूं?'

शिव ने झुंझलाहट में अपनी आंखें तरेरी, अपनी गर्दन को धीरे से इंकार की मुद्रा में घुमाया और द्वार की ओर मुड़कर कहा, 'मैं आत्म-समर्पण करता हूं। क्या हम अभी यात्रा प्रारंभ कर सकते हैं?'

'अवश्य प्रभु।'

वे बाहर आए तो उन्होंने देखा कि तीन अश्वारोही सैनिक धैर्य से प्रतीक्षारत थे और उनके बगल में तीन और भी अश्व बंधे हुए थे। एक शिव के लिए, एक नंदी के लिए और एक रसद आदि के लिए नियत किए गए थे। सुव्यवस्थित मेलूहा साम्राज्य में सभी प्रमुख यात्रा मार्गों पर विश्राम-स्थल एवं रसद आदि के भंडारण की व्यवस्था थी। यदि किसी यात्री के पास एक दिन की भी सामग्री होती और उसके पास मेलूहा के सिक्के होते तो वह ताजे रसद आदि खरीदकर अपनी यात्रा महीनों तक कर सकता था। नंदी के अश्व को एक छोटी वेदिका के पास बांधा गया था। उस वेदिका में दूसरी ओर से सीढ़ियां बनी हुई थीं। स्पष्ट रूप से यह थुलथुल मोटे अश्वारोहियों के लिए बहुत ही उत्तम संरचनात्मक व्यवस्था थी, जिनके लिए अश्वों पर चढ़ना पहाड़ चढ़ने के समान होता था। शिव ने नंदी के उस वृहद आकार को देखा, उसके बाद उसने उस दुर्भाग्यशाली अश्व को देखा और उसके बाद पुनः नंदी की ओर मुड़कर देखा।

'क्या मेलूहा में पशुओं के विरुद्ध अत्याचार के लिए कोई विधान नहीं है?' अत्यधिक गंभीर भाव से शिव ने पूछा।

'जी हां, ऐसे विधान हैं, प्रभु। बहुत ही कड़े विधान हैं। मेलूहा में सभी प्राणियों का जीवन अमूल्य है। वास्तव में इसके लिए बहुत ही कड़े नार्गदर्शक नियम हैं कि कब और कैसे जीव हत्या की जा सकती है और...'

सहसा नंदी ने बोलना बंद कर दिया। शिव के मजाक ने अंततः नंदी की व्यंग्योक्ति समझने की धीमी क्षमता में छिद्र कर ही दिया। शिव ने जोर से नंदी की पीठ पर थपकी मारी तो दोनों की हंसी एक साथ फूट पड़ी।

शिव के सवारी वाले दल ने झेलम नदी की धारा का अनुगमन किया, जिसने गर्जना करने वाले शोर का दामन पुनः थाम लिया था, जब वह निचले हिमालय की ओर चलने लगी थी। जब वह एक बार उस अत्यंत ही सुंदर मैदानी भाग में पहुंची तो उस हलचल करने वाली नदी ने शांत स्वरूप धारण कर लिया था और अत्यंत ही सुगमता से बहने लगी थी। वह इतनी सुगम हो चली थी कि इस दल के सदस्य एक यात्री जलयान से उसे पार कर बृहतेशपुरम नामक नगर में पहुंच गए।

उसके बाद से वे एक सड़क मार्ग से साम्राज्य के उत्तरी विस्तार के हृदय पंजाब के रास्ते से होते हुए पूर्व की दिशा में गए। पंजाब पांच नदियों वाला प्रांत था। ये नदियां थीं सिंधु, झेलम, चेनाब, रावी और ब्यास। चार नदियों ने मिलकर आकांक्षा की कि वे उस सर्वश्रेष्ठ सिंधु का दामन थाम लें, जो पश्चिम में सुदूर तक बहती चली गई थी। पंजाब के उस शानदार मैदानों पर घुमावदार यात्राओं के बाद वह इसमें असाधारण रूप से सफल रही थी। सिंधु ने भी उस विशाल समुद्र को आलिंगनबद्ध करते हुए अपना आराम और आवश्यक राहत प्राप्त कर लिया था। यद्यपि अभी भी समुद्र के अंतिम गंतव्य के रहस्य पर पर्दा डला हुआ था कि आखिरकार उसका विस्तार कहां तक था।

'यह राम क्या है?' अपने केसरिया रंग के कपड़े की प्रत्येक इंच पर उस शब्द को देखने के बाद शिव ने जानना चाहा।

शिव एवं नंदी के साथी तीन सैनिक एक निश्चित दूरी बनाकर उनके साथ चल रहे थे। वे इतनी दूरी पर चल रहे थे कि उनके मध्य होने वाली बातों को सुन न सकें, किंतु वह दूरी इतनी निकट अवश्य थी कि यदि कोई आपात स्थिति आती है तो तत्काल ही उनकी सुरक्षा में सक्षम हो सकें। यह उनके मेलूहा की सेवा नियमावलियों के अनुरूप था।

'भगवान श्री राम वो सम्राट थे, जिन्होंने हमारी जीवन-शैली की स्थापना की थी, प्रभु,' नंदी ने उत्तर दिया, 'वे लगभग एक हजार दो सौ साल पहले हुए थे। उन्होंने हमारी सभी प्रकार की व्यवस्थाओं की स्थापना की, हमारे नियम, हमारी विचार-पद्धतियों, सब की। उनका शासन *राम राज्य* या *राम का शासन* के नाम से जाना जाता है। अपने समस्त नागरिकों के लिए एक आदर्श जीवन की स्थापना के लिए कैसे एक साम्राज्य को प्रशासन करना चाहिए, उसके लिए 'राम राज्य' शब्द एक स्वर्णिम मानक की तरह माना जाता है। मेलूहा अभी भी उन्हीं के सिद्धांतों पर आधारित होकर चल रहा है। जय श्री राम।'

'वे अवश्य ही अद्भुत मानव रहे होंगे! क्योंकि उन्होंने इस धरती पर ही स्वर्ग की स्थापना कर दी है।'

शिव ने जब ऐसा कहा तो वह कदापि झूठ नहीं बोल रहा था। सचमुच में ही उसका मानना था कि यदि कहीं कोई स्वर्ग था तो वह मेलूहा से बहुत अधिक भिन्न नहीं होगा। लगभग स्वर्गिक निपुणता के आधिक्य की यह भूमि थी। यह साम्राज्य स्पष्ट रूप से संहिताबद्ध एवं न्याय संगत विधियों से शासित था, सम्राट सहित प्रत्येक नागरिक जिसके अधीनस्थ थे। साम्राज्य की जनसंख्या लगभग अस्सी लाख थी और बिना अपवाद के उस पूरी की पूरी जनसंख्या के खाने-पीने और रहने की उत्कृष्ट व्यवस्था थी। वे स्वस्थ और साधन-संपन्न थे। लोगों का औसत ज्ञान असाधारण रूप से बहुत अधिक था। वे तनिक गंभीर किस्म के लोग थे, किंतु हमेशा ही विनम्र और सभ्य थे। ऐसा प्रतीत होता था कि वह एक त्रुटिरहित समाज था, जहां सब को अपनी भूमिका का पता था और वे अपनी भूमिका अच्छी तरह से निभा रहे थे। वे अपने कर्तव्यों के पालन में न केवल सचेत थे बल्कि अत्यधिक

ग्रस्त भी थे। एक साधारण सच से शिव का सामना हुआः यदि समस्त समाज अपने कर्तव्यों के प्रति सचेत था तो किसी को भी अपने अधिकार के लिए लड़ने-झगड़ने की आवश्यकता ही नहीं थी। इस प्रकार *प्रत्येक व्यक्ति के अधिकारों* की रक्षा *किसी और के कर्तव्यों* के कारण अपने आप ही हो जाएगी। भगवान श्री राम सचमुच ही प्रतिभाशाली व्यक्ति थे।

नंदी के उद्घोष के साथ शिव ने भी *भगवान श्री राम के सम्मान में* अपना स्वर मिलाया - *'जय श्री राम।'*

$$— \; \lambda ⓪ �𐤷 ⇑ ⊕ \; —$$

सरकारी पारगमन स्थल पर अपने अश्वों को छोड़ने के बाद *हरियुप* या *हरि के नगर* के निकट उन्होंने रावी नदी को पार किया। रावी नदी को पार करने के बाद दूसरी ओर के पारगमन स्थल से प्राप्त नए अश्वों पर बैठकर शिव ने रुककर कुछ दूरी पर बसे हरियुप को प्रशंसापूर्ण दृष्टि से देखा, जबकि उसके सैनिक उसकी छाया की दूरी पर प्रतीक्षारत रहे। हरियुप श्रीनगर की तुलना में बहुत बड़ा नगर था और बाहर से ही भव्य लग रहा था। शिव सचमुच ही उस शोभायमान नगर को निकट से देखने की इच्छा रखता था, किंतु इसका यह अर्थ होता कि देवगिरि की उनकी यात्रा में विलंब होता। अतः वापसी में देखने की इच्छा रख ली। हरियुप की बगल में ही शिव ने देखा कि एक निर्माण-स्थल पर निर्माण कार्य चल रहा था। एक नयी वेदिका का निर्माण किया जा रहा था क्योंकि हरियुप की जनसंख्या बढ़ गई थी और सभी लोगों के रहने के लिए जगह की कमी हो रही थी।

*ये लोग इतनी विशाल और शानदार वेदिका का निर्माण कैसे कर लेते हैं?*

शिव ने अपने मन में यह बात अंकित कर ली कि वापसी में वह इस निर्माण-स्थल का भी भ्रमण करेगा। कुछ ही दूरी पर नदी पारगमन-स्थल के अधिपति जट्टा नंदी से बात कर रहा था जो नए अश्व पर चढ़ने के लिए वेदिका पर चढ़ने के लिए तैयार हो रहा था।

'जतकगिरि से जाने वाले मार्ग से दूर रहें,' जट्टा ने सलाह दी, 'कल

रात उस मार्ग पर आतंकियों द्वारा हमला किया गया था। सभी ब्राह्मणों की हत्या कर दी गई और गांव को नष्ट कर दिया गया। जब तक कि राहत एवं युद्ध करने वाले सैनिक वहां पहुंच पाते, आतंकी भाग चुके थे।'

'अग्निदेव की सौगंध, हम कब प्रतिकार करेंगे? हमें उनके साम्राज्य पर हमला कर देना चाहिए!' प्रकट रूप से क्रोधित नंदी ने गुर्रा कर कहा।

'मैं भगवान इंद्र की प्रतिज्ञा लेकर कहता हूं कि यदि मुझे इन चंद्रवंशी आतंकियों में से कोई भी मिला तो मैं उसके छोटे-छोटे टुकड़े करके कुत्तों को खिला दूंगा,' अपनी मुट्ठियां भींचते हुए जट्टा ने कहा।

'जट्टा! हमलोग सूर्यवंशियों के अनुयायी हैं। इस प्रकार की बर्बरतापूर्ण युद्ध की हम सोच भी नहीं सकते हैं।' नंदी ने कहा।

'क्या वे आतंकी युद्ध के नियमों का पालन करते हैं, जब वे हम पर हमला करते हैं? क्या बिना शस्त्र वाले लोगों की हत्या नहीं करते हैं?'

'इसका यह अर्थ नहीं होता कि हम भी उनकी ही तरह व्यवहार करें, अधिपति। हम मेलूहावासी हैं!' नंदी ने सिर हिलाते हुए कहा।

इस बार जट्टा ने नंदी का प्रतिकार नहीं किया। कुछ दूरी पर प्रतीक्षारत शिव को देखकर उसका ध्यान उसकी ओर चला गया। उसने पूछा, 'क्या वह आपके साथ है?'

'हां।'

'उसने जाति-वर्ग संबंधी बाजूबंद नहीं पहन रखा है। क्या वह नया अप्रवासी है?'

'हां।' शिव के बारे में प्रश्नों के उत्तर देने में असहज होते हुए नंदी ने उत्तर दिया।

'और आप लोग देवगिरि जा रहे है?' शिव के गले की ओर गहरी दृष्टि से देखते हुए संदेहात्मक जट्टा ने पूछा, 'मैंने श्रीनगर से आती हुई कुछ अफवाहें सुनी हैं...'

नंदी ने अचानक ही जट्टा की बात को बीच में काटते हुए कहा, 'हमारी सहायता करने के लिए धन्यवाद, अधिपति जट्टा।'

इससे पहले कि जट्टा अपने संदेह के समाधान पर कोई कार्यवाही करता, नंदी शीघ्रता से वेदिका पर चढ़कर घोड़े पर चढ़ बैठा और शिव की ओर चल पड़ा। उनके पास शीघ्रता से पहुंचकर उसने कहा, 'हमें निकल लेना चाहिए, प्रभु।'

शिव उसकी बात नहीं सुन रहा था। वह एक बार फिर हैरान था क्योंकि उसने देखा कि वह गर्वीला अधिपति जट्टा अपने घुटनों पर था। वह अपने दोनों हाथ जोड़कर आदरपूर्वक नमस्ते की मुद्रा में शिव को अपलक देख रहा था। ऐसा लग रहा था कि जैसे वह कुछ बुदबुदा कर कह रहा हो। उतनी दूरी से शिव को पता नहीं चल पा रहा था कि उसने क्या कहा था, किंतु ऐसा प्रतीत हो रहा था कि वह रो रहा था। उसने अपना सिर हिलाया और फुसफुसाया, 'क्यों?'

'हमें चलना चाहिए, प्रभु,' थोड़े तेज स्वर में नंदी ने दुहराया।

शिव उसकी ओर मुड़ा, उसने सहमति में सिर हिलाया और ऐड़ लगाकर उसने अपने अश्व को आगे बढ़ा दिया।

— ⸙ ⓪ � ⚘ ⊕ —

उस सीधी सड़क पर चलते शिव ने बाईं ओर देखा कि नंदी अपने दिलेर घोड़े को उकसाते हुए उसके साथ-साथ चल रहा था। उसने पीछे मुड़कर देखा तो उसे आश्चर्य नहीं हुआ कि उसके तीनों अंगरक्षक पूर्व की भांति बिल्कुल उतनी ही दूरी पर घुड़सवारी करते हुए पीछे चल रहे थे। वे बहुत निकट भी नहीं थे और फिर भी उतनी दूर भी नहीं थे। उसने एक बार फिर नंदी की ओर देखा तो महसूस किया कि उसने जो आभूषण पहन रखे थे, वे केवल सजावट के लिए नहीं थे। उसने अपने दाहिने चौड़े हाथ पर दो बाजूबंद पहन रखे थे। पहले बाजूबंद पर प्रतीकात्मक लकीरें बनी हुई थीं, जिसके बारे में शिव को कुछ अता-पता नहीं था। दूसरे पर पशु का चित्र उकेरा हुआ था। संभवतः बैल का। उसके सोने की एक जंजीर में सूर्याकार झूमर लटका हुआ था, जिससे किरणें बाहर की ओर निकल रही थीं। दूसरा झूमर भूरे रंग का था। वह एक दीर्घवृत्ताकार बीज जैसे आकार की कोई

वस्तु थी, जिसमें सब ओर छोटे-छोटे दांत जैसे बने हुए थे।

'क्या तुम अपने आभूषणों के महत्व के बारे में बता सकते या फिर यह भी गोपनीय है?' शिव ने शरारत से कहा।

'निस्संदेह, बता सकता हूं, प्रभु,' नंदी ने गंभीरता से कहा। उसने अपने विशाल हाथ में रेशम के धागे से बंधे पहले बाजूबंद की ओर संकेत किया और कहा, 'यह बाजूबंद मेरी जाति का प्रतिनिधित्व करता है। इसके ऊपर जो लकीरें बनी हुई हैं वे *परमपिता परमात्मा* के कंधे के प्रतीक हैं। इसका अर्थ है कि मैं क्षत्रिय हूं।'

'मुझे विश्वास है कि अन्य जातियों के बारे में भी अवश्य ही संहिताबद्ध स्पष्ट दिशा-निर्देश होंगे।'

'आपने बिल्कुल सही कहा, प्रभु। आप आपवादिक रूप से बुद्धिमान हैं।'

'नहीं, ऐसा नहीं है। तुम लोग आपवादिक रूप से पूर्व में ही अनुमान लगाने योग्य हो।'

नंदी मुस्कुराया तो शिव ने पूछा, 'तो वे क्या हैं?'

'वे क्या, क्या हैं, प्रभु।'

'ब्राह्मण, वैश्य और शूद्र के प्रतीक।'

'बनाई गई लकीरें यदि परमात्मा के सिर का प्रतिनिधित्व करती हैं तो इसका अर्थ है कि पहनने वाला ब्राह्मण है। वैश्यों के लिए बनाए गए प्रतीक में लकीरें परमात्मा के जंघाओं का प्रतिनिधित्व करती हैं। और परमात्मा के पैरों से बने बाजूबंद बताते हैं कि पहनने वाला शूद्र है।'

'मनोरंजक,' शिव ने हल्की त्योरी चढ़ाकर कहा, 'मैं कल्पना कर सकता हूं कि अधिकतर शूद्र अपनी स्थितियों को लेकर खुश नहीं होंगे।'

शिव की इस टिप्पणी पर नंदी चकित रह गया। वह इस बात को समझ नहीं सका कि क्यों शूद्र लोगों को इतने लंबे समय से चली आ रही इस अभिषेकी करण से कोई समस्या होगी। किंतु वह कुछ नहीं बोला क्योंकि वह प्रभु की असहमति पर भयभीत था।

'और वह दूसरा बाजूबंद?' शिव ने पूछा।

'यह दूसरा बाजूबंद मेरे द्वारा चयन किए गए जाति-वर्ग का प्रतीक है। सभी चयनित जाति-वर्ग के लोग वे काम करते हैं, जो चरित्र के योग्य होते हैं। अपने माता-पिता की सलाह पर प्रत्येक मेलूहावासी एक चयनित जाति-वर्ग के लिए आवेदन करते हैं, जब वे पच्चीस साल के हो जाते हैं। ब्राह्मण पक्षियों के एवं क्षत्रिय पशुओं के चयन का आवेदन करते हैं। वैश्यों को फूल प्रदान किए जाते हैं जबकि शूद्र आवश्यक रूप से मछलियों में से चयन करते हैं। निमित्तन समिति अत्यधिक कठिन प्रक्रियाओं के आधर पर चयनित जाति-वर्ग का निमित्तन करती है। आपको उस चयनित जाति-वर्ग के लिए आवश्यक रूप से योग्य होना पड़ता है और वह आपके लक्ष्य एवं दक्षता का प्रतिनिधित्व करता है। यदि आप ऐसे जाति-वर्ग का चयन करते हैं जो बहुत अधिक अपेक्षा करता है और यदि आपके कार्य उस जाति-वर्ग के मानक तक नहीं हो पाते हैं तो वह आपको जीवन भर लज्जित करता रहता है। यदि आप नीचे की श्रेणी के जाति-वर्ग का चयन करते हैं तो आप अपनी दक्षता के साथ न्याय नहीं करते हैं। मेरा चयनित जाति-वर्ग बैल है। उसी पशु का प्रतिनिधित्व यह बाजूबंद करता है।'

'बुरा न मानो तो क्या तुम बता सकते हो कि क्षत्रियों के इस चयनित जाति-वर्ग में बैल का क्या स्तर होता है?'

'अं ऽ ऽ, यह उतना उच्च नहीं है, जितना कि सिंह, बाघ या फिर हाथी। किंतु यह चूहा या सूअर आदि जैसा निम्न भी नहीं है।'

'वैसे, जहां तक मेरा मानना है कि बैल किसी सिंह या हाथी को परास्त कर सकता है,' शिव मुस्कुराया, 'और वह तुम्हारी जंजीर पर लटके हुए झूमर के बारे में तुम्हारा क्या कहना है?'

'यह भूरा दाना अंतिम महादेव भगवान रुद्र का प्रतिनिधित्व करता है। यह जीवन के संरक्षण एवं पुनर्जनन का प्रतीक है। यहां तक कि दिव्य अस्त्र भी ऐसे जीवन को नष्ट नहीं कर सकते, जिन्हें ये सुरक्षा देते हैं।'

'और यह सूर्य?'

'हे प्रभु, यह सूर्य इस बात का द्योतक है कि मैं सूर्यवंशी राजाओं का अनुयायी हूं, ऐसे राजाओं का जो सूर्य के वंशज हैं।'

'क्या? सूर्य धरती पर आए और किसी रानी...' शक्की शिव ने छेड़खानी की।

'निस्संदेह हरगिज नहीं, प्रभु,' नंदी ने हंसते हुए कहा, 'इसका केवल इतना ही अर्थ होता है कि हम सूर्य पंचांग का अनुसरण करते हैं। इसलिए आप ऐसा कह सकते हैं कि हम लोग 'सूर्य के मार्ग' के अनुयायी हैं। व्यावहारिक दृष्टिकोण से यह इस बात का द्योतक है कि हम लोग शक्तिशाली और अडिग हैं। हम अपने दिए हुए वचनों का सम्मान करते हैं और उनका पालन करने के लिए प्राण भी दे सकते हैं। हम कभी भी विधियों का उल्लंघन नहीं करते हैं। जो सम्माननीय नहीं होते हैं, हम उनके साथ भी सम्माननीय तरीके से व्यवहार करते हैं। सूर्य की तरह ही हम कभी किसी से कुछ नहीं लेते बल्कि दूसरों को देते हैं। हम अपने कर्तव्यों का पालन अपनी सचेतनता में करते हैं ताकि हम उन्हें कभी भी भुला न सकें। सूर्यवंशी होने का यह भी अर्थ है कि हम हमेशा साधना करते हैं कि हम ईमानदार रहें, बहादुर रहें और सबसे बड़ी बात कि हम सच के प्रति निष्ठावान रहें।'

'बड़ा ही कठिन प्रतीत होता है! मेरा ऐसा मानना है कि भगवान श्री राम एक सूर्यवंशी राजा थे?'

'अवश्य, निस्संदेह,' नंदी ने उत्तर दिया। उसका सीना गर्व से फूल गया।

फिर उसने कहा, 'वे सूर्यवंशी राजा थे। जय श्री राम।'

'जय श्री राम,' शिव ने भी दुहराया।

— ꖼ⑩ᚑ꜠⊕ —

नंदी और शिव ब्यास नदी को नाव से पार कर रहे थे। उनके सैनिक बाद वाली दूसरी नाव से नदी पार करने की प्रतीक्षा कर रहे थे। ब्यास वह अंतिम नदी थी, जिसे पार करना था और उसके बाद देवगिरि जाने वाला मार्ग सीधा देवगिरि तक जाता था। बीती रात्रि को हुई बेमौसम बरसात के कारण

पारगमन-स्थल के अधिपति द्वारा नदी पार कराना निलंबित किया जाने वाला था, किंतु प्रातः मौसम के अपेक्षाकृत खुल जाने के कारण अधिपति ने सेवाओं को पूर्व की भांति संचालित करने का निर्णय लिया था। शिव और नंदी के साथ नाविक के अलावा दो और भी यात्री थे, जो उस नाव से नदी को पार कर रहे थे। उन लोगों ने अपने अश्वों को इस पार ही छोड़ दिया था और दूसरी ओर पहुंचने के बाद उन्हें नए अश्वों पर सवार होकर आगे बढ़ना था।

वे अभी दूसरे किनारे से थोड़ी दूरी पर ही थे कि अचानक ही उन्हें मूसलाधार बारिश का सामना करना पड़ गया। हवा अचानक ही तीव्र गति से बहने लगी थी। ऐसा प्रतीत हो रहा था कि जैसे इंद्र का क्रोध फूट पड़ा हो। नाविक ने बहुत ही साहसी प्रयास किया कि नाव को नदी के उस पार पहुंचा दे, किंतु तेज बहाव और हवा के कारण वह नाव बड़े ही उग्र तरीके से ऊपर की ओर उछल गई। नंदी ने शिव को तेज स्वर में कहा सुरक्षा की दृष्टि से वह जितना झुककर रह सकता था उतना नीचे की ओर रहे। किंतु वह स्वयं अपने आप पर काबू नहीं रख सका। उसके भारी-भरकम शरीर ने नाव को एक ओर खतरनाक तरीके से झुका दिया और वह मुंह के बल पानी में गिर गया।

नाविक अभी भी अपनी पतवार से नाव को दूसरे पार के किनारे की ओर ले जाने का प्रयास कर रहा था ताकि अन्य यात्री सुरक्षित घाट पर पहुंच जाएं। ऐसा करते हुए और संकट में होते हुए भी उसने अपनी सचेतता का परिचय देते हुए अपना शंख निकाला और दूसरी ओर के पारगमन-स्थल के लिए संकट हेतु शंख ध्वनि कर दी। जो दो अन्य यात्री थे, उन्हें नंदी को बचाने के प्रयास में नदी में छलांग लगा देनी चाहिए थी, किंतु उसके उस भारी-भरकम शरीर को देखकर वे झिझक गए थे। उन्हें पता था कि यदि वे उसे बचाने का प्रयास करेंगे तो बहुत संभव है कि वे स्वयं ही डूब सकते थे।

शिव को ऐसी कोई झिझक नहीं हुई। उसने अपने अंगवस्त्रम् को एक ओर रखा, अपने जूते उतारे और उस उफनती नदी में छलांग लगा दी। शिव ने उस शक्तिशाली बहाव को चीरते हुए तैरना प्रारंभ किया और शीघ्र ही

बहुत तेजी से डूबते हुए नंदी के पास पहुंच गया। उसे नंदी को घाट तक लाने में अपनी भरपूर ताकत का प्रयोग करना पड़ा। पानी में भार के कम महसूस होने पर भी एक सामान्य व्यक्ति की दृष्टि से नंदी का भार बहुत अधिक था। यह सौभाग्य की बात थी कि शिव अपने आपको श्रीनगर की पहली रात्रि के बाद से ही और अधिक शक्तिशाली महसूस कर रहा था। शिव ने स्वयं को नंदी की पीठ की ओर स्थित किया और एक हाथ से उसके सीने के पास से उसे पकड़ लिया। फिर वह दूसरे हाथ से तैरते हुए किनारे पहुंच गया। नंदी के अत्यधिक भार ने यह काम बहुत ही थकाने वाला बना दिया था, किंतु शिव ने इसके बाद भी मेलूहा के कप्तान को किनारे पहुंचा ही दिया। तब तक आपातकालीन रक्षक भी तेजी से वहां पहुंच चुके थे। शिव ने सहायता करके नंदी के उस भारी-भरकम शरीर को पानी के बाहर निकाल दिया। नंदी अचेत था।

उसके बाद आपातकालीन रक्षकों ने एक विचित्र प्रक्रिया प्रारंभ की। पांच की गिनती के साथ एक बहुत ही लयबद्ध तरीके से एक रक्षक ने नंदी के सीने को बार-बार दबाना प्रारंभ कर दिया था। जब वह अपना काम बंद करता तो एक अन्य आपातकालीन रक्षक अपने होंठों से नंदी के होंठ ढकता और पूरी जोर उसके मुंह में हवा भरता था। और उसके बाद वे इसी प्रक्रिया को बार-बार दुहराते चले जा रहे थे। शिव को कुछ भी समझ में नहीं आ रहा था कि आखिर वे क्या कर रहे थे, किंतु उसे मेलूहा के स्वास्थ्य कार्मिकों के ज्ञान और उनकी निष्ठा पर पूरा भरोसा था।

कई चिंतित क्षणों के बीत जाने के बाद नंदी ने अचानक ही खांसने के साथ-साथ अत्यधिक मात्रा में पानी की उल्टी कर दी और चकित होता हुआ चेतना में आया। पहले तो कुछ देर उसे कुछ समझ नहीं आया कि वह कहां था और उसे क्या हुआ था, किंतु शीघ्र ही उसे परिस्थिति की समझ हुई तो वह तेजी से शिव की ओर मुड़ा और चिचयाने वाले स्वर में कहा, 'प्रभु, आपने मुझे बचाने के लिए छलांग क्यों लगाई? आपका जीवन बहुत मूल्यवान है। आप मेरे लिए उसे जोखिम में कभी न डाले, प्रभु।'

आश्चर्यचकित शिव ने नंदी की पीठ को सहारा दिया और फुसफुसा

कर बोला, 'तुम्हें, आराम की आवश्यकता है, मेरे दोस्त।'

शिव से सहमत स्वास्थ्य कर्मियों ने नंदी को रोगी वहन करने वाली खाट पर लिटाया और विश्राम घर में लेकर चले गए जो पारगमन-आवास के साथ ही संलग्न था। दो अन्य यात्री जो वहां थे, वे बड़ी ही उत्सुकता से शिव को देख रहे थे। उन्हें पता था कि वह मोटा आदमी अपेक्षाकृत वरिष्ठ सूर्यवंशी सैनिक था, जैसाकि उसके बाजूबंद से प्रतीत हो रहा था। फिर भी वह इस श्वेत, जाति-चिह्न-विहीन व्यक्ति को 'अपना प्रभु' कह रहा था। खैर जो सबसे महत्वपूर्ण बात थी, वह यह थी कि उस सैनिक की जान बच गई थी। जब शिव ने स्वास्थ्य कर्मियों का अनुसरण विश्राम घर की ओर किया तो वे भी अपने रास्ते चले गए।

अध्याय - 3

# वह उनके जीवन में
# प्रवेश करती है

नं दी अर्द्ध-चेतनता की अवस्था में कई घंटों तक पड़ा रहा जबकि वैद्यों द्वारा दी गई औषधियां उसके शरीर पर असर करने लगी थी। शिव उसकी बगल में बैठा लगातार भीगे कपड़े को उसके माथे पर डालता जा रहा था ताकि उसका ज्वर नियंत्रण में रहे। नंदी सुसुप्तावस्था में ही बड़बड़ाता जा रहा था और बार-बार इधर से उधर करवट लेता जा रहा था, जिसके कारण शिव का कार्य और कठिन होता जाता था।

'मैं ढूंढ़ता रहा हूं... बहुत समय से... बहुत ही लंबे समय से... सौ साल से... कभी नहीं सोचा था कि मैं... प्रभु नीलकंठ को पा सकूंगा... जय श्री राम...'

शिव नंदी की बड़बड़ाहट को अनसुना कर देना चाहता था क्योंकि वह उसके ज्वर को नियंत्रण में रखने पर ध्यान केंद्रित करना चाहता था। किंतु उसके कान द्वारा सुनी गई एक बात अटक-सी गई थी।

*यह सौ साल से ढूंढ़ रहा है?!*

शिव की त्योरी चढ़ गई।

*यह ज्वर इस बेवकूफ के दिमाग को भी प्रभावित कर रहा है! यह तो बीस साल से एक दिन भी बड़ा दिखाई नहीं देता है।*

'मैं सौ सालों से ढूंढ़ रहा हूं...,' नंदी अचेतनता में निरंतर बोलता जा रहा था..., 'मैंने पाया... नीलकंठ...'

शिव एक क्षण के लिए रुका और उसने बहुत ही गहराई से नंदी को घूरा। उसके बाद उसने असहमति में सिर हिलाते हुए अपनी परिचर्या जारी रखी।

— ༄ ⓪ ᛏ ᛉ ⊕ —

ब्यास नदी के साथ-साथ बने हुए खड़ंजेदार संकेताक्षरों वाले मार्ग पर शिव लगभग एक घंटे से घूम रहा था। शीघ्रता से भले-चंगे हो रहे नंदी की सलाह के विपरीत वह विश्रामगृह से अकेले ही उस क्षेत्र को देखने की ललक में निकल पड़ा था। हालांकि नंदी अब खतरे से बाहर था, फिर भी उन्हें कुछ दिनों और रुकना पड़ा था ताकि कप्तान में इतनी शक्ति हो जाए कि वह आगे की यात्रा आराम से कर सके। शिव के लिए विश्रामगृह में करने को कुछ अधिक नहीं था, इसलिए उसे वहां अच्छा नहीं महसूस हो रहा था। तीन सैनिकों ने छाया की तरह उसके साथ रहने का प्रयास किया किंतु उसने क्रोधित होकर उन्हें चलता कर दिया, 'कृपा करके क्या आप लोग लीच की तरह मुझसे चिपकना छोड़ेंगे?'

ब्यास नदी के विनम्र जल के संगीतमय स्तोत्र वाले स्वर शिव को सुखद प्रतीत हो रहे थे। शीतल मंद बयार उसके घने बाल के जूड़े से छेड़खानी कर रहे थे। उसने अपने म्यान की मूठ पर अपना हाथ रखा जबकि उसका मन बार-बार उसी एक प्रश्न से युद्धरत था।

*क्या नंदी सचमुच में ही सौ साल से अधिक की आयु वाला है? किंतु यह तो असंभव है! और वह क्या काम है जिसके कारण ये विक्षिप्त मेलूहावासी मुझसे सहायता चाहते हैं? और उस पवित्र झील की सौगंध, ऐसा क्यों है कि यह उल्लू का पट्ठा मेरा गला अभी तक इतना ठंडा क्यों महसूस हो रहा है?*

अपने विचारों में खोया हुए शिव कब सड़क से दूर एक खुले प्रांगण में आ चुका था, उसे पता ही नहीं था। उसके सामने उसी को निहारता हुआ

एक अत्यंत ही सुंदर भवन उसके सामने खड़ा हुआ था। उसने इससे सुंदर भवन अपने जीवन में अब तक नहीं देखा था। वह पूरा का पूरा मकान सफेद और गुलाबी रंग के संगमरमरों से बना हुआ था। एक ऊंची वेदिका पर जाने के लिए बहुत ही शोभायमान सीढ़ियां बनी हुई थी। उस वेदिका की समस्त परिधि में अति सुंदर सजावट देते हुए स्तंभ लगे हुए थे। उस मकान की आलंकारिक छत पर एक विशाल त्रिकोणीय मीनार ऊंचाई में उठा हुआ था जैसे ईश्वर को विशाल नमस्ते किया जा रहा हो। उस संरचना के समस्त उपलब्ध स्थलों पर विस्तृत ढंग से विभिन्न प्रकार की शिल्पकलाओं की नक्काशियां की हुई थीं।

शिव ने मेलूहा में बहुत दिन बिता लिए थे और जो भी मकान उसने देखे थे, वे कार्यसाधक एवं प्रभावशाली लगे थे। जबकि यह मकान वास्तव में आश्चर्यजनक रूप से तड़क-भड़क वाला और आलीशान था। उसके प्रवेश द्वार पर संकेत सूचक पट्ट लगा हुआ था, जिस पर लिखा था, 'भगवान ब्रह्मा का मंदिर'। ऐसा प्रतीत होता था कि मेलूहावासी धार्मिक स्थलों के लिए अपनी रचनात्मकता बचाकर रखते थे।

आंगन के खुले क्षेत्र में फेरीवालों एवं खोंमचेवालों की एक छोटी-सी भीड़ इकट्ठी थी। कुछ फल बेच रहे थे और दूसरे अन्य खान-पान की वस्तुएं। कुछ ऐसे भी थे जो विभिन्न प्रकार की पूजा की सामग्रियों का मिश्रण बेच रहे थे। एक ऐसी भी दुकान थी जहां उपासक अथवा पूजा करने वाले लोग अपने जूते-चप्पल आदि मंदिर में प्रवेश से पूर्व उतारकर रख रहे थे। शिव ने भी अपने जूते वहां उतार दिए और मंदिर के ऊपर की ओर चला गया। मुख्य मंदिर में प्रवेश करने पर उसने विभिन्न प्रकार की बनावटों एवं वास्तु विधाओं को गहराई से देखना प्रारंभ किया तो उन अत्यंत ही वैभवपूर्ण स्थापत्य एवं वास्तुकलाओं को देखकर आश्चर्यचकित रह गया।

'आप यहां क्या कर रहे हैं?'

शिव ने मुड़कर देखा तो एक पंडित को अपनी ओर प्रश्नसूचक दृष्टि से गौर से देखते हुए पाया। उसका झुर्रीदार चेहरा उसकी धारा की तरह प्रवाहित होती दाढ़ी से छल कर रहा था और चांदी से चमकते उसके घने बाल उससे तुलनीय थे। केसरिया रंग की धोती एव अंगवस्त्रम् पहने हुए

उसके शांत एवं विनम्र मुख से ऐसा प्रतीत हो रहा था जैसे उसने निर्वाण प्राप्त कर लिया हो, किंतु पृथ्वी पर रहने का निश्चय किया हो ताकि अपने दैवीय कर्तव्यों का निर्वाहन कर सके। शिव ने महसूस किया है कि वह पंडित ही वास्तव में एक पहला ऐसा वृद्ध व्यक्ति था, जिसे उसने अब तक मेलूहा में देखा था।

'मुझे क्षमा कीजिएगा। क्या मुझे अंदर आने की अनुमति नहीं है?' शिव ने विनम्रता से पूछा।

'निस्संदेह आपको यहां आने की अनुमति है। ईश्वर के घर में सब को आने की अनुमति है।'

शिव मुस्कुराया। और इससे पहले कि वह कुछ बोल पाता पंडित ने पुनः प्रश्न किया, 'किंतु आप तो ईश्वर में आस्था नहीं रखते?'

शिव की मुस्कुराहट जितनी शीघ्रता से आई थी, उतनी ही शीघ्रता से क्षीण हो गई।

*कमाल है, इसको कैसे पता है?*

पंडित ने शिव को आंखों में ही उत्तर दे दिया, 'इस पूजा-स्थल में जो कोई भी प्रवेश करता है, वह परमपिता ब्रह्मा की मूर्ति के दर्शन करता है। इस स्थापत्य की वैभवता और उसमें लगे प्रयास को इनमें से लगभग न के बराबर लोग ही देखते हैं। जबकि आपके पास केवल स्थापत्य कला को देखने वाली ही आंखें हैं। आपने ईश्वर की मूर्ति की ओर एक बार झांका तक नहीं है।'

शिव ने झेंपते हुए एक खेदपूर्ण भाव से कहा, 'आपने सही अनुमान लगाया। मैं प्रतीकात्मक ईश्वर में आस्था नहीं रखता। मेरा मानना है कि असली ईश्वर हमारे आसपास हर जगह निवास करते हैं। नदी के बहाव में, पेड़ों की लहराहट में, हवा की सरसराहट में। वह हमसे हमेशा बातें करते रहते हैं। आवश्यकता इस बात की है कि हम उनकी बातें सुन सकें। फिर भी यदि मैंने आपके ईश्वर को उचित सम्मान नहीं देने का अपराध किया है तो मुझे इस बात के लिए अत्यंत खेद है।'

'आपको खेद जताने की कोई आवश्यकता नहीं है, मित्र,' वह पंडित

मुस्कुराया, '*मेरा ईश्वर* या *तुम्हारा ईश्वर* ऐसा कुछ भी नहीं होता है। सभी प्रकार की ईश्वरीयता एक ही स्रोत से आती है। मात्र उसके अवतार अलग-अलग होते हैं। किंतु मेरा मन कहता है कि एक दिन आपको एक ऐसा मंदिर अवश्य मिलेगा, जिसमें आपका प्रवेश मात्र पूजा-अर्चना के लिए होगा न कि उसकी सुंदरता निहारने के लिए।'

'क्या सच में? वह कौन-सा मंदिर होगा?'

'आप उसे पा लोगे मित्र, जब आप उसके लिए तैयार हो जाओगे।'

*ये मेलूहावाले ऐसी अनोखी पहेली वाली भाषा में ही क्यों बोलते हैं?*

शिव ने विनम्रता से सहमति में सिर हिलाया। उसके भाव ऐसे थे जैसे कि वह उस पंडित की बात को सच में ही सराह रहा था, जबकि वास्तविकता यह नहीं थी। उसने सोचा कि उसे शीघ्रता से उस मंदिर से निकल जाना चाहिए, इससे पूर्व कि उसका यह स्वागत अनावश्यक रूप से लंबा खिंच जाए।

'विश्रामगृह जाने का समय हो गया है, पंडितजी। किंतु मैं मेरे प्रारब्ध वाले मंदिर को पाने की प्रतीक्षा मैं बहुत बेसब्री से करूंगा। आपसे मिलकर मुझे बड़ी खुशी हुई।' शिव ने झुककर पंडित के पांव छूते हुए कहा।

पंडित ने शिव के सिर पर हाथ रखते हुए धीरे से कहा, *'जय गुरु विश्वामित्र। जय गुरु वशिष्ठ।'*

शिव उठ खड़ा हुआ, मुड़ा और तेजी से सीढ़ियों से नीचे उतर गया। अपने से दूर जाते न सुन सकने की दूरी तक पहुंच चुके शिव को प्रशंसा भरी दृष्टि से देखते हुए उस पंडित ने धीमे स्वर में कहा क्योंकि उसने अपने *कर्म के संगी यात्री* की पहचान कर ली थी, 'खुशी तो मुझे हुई है, मेरे *कर्मसंगी* ।'

शिव जूते की दुकान पर गया, उसने अपने जूते पहने और इस सेवा के लिए एक सिक्का देने लगा तो जूते रखने वाले ने विनम्रता से सिक्के लेने से मना

कर दिया, 'धन्यवाद श्रीमान, किंतु यह एक सेवा है जो मेलूहा के शासन की ओर से है। इसके लिए कोई कीमत नहीं ली जाती है।'

शिव मुस्कुराया और बोला, 'निस्संदेह! आप लोगों के पास हर चीज के लिए व्यवस्था है। धन्यवाद।'

वह जूते रखने वाला भी मुस्कुराया और बोला, 'हम लोग केवल अपने कर्तव्य का पालन कर रहे हैं, श्रीमान।'

शिव मंदिर की सीढ़ियों की ओर पुनः चलकर गया। बैठते हुए उसने गहरी सांस ली और उस प्रशांत वातावरण की प्रशांतता को अपने अंतर्मन में मिश्रित होने दिया। और उसके बाद वह घटित हुआ। जिस क्षण वैसा अप्राप्त हृदय उसकी कामना करता है। वह न भूल पाने योग्य पल जिसके लिए एक आत्मा अपने पूर्व जीवन की विशुद्ध याद की कामना करता है। दूसरे यह कि ईश्वरों के षड्यंत्र के बावजूद मात्र कुछ ही भाग्यशाली व्यक्ति इसका अनुभव कर पाते हैं। वह पल जब वह उसके जीवन में प्रवेश करती है।

घोड़ों को दक्षता से चलाते हुए वह एक रथ पर सवार होकर उस आंगन में आई, जबकि उसकी साथिन जंगले की छड़ को उसकी बगल में पकड़े हुई खड़ी थी। यद्यपि उसके काले बाल जूड़े में शालीनता से बंधे थे, तथापि कुछ धृष्ट लटें वायु के थपेड़ों से मंत्रमुग्ध करने वाला कथक नृत्य कर रही थीं। उसकी भेदनीय चुंबकीय नीली आंखें और कांस्य कलाकृति-सी त्वचा देवियों को ईर्ष्या हेतु आमंत्रण देने वाली थीं। उसका बदन यद्यपि गंभीरतापूर्वक लंबे अंगवस्त्रम् से ढका हुआ था, उसके बाद भी वह शिव की कल्पना को ज्वलंत कर गया कि उसके नीचे छुपा हुआ आलेख और सौंदर्य कैसा होगा। जब उसने अत्यंत ही दक्षता से पैंतरेबाजी करके रथ को वाहन पड़ाव में खड़ा किया तो उसका त्रुटिरहित मुख ध्यान केंद्र का चित्रण था। वह पूर्ण रूप से आत्मविश्वास में भरी रथ से उतरी। यह प्रशांत आत्मविश्वास था, जिसने अहंकार की ओर चलने वाली कुरूप दूरी नहीं चली थी। उसका चलना मर्यादित था। जो देखने वालों को सीधे तौर पर बता रहा था कि वह विलग्न थी, किंतु शीतल नहीं। शिव ने उसे इस प्रकार घूरकर देखा जैसे कि बरसात

करने वाले बादलों को मरुस्थलीय भूमि देखती है।

*मुझ पर दया करो!*

'हे देवी, मेरा अब भी मानना है कि अपने शेष अनुगामियों को छोड़कर इस प्रकार अलग घूमना बुद्धिमानी नहीं है,' उसकी सहयात्री ने कहा।

उसने उत्तर दिया, 'कृत्तिका, क्योंकि यदि दूसरों को विधि व्यवस्था के बारे में पता नहीं है तो इसका यह अर्थ नहीं होता है कि हम भी उसकी उपेक्षा कर सकते हैं। भगवान राम ने स्पष्ट रूप से कहा था कि एक पवित्र स्त्री को वर्ष में एक बार अवश्य भगवान ब्रह्मा के दर्शन करने चाहिएं। मैं उस विधि का उल्लंघन नहीं करूंगी, चाहे अंगरक्षकों को इससे कितनी भी असुविधा क्यों न हो!'

उस स्त्री ने इस बात पर गौर कर लिया था कि जब वह शिव के बगल से गुजर रही थी तो शिव उसे घूर रहा था। उसकी सुकुमार भौंहें आश्चर्य और झुंझलाहट भरे गुस्से में वृत्ताकार होकर ऊपर की ओर उठ गईं। शिव ने अपना पूरा बल लगाकर अपनी दृष्टि उससे हटाने की चेष्टा की, किंतु उसने महसूस किया कि उसकी आंखें अब उसके नियंत्रण में नहीं थीं। वह ऊपर चढ़ती चली गई और कृत्तिका उसके पीछे थी।

मंदिर की सबसे ऊपर की सीढ़ी पर पहुंचने के बाद वह मुड़ी तो उसने देखा कि वह बिना जाति सूचक चिह्न वाला अप्रवासी अभी भी उसे निर्लज्ज की भांति घूर रहा था। मुख्य मंदिर की ओर चलने के लिए मुड़ने से पूर्व उसने कृत्तिका से कहा, 'ये असभ्य अप्रवासी! इन बर्बर लोगों में से जैसे सचमुच ही कोई हमारा रक्षक मिल पाएगा!'

जब वह शिव की दृष्टि से पूरी तरह से ओझल हो गई, उसके बाद ही शिव अपनी सांसें नियंत्रित करने का प्रयास करते दिखा। जब वह बड़े प्रयत्न से अपनी वाग्मिता को संकलित करने का प्रयास कर रहा था तभी पूरी तरह से आच्छादित और सहायता रहित उसके मन ने एक बहुत ही स्पष्ट निर्णय ले लिया था, अब वह किसी भी दशा में उस मंदिर को छोड़कर जाने वाला नहीं था, जब तक कि वह उसे दुबारा नहीं देख लेगा। वह उन सीढ़ियों पर पुनः बैठ गया। जब उसकी सांस और दिल की धड़कन सामान्य

हो गई तो अंततः वह अपने आसपास के परिवेश का अवलोकन करने लगा, जो उस स्त्री की उस हाल की उपस्थिति से प्रतिष्ठित हो चुका था। उसने बाईं ओर उस मार्ग को पुनः देखा जहां से वह मुड़कर आई थी। वह पीपल के पेड़ के निकट खड़े खीरा बेचने वाले के पास से गुजरी थी।

*अकस्मात ही उस खीरा बेचने वाले ने आवाज लगाना बंद क्यों कर दिया था? वह केवल मंदिर की ओर टकटकी लगाकर घूरता हुआ प्रतीत हो रहा है! चाहे कुछ भी हो, इससे मेरा क्या लेना-देना है।*

उसने रथ के आने वाले मार्ग का अनुसरण किया जहां से वह बाईं ओर मुड़ा था जो उस प्रांगण में फव्वारे के पास था। उसके बाद उसने दाईं ओर एक तीव्र मोड़ लिया था जहां उस बाग के प्रवेश द्वार पर एक गड़ेरिया खड़ा था।

*आश्चर्य है, इस गड़ेरिये की भेड़ें कहां थीं?*

शिव उस मार्ग को देखता चला गया जहां से वह रथ वाहन-पड़ाव तक गया था। रथ के बगल में एक दूसरा व्यक्ति भी खड़ा था, जो अभी-अभी मंदिर के प्रांगण में घुसा था, किंतु उसके मंदिर में प्रवेश का कोई स्पष्टीकरण नहीं दिख रहा था। वह व्यक्ति गड़ेरिये की ओर मुड़ा और उसने हल्के से सिर हिलाया। इससे पूर्व कि शिव इन समस्त प्रकार की सूचनाओं का आकलन कर पाता उसे पुनः उस स्त्री की उपस्थिति का आभास हुआ, जिसके लिए वह प्रतीक्षारत था। वह तत्काल ही पीछे मुड़ा और उसने देखा कि वह सीढ़ियां उतरकर चली आ रही थी। कृत्तिका शांत होकर उससे थोड़ा पीछे चल रही थी। उस स्त्री ने देखा कि वह असभ्य, बिना जाति चिह्न वाला, स्पष्ट रूप से विदेशी व्यक्ति अभी भी उसे घूर रहा था। वह उसके पास चलती हुई गई और उसने दृढ़ किंतु विनम्र स्वर में पूछा, 'क्षमा कीजिए, क्या आपको कोई समस्या हैं?'

'नहीं, नहीं। कोई समस्या नहीं है। मुझे ऐसा लग रहा है कि आपको मैंने पहले कहीं देखा है,' घबराए हुए शिव ने उत्तर दिया।

उस स्त्री की समझ में नहीं आया कि वह इस पर अपनी क्या प्रतिक्रिया दे। यह स्पष्ट रूप से एक सफेद झूठ था, किंतु इसके पीछे जो

स्वर था वह वास्तव में बहुत ही गंभीर प्रतीत हुआ था। इससे पहले कि वह कुछ कह पाती, कृत्तिका ने अशिष्टता से बीच में ही कहा, 'यही आपका सबसे अच्छा वाक्य है जो आप बोल सकते थे?'

शिव इसके उत्तर में कुछ बोलने ही वाला था कि खीरा बेचने वाले की शीघ्रता से की गई गतिविधि ने उसे सचेत कर दिया। शिव ने मुड़कर देखा तो उसने अपना दुशाला फेंककर अपनी तलवार बाहर निकाल ली थी। उधर उस गड़ेरिये और रथ के पास खड़े व्यक्ति ने भी अपनी-अपनी तलवारें खींच कर परंपरागत युद्धक की शैली अपना ली थी। शिव ने अपनी तलवार निकाल ली और उसने अपने हाथ को रक्षात्मक रूप में फैलाया ताकि वह अपनी आसक्ति वाली वस्तु को अपने पीछे संरक्षण में रख सके। किंतु वह बड़ी ही कुशलतापूर्वक उसके संरक्षात्मक हाथ से बगल में निकल आई, उसने अपने अंगवस्त्रम् की परतों में टटोला और उसने अपनी तलवार निकाल ली। शिव ने उसकी ओर एक पल देखा। आश्चर्यचकित होकर उसने शीघ्रता से और सराहना में एक छोटी-सी मुस्कान चमकाई। उस स्त्री की आंखों में एक चमक उभरी, जिसमें असंभावित किंतु अनपेक्षित साझेदारी की स्वीकृति थी।

उसने अपनी सांस भीतर रखते हुए फुसफुसा कर कृत्तिका से कहा, 'तुम मंदिर में वापस भाग जाओ। वहीं रहो जब तक कि यह समाप्त नहीं हो जाता है।'

कृत्तिका ने विरोध किया। 'किंतु देवी...'

'अभी!' उसने आज्ञा दी।

कृत्तिका मुड़ी और मंदिर की सीढ़ियों की ओर भागती चली गई। शिव और वह स्त्री एक-दूसरे की पीठ के पीछे मानकीय सुरक्षात्मक साझेदारी की शैली में खड़े हो गए। उन्होंने आक्रमण की दशा में प्रत्येक दिशा पर अपनी दृष्टि रखने की स्थिति बना ली थी। वे तीनों आक्रमणकारी आक्रमण के उद्देश्य से उनकी ओर बढ़े। इस मध्य इन तीनों के दो और साथी पेड़ों के पीछे से निकलकर उनके साथ हो गए। शिव ने सुरक्षात्मक शैली में तलवार को उठाया क्योंकि वह गड़ेरिया उसके काफी निकट आ चुका था। एक ओर

चलते हुए गड़ेरिये को आक्रामक आक्रमण करने के लिए उकसाने के लिए शिव ने अपनी तलवार नीचे कर दी। गड़ेरिये को ऐसा प्रतीत होना चाहिए था कि वह आक्रमण करे तो वह शिव को प्राणघातक घाव लगा सकता था और उसके बदले में शिव तुरंत अपनी तलवार को उठाकर उस पर ऐसा आक्रमण करता कि वह घाव गहराई से उसके हृदय को चीर कर रख देता।

इसके बावजूद उस गड़ेरिया ने अनपेक्षित रूप से कोई अन्य गतिविधि कर दी। शिव द्वारा दी गई खुली जगह के आमंत्रण के बजाय उसने शिव के कंधे पर आक्रमण करने का प्रयास किया। शिव ने फुर्ती से अपने दाहिने हाथ को ऊपर उठाया और उस गड़ेरिये की धड़ पर गहरा घाव लगाते हुए तलवार को क्रूरतापूर्वक लहराया। जैसे ही गड़ेरिया पीछे हटा तो एक अन्य आक्रमणकारी दाहिनी ओर से उस पर झपटा। उसने कुछ दूरी से अपनी तलवार लहराई। यह कोई अच्छी चाल नहीं थी क्योंकि वह केवल एक सतही खरोंच ही लगा सकता था। शिव ने एक कदम पीछे हटकर अपना बचाव कर लिया और उसके बाद उसने अपनी तलवार को नीचे करते हुए एक गहरा घाव उस आक्रमणकारी की जांघ में लगा दिया। अति पीड़ा में चीखते हुए वह आक्रमणकारी भी पीछे हट गया। जैसे ही एक और आक्रमणकारी बाईं ओर से आक्रमण करने के लिए आया तो तब तक शिव ने यह समझ लिया था कि यह अपरिचित एवं अनोखे प्रकार का आक्रमण था।

ऐसा प्रतीत हो रहा था कि आक्रमणकारियों को पता था कि वे क्या कर रहे थे। वे एक मंझे हुए योद्धा लग रहे थे। वे विचित्र तरीके से टालमटोल करने वालों की तरह संघर्ष कर रहे थे। ऐसा नहीं लग रहा था कि वे किसी को जान से मारने का प्रयास कर रहे थे, बल्कि केवल घायल करना चाहते थे। वे पीछे हटकर संभलकर लड़ाई कर रहे थे और अपने आप पर काबू भी रख रहे थे क्योंकि बड़ी ही आसानी से वे मात खा रहे थे। इस बीच शिव ने बाईं ओर से हुए एक और वार को बचाया और उसने अपनी तलवार को उस व्यक्ति के कंधे में बड़ी निर्ममता से घुसेड़ दिया। जैसे ही शिव ने अपने बाएं हाथ से उसे धक्का देते हुए अपनी तलवार निकाली तो वह व्यक्ति दर्द से चिल्ला उठा। धीरे-धीरे, किंतु निश्चित रूप से आक्रमणकारी थकने के साथ ही घायल भी होते जा रहे थे। वे कुछ अधिक ही घायल होते

जा रहे थे और उनके लिए अधिक समय तक यह धावा चलाए रखना मुमकिन नहीं लग रहा था।

अचानक दैत्य समान विशालकाय व्यक्ति एक वृक्ष के पीछे से अपने दोनों हाथों में तलवार लिए दौड़ता हुआ आया। वह व्यक्ति सिर से पांव तक काले रंग के फणदार लबादे में वेष्टित था और उसका चेहरा एक काले रंग के मुखौटे के अंदर छुपा हुआ था, जो मुखौटा इंसानी चेहरे जैसे आकार का बना हुआ था। उसकी बड़ी-बड़ी भावनाशून्य बादाम के आकार जैसी आंखें और शक्तिशाली मांसल हाथ ही उसके शरीर के ऐसे अंग थे, जो दिखाई दे रहे थे। वह अपने लोगों को चिल्लाकर आदेश देता हुआ शिव और उस स्त्री पर आक्रमण करने के लिए तेजी से आगे बढ़ा। अपने इतने बड़े आकार के कारण वह बहुत फुर्ती से लड़ाई करने में असमर्थ था। किंतु वह इसकी भरपाई अपने असाधारण रूप से दक्ष हाथों से कर पा रहा था। शिव ने कनखियों से देखा कि अन्य आक्रमणकारी घायलों को उठा रहे थे और वापस जा रहे थे। वह फणदार व्यक्ति लौटती सेना की अंतिम पंक्ति की रक्षा हेतु भेजी गई सेना की भांति भिड़ंत कर रहा था।

शिव ने दिख लिया था कि उस व्यक्ति की टोपी जो फण के जैसी दिख रही थी उसके कारण उसके बगल की देखने की क्षमता बाधित हो रही थी। यह उसकी दुर्बलता थी जिसका लाभ उठाया जा सकता था। बाईं ओर जाते हुए शिव ने उग्र रूप से तलवार को लहराया, इस आशा में कि उसे वहीं स्थिर कर दे और वह स्त्री दूसरी ओर से उसका काम तमाम कर दे। किंतु उसका प्रतिद्वंद्वी इस चुनौती के लिए तैयार था। उसने पीछे हटते हुए शिव के तलवार की लहर को बड़ी ही दक्षता से अपने दाहिने हाथ से मोड़ दिया। शिव ने देखा कि उस फणदार व्यक्ति की दाईं कलाई पर चमड़े का एक कड़ा बंधा हुआ था। उसके ऊपर एक तीक्ष्ण प्रतीक बना हुआ था। शिव ने दुबारा अपनी तलवार को दूसरी ओर से लहराया, किंतु उस फणदार व्यक्ति ने बड़े ही सहज रूप से पीछे हटकर पुनः वार को बचा लिया। साथ ही उसने उस स्त्री के एक कठोर वार को भी अपने बाएं हाथ से बचा लिया था। वह शिव एवं उस स्त्री से एक रक्षात्मक दूरी बनाकर रख रहा था ताकि अपनी सुरक्षा कर सके और साथ ही वह इन

दोनों को इस भिड़ंत में उलझाए भी रख रहा था।

फिर अचानक ही उस फणदार व्यक्ति ने भिड़ंत करना छोड़ दिया और पीछे हट गया। वह अब पीछे हटता जा रहा था, जबकि वह अपनी दोनों तलवारें उनकी ओर दिखा रहा था, एक शिव की ओर और दूसरी उस स्त्री की ओर। उसके सभी आदमी पेड़ों की झुरमुटों में गायब हो चुके थे। जब वह भी एक रक्षात्मक दूरी पर पहुंच गया तो वह तेजी से मुड़ा और अपने आदमियों के पीछे भाग गया। पहले तो शिव ने उसका पीछा करना चाहा, किंतु तत्काल ही उसने यह इरादा छोड़ दिया। उसे लगा कि कहीं वे पुनः घात लगाकर आक्रमण की तैयारी में न बैठे हों। यह जोखिम भरा हो सकता था।

शिव उस स्त्री लड़ाका की ओर मुड़ा और पूछा, 'आप ठीक हैं?'

'हां, मैं ठीक हूं,' गंभीर एवं विषादयुक्त भाव से पूछने से पहले उसने सिर हिलाया, 'क्या आप घायल हैं?'

'कोई गंभीर बात नहीं है। मैं जीवित रहूंगा!' बनावटी हंसी के साथ वह बोला।

इस मध्य कृत्तिका मंदिर की सीढ़ियों से भागती हुई आई और हांफते हुए पूछा, 'हे देवी, क्या आप ठीक हैं?'

'हां, मैं ठीक हूं,' उसने उत्तर दिया, 'इन विदेशी की कृपा से।'

कृत्तिका शिव की ओर मुड़ी और उसने कहा, 'आपका बहुत-बहुत धन्यवाद। आपने एक बहुत ही विशिष्ट महिला की सहायता की है।'

शिव उसकी बात सुन नहीं रहा था। वह कृत्तिका की महोदया को निरंतर घूर रहा था जैसे कि वह भूतग्रस्त हो चुका हो। कृत्तिका को अपनी हंसी रोकने में कठिनाई हो रही थी।

उस कुलीन स्त्री ने उलझन में अपनी आंखें हटा लीं, किंतु विनम्रता से कहा, 'मुझे क्षमा कीजिए, किंतु मैं दावे के साथ कह सकती हूं कि हम पहले कभी नहीं मिले हैं।'

'नहीं, ऐसी बात नहीं है,' मुस्कुराते शिव ने कहा, 'ऐसा है कि हमारे

समाज में स्त्रियां युद्ध नहीं करतीं। एक स्त्री होने के लिहाज से आप अपनी तलवार का संचालन बहुत अच्छा करती हैं।'

*अबे यार! यह तो मुंह से सब गलत बात ही निकल रही है।*

'क्षमा कीजिए?' उसने थोड़ा युद्धक शैली वाले स्वर में कहा। स्पष्ट था कि वह एक स्त्री होने के लिहाज से वाली टिप्पणी से अप्रसन्न थी, 'एक गंवार होने के नाते आप भी काफी अच्छी लड़ाई कर लेते हैं।'

'काफी अच्छी? अजी मैं तो एक असाधारण तलवार का लड़ाका हूं! क्या आप कोशिश करना चाहेंगी?'

*अबे यार! यह क्या हो रहा है? मैं क्या बके जा रहा हूं? इस प्रकार तो मैं उसे प्रभावित कभी नहीं कर पाऊंगा!*

उसका वही असंबंधित एवं उपेक्षापूर्ण भाव उसके मुख पर उभर आया, 'मेरा आपके साथ द्वंद्व युद्ध करने का कोई इरादा नहीं है, विदेशी।'

'नहीं नहीं। मुझे गलत मत समझिए। मेरा भी आपसे द्वंद्व युद्ध करने का कोई इरादा नहीं है। मैं तो बस इतना कहना चाह रहा था कि मैं तलवार से युद्ध करने में काफी माहिर हूं। मैं कई अन्य कलाओं में भी माहिर हूं। और मेरे मुंह से सभी बातें गलत ही निकली जा रही हैं। वास्तव में मुझे यह देखकर अच्छा लगा कि आप स्वयं ही युद्ध करने की क्षमता रखती हैं। आप एक बहुत ही निपुण तलवारबाज हैं। मेरे कहने का मतलब है कि तलवारबाजिनी हैं। वास्तव में आप बहुत ही अच्छी स्त्री...' मुंह ही मुंह में बड़बड़ाते हुए शिव ने कहा। वह उस समय निर्णय लेने का अपना विवेक खो चुका था, जब उसे इसकी सबसे अधिक आवश्यकता थी।

कृत्तिका इस बढ़ते हुए याचना भरे आकर्षक संवाद विनिमय पर सिर झुकाकर मुस्कुरा रही थी।

हालांकि उसकी महोदया इसके विपरीत उस विदेशी को इस प्रकार के अनुपयुक्त शब्दावली के लिए प्रताड़ना देना चाहती थी। किंतु उसने उसके प्राण की रक्षा की थी। वह अपने मेलूहा के व्यवहार की विधि से बंधी हुई थी। उसने कहा, 'सहायता करने के लिए आपका धन्यवाद है,

विदेशी। मेरा जीवन आपका ऋणी है और आप मुझे कृतघ्न नहीं पाएंगे। यदि आपको मेरी सहायता की आवश्यकता हो तो आप मुझे अवश्य कहें।'

'क्या मैं आपसे मिल सकता हूं, यदि मुझे आपकी सहायता की आवश्यकता न हो तो भी?'

*हे भगवान! ये मेरे मुंह से क्या अनाप-शनाप निकल रहा है?*

उस स्त्री ने बिना जाति सूचक चिह्न वाले विदेशी को आंखें तरेर कर देखा, जिसे उसकी औकात का पता नहीं था। उसने बड़े ही अमानवीय प्रयास से स्वयं पर नियंत्रण रखा हुआ था, उसने विनम्रता से सिर हिलाया और बोली, 'नमस्ते।'

इसके साथ ही वह राजसी महिला वहां से जाने के लिए मुड़ गई। कृत्तिका अभी भी प्रशंसाभरी दृष्टि से शिव को देखे जा रही थी। किंतु जब उसने देखा कि उसकी महोदया जाने लगी तो वह भी मुड़ी और तेजी से उसके पीछे जाने लगी।

'कम से कम अपना नाम तो बता दीजिए,' उसके कदम से कदम मिलाकर चलते हुए शिव ने पूछा।

वह मुड़ी और अब वह और भी अधिक गंभीरता से शिव को घूरने लगी थी।

'देखिए, मेरे कहने का तात्पर्य यह है कि यदि मुझे आपकी सहायता की आवश्यकता पड़े तो मैं आपके पास कैसे आ पाऊंगा?' शिव ने गंभीरता से पूछा।

एक पल के लिए वह शब्द-विहीन और दीप्ति-विहीन हो गई। उसका अनुरोध उचित जान पड़ रहा था। वह कृत्तिका की ओर मुड़ी और उसने सिर हिलाया।

'आप हमें देवगिरि में मिल सकते हैं,' कृत्तिका ने उत्तर दिया, 'नगर में किसी से भी देवी सती के लिए पूछ सकते हैं।'

'सती...,' शिव ने उस निराकार नाम को अपनी पर जिह्वा उतारकर

दुहराया और कहा, 'मेरा नाम शिव है।'

'नमस्ते शिव। और मैं वचन देती हूं, यदि आपको कभी भी मेरी सहायता की आवश्यकता पड़ती है तो मैं अपने वचन का पालन करूंगी,' यह कहते हुए वह मुड़ी और अपने रथ में सवार हो गई। कृत्तिका भी उसके पीछे-पीछे रथ में सवार हो गई।

कुशलता से रथ को मोड़ते हुए वह अश्वों को दुलकी चाल में चलाने लगी। उसके बाद वह बिना पीछे मुड़े ही उस मंदिर के प्रांगण से बाहर निकल गई। शिव उस अदृश्य होते रथ की छवि को देर तक देखता रहा। जब वह अदृश्य हो गया तो उसके पीछे उड़ने वाली धूल को ईर्ष्या भरी नजरों से देखने लगा, जो इतने भाग्यशाली थे कि उसे स्पर्श कर पा रहे थे।

*मुझे लगता है कि यह देश मुझे पसंद आने वाला है।*

इस यात्रा के दौरान ऐसा पहली बार हुआ था जब शिव को मेलूहा की राजधानी पहुंचने की उत्सुकता हुई थी। वह मुस्कुराया और विश्रामगृह की ओर चल पड़ा।

*देवगिरि शीघ्र पहुंचना है।*

अध्याय - 4

# देवताओं का निवास-स्थल

'क्या! आप पर किसने आक्रमण किया?' शिव के घावों को देखने के लिए तेजी से भागते हुए चिंतित नंदी ने चीखकर कहा।

'आराम से, नंदी। आराम से।' शिव ने उत्तर दिया, 'पानी में तुम्हारी साहसिक यात्रा करने के बाद से तुम्हारी हालत मुझसे अधिक पतली है। यह ऐसे ही कुछ सतही खरोंच हैं। कुछ भी गंभीर नहीं है। वैद्यों ने मरहम-पट्टी लगा दी है। मैं बिल्कुल ठीक हूं।'

'मुझे क्षमा करें, प्रभु। यह पूर्णतः मेरा ही दोष है। मुझे आपको किसी भी दशा में अकेला नहीं छोड़ना चाहिए था। ऐसा फिर कभी नहीं होगा। कृपा कर मुझे क्षमा करें, प्रभु।'

नंदी को पुनः बिस्तर पर आहिस्ता से ठेलते हुए शिव ने कहा, 'क्षमा की कोई बात ही नहीं है, मेरे मित्र। यह तुम्हारा दोष कैसे हो सकता है? आवश्यकता से अधिक काम तुम्हारे स्वास्थ्य के लिए अच्छा नहीं होगा।'

एक बार जब नंदी पूरी तरह से शांत एवं सहज हो गया तो शिव ने पुनः कहना प्रारंभ किया, 'वैसे भी, मुझे नहीं लगता कि वे हमारे प्राण हरण करने का प्रयास कर रहे थे। वह आक्रमण बहुत ही अचंभे वाला था।'

'हमें?'

'हां, इस घटना में दो स्त्रियां भी शामिल थीं।'

'किंतु वे आक्रमणकारी कौन हो सकते हैं?,' नंदी ने पूछा। उसके बाद नंदी के मन में परेशान कर देने वाली सोच उभरी, 'क्या वे आक्रमणकारी

नवचंद्राकार झूमर पहने हुए थे?'

शिव ने त्योरी चढ़ाई, 'नहीं। किंतु एक बहुत ही विचित्र व्यक्ति था। उनमें से वह सबसे अच्छा तलवारबाज था। वह सिर से लेकर पांव तक एक फणदार लबादे में था, उसका चेहरा भी मुखौटे से ढका हुआ था, वैसा ही जैसाकि तुम लोग *रंगों वाले त्योहार* पर पहनते हो। वह कौन-सा त्योहार है?'

'वह होली का त्योहार है, प्रभु।'

'हां, वही होली जैसे मुखौटे ही थे। जो भी हो, मैं केवल उसके हाथ और उसकी आंखें ही देख पा रहा था। उसे भिन्न करने वाला लक्षण उसका एक चमड़े का कड़ा था जिस पर एक विचित्र प्रतीक चिह्न बना हुआ था।'

'वह कैसा प्रतीक चिह्न था, प्रभु।'

ताड़पत्र की पुस्तक को उठाकर बगल की मेज पर से कोयले की पतली लेखनी से शिव ने उस प्रतीक चिह्न को बनाया।

नंदी ने त्योरी चढ़ा ली, 'यह तो एक प्राचीन प्रतीक चिह्न है, जिसे लोग ओऽम शब्द के लिए प्रयोग में लाते थे। किंतु कौन लोग हो सकते हैं, जो इस प्रतीक चिह्न का अब प्रयोग कर सकते हैं?'

'ओऽम?' शिव ने पूछा।

'प्रभु, ओऽम हमारे धर्म में सबसे पवित्र शब्द है। यह प्रकृति का प्रथम एवं मौलिक स्वर माना जाता है। यह ब्रह्माण्ड का स्तुति गीत है। यह इतना पवित्र था कि सहस्राब्दियों तक लोग इसको लिखित रूप में आकार देकर इसका अपमान नहीं करना चाहते थे।'

'तो फिर ये प्रतीक चिह्न कैसे उत्पन्न हुआ?'

'इसका आविष्कार सम्राट भरत ने किया था, जो एक महान शासक थे और जिन्होंने सहस्रों वर्षों पहले लगभग समूचे भारतवर्ष को जीत कर उस पर शासन किया था। वे एक विरले चंद्रवंशी थे, जो सम्मान योग्य थे और यहां तक कि उन्होंने सूर्यवंशी राजकुमारी से विवाह भी किया था ताकि सूर्यवंशियों एवं चंद्रवंशियों के मध्य अनवरत चलने वाले युद्ध को समाप्त किया जा सके।'

'ये चंद्रवंशी कौन लोग हैं?'

'प्रभु, इसे इस प्रकार जानिए कि वे हमारे विलोम हैं। वे उन राजाओं के अनुयायी हैं, जो चंद्रमा के वंशज हैं।'

'और वे चंद्र संबंधी पंचांग का अनुसरण करते हैं?'

'जी हां, प्रभु। वे लोग कुटिल, अविश्वसनीय और आलसी लोग हैं जिनके पास कोई विधि, नैतिकता या सम्मान नहीं है। वे कायर लोग हैं और एक सैद्धांतिक क्षत्रिय के समान कभी आक्रमण नहीं करते हैं। यहां तक कि उनके राजा भी भ्रष्ट एवं स्वार्थी हैं। ये चंद्रवंशी मानवता के ऊपर एक धब्बा हैं!'

'किंतु इससे ओऽम के प्रतीक चिह्न का क्या लेना-देना है?'

'दरअसल, राजा भरत ने सूर्यवंशियों एवं चंद्रवंशियों के मध्य एकता के लिए इस प्रतीक चिह्न का प्रारूप बनाया था। इसका ऊपरी हिस्सा जो सफेद है वह चंद्रवंशियों का प्रतिनिधित्व करता है।

इसके नीचे का आधा हिस्सा जो लाल रंग में है, वह सूर्यवंशियों का प्रतिनिधित्व करता है।

ये दोनों हिस्से जहां मिलते हैं, उससे जो नारंगी रंग का हिस्सा निकलता है, वह एक समान मार्ग का प्रतिनिधित्व करता है।

दूज का चांद जो प्रतीक चिह्न की दाहिनी ओर बना हुआ है, वह चंद्रवंशियों का तत्कालीन प्रतीक चिह्न था।

और उसके ऊपर जो सूर्य बना हुआ है वह सूर्यवंशियों का तत्कालीन प्रतीक चिह्न था।

इस बात की महत्ता के लिए कि यह समझौता ईश्वर द्वारा अनुमंत्रित था, राजा भरत ने इस बारे में जनादेश प्राप्त किया कि इस प्रतीक चिह्न का उच्चारण पवित्र शब्द ओऽम की तरह किया जाएगा।

'और उसके बाद क्या हुआ?'

'जिसकी की आशा थी, वह समझौता भी अच्छे राजा के साथ ही मृत हो गया। एक बार जब राजा भरत का प्रभाव समाप्त हो गया तो चंद्रवंशी

पुनः अपने पुराने तरीकों में रम गए और एक बार पुनः युद्ध छिड़ गया। प्रतीक चिह्न को भुला दिया गया और ओऽम शब्द एक बार पुनः अपने पुराने मौलिक स्वरूप में आ गया अर्थात बिना किसी लिखित रूप में।'

'किंतु उस फणदार व्यक्ति की कलाई के कड़े में जो प्रतीक चिह्न था, वह रंगीन नहीं था। वह पूरा काला था। और उस प्रतीक चिह्न के हिस्से लकीरों की तरह नहीं दिख रहे थे। ऐसा लग रहा था कि वे तीन सांपों के रेखाचित्र थे।'

'नागा लोग!' एक सौम्य प्रार्थना से पहले चकित एवं सदमे से चिल्लाकर नंदी ने कहा और उसके बाद उसने अपने रुद्र के झूमर को संरक्षण प्रदान करने के लिए छुआ।

'अब ये गधे नागा लोग कौन हैं?' शिव ने पूछा।

'ये शापित लोग हैं, प्रभु,' नंदी ने एक लंबी सांस भरी, 'अपने पूर्व जन्म के पापों के कारण वे जन्म से ही घृणित विद्रूपित होते हैं। विद्रूपता जैसे कि अतिरिक्त हाथ या अत्यधिक भयानक चेहरे। किंतु उनके पास अत्यधिक शक्ति और कुशलता है। नागा का मात्र नाम ही किसी नागरिक के लिए आतंक का पर्याय है। यहां तक कि उन्हें सप्त सिंधु में रहने की अनुमति भी नहीं है।'

'सप्त सिंधु?'

'हमारा देश प्रभु, सात नदियों का प्रांत। सिंधु, सरस्वती, यमुना, गंगा, सरयू, ब्रह्मपुत्र एवं नर्मदा की भूमि वाला प्रांत। यह वही देश है, जंहां हम सभी सूर्यवंशियों एवं चंद्रवंशियों के निवास का जनादेश ऋषि मनु ने दिया था।'

शिव ने सिर हिलाया जबकि नंदी ने बोलना जारी रखा, 'हमारी सीमा

के बाद नर्मदा के दक्षिण में नागाओं का नगर बसा हुआ है। दरअसल उनके बारे में कुछ बोलना भी दुर्भाग्य को लाता है, प्रभु!'

'किंतु एक नागा मुझ पर आक्रमण क्यों करेगा? या फिर किसी अन्य मेलूहावासी पर?'

मन ही मन में बुरा-भला कहते हुए नंदी ने कहा, 'चंद्रवंशियों के कारण! ये दोमुंहे चेहरे वाले लोग इतने अधम हो चुके हैं कि अब वे शैतान नागाओं का अपने आक्रमण में प्रयोग कर रहे हैं। हमसे घृणा करने में अंधे होकर वे ये भी भूल रहे हैं कि वे अपने लिए कितने पापों को आमंत्रण दे रहे हैं।'

शिव ने त्योरी चढ़ाई। उसे आक्रमण के दौरान ऐसा कभी नहीं लगा था कि नागा लोगों को किसी अन्य सेना के दल द्वारा प्रयोग में लाया जा रहा था, बल्कि ऐसा लग रहा था कि वह नागा ही उनका सरदार था।

— 𑀡⓪𑀉𑀔❁ —

देवगिरि पहुंचने में उन्हें एक और सप्ताह लग गया। मेलूहा की राजधानी सरस्वती नदी के बाएं तट पर बसी हुई थी, जो सतलज और यमुना के संगम से निकली थी। यह खेदपूर्ण बात थी कि कभी विशाल आकार में रहा सरस्वती का प्रवाह अब अपेक्षाकृत बहुत कम हो चुका था। किंतु अभी भी अपने इस लघु स्वरूप में भी वह काफी विशाल और वैभवशाली थी। पंजाब की अन्य तूफानी नदियों से विलग सरस्वती पीड़ाप्रद रूप से शांत थी। ऐसा प्रतीत हो रहा था कि नदी को अनुभव हो चुका था कि उसका अंत निकट था। इसके बाद भी आक्रामक रूप से उत्तरजीविता के लिए बल नहीं लगा रही थी। बल्कि जो भी उसके पास उपलब्ध उसके खजानों को लेने की इच्छा रखता था उन्हें वह निःस्वार्थता से प्रदान करती जा रही थी।

उधर उड़ान भरता देवगिरि सौम्य सरस्वती के पूर्णतः विरोधभासी था। मेलूहा के अन्य नगरों की तरह ही देवगिरि भी एक विशालकाय वेदिका पर निर्मित था, जो बाढ़ से सुरक्षा का एक प्रभावशाली उपाय तो था ही साथ ही शत्रुओं से प्रबल सुरक्षा का भी। फिर भी अपने आकार के

कारण वह मेलूहा के अन्य नगरों की तुलना में भिन्न था। वह नगर तीन विशालकाय वेदिकाओं पर बना हुआ था और प्रत्येक वेदिका तीन सौ पचास हेक्टेयर से भी अधिक क्षेत्र तक विस्तृत था, जो कि अन्य नगरों की तुलना में अत्यधिक विशाल कहा जा सकता था। ये वेदिकाएं लगभग आठ मीटर ऊंची और बीच-बीच में सिकी हुई ईंटों के मिश्रण वाले विशालकाय कटे हुए पत्थरों से दुर्गीकृत थीं। इनमें से दो वेदिकाओं के नाम ताम्र एवं रजत थे, जो सामान्य नागरिकों के लिए बने हुए थे, जबकि तीसरी वेदिका स्वर्ण नामक थी जो राजसी नगर-दुर्ग था। ये वेदिकाएं एक दूसरे से ऊंचे पुलों से जुड़े हुए थे, जो सिकी हुई ईंटों एवं पत्थरों से बनी हुई थीं और जो नीचे के बाढ़ग्रस्त मैदानी क्षेत्रों के ऊपर बने हुए थे।

प्रत्येक विशालकाय वेदिका की बाह्य परिधि में बाहर की ओर निकले हुए बड़े-बड़े खूंटों सहित ऊंची-ऊंची दीवारें बनी हुई थी। उन दीवारों के साथ-साथ एक निश्चित अंतराल पर बुर्ज बने हुए थे, जहां से बढ़ते हुए शत्रुओं का प्रतिरोध किया जा सकता था। यह आश्चर्यजनक दृश्य शिव की कल्पनाओं से भी अद्भुत था। उसके विचार में ऐसे नगर का निर्माण वास्तव में मानव जाति की अनुपम उपलब्धियों में से एक था।

शिव की सवारी ताम्र वेदिका के आर-पार खूंटों के मैदान से होते हुए कलदार पुल पर चढ़ी। उस कलदार पुल को नीचे की ओर से धातु की छड़ों से सुदृढ़ बनाया गया था और खुरदरी सिकी हुई ईंटों को ऊपर लगाया गया था ताकि घोड़े और रथ फिसले नहीं। समस्त साम्राज्य में लगाई गई उन ईंटों के बारे में कुछ ऐसा था जो शिव में कौतूहल उत्पन्न कर रहा था। नंदी की ओर मुड़कर उसने पूछा, 'क्या ये ईंटें किसी मानकीय प्रक्रिया के अनुसार बनाई जाती हैं?'

'जी हां, प्रभु,' चकित नंदी ने उत्तर दिया, 'मेलूहा में समस्त ईंटें साम्राज्य के मुख्य वास्तुविद द्वारा दिए गए विनिर्देशों एवं दिशा-निर्देशों के अनुसार ही बनाई जाती हैं। किंतु आपने कैसे अनुमान लगाया?'

'ये सभी वास्तव में एक ही परिमाप के हैं।'

नंदी अपने साम्राज्य की प्रभाविता पर और अपने प्रभु के अवलोकन

की क्षमता पर गर्व से दमकने लगा। कलदार पुल के अंत में वेदिका और ऊंची हो गई और एक सड़क घुमावदार तरीके से एक सौम्य मोड़ के साथ शिखर तक चली गई थी जो घोड़ों एवं रथों के चलने के लिए सुगम हो गई थी। इसके अतिरिक्त एक चौड़ी सीढ़ियों की ढालदार उड़ान सीधे ऊपर की ओर पैदल चलने वाले यात्रियों की सुविधा के लिए बनी थी। इस ढाल के चारों ओर नगरीय दीवारें एवं वेदिका के ये संलग्न भाग अत्यधिक ढाल वाले थे ताकि यदि शत्रु उधर से आक्रमण करने की मूर्खता करे तो यह उसके लिए मृत्यु की घाटी बन जाए।

नगर के द्वार धातु के बने हुए थे, जिसे शिव ने इससे पहले कभी नहीं देखा था। नंदी ने इसके बारे में बताया था कि वे लोहे के बने हुए थे, जो एक नया धातु था और अभी कुछ समय पहले ही उसकी खोज हुई थी। वह धातुओं में सबसे अधिक शक्तिशाली था किंतु बहुत महंगा था। उसके लिए जिस अयस्क (कच्ची धातु) की आवश्यकता होती थी वह आसानी से उपलब्ध नहीं थी। वेदिका के प्रवेश पर नगर के प्रवेश द्वार के ऊपर सूर्यवंशियों का प्रतीक चिह्न उकेरा हुआ था, सभी दिशाओं में निकलती हुई किरणों के साथ एक चमकीला लाल वृत्ताकार सूर्य। उसके ठीक नीचे उनका घोष वाक्य (आदर्श वाक्य) लिखा हुआ था, जिसके अनुसार वे अपना जीवनयापन करते थे, 'सत्य, धर्म, मान'।

नगर के इतने मात्र को देखकर ही शिव विस्मयाभिभूत था। और जब उसने वेदिका के शिखर पर नगरीय द्वार के अंदर जो दृश्य देखा वह वास्तव में अपनी प्रभाविता एवं सरलता में असाधारण था। नगर वर्गाकार खंडों में खड़ंजेदार मार्गों से विभक्त था। सड़क के साथ-साथ पैदल चलने वालों के लिए पगडंडी बनी हुई थी, विभिन्न दिशाओं में यातायात की सुविधा के लिए सड़क पर संकेत चिह्न बने हुए थे और साथ ही सड़क के मध्य में जल-मल निकासी हेतु ढकी हुई नालियां बनी हुई थीं। सभी मकान मानकीय ढंग से दो मंजिलों वाले खानों की तरह सिकी हुई ईंटों से बने हुए थे। यदि आवश्यक हो तो उनके ऊपर लकड़ी से अतिरिक्त प्रसार भी किया गया था। नंदी ने शिव को बताया था कि मकान की भीतरी संरचना अलग-अलग आवश्यकताओं के अनुरूप अलग-अलग प्रकार की बनी हुई थीं। सभी

मकानों के द्वार एवं उनकी खिड़कियां बगल की दीवारों की ओर बन हुई थीं, अर्थात वे मुख्य मार्ग की ओर नहीं थीं।

खाली दीवारें जो मुख्य मार्ग की ओर थीं, उन पर सूर्यवंशियों के विभिन्न लोकप्रिय राजाओं के रेखाचित्र चमकदार काली लकीरों से बने हुए थे जबकि उनकी पृष्ठभूमि भूरे, हल्के नीले, हल्के हरे और सफेद सौम्य रंगों से रंगी हुई थी। यद्यपि पृष्ठभूमि में जो सबसे सामान्य रंग का प्रयोग हुआ था वह था नीला। मेलूहावासियों के अनुसार नीला रंग सबसे पवित्र रंग माना जाता था। यह आकाश का रंग था। रंगों के वर्णक्रम में यह पृथ्वी के रंग हरे से थोड़ा ऊंचा था। मेलूहावासी प्रकृति की हर संरचना में एक महान अभिप्राय देखने की इच्छा रखते थे, उनकी सोच थी कि रंगों के वर्णक्रम में हरे से ऊंचा नीला रंग एक अद्भुत संयोग था, ठीक उसी प्रकार जिस प्रकार पृथ्वी के ऊपर आकाश था।

उन दीवारों पर जो सबसे अधिक बार आने वाला चित्र था वह था महान सम्राट भगवान राम के बारे में। शत्रुओं पर उनकी विजय, उनके द्वारा चंद्रवंशियों को पराजित करना और उनकी शासन कला एवं पांडित्य की घटनाओं को प्रेमपूर्वक दर्शाया गया था। भगवान राम अत्यंत ही सम्मान योग्य थे और बहुत से मेलूहावासी उन्हें ईश्वर की तरह पूजते थे। वे उन्हें उस विष्णु की तरह उल्लिखित करते थे जो सर्वोत्तम ईश्वर के लिए एक पुरातन उपाधि थी, जिसका अर्थ था विश्व का संरक्षक एवं अच्छाई का प्रचारक।

शिव ने उस नगर के बारे में नंदी से जाना कि वह नगर चार से आठ खंडों वाले कई जनपदों में विभाजित था। प्रत्येक जनपद में अपना बाजार, व्यापारिक एवं आवासीय क्षेत्र, मंदिर एवं मनोरंजन केंद्र था। किसी भी वस्तु का उत्पादन अथवा प्रदूषण फैलाने वाली गतिविधियां उन जनपदों से दूर एक पृथक स्थल पर किए जाते थे। जिस कार्यकुशलता एवं सहजता से देवगिरि कार्य कर रहा था वह इस तथ्य को मिथ्या प्रमाणित करता था कि वह नगर समस्त साम्राज्य में सबसे अधिक जनसंख्या वाला था। मात्र दो वर्ष पूर्व की गई जनगणना में नगर की जनसंख्या दो लाख बताई गई थी।

नंदी, शिव एवं उन तीन सैनिकों को नगर के एक विश्रामगृह में लेकर

गया। नगर में पर्यटकों के लिए ऐस कई विश्रामगृह थे, जो व्यावसायिक एवं पर्यटन के इरादे से वहां आते थे। घोड़ों के रहने के लिए नियत स्थल पर उन्हें बांधने के बाद सभी लोग अपने-अपने कमरे में जाने के लिए पंजीकरण हेतु अंदर प्रविष्ट हुए। विश्रामगृह की बनावट लगभग उसी प्रकार की थी, जैसी कि शिव ने अपनी यात्रा के दौरान अन्य स्थलों पर भी देखी थी। केंद्रीय आंगन के चारों ओर भवन का निर्माण किया गया था। कमरे अच्छे-खासे बड़े और सभी प्रकार के साज-सामानों सहित बने थे।

'प्रभु, रात्रि-भोजन का समय होने ही वाला है,' नंदी ने कहा, 'मैं विश्रामालय के प्रभारी से जाकर कहता हूं कि भोजन की व्यवस्था कर दे। हमें शीघ्रता से भोजन करके एक अच्छी नींद निकाल लेनी चाहिए क्योंकि सम्राट से मिलने का समय कल द्वितीय प्रहर में नियत किया गया है।'

'यह बहुत ही उत्तम विचार प्रतीत होता है।'

'साथ ही, यदि आप उचित समझें तो क्या मैं इन सैनिकों को विश्राम करने के लिए कह देता हूं और फिर उन्हें श्रीनगर वापस भेज देता हूं।'

'यह भी बहुत ही उत्तम विचार प्रतीत होता है,' मुस्कान के साथ शिव ने कहा, 'वाह क्या बात है नंदी, तुम तो लगभग शानदार विचारों के झरने की तरह हो!'

शिव के साथ नंदी भी हंसा। वह हमेशा अपने प्रभु के मुख पर हंसी लाने का कारण बनने पर अत्यंत प्रसन्न था, 'मैं अभी वापस आता हूं, प्रभु।'

शिव अपने बिस्तर पर लेट गया और शीघ्र ही उन खयालों में खो गया जो उसके लिए मायने रखते थे।

*मैं सम्राट के साथ होने वाली भेंट को जितनी शीघ्रता से हो सके समाप्त कर दूंगा। उन्हें जो भी मुझसे चाहिए वह दे दूंगा और सती के लिए नगर को छान मारूंगा।*

शिव ने एक बार सती के ठिकाने के बारे में नंदी से पूछने का मन बना लिया था किंतु अंततः उसने ऐसा न करने का निर्णय लिया था। वह

इस बात को जानता था कि पहली मुलाकात में वह उस पर कोई असाधारण प्रभाव नहीं छोड़ पाया था। अतः वह इस बात पर दुखी भी था। यदि उसने उसे ढूंढ़ने के सरल उपाय नहीं बताए थे तो इसका मात्र इतना ही अर्थ था कि वह उससे अधिक द्रवित नहीं हुई थी। उसके बारे में असावधानी से यूं ही बात कर वह इस प्रकरण और कठिन नहीं बनाना चाहता था।

उसके मुख की याद बारम्बार उसकी आंखों के समक्ष आने पर वह मुस्कुराया। उसके युद्ध करने की अदा को याद कर उसने उसी प्रकार पुनः प्रदर्शन किया। उसके कबीले के अधिकतर लोगों के लिए यह अद्भुत दृश्य नहीं था। किंतु शिव के लिए, यह स्वर्गिक था। उसके कोमल एवं सुकुमार बदन की याद पर उसने आह भरी जो आक्रमण हो जाने की दशा में सहसा ही क्रूर एवं प्राणघातक गुणों का बन गया था। जब वह तलवार चलाने के लिए अपने बदन का भार एक ओर से दूसरी ओर ले जा रही थी तो उसके बदन का वक्र मंत्रमुग्ध कर देने वाला था, जो उसके बदन को एक अति सुंदर लचक प्रदान कर रहा था। सौम्य रूप से बंधे हुए उसके केश एंद्रिक रूप से उसकी प्रत्येक गतिविधि पर हिल रहे थे। उसने एक गहरी सांस ली।

*आह! कितनी सुंदर स्त्री!*

— ∱⑩ᴜ𝟺⊕ —

वह प्रातःकाल का समय था, जब शिव और नंदी ने राजसी नगर-दुर्ग पहुंचने के लिए ताम्र एवं स्वर्ण वेदिकाओं के मध्य निर्मित पुल को पार किया। वह पुल मेलूहा की अभियांत्रिकी का एक अन्य अचंभा था, जिसके दोनों ओर बगलों में चौड़ी-चौड़ी दीवारें बनी हुई थीं। उन दीवारों में छेद करके सुराख बनाए गए थे ताकि शत्रुओं पर तीर चलाए जा सकें और गर्म तेल प्रवाहित किया जा सके। पुल के मध्य में उसको द्विभाजित करते हुए एक अंतिम सुरक्षा के रूप में विशालकाय द्वार निर्मित था, इस उद्देश्य से कि यदि कभी शत्रु पुल तक पहुंच जाएं तो इससे एक अतिरिक्त सुरक्षा उपाय किया जा सके।

जब वे स्वर्ण वेदिका पर पहुंचे तो शिव पूर्णतः अचंभित रह गया। राजसी क्षेत्र की भव्यता के लिए नहीं बल्कि वैसा कुछ नहीं होने के कारण। वह इस बात से स्तंभित रह गया कि वहां कोई समृद्धि की निशानी नहीं दिख रही थी। इतने विशालकाय एवं समृद्ध साम्राज्य पर शासन करने के बावजूद शासक वर्ग विशिष्ट रूप से सरल ढंग से रह रहे थे। राजसी संरचना भी ठीक उसी प्रकार की थी जैसी कि अन्य वेदिकाओं पर थी। अभिजात वर्ग के व्यक्तियों के लिए कोई रियायत नहीं थी। उसी प्रकार की खंडीय संरचना राजसी नगर-दुर्ग में भी निर्मित थी जैसे कि समस्त मेलूहा में बनी थी। दाईं ओर एकमात्र ऐसा एक अतुल्य भवन था जिस पर 'भव्य सार्वजनिक स्नानकुण्ड' लिखा था। उस स्नानकुण्ड में बाईं ओर भगवान इंद्र का एक भव्य मंदिर भी था। सिकी हुई ईंटों की ऊंची की हुई नींव पर खड़ा वह मंदिर लकड़ी से निर्मित था, जिसका गुंबद पूर्णतः स्वर्णमंडित था। ऐसा प्रतीत हो रहा था कि विशिष्ट वास्तुकला को मात्र ईश्वर के लिए निर्मित भवनों या उन भवनों के लिए बचाकर रखा गया था जो सब लोगों के प्रयोग के लिए होते थे।

*संभवतः भगवान श्री राम ऐसा ही पसंद करते होंगे।*

शिव ने मन ही मन अनुमान लगाया।

सम्राट को जो एकमात्र रियायत दी गई थी वह यह थी कि उनका भवन आम भवनों से बहुत बड़ा था, वस्तुतः बहुत ही विशाल।

शिव और नंदी राजसी निजी कार्यालय में पहुंचे तो देखा कि सम्राट दक्ष साधारण रूप से सज्जित कमरे के दूसरी छोर पर एक साधारण सिंहासन पर एक स्त्री एवं एक पुरुष से घिरे हुए बैठे हुए थे।

एक औपचारिक नमस्ते के साथ अभिवादन करते हुए दक्ष ने कहा, 'मेरी आशा है कि आपकी यात्रा सुखद रही होगी।'

इतने बड़े साम्राज्य के सम्राट के तौर पर वे कुछ नवयुवक-से दिख रहे थे। वैसे तो वह आकार में शिव से थोड़े छोटे था, फिर भी उनके मध्य में

जो सबसे बड़ा अंतर था वह था शरीर की मांसल सुडौलता। जबकि विभिन्न प्रकार की धारियों वाले कपड़े पहना हुआ शिव अत्यधिक शक्तिशाली दिख रहा था, वहीं दक्ष का शरीर बता रहा था कि उन्होंने अपने शरीर को कसरतों से तनावग्रस्त नहीं किया था। वे अधिक मोटे भी नहीं थे। बस एक सामान्य बनावट वाले थे। उनके गेहुंए रंग के चेहरे के लिए भी यही कहा जा सकता था। औसत आकार, काली आंखें और सीधी नाक। उनके बाल लंबे थे, जैसाकि मेलूहावासी स्त्री एवं पुरुष सामान्यतः रखा करते थे। उनके सिर पर एक रत्नजड़ित भव्य ताज था, जिस पर मध्य में सूर्यवंशियों का प्रतीक चिह्न स्पष्ट दिख रहा था और जो चमकदार मणियों के पत्थरों से बना हुआ था। एक अंगवस्त्रम् था, जो दाएं कंधे से नीचे की ओर लटक रहा था। उसके साथ एक सुंदर धोती और दो बाजूबंद थे, जो उनके दाएं हाथ में बंधे थे। साथ ही बहुत अधिक मात्रा में प्रयोजनपूर्ण आभूषण दक्ष के औसत स्वरूप के पूरक थे। उनकी सबसे अलग कर देने वाली पहचान उनकी मुस्कान थी, जो उनकी दृढ़ निश्चयी निर्दोषता को उनकी आंखों तक फैला रहा था। ऐसा प्रतीत हो रहा था कि सम्राट दक्ष अपने राज्याधिकार को सरलतापूर्वक वहन कर रहे थे।

'जी हां, महाराज,' शिव ने उत्तर दिया, 'आपके साम्राज्य में मूलभूत सुविधाएं अद्भुत हैं। आप एक असाधारण सम्राट हैं।'

'धन्यवाद। किंतु मैं मात्र प्रतिबिंबित ख्याति का अधिकारी हूं। कार्य तो मेरे लोगों ने किए हैं।'

'यह तो आपकी विनम्रता है, महाराज।'

'विनम्रता से मुस्कुराते हुए दक्ष ने पूछा, 'क्या मैं अपने सबसे महत्वपूर्ण सहयोगियों से आपका परिचय करवा दूं?' बिना उत्तर की प्रतीक्षा किए ही उन्होंने बाईं ओर उस स्त्री को इंगित करते हुए कहा, 'ये मेरी प्रधानमंत्री हैं, कनखला। ये सभी प्रशासनिक, राजस्व एवं नयाचार संबंधी मामलों को देखती हैं।'

कनखला ने शिव को एक औपचारिक नमस्ते किया। उसका सिर मुंडित था सिवाय पीछे की ओर बालों के एक चिकने गांठ लगे हुए गुच्छे

के। उसके बाएं कंधे से लटककर दाएं धड़ तक एक धागा लटका हुआ था, जिसे जनेऊ कहा जाता था। वह अधिकतर मेलूहावासियों की तरह ही जवान दिख रही थी, किंतु उसका भार कुछ अधिक था जो उसकी श्वेत चोली एवं धोती के मध्य आधिक्य में उपस्थित वसा स्पष्ट रूप से बता रही थी। वह काली और अत्यधिक चिकने तन वाली थी और वह अपने देशवासियों की तरह ही आभूषण पहने हुए थी, जो दिखावा रहित एवं रूढ़िवादी थे। शिव ने देख लिया था कि कनखला की बांह के दूसरे बाजूबंद पर एक कबूतर बना हुआ था। यह ब्राह्मणों के मध्य बहुत अधिक प्रतिष्ठित जाति-वर्ग नहीं था। शिव नीचे झुका और उसने औपचारिक तरीके से उसके नमस्ते का उत्तर दिया।

दाईं ओर संकेत करते हुए दक्ष ने कहा, 'और ये मेरी सेनाओं के प्रधान हैं, प्रधान सेनानायक पर्वतेश्वर। ये थल सेना, नौसेना, विशिष्ट सेना, पुलिस आदि का भार संभालते हैं।'

पर्वतेश्वर का आकार-प्रकार इतना विशालकाय था कि शिव को ऐसा प्रतीत हुआ कि यदि उससे मल्लयुद्ध करना पड़े तो उसे कई बार सोचना पड़ेगा। वह शिव की अपेक्षा लंबा था और उसका डील-डौल अत्यंत ही सुगठित था, जो आसपास काफी स्थान घेरकर खड़ा था। उसके घुंघराले और लंबे बाल भली प्रकार से कंघी द्वारा संवारे गए थे जो उसके मुकुट से बहुत ही सुव्यवस्थित ढंग से नीचे निकले हुए थे। उसकी चिकनी और सांवली त्वचा लंबे समय तक युद्ध के गर्वीले चिह्नों को सुशोभित कर रही थी। उसका शरीर केश-विहीन था जो सामान्यतः रोंयेदार क्षत्रियों से बिल्कुल अलग था। यह उन क्षत्रियों से भिन्न था, जो अपने शरीर के बालों को मर्दानगी की निशानी समझा करते थे। संभवतः इसी कारण पर्वतेश्वर ने इस कमी को छुपाने के लिए बड़ी एवं घनी मूंछें रखी हुई थीं जो किनारे पर ऊपर की ओर वक्र होकर मनोरंजक लग रही थीं। उसका हठीला शक्तिशाली और न्यायसंगत चरित्र उसकी आंखों से प्रतिबिंबित हो रहा था। दूसरा बाजूबंद पर्वतेश्वर को बाघ की श्रेणी का बता रहा था जो क्षत्रियों में बहुत ही उच्च जाति वर्ग का होता था। उसने रुखाई से सिर हिलाया। नमस्ते नहीं किया। अपने गर्वीले सिर से विस्तारपूर्वक झुककर सभ्यता नहीं दिखाई। हालांकि शिव मुस्कुराया

और गर्मजोशी से उसका अभिवादन एक औपचारिक नमस्ते से किया।

'कृपया, आप बाहर प्रतीक्षा करें, कप्तान,' नंदी को देखते हुए पर्वतेश्वर ने उसे परामर्श दिया।

इससे पूर्व कि नंदी कुछ कह पाता, शिव ने अपनी बात रखी, 'मुझे क्षमा करें। किंतु यदि आपको कोई ऐतराज न हो तो नंदी को मेरे पास ही रहने दीजिए। जब से मैंने अपना देश छोड़ा है, तब से वह मेरे साथ निरंतर रहा है और मेरा प्रिय एवं विश्वासी मित्र बन चुका है।'

'निस्संदेह, वह रह सकता है,' दक्ष ने उत्तर दिया।

'महाराज, इस वार्तालाप में एक कप्तान को सम्मिलित करना उचित नहीं होगा,' पर्वतेश्वर ने कहा, 'वैसे भी इसकी सेवा नियमावलियां बताती हैं कि वह मेहमान को सम्राट की उपस्थिति तक लाने का मार्गदर्शन करेगा और वहां नहीं रुकेगा जब साम्राज्य से संबंधित कोई बात की जा रही हो।'

'ओह, अब शांत भी हो जाइए, पर्वतेश्वर। कभी-कभी आप अपनी सेवा नियमावलियों को अत्यधिक गंभीरता से ले लेते हैं।' शिव की ओर मुड़ते हुए दक्ष ने कहा पुनः कहा, 'यदि आपको कोई परेशानी न हो तो हम आपके गले को अभी इसी समय देखना चाहते हैं।'

नंदी शिव के पीछे खिसक गया ताकि गुलूबंद को खोल सके। गुलूबंद पर माला के दाने गूंथने की व्यवस्था को देखकर कि वह ऐसा प्रतीत हो कि जैसे धर्मिक कारणों से उसे बांधा गया था, दक्ष मुस्कुराए और उन्होंने फुसफुसाकर कहा, 'उत्तम प्रबंध।'

जैसे ही नंदी ने शिव के गुलूबंद को बाहर निकाला, दक्ष और कनखला शिव के गले का निरीक्षण करने के लिए उसके निकट आए ताकि सूक्ष्मता से परीक्षण कर सकें। पर्वतेश्वर आगे नहीं आया किंतु उसने अपने गले को थोड़ा आगे ले जाकर देखने की चेष्टा की ताकि भली-भांति दिखाई पड़ सके। ऐसा प्रतीत हो रहा था कि जो दक्ष एवं कनखला ने देखा था, उनसे वे पूर्णतः स्तंभित थे।

सम्राट ने गले को छूकर देखा और विस्मय में फुसफुसाकर कहा, 'रंग

भीतर से आ रहा है। यह रंग किया हुआ नहीं है। यह सच है और अकृत्रिम है।'

दक्ष और कनखला ने एक-दूसरे को देखा। उनकी विस्मित आंखों में आंसू चमक रहे थे। कनखला ने अपने दोनों हाथों को जोड़कर नमस्ते किया और बड़बड़ाते हुए मंत्रोच्चारण करने लगी। अपने अति आह्लाद को अत्यधिक प्रयत्न से दबाते हुए दक्ष ने शिव के मुख को देखा। एक नियंत्रित मुस्कान के साथ मेलूहा के सम्राट ने कहा, 'मेरी आशा है कि जबसे आप मेलूहा में पधारे हैं, आपको हमारी ओर से किसी भी प्रकार की असुविधा नहीं हुई होगी।'

दक्ष की नियंत्रित प्रतिक्रिया के बाद भी शिव को आभास हो गया था कि सम्राट और उसकी प्रधानमंत्री इस नीले गले को देखकर आश्चर्यचकित रह गए थे।

*पता नहीं यह बकवास नीला गला इन मेलूहावासियों के लिए इतना महत्वपूर्ण क्यों है?*

'हुं ऽ ऽ म, बिल्कुल नहीं महाराज,' गुलूबंद को गले पर लगाने का प्रयत्न करते हुए शिव ने उत्तर दिया, 'दरअसल, यहां जो अतिथि सत्कार हमें प्राप्त हुआ है, उससे मैं और मेरा कबीला अत्यधिक प्रसन्न हैं।'

'यह सुनकर मुझे अत्यधिक प्रसन्नता हुई,' नम्रता से अपना सिर झुकाते हुए दक्ष ने कहा, 'आप अब अवश्य ही विश्राम करने की इच्छा रखते होंगे और हम कल इस पर विस्तार से बातें करेंगे। क्या आप राजसी दुर्ग-नगर में अपना आवास रखना पसंद करेंगे? ऐसी अफवाह है कि यहां के आवास थोड़े अधिक ही आरामदायक हैं।'

'यह बहुत ही कृपालु प्रस्ताव है, महाराज।'

दक्ष नंदी की ओर मुड़े और पूछा, 'कप्तान, आपने अपना क्या नाम बताया था?'

'मेरा नाम नंदी है, महाराज।'

'आप भी यहां निवास कर सकते हैं। आप अपने आदरणीय अतिथि

की देखभाल भली प्रकार से करना सुनिश्चित करें। कनखला कृपया सभी प्रकार की व्यवस्था सुनिश्चित करें।'

'जैसी आपकी आज्ञा, महाराज।'

कनखला ने अपने एक सहयोगी को बुलाया, जो शिव और नंदी को मार्गदर्शन करके राजशाही कार्यालय से बाहर लेकर चला गया।

जैसे ही शिव कमरे से बाहर गया तो दक्ष ने घुटनों के बल बैठकर अत्यंत ही धर्माचार से अपने सिर से उस स्थान को स्पर्श किया जहां शिव खड़ा हुआ था। उसने बड़बड़ा कर धीमे स्वर में प्रार्थना की और आंखों में आंसू लिए कनखला की ओर देखा। हालांकि कनखला की आंखों ने धैर्य खोने एवं क्रोध का विश्वासघात कर लिया था।

'मैं कुछ समझी नहीं, महाराज,' कनखला ने आंखें तरेरी, 'नीला रंग अकृत्रिम था। आपने उनसे बताया क्यों नहीं?'

'आप मुझसे क्या करने की आशा करती हैं?' आश्चर्य से भरे दक्ष ने कहा, 'देवगिरि में उनका मात्र दूसरा दिन है। आप चाहती हैं कि मैं उनको संबोधित करूं और बताऊं कि वे ही नीलकंठ हैं, हमारे मुक्तिदाता, हमारे रक्षक? और उन्हें हमारी सभी समस्याओं के निदान के लिए भेजा गया है?'

'इसमें हर्ज ही क्या है? यदि उनका कंठ नीला है, तो वे ही नीलकंठ हैं। क्या वे नहीं हैं? और यदि वे ही नीलकंठ हैं तो वे ही हमारे रक्षक हैं। उन्हें इस प्रारब्ध को स्वीकार करना होगा।'

उत्तेजित पर्वतेश्वर ने मध्य में ही टोका, 'मुझे विश्वास नहीं हो रहा है कि हम इस प्रकार बात कर रहे हैं। हम मेलूहावासी हैं! हम सूर्यवंशी हैं! हमने मानवता की सबसे महान सभ्यता का निर्माण किया है और कोई गंवार जिसके पास कोई शिक्षा नहीं है, कोई कौशल नहीं है, कोई योग्यता नहीं है, वह हमारा रक्षक होगा? मात्र इस कारण से कि उसका गला नीला है?'

'पौराणिक कथा यही बताती है, पर्वतेश्वर,' कनखला ने प्रतिकार किया।

दक्ष ने अपने दोनों मंत्रियों को रोकते हुए कहा, 'पर्वतेश्वर, मैं

पौराणिक कथा में विश्वास रखता हूं। मेरे लोग पौराणिक कथा में विश्वास रखते हैं। नीलकंठ ने मेरे शासनकाल में अवतरित होने का चयन किया है। वे समस्त भारतवर्ष को मेलूहा के आदर्शों पर चलने का नेतृत्व करेंगे, सत्य, कर्तव्य एवं सम्मान की एक भूमि। उनके नेतृत्व में हम चंद्रवंशियों के संकट का सदा के लिए निपटारा कर सकते हैं। वे सभी प्रकार के संताप जो वे हमें पहुंचाते हैं, समाप्त हो जाएंगे, आतंकी हमले से लेकर, सोमरस की कमी से लेकर सरस्वती के मरण तक सभी।'

'तब उन्हें बताने में यह देरी क्यों, महाराज?' कनखला ने पूछा, 'जितने अधिक दिन हम नष्ट करेंगे उतना ही हमारे लोगों का समाधान निर्बल होता जाएगा। आपको पता ही है कि अभी कुछ दिन पहले ही आतंकियों का आक्रमण एक गांव में हुआ था जो हरियुप से कुछ ही दूरी पर स्थित था। जब हमारी प्रतिक्रिया दुर्बल होती है तो हमारे शत्रु सबल होते जाते हैं, महाराज। हमें प्रभु को शीघ्र ही यह बात बता देनी चाहिए और हमारे लोगों को उनके आगमन की घोषणा कर देनी चाहिए। यह हमें हमारे क्रूर शत्रुओं से लड़ाई लड़ने में शक्ति प्रदान करेगा।'

'मैं उनको बताऊंगा। किंतु मैं आप लोगों से अधिक दूरदर्शी होने का प्रयास कर रहा हूं। अभी तक हमारे साम्राज्य ने मात्र कपटी नीलकंठों के हौसलापस्त करने वाले प्रभावों का सामना किया है। उन परिणामों की कल्पना कीजिए यदि लोगों को यह पता चलता है कि असली नीलकंठ आ गए हैं किंतु वे हमारी सहायता करने से मना कर रहे हैं। सर्वप्रथम हमें इस बात पर आश्वस्त होना चाहिए कि वे इस प्रारब्ध को स्वीकार करने को इच्छुक हैं। उसके बाद ही हम लोगों को उनके आगमन की सूचना प्रदान करेंगे। और मैं सोचता हूं कि उनको मनवाने का सबसे उत्तम तरीका यही होगा कि हम उन्हें अपनी समस्त सचाइयों को बतायें। एक बार जब वे हमारे द्वारा सामना किए जाने वाले आक्रमणों के अनौचित्य को देख लेंगे तो वे बुराई को नष्ट करने के युद्ध में हमारे साथ होंगे। यदि इसमें समय लगता है तो कोई हर्ज नहीं है। हमने सदियों से नीलकंठ के आने की प्रतीक्षा की है। कुछ और सप्ताह हमें नष्ट नहीं कर पाएंगे।'

अध्याय - 5

# ब्रह्मा का जाति-वर्ग

शिव राजशाही विश्रामगृह के हरे-भरे उद्यान में विचरण कर रहा था। उसका समस्त सामान नंदी एवं कनखला के सहयोगियों द्वारा राजशाही विश्रामगृह में लाया जा रहा था। शिव एक आरामदायक तख्त पर सफेद और लाल रंग के गुलाबों की क्यारी की ओर मुंह करके बैठा हुआ था। उस खुले उद्यान में सुहावनी मंद हवा ने उसके मुख पर मुस्कान ला दी थी। उस समय मध्याह्न का पूर्व प्रहर था और उद्यान वीरान था। शिव की सोच बार-बार प्रातःकाल सम्राट से हुई वार्तालाप की ओर घूम-फिरकर चली जा रही थी। दक्ष की नियंत्रित प्रतिक्रिया के बावजूद शिव को यह बात समझ में आ चुकी थी कि उसका नीला गला मेलूहावासियों के लिए बहुत महत्व रखता था, यहां तक कि सम्राट के लिए भी। इसका अर्थ था कि नीलकंठ की पौराणिक कथा चाहे वह जो भी हो वह मात्र कश्मीर के एक छोटे से क्षेत्र तक ही सीमित नहीं थी। यदि स्वयं सम्राट ने इसे गंभीरता से लिया था तो समस्त मेलूहावासियों को अवश्य ही नीलकंठ की सहायता की आवश्यकता थी।

*किंतु आखिर ये किस बेवकूफी के लिए सहायता चाहते हैं? ये लोग हमसे आवश्यकता से अधिक विकसित हैं!*

उसकी सोच में ढोल की थाप एवं घुंघरूओं के स्वर से विघ्न पड़ा। ऐसा प्रतीत हुआ कि उस उद्यान में कोई नृत्य का अभ्यास कर रहा था। उस नृत्य के रंगमंच और शेष उद्यान के मध्य एक बाड़ा बना हुआ था। शिव स्वयं

भी एक अत्यंत ही भावुक नर्तक था। वह सामान्यतः ढोल की थाप सुनकर उसकी ओर चला जाता ताकि उस लय पर थिरक सके, किंतु उस समय उसका मन पूर्व के विचारों में तल्लीन था। किंतु भावी को कौन रोक सकता है। उस नृत्य समूह से आ रहे कुछ स्वर उड़कर शिव के कानों में गिर पड़े।

'नहीं नहीं देवी, आपको यह छोड़ देना चाहिए,' एक विलक्षण पुरुष स्वर ने कहा, 'आपके लिए यह ऐसा काम नहीं है कि आपको करना ही होगा। आप नृत्य का आनंद लीजिए। आप इसके समस्त नृत्य पदों को याद करने का कुछ अधिक ही प्रयत्न कर रही हैं, बजाय इसके कि नृत्य के प्रवाह के भावों को अपने आप ही निकल जाने दें।'

उसके बाद एक स्त्री का स्वर सुनाई दिया, 'देवी, गुरुजी उचित ही कह रहे हैं। आप नृत्य उचित प्रकार से कर रही हैं, किंतु उसका आनंद नहीं ले रही हैं। सघनता आपके मुख पर दिखाई दे रही है। आपको थोड़ा आराम से नृत्य करना होगा।'

'पहले मुझे नृत्य के पदों को सही कर लेने दीजिए। उसके बाद मैं इसमें आनंद लेना भी सीख जाऊंगी।'

अंतिम स्वर ने शिव के बदन के रोएं खड़े कर दिए। यह सती थी। वह शीघ्रता से उठा और जिधर से वे स्वर आ रहे थे, उस ओर चल पड़ा। उस बाड़े के पीछे से आने पर उसने देखा कि सती एक छोटी-सी वेदिका पर नृत्य कर रही थी। उसके हाथ बगल में कड़ाई से ऊपर उठे हुए थे जब वह नृत्य की विभिन्न मुद्राओं का प्रदर्शन कर रही थी। उसने थाप के अनुसार ही नृत्य किया, पहले बाईं ओर फिर दाईं ओर। उसने अपने आकारित कूल्हे को एक ओर लचकाया और नृत्य के भाव को बताने के लिए अपने दोनों हाथ कमर पर रख लिए। वह एक बार पुनः मंत्रमुग्ध था।

हालांकि उसने देखा कि यद्यपि वह नृत्य के पदों को सही उठा रही थी, तथापि गुरु जी सही थे। वह एक यांत्रिक तरीके से नृत्य कर रही थी; स्वाभाविक आत्मसमर्पण अर्थात एक स्वाभाविक नर्तकी के लक्षण उसके नृत्य में परिलक्षित नहीं हो रहे थे। हर्ष एवं क्रोध के विभिन्न प्रकार के

ननोभाव जो उस नृत्य की कथा के माध्यम से कहे जा रहे, वे उसके नृत्य पदों में नहीं दिखाई दे रहे थे। और एक कुशल नर्तकी से भिन्न वह पूर्ण वेदिका का प्रयोग नहीं कर पा रही थी। उसके पद छोटे-छोटे थे, जिसके कारण उसके नृत्य पद सिकुड़कर वेदिका के केंद्र तक ही सीमित थे।

नृत्य सिखाने वाले गुरु जी उसके सामने बैठे हुए थे और ढोल पर संगत दे रहे थे। उसकी सहयोगी कृत्तिका उसकी दाईं ओर बैठी हुई थी। वे गुरु जी थे, जिन्होंने सबसे पहले शिव को देखा और खड़े हो गए थे। सती और कृत्तिका भी पीछे मुड़ गई और अपने सामने शिव को खड़ा देखकर वे भी अचंभे में पड़ गईं। सती से भिन्न कृत्तिका अपने भावों पर नियंत्रण नहीं रख सकी और बिना कुछ समझे ही बोल पड़ी, 'शिव?'

सती ने अपने स्वभाव के अनुरूप शांत एवं औपचारिक तरीके से गंभीरता से पूछा, 'क्या सब कुछ ठीक है, शिव? क्या आपको मेरी किसी सहायता की आवश्यकता है?'

*आप कैसी हैं? मैं आपको बहुत याद करता रहा। क्या आप कभी मुस्कुराती नहीं हैं?*

ये शिव के मन के उद्गार थे, जो वह व्यक्त नहीं कर सकता था।

शिव अब भी उसे ही देख रहा था। शब्द उसके मन में उमड़-घुमड़ रहे थे, किंतु जिह्वा पर नहीं आ रहे थे। मुस्कान लिए कृत्तिका ने सती की प्रतिक्रिया जानने के लिए उसकी ओर देखा। अब उससे भी अधिक गंभीर सती ने विनम्रता से दुबारा पूछा, 'क्या मैं किसी प्रकार आपकी मदद कर सकती हूं, शिव।'

'नहीं, नहीं, मुझे किसी सहायता की आवश्यकता नहीं है,' जैसे ही वास्तविकता उसके संज्ञान में पुनः आई तो शिव ने उत्तर दिया, 'मैं इस क्षेत्र में आया हुआ था और मैंने आपके नृत्य की ध्वनि सुनी। मेरा मतलब है कि आप लोगों की बातें सुनीं। आपके नृत्य के पद इतने बलशाली नहीं थे कि मैं सुन सकता था। आप बिल्कुल सही ढंग से नृत्य कर रही थीं। वास्तव में तकनीकी रूप से ठीक था और बस उतना ही...'

कृत्तिका ने बीच में ही बात काटी, 'आपको नृत्य के बारे में कुछ भी

पता है या नहीं?'

'ओह कुछ अधिक नहीं, बस थोड़ा-बहुत,' शिव ने मुस्कान के साथ कृत्तिका से कहा। उसके बाद वह बहुत शीघ्रता से सती की ओर मुड़ा और बोला, 'मुझे क्षमा करें सती, किंतु गुरु जी सही हैं। आप कुछ अधिक ही नियमशील हो रही हैं। जिस देश से मैं आया हूं वहां के लोग इसके बारे में कुछ ऐसा कहेंगे कि मुद्राएं और क्रियाएं तो तकनीकी रूप से पूर्णतः सही थे। किंतु भाव अनुपस्थित थे। और नृत्य बिना भाव के उसी प्रकार का होता है जिस प्रकार आत्मा बिना शरीर। जब नर्तकी के भाव उसमें सम्मिलित हो जाते हैं, उसे अपने नृत्य पद याद करने की आवश्यकता ही नहीं रह जाती है। नृत्य के पद तो स्वयं ही आते जाते हैं। भाव एक ऐसी वस्तु है जिसे आप सीख नहीं सकते। वह आपके पास आती है जब आप उसे अपने हृदय में स्थान देते हैं।'

सती ने बिना कुछ भी बोले बड़े ही धैर्य से शिव की बात सुनी। जब वह गंवार बात कर रहा था तो उसकी भौंहें थोड़ी ऊपर उठ गई थीं। एक सूर्यवंशी से अधिक यह व्यक्ति नृत्य के बारे में कैसे जान सकता है? किंतु उसने स्वयं को याद दिलाया कि उसने उसके जीवन की रक्षा की थी। वह उसे सम्मान देने के लिए कर्तव्यबद्ध थी।

यद्यपि कृत्तिका ने इसे उसके अपराध के रूप में लिया कि एक बिना जाति सूचक चिह्न वाला विदेशी दम भर रहा है कि उसे नृत्य के बारे में उसकी महोदया से अधिक आता था। उसने क्रुद्ध दृष्टि से शिव को देखा और कहा, 'आपका इतना दुस्साहस कि आप सोचते हैं कि आपको इस राज्य की सबसे अच्छी नर्तकी से अधिक ज्ञान है?'

शिव को एहसास हो चुका था कि संभवतः उसने कोई अपराध कर दिया था, 'मैं अत्यधिक क्षमाप्रार्थी हूं। मैं किसी भी प्रकार से आपके अनादर की सोच भी नहीं सकता। कई बार ऐसा होता है कि मुझे यह एहसास नहीं होता है कि मैं क्या बोल रहा हूं और बिना कुछ सोचे-समझे बोलता चला जाता हूं।'

'नहीं, नहीं,' सती ने उत्तर दिया, 'आपने मेरा अनादर नहीं किया है।

संभवतः आप सही हैं। मैं नृत्य के भाव को उतना महसूस नहीं करती जितना मुझे करना चाहिए। किंतु मुझे विश्वास है कि मैं गुरु जी के मार्ग-दर्शन में कुछ समय में आवश्य सीख जाऊंगी।'

सती को प्रभावित करने के अवसर को भुनाते हुए शिव ने कहा, 'यदि आपको बुरा न लगे तो क्या मैं नृत्य का प्रदर्शन कर सकता हूं? मुझे अच्छी तरह से पता है कि मैं आपकी तरह तकनीकी रूप से सही नहीं हूं। किंतु बहुत संभव है कि भाव में कुछ न कुछ अवश्य होगा जो मुझे मेरे नृत्य के पद सही लेने में मेरा मार्ग-दर्शन करेगा।'

*यह तो बहुत अच्छी तरह से मैं बोल गया। अब वह ना नहीं कर सकती!*

सती आश्चर्यचकित दिखी। यह अप्रत्याशित था, 'हुं ऽ ऽ म, ठीक है,' वह न चाहते हुए भी जाने कैसे बोल पड़ी।

अत्यधिक प्रसन्न शिव तत्काल ही रंगमंच के मध्य में पहुंच गया। उसने अंगवस्त्रम् को उछालकर एक ओर फेंक दिया जो उसके ऊपरी शरीर को ढंके हुए था। उसकी महोदया के अपमान पर कृत्तिका का जो अर्थ लगाने वाला गुस्सा था वह काफूर हो चुका था क्योंकि उसकी उस समय गहरी सांस निकल गई जब उसने शिव की छोटी-छोटी लहर वाली डील-डौल को देखा। उधर सती अचंभे में पड़ती जा रही थी कि उसका वह शक्तिशाली मांसपेशियों से सुगठित शरीर कैसे नृत्य के लिए आवश्यक लचक कर पाएगा। शक्ति की वेदी पर बहुधा लचीलेपन की आहुति दे दी जाती है।

ढोल पर हल्की थाप देते हुए गुरु जी ने शिव से पूछा, 'जिस ताल पर आप आराम से नृत्य कर सकते हैं, वह बताइए हे नवयुवक।'

शिव ने हाथ जोड़कर नमस्ते किया और विनम्रता से झुककर कहा, 'गुरु जी, क्या आप मुझे कुछ क्षण देने की कृपा करेंगे? मुझे नृत्य के लिए तैयार होने की आवश्यकता है।'

नृत्य एक ऐसी विधा थी, जिसे शिव उतनी ही अच्छी तरह से जानता था जितनी कि युद्धकला। पूर्व की ओर घूमकर पहले उसने अपनी आंखें मूंद

लीं और उसके बाद वह थोड़ा-सा झुका। उसके बाद वह अपने घुटनों के बल हो गया और उसने भक्तिभाव से अपने सिर से भूमि को स्पर्श किया। खड़ा होकर उसने अपने दाहिने पांव को आगे बढ़ाया। उसके बाद उसने अपने बाएं पांव को फंर्श से बड़े ही सुंदर ढंग से वक्र तरीके से तब तक उठाया जब तक कि वह घुटने की ऊंचाई तक न पहुंच गया और फिर उसने संतुलन बनाने के लिए अपने दाएं पांव को थोड़ा झुका दिया। उसका बायां पांव उसके दाएं पांव के लगाव एवं मुख के ठीक मध्य में आगे की ओर चला गया। दर्शकगणों के मध्य एक मृत्यु समान शांतता को मात्र शांत एवं मंद पवन की ध्वनि ही भंग कर रही थी। गुरु जी, सती एवं कृत्तिका ने शिव को आश्चर्य से देखा। वे यह समझ नहीं पा रहे थे कि वह क्या कर रहा था किंतु वे उस ऊर्जा का अनुभव कर रहे थे जो शिव की उस मुद्रा से निकल रही थी।

शिव ने सुंदर वृत्ताकार नृत्य पद लेने के साथ अपने दोनों हाथों को उठाया और उन्हें कंधे के बराबर दोनों ओर लेकर गया। उसका दाहिना हाथ इस प्रकार से ढांचा बना रहा था कि जैसे उसने डमरू हाथ में पकड़ रखा हो। उसका बायां हाथ खुला था, उसकी हथेली ऊपर की ओर मुख किए हुए थी जैसे कि वह कोई दैवीय ऊर्जा प्राप्त कर रही हो। उसने इस मुद्रा को कुछ देर तक यूं ही बनाकर रखा; उसका दीप्तिमान मुख बता रहा था कि शिव अपनी ही दुनिया में खोता चला जा रहा था। उसके बाद उसका दहिना हाथ अप्रयासित ढंग से आगे की दिशा में चला जैसे उसके पास अपना ही मन हो। उसकी हथेली अब खुली हुई थी और दर्शक की ओर देख रही थी। वह मुद्रा कुछ इस प्रकार की थी कि जैसे वह सती को संरक्षण दे रही थी जो अचंभे से सब कुछ देख रही थी। उसका बायां हाथ उसके कंधे के बराबर वाले स्थान से सामने की ओर आया जिसकी हथेली नीचे की ओर मुख किए हुए थी। बायां हाथ एक मुद्रा करने के बाद रुका जब वह इस स्थिति में आया कि वह बाएं पांव को दिखा रहा था। शिव ने इस मुद्रा को भी थोड़ी देर तक रोके रखा।

और उसके बाद उसने नृत्य प्रारंभ कर दिया।

सती ने आश्चर्य से शिव को घूरा। वह उसके ही नृत्य पद का प्रदर्शन कर रहा था। इसके बावजूद वह पूरी तरह से एक भिन्न नृत्य लग रहा था। उसके हाथों की मुद्राएं पूरी तरह से अप्रयासित थीं जैसे जादुई हों।

कैसे इतने सुगठित शरीर में इतनी लचक हो सकती थी? गुरु जी ने असहाय होकर ढोल से संगत देने का प्रयत्न किया। किंतु स्पष्ट रूप से इसकी कोई आवश्यकता नहीं थी। क्योंकि शिव के पांव ही ढोल की थाप का गुंजन कर रहे थे।

नृत्य ने स्त्री के विभिन्न भावों के प्रदर्शन को दिखाया। प्रारंभ में एक स्त्री के अपने पति के साथ हंसी-ठिठोली करते उसकी प्रसन्नता एवं अनुराग को दर्शाया गया। उसके बाद अपने साथी की अनुचित मृत्यु पर उसके क्रोध और पीड़ा को दर्शाया गया। यहां तक कि शिव के इतने रूखे मर्दाना शरीर होने पर भी एक शोकग्रस्त स्त्री के कोमल फिर भी सबल भावों का प्रदर्शन पूर्णतः सहज दिख रहा था।

शिव के नेत्र खुले हुए थे। किंतु दर्शकगणों ने संपादित किया कि वह उनके लिए अनजान थे। शिव अपनी ही दुनिया में था। वह दर्शकों के लिए नृत्य नहीं कर रहा था। वह प्रशंसा पाने के लिए नृत्य नहीं कर रहा था। वह संगीत के लिए नृत्य नहीं कर रहा था। वह मात्र स्वयं के लिए नृत्य कर रहा था। बल्कि ऐसा प्रतीत हो रहा था कि उसका नृत्य किसी दिव्य शक्ति द्वारा निर्देशित हो रहा था। सती को अनुभव हुआ कि शिव सही था। उसने स्वयं को खुला छोड़ दिया और नृत्य स्वयमेव उसके पास आ पहुंचा था।

ऐसा प्रतीत हो रहा था कि जैसे वह नृत्य अनंत काल तक चलने वाला था। फिर अचानक ही शिव ने कड़ाई से आंखें बंद कीं और अंततः उसका नृत्य समाप्त हो गया। उसने अपनी अंतिम मुद्रा को बहुत देर तक रोके रखा और उसकी दीप्ति उसे छोड़कर चली गई। ऐसा प्रतीत हो रहा था कि वह अब अपनी दुनिया में वापस लौट गया था। शिव ने धीरे से अपनी आंखें खोली तो उसने देखा कि सती, कृत्तिका और गुरु जी पूर्ण विस्मय में उसे निहार रहे थे।

गुरु जी वे पहले थे जिन्हें अपने कंठ-स्वर की सबसे पहले प्राप्ति हुई,

'आप कौन हैं?'

'मैं शिव हूं।'

'नहीं, नहीं, आपका शरीर नहीं। मेरा अर्थ कि आप कौन हैं?'

शिव ने दोनों आंखों को वक्र कर त्योरी चढ़ाई और पुनः दुहराया, 'मैं शिव हूं।'

'गुरु जी, क्या मैं एक प्रश्न पूछ सकती हूं?' सती ने पूछा।

'निस्संदेह आप पूछ सकती हैं।'

शिव की ओर मुड़कर सती ने पूछा, 'नृत्य से पहले वह आपने क्या किया था? क्या वह किसी प्रकार की प्रस्तावना थी?'

'जी हां। इसे नटराज मुद्रा कहा जाता है। यह नृत्य के ईश्वर की मुद्रा है।'

'नटराज मुद्रा? वह क्या करती है?'

'उसने मेरी ऊर्जा को सार्वभौमिक ऊर्जा के साथ एकरेखित कर दिया ताकि नृत्य स्वयं ही उत्पन्न हो सके।'

'मैं कुछ समझी नहीं।'

'देखिए, यह कुछ इस प्रकार है: हमारे लोगों के मध्य, हमारा मानना है कि इस विश्व में सभी वस्तुएं किसी न किसी प्रकार की शक्ति या ऊर्जा की संवाहक हैं। पेड़-पौधे, पशु, वस्तुएं, हमारे शरीर, सभी कुछ ऊर्जा के संवाहक हैं और ऊर्जा संचारित करते हैं। किंतु ऊर्जा की जो सबसे बड़ी संवाहक है जिसके हम संपर्क में होते हैं, वह स्वयं माता पृथ्वी है, वह मैदान जिस पर हम चलते हैं।'

'उसका आपके नृत्य से क्या लेना-देना है?'

'इसलिए क्योंकि आप जो कुछ भी करते हैं, उसके लिए आपको ऊर्जा की आवश्यकता होती है। ऊर्जा लोगों से, वस्तुओं से और स्वयं माता पृथ्वी से आती है। आपको उस ऊर्जा के लिए सम्मानपूर्वक मांग करनी होती है।'

'और आपकी यह नटराज मुद्रा आपको उस ऊर्जा को प्राप्त करने में

सहायता करती है, जिसकी आप कामना करते हैं?' गुरु जी ने पूछा।

'यह इस बात पर निर्भर करता है कि मैं किसलिए उस ऊर्जा की कामना करना चाहता हूं। नटराज की मुद्रा मुझे उस नृत्य के लिए आदरपूर्वक ऊर्जा मांगने में सहायता करती है जो मेरे पास आना चाहती है। यदि मुझे मेरी सोच के लिए ऊर्जा की कामना करनी होती तो मुझे पालथी मारकर बैठकर ध्यान लगाना चाहिए।'

'ऐसा प्रतीत होता है कि ऊर्जा आप पर कृपा रखती है नवयुवक,' गुरु जी ने कहा, 'आप नटराज हैं, नृत्य के ईश्वर।'

'ओह, नहीं!' शिव ने लगभग पुकार कर कहा, 'मैं तो उस अनंत नटराज ऊर्जा का एक माध्यम मात्र हूं। कोई भी उसका माध्यम हो सकता है।'

'यदि ऐसा है, नवयुवक तो आप विशेष रूप से इसके प्रभावी माध्यम हैं,' गुरु जी ने कहा। सती की ओर मुड़कर गुरु जी ने कहा, 'यदि आपके इन जैसे मित्र हैं तो आपको मेरी आवश्यकता नहीं है, पुत्री। यदि आप चाहती है कि शिव आपको नृत्य सिखाएं तो मुझे स्वयं को इस कार्य से विलग करने में गर्व की अनुभूति होगी।'

शिव ने सती को आशान्वित दृष्टि से देखा। यह सब उसकी आशा से बहुत ही अच्छा हो गया था।

*हां बोल दो, सुंदरी!*

हालांकि ऐसा प्रतीत हुआ कि सती इससे पृथक विचार रही थी। आश्चर्य से भरे शिव ने उस स्त्री के भेद्य होने का पहला संकेत देखा। उस स्त्री ने अपना सिर झुकाया, जो उसके गर्वीले व्यवहार अनुकूल नहीं था और धीरे से फुसफुसाहट भरे स्वर में बोली, 'मैं किसी का अनादर नहीं कर रही, किंतु संभवतः मुझमें इतनी निपुणता नहीं है कि मैं इस स्तर का प्रशिक्षण प्राप्त कर सकूं।'

'किंतु आपके पास निपुणता है,' शिव ने तर्क किया, 'आपके पास आचरण है। आपके पास हृदय है। आप बड़ी आसानी से उस स्तर तक

पहुंच सकती हैं।'

सती ने सिर उठाकर शिव की ओर देखा। उसकी आंखों में हल्की नमी के संकेत दिख रहे थे। उसने दुख के जिस महासमुद्र को दिखाया उसने शिव को विस्मय में डाल दिया।

*यह यहां क्या बकवास हो रहा है?*

'मैं किसी भी स्तर से बहुत दूर हूं, शिव,' सती बड़बड़ाई।

जब उसने यह कहा तो सती को स्वयं को पुनः नियंत्रित करने की शक्ति आ गई थी। विनम्र गर्वीला आचरण उसके मुख पर वापस लौट आया था। मुखौटा पुनः आ चुका था, 'यह मेरी पूजा का समय है। गुरु जी आपकी आज्ञा से मुझे यहां से चले जाना चाहिए।' वह शिव की ओर मुड़ी, 'आपसे दुबारा मिलकर बहुत प्रसन्नता हुई शिव।'

इससे पहले कि शिव कुछ बोल पाता, सती मुड़ी और वहां से चली गई। कृत्तिका ने उसका अनुसरण किया।

गुरु जी पूर्णतः भौंचक्के शिव को लगातार गहरी दृष्टि से देख रहे थे। उन्होंने शिव की ओर झुककर औपचारिक नमस्ते किया और कहा, 'आपको नृत्य करते देखकर मैं कृतज्ञ हुआ।'

उसके बाद वे भी मुड़े और वहां से चले गए। शिव मेलूहावासियों के इन अगम्य तरीकों को सोचकर आश्चर्यचकित रह गया।

—  ⚭ ⚬ ⛎ ⚶ ⊕  —

दूसरे दिन प्रातःकाल के बाद बहुत समय बीत चुका था जब शिव और नंदी निजी राजशाही कार्यालय पहुंचे थे और उन्होंने पाया कि दक्ष, पर्वतेश्वर एवं कनखला उसके आगमन की प्रतीक्षा कर रहे थे। आश्चर्यचकित शिव ने कहा, 'मुझे क्षमा करें महाराज। मैंने सोचा कि द्वितीय प्रहर में चार घंटे पर हमें मिलना था। मुझे आशा है कि मैंने आपको अधिक प्रतीक्षा नहीं करवाई होगी।'

दक्ष एक औपचारिक नमस्ते के साथ उठ खड़ा हुआ। वह ससम्मान

झुका और बोला, 'नहीं, प्रभु। आपको क्षमा मांगने की कोई आवश्यकता नहीं है। हम ही थोड़ा समय से पूर्व आ गए थे ताकि आपको प्रतीक्षा न करनी पड़े। यह गर्व की बात है कि हमें आपकी प्रतीक्षा करने का सुअवसर प्राप्त हुआ।'

अपने सम्राट और मानव जाति की सर्वोत्तम सभ्यता के शासक की एक गंवार के प्रति इस अत्यंत ही दासत्व वाली मुद्रा को देखकर पर्वतेश्वर ने अपनी आंखें घुमाई। सम्राट द्वारा 'प्रभु' का संबोधन सुनने के बाद अपने आश्चर्य पर नियंत्रण रखते हुए शिव ने सम्राट की ओर झुककर नमस्ते किया और बैठ गया।

'प्रभु, इससे पूर्व कि मैं नीलकंठ की पौराणिक कथा का एकालाप प्रारंभ करूं, यदि आप कुछ प्रश्न करने की इच्छा रखते हैं तो वह पूछ सकते हैं?' दक्ष ने शिव की मंशा को भांपते हुए कहा।

जो एक सबसे स्पष्ट प्रश्न शिव के मन में सर्वप्रथम आया, वह था।

*उस पवित्र झील के नाम पर कोई मुझे बताए कि यह पवित्र नीला गला इतना महत्वपूर्ण क्यों है?*

किंतु उसकी स्वाभाविक बुद्धि ने उससे कहा कि यद्यपि यही सबसे प्रत्यक्ष प्रश्न प्रतीत होता था तथापि यह तब तक उत्तरित नहीं हो सकता था जब तक कि वह मेलूहा के समाज के बारे में और अधिक नहीं समझ लेता था।

'यह एक असामान्य प्रश्न प्रतीत हो सकता है महाराज,' शिव ने कहा, 'किंतु क्या मैं पूछ सकता हूं कि आपकी उम्र कितनी है?'

आश्चर्यचकित दक्ष ने कनखला की ओर देखा। उसके बाद शिव की ओर वापस मुड़कर एक विस्मित मुस्कान के साथ कहा, 'आप अत्यंत ही बुद्धिमान हैं, प्रभु। आपने सबसे महत्वपूर्ण प्रश्न सबसे पहले पूछा है।' अपने चेहरे को षड्यंत्रपूर्ण बनावटी हंसी में बदलते हुए दक्ष ने पुनः कहा, 'पिछले महीने मैंने एक सौ चौरासी वर्ष पूरे किए है।'

शिव स्तब्ध था। दक्ष तीस वर्ष से एक दिन भी अधिक आयु का नहीं

दिखता था। असल में मेलूहा में कोई भी वृद्ध नहीं दिखाई देता था। मात्र उस पंडित को छोड़कर जो उसे ब्रह्मा के मंदिर में मिला था।

*तो इसका अर्थ यह हुआ कि नंदी सचमुच ही एक सौ साल से अधिक आयु वाला है।*

'यह कैसे हो सकता है महाराज?' भौंचक्के हुए शिव ने पूछा, 'कौन-सी जादूगरी इसे संभव बनाती है?'

'इसमें कोई जादूगरी नहीं है, प्रभु,' दक्ष ने व्याख्या की, 'असल में हमारे वैज्ञानिकों द्वारा बनाया गया सोमरस इसे संभव करता है। वही सोमरस जो देवता लोग पीते हैं। उपयुक्त समय पर सोमरस का पान न केवल हमारी मृत्यु को बहुत अधिक स्थगित कर देता है बल्कि यह हमें समस्त जीवन युवा बनकर जीने की शक्ति भी प्रदान करता है, मानसिक एवं शारीरिक रूप से।'

'किंतु यह सोमरस क्या है? वह कहां से आता है? इसका आविष्कार किसने किया है?'

'बहुत सारे प्रश्न प्रभु,' दक्ष मुस्कुराया, 'किंतु मैं प्रयत्न करूंगा कि एक-एक करके आपके प्रश्नों के उत्तर दे सकूं। सोमरस का आविष्कार भारत के महानतम वैज्ञानिकों में से एक ने कई सहस्रों वर्ष पहले किया था। उनका नाम था भगवान ब्रह्मा।'

'मेरे विचार से मेरु नामक स्थल पर देवगिरि की यात्रा करते समय मैं एक मंदिर में गया था जो उनका ही था।'

'जी हां, प्रभु। यह वही स्थान है जहां कथित रूप से उन्होंने निवास किया था और अपना कार्य किया था। भगवान ब्रह्मा एक सफल आविष्कारक थे। किंतु उन्होंने अपने आविष्कार का खुद के लिए कभी उपयोग नहीं किया। वे यह सुनिश्चित करना चाहते थे कि उनके आविष्कार मानव जाति की अच्छाई के लिए प्रयुक्त हों। उन्हें पूर्व से ही आभास था कि सोमरस जैसे शक्तिशाली पेय का दुष्ट लोगों द्वारा दुरुपयोग किया जा सकता था। अतः उन्होंने इसके प्रयोग के लिए विस्तृत प्रकार के नियंत्रणों की व्यवस्था की थी।'

'किस प्रकार के नियंत्रण?'

'वे सोमरस सब को यूं ही उदारता से नहीं देते थे,' दक्ष ने कहना जारी रखा, 'देशव्यापी सश्रम सर्वेक्षण करने के उपरांत उन्होंने त्रुटिहीन चरित्र वाले किशोरों के एक समूह का चयन किया, प्राचीन भारतवर्ष के सात परिक्षेत्रों में से प्रत्येक में से एक। उन्होंने किशोरों के चयन किए ताकि वे उनके साथ गुरुकुल में रह सकें और वे उनके चरित्र को समाज के निःस्वार्थ सहायकों के सांचे में ढाल सकें। केवल इन्हीं बालकों पर सोमरस की औषधि का प्रयोग किया गया। चूंकि इन बालकों को औषधि देकर सोमरस के कारण उन्हें एक अतिरिक्त जीवन प्रदान किया गया, अतः उन्हें द्विज अर्थात दो बार जन्म लेने वाला कहा गया। भगवान ब्रह्मा के प्रशिक्षण, उनके सामूहिक प्रयासों से किए गए अनेक आविष्कार और सोमरस की शक्ति के साथ यह समूह संपूर्ण इतिहास में सबसे अधिक शक्तिशाली समूह बन गया। उन्होंने अपनी बुद्धि को मानवेतर बुद्धि तक की प्राप्ति के लिए प्रखर कर लिया। प्राचीन काल में बुद्धिमान व्यक्तियों को ऋषि कहा जाता था। चूंकि भगवान ब्रह्मा ने जो व्यक्ति चुने थे वे सात की संख्या में थे, अतः वे सप्तर्षि अथवा सप्त ऋषि कहलाए।'

'और इन सप्तर्षियों ने अपना नैपुण्य समाज की भलाई के लिए किया।'

'जी हां, प्रभु। भगवान ब्रह्मा ने सप्तर्षियों के आचरणों के लिए कड़े नियमों का निर्माण किया था। उन्हें शासन करने अथवा व्यापार करने की पूरी मनाही थी, सारतः जो उनके लिए निजी लाभ के कार्य हो सकते थे। उनके लिए ऐसे कार्य नियत किए गए थे जिससे वे अपनी शक्ति का प्रयोग समाज की भलाई के लिए कर सकते थे, जैसे पंडित, शिक्षक, वैद्य तथा ऐसे ही अन्य बुद्धिशाली व्यवसाय। इसके बदले में उन्हें कुछ भी लेने की मनाही थी और उन्हें भिक्षा एवं दूसरों द्वारा दिए गए दान पर जीवित रहना था।'

'कड़े सेवा नियम,' मसखरी के साथ शिव ने पर्वतेश्वर की ओर पलक झपका कर कहा।

पर्वतेश्वर ने कोई प्रतिक्रिया नहीं दी, किंतु दक्ष, कनखला एवं नंदी ने

जोरदार ठहाका लगाया। शिव ने खिड़की के बाहर प्रहर कंदील को देखा। लगभग तीसरे प्रहर का समय हो चला था। यह वह समय था जब सती नृत्य के लिए बाहर आती ही होगी।

'किंतु वे अपने आचरण के नियमों का पालन कड़ाई से करते थे, प्रभु,' दक्ष ने कहना जारी रखा, 'समय के साथ जब उनके उत्तरदायित्व बढ़ गए तो उन सप्त ऋषियों ने अपने जाति-वर्ग से अन्य लोगों को भी जोड़ लिया। उनके अनुयायियों ने उन्हीं नियमों के पालन की प्रतिज्ञा ली जो सप्तर्षि करते आ रहे थे और उन्हें भी सोमरस का पान करने का अवसर मिला। उन्होंने अपने जीवन को ज्ञान की खोज में तथा बिना किसी द्रव्य के लाभ की आशा किए समाज की अच्छाई के लिए अर्पित कर दिया। इसी कारण से समाज ने इन्हें लगभग भक्तिमय आदर दिया। बहुत समय के बाद सप्तर्षि एवं उनके अनुयायी ब्रह्मा के जाति-वर्ग अथवा ब्राह्मण कहे गए।'

'किंतु जैसाकि अक्सर होता है, एक लंबे समय के बाद सभी अच्छी व्यवस्थाओं की तरह ही कुछ लोगों ने ब्राह्मण के नियमों का पालन करना बंद कर दिया, क्या मैं सही हूं?'

'आप बिल्कुल सही हैं, प्रभु,' दक्ष ने इस प्रकार की साधारण मानवीय दुर्बलता पर अपना सिर हिलाते हुए उत्तर दिया, 'कई सहस्राब्दि बीत गई, कुछ ब्राह्मण उन कड़े नियमों को भूल गए जो भगवान ब्रह्मा ने लागू किए थे और सप्तर्षियों ने जिनके प्रचार-प्रसार किए थे। उन लोगों ने सोमरस द्वारा प्रदान की गई विस्मयकारी शक्तियों का अपने निजी लाभ के लिए दुरुपयोग करना प्रारंभ कर दिया। कुछ ब्राह्मणों ने एक बड़ी जनसंख्या पर प्रभाव डालकर साम्राज्यों को जीतना एवं उन पर शासन कर प्रारंभ कर दिया। सप्तर्षियों एवं भगवान ब्रह्मा के अनेक आविष्कारों का दुरुपयोग कर कुछ ब्राह्मणों ने अपने लिए अत्यधिक धन संचय कर लिया।'

'और तो और यहां तक कि कुछ ब्राह्मणों ने,' कनखला ने भयभीत होने वाले भाव से बीच में ही अपनी राय दी, 'तो सप्तर्षि उत्तराधिकारियों के विरुद्ध विद्रोह भी कर दिया।'

'सप्तर्षि उत्तराधिकारी?' शिव ने जानना चाहा।

'वे सप्तर्षि के उत्तराधिकारी थे, प्रभु,' कनखला ने स्पष्ट किया, 'जब किसी सप्तर्षि को पता चल जाता था कि उनके नश्वर शरीर का अंत होने वाला था तो वे अपने गुरुकुल से ही अपना उत्तराधिकारी नियुक्त करते थे। वे उत्तराधिकारी ठीक उसी प्रकार से आदर-सम्मान पाते थे जो उनके पूर्वज सप्तर्षि प्राप्त किया करते थे।'

'इसका अर्थ यह है कि सप्तर्षि उत्तराधिकारियों के विरुद्ध विद्रोह वस्तुतः सप्तर्षियों के स्वयं के विरुद्ध विद्रोह करने जैसा ही था।'

'जी हां, प्रभु,' कनखला ने उत्तर दिया, 'और इस भ्रष्टाचार की सबसे चिंतित करने वाली बात यह थी कि इनका नेतृत्व ऊंचे चयनित ब्राह्मण जाति-वर्ग के हाथों में था, जैसे गरुड़, मोर एवं राजहंस। दरअसल उनके ऊंचे ओहदे के कारण इन चयनित जाति-वर्ग वालों को क्षत्रिय एवं वैश्यों के अधीन कार्य करने की अनुमति नहीं थी जब तक कि वे वस्तुवादी दुनिया के प्रलोभन में लोभवश फंस नहीं जाते थे। इस पर भी वे बुराई के प्रलोभन पर सबसे पहले वशीभूत हुए।'

'और आपके जैसे चयनित जाति-वर्ग अर्थात कबूतर अपने प्राचीन नियमों पर डटे रहे इसके बावजूद कि वे क्षत्रियों के लिए काम करते थे?' शिव ने पूछा।

'जी हां, प्रभु,' कनखला ने उत्तर दिया। उसका सीना गर्व से फूल रहा था।

नगर का घंटा तीसरे प्रहर के प्रारंभ होने का संकेत देने के लिए तीव्र स्वर में बजा। शिव समेत उस कक्ष में उपस्थित सभी लोगों ने नए समय के आगमन पर एक छोटी-सी प्रार्थना की। शिव ने मेलूहावासियों के कुछ तरीके सीख लिए थे। उसी समय एक शूद्र आया। उसने प्रहर कंदील को पुनः तैयार किया और जितनी शीघ्रता से वहां आया था उतनी ही शीघ्रता से वहां से चला गया। शिव ने स्वयं को स्मरण दिलाया कि अब किसी भी क्षण सती उस उद्यान में अपना नृत्य प्रारंभ कर सकती है।

'इस प्रकार किस क्रांति ने परिवर्तन किया महाराज?' दक्ष की ओर मुड़ते हुए शिव ने पूछा, 'आप, पर्वतेश्वर और नंदी क्षत्रिय हैं और आपने

स्पष्ट रूप से सोमरस का पान किया है। दरअसल मैंने देखा है कि आपके साम्राज्य में चारों ही जाति के लोग युवा और स्वस्थ दिखते हैं। इसका अर्थ है कि सोमरस सबको दिया गया है। यह परिवर्तन अवश्य ही किसी क्रांति का परिणाम होगा, क्या यह सही है?'

'जी हां, प्रभु। और उस क्रांति को प्रभु श्री राम के नाम से जाना जाता है। पृथ्वी पर निवास करने वाले सबसे महान सम्राट! जय श्री राम!'

'जय श्री राम!' उस कमरे में सभी लोगों ने जयघोष किया।

'उनके विचारों एवं नेतृत्व ने मेलूहा के समाज को नाटकीय ढंग से परिवर्तित कर दिया,' दक्ष ने कहना जारी रखा, 'असल में स्वयं इतिहास की दिशा ही मौलिक रूप से बदल गई। किंतु इससे पहले कि मैं प्रभु राम की कथा कहना प्रारंभ करूं, क्या मैं एक सुझाव दे सकता हूं?'

'निस्संदेह, महाराज।'

'अब यह तीसरा प्रहर चल रहा है। क्या हम भोजन कक्ष की ओर प्रस्थान कर सकते हैं और इस कथा के पूर्व कुछ भोजन ग्रहण कर सकते हैं?'

'मेरे विचार से मध्याह्न भोजन करने का विचार अति उत्तम है महाराज,' शिव ने कहा, 'किंतु क्या मुझे थोड़ी देर के लिए क्षमा किया जा सकता है? मुझे एक अन्य बहुत ही आवश्यक कार्य है। क्या हम यह परिचर्चा कल कर सकते हैं, यदि आप उचित समझें तो?'

कनखला का चेहरा उतर गया जबकि पर्वतेश्वर का चेहरा तिरस्कारपूर्ण खीस से भरा हुआ था। हालांकि दक्ष ने अपने चेहरे पर मुस्कान कायम रखी थी, 'निस्संदेह हम कल मिल सकते हैं प्रभु। क्या दूसरे प्रहर का दूसरे घंटे का प्रारंभ आपके लिए उचित रहेगा?'

'सर्वथा उचित रहेगा महाराज। इस असुविधा के लिए मैं क्षमाप्रार्थी हूं।'

'बिल्कुल नहीं प्रभु,' हमेशा की तरह मुस्कान लिए दक्ष ने कहा, 'क्या मेरा कोई रथ आपको अपने गंतव्य तक छोड़ सकता है?'

'आप बड़े कृपालु हैं महाराज। किंतु मैं स्वयं ही वहां चला जाऊंगा। मैं पुनः क्षमाप्रार्थी हूं।'

उस कक्ष में सबको नमस्ते करने के बाद शिव और नंदी शीघ्रता से बाहर निकल गए। कनखला ने अभियोगात्मक ढंग से दक्ष को देखा। सम्राट ने सिर हिलाया और हाथ से शांत रहने को कहा, 'सब ठीक है। हम कल मिल रहे हैं न, हैं कि नहीं?'

'महाराज, हमारे पास समय बहुत कम है,' कनखला ने कहा, 'नीलकंठ को अपना उत्तरदायित्व तत्काल स्वीकार कर लेने चाहिए!'

'उन्हें समय दीजिए कनखला। हमने इतने लंबे समय से प्रतीक्षा की है। कुछ दिन में सब कुछ नष्ट नहीं होने वाला है!'

पर्वतेश्वर सहसा उठा, उसने दक्ष को झुककर सम्मान दिया और बोला, 'आपकी आज्ञा से महाराज, क्या मैं जा सकता हूं? एक गंवार को शिक्षित करने की तुलना में बहुत सी ऐसी व्यावहारिक वस्तुएं हैं जिन पर ध्यान देना आवश्यक है।'

'आपको उनके बारे में आदर से बोलना चाहिए पर्वतेश्वर।' गुर्राहट के साथ कनखला ने कहा, 'वे ही नीलकंठ हैं।'

'मैं उससे तभी आदर से बोलूंगा जब वह सचमुच में ही कुछ उपलब्धियों से उसे अर्जित करेगा,' कर्कश स्वर में पर्वतेश्वर ने कहा, 'मैं मात्र उपलब्धियों को आदर देता हूं, उसके सिवा किसी और वस्तु को नहीं। यह प्रभु राम का मौलिक नियम है। मात्र आपका कर्म ही महत्वपूर्ण है। ना तो आपका जन्म। ना ही लिंग। और निश्चित रूप से किसी के गले का रंग तो बिल्कुल नहीं। हमारा समस्त समाज योग्यता पर आधारित है। या फिर आप लोग उसे भूल गए हैं?'

'बहुत हो चुका!' दक्ष ने चिल्लाकर कहा, 'मैं नीलकंठ का आदर करता हूं। इसका सीधा-सा अर्थ है कि सभी नीलकंठ का आदर करेंगे!'

अध्याय - 6

# बुरे भाग्य लाने वाले विकर्म

नंदी उद्यान के बाहर प्रतीक्षा कर रहा था, जैसाकि उससे कहा गया था, जबकि शिव बाड़े के पीछे नृत्य मंडप क्षेत्र में चला गया था। शांत नृत्य मंडप ने पहले से ही नंदी को संकेत दे दिया था कि उसके प्रभु को वहां कोई नहीं मिलेगा। तथापि शिव की उम्मीद बनी हुई थी और उसने आशापूर्वक सती की प्रतीक्षा की। लगभग एक घंटे तक प्रतीक्षा करने के बाद शिव को लगा कि आज नृत्य का अभ्यास नहीं होने वाला था। अत्यधिक निराश होकर वह शांत मुद्रा में नंदी की ओर चल पड़ा।

'क्या कोई है, जिसे ढूंढ़ने में मैं आपकी सहायता कर सकता हूं, प्रभु?' उत्सुक नंदी ने पूछा।

'कोई नहीं है, नंदी। भूल जाओ।' शिव का स्वर निराशा भरा था।

नंदी समझ गया कि उसके प्रभु उसे इस विषय में बताने की इच्छा नहीं रखते थे। अतः विषय बदलने का प्रयास करते हुए नंदी ने कहा, 'प्रभु, आपको अवश्य ही भूख लगी होगी। क्या हम विश्रामगृह चलें और भोजन कर लें?'

'नहीं, अभी नहीं। मैं इस नगर का थोड़ा चक्कर लगाना चाहता हूं,' शिव ने इस आशा में कहा कि कहीं भाग्य उसका साथ दे और सती से उनकी मुलाकात हो जाए, 'क्या हम राजत वेदिका पर किसी भोजनालय में जा सकते हैं?'

'यह बहुत ही अच्छा रहेगा!' नंदी मुस्कुराया जो राजशाही विश्रामगृह

में ब्राह्मण प्रभावी सादे शाकाहारी भोजन से घृणा कर बैठा था। क्षत्रियों के भोजनालय में मिलने वाले मसालेदार मांस की उसको कमी खटक रही थी।

— ⚷⓪Ⓤ✦⊕ —

'हां, क्या हैं पर्वतेश्वर?' दक्ष ने पूछा।

'महाराज, मुझे इस तरह से अचानक आने का खेद है। किंतु अभी इसी समय मुझे कुछ परेशान करने वाले समाचार प्राप्त हुए हैं और वह आपको व्यक्तिगत रूप में बताना है।'

'अच्छा, वह क्या है?'

'शिव अभी से समस्या उत्पन्न कर रहा है।'

'आपको नीलकंठ के विषय में क्या कहना है,' शोक करते हुए दक्ष ने अपनी आंखें उठाकर असहमति में पूछा, 'आप इस बात को क्यों नहीं नान लेते कि नीलकंठ हमारी रक्षा करने के लिए आए हैं?'

'इसका शिव के बारे में विचार से कोई लेना-देना नहीं है, महाराज। कृपया मेरे समाचार को सुन तो लें। चेनर्ध्वज ने शिव को कल उद्यान में देखा था।'

'चेनर्ध्वज अभी से यहां है?'

'जी हां, महाराज। उसकी आपके साथ समीक्षा का समय परसों नियत किया गया है।'

'चाहे जो भी हो, तो चेनर्ध्वज ने क्या देखा?'

'उसने भी शिव को घिनौनी हरकत करते देखा है। इसका अर्थ स्पष्ट है कि हम इस बात को मान सकते हैं कि वह पूर्वाग्रह से ग्रसित नहीं है।'

'ठीक है, मैं आपकी बात मानता हूं। मगर उसने नीलकंठ को क्या करते देखा?'

'उसने शिव को उद्यान में नृत्य करते देखा,' पर्वतेश्वर ने उत्तर दिया।

'तो? क्या ऐसा कोई कानून है जो नृत्य को प्रतिबंधित करता है और

जिसकी जानकारी मुझे नहीं है?'

'कृपया, मुझे बोलने दीजिए, महाराज। वह नृत्य कर रहा था जबकि सती उसे भाव-विभोर होकर देख रही थी।'

दक्ष की जिज्ञासा सहसा आकर्षित हो गई, वह आगे झुकते हुए बोला, 'और?'

'सती ने उचित व्यवहार किया और जब शिव उसके करीब आने की चेष्टा कर रहा था तो वह वहां से चली गई। किंतु चेनर्ध्वज ने शिव को फुसफुसाते हुए सुना जब सती चली गई।'

'अच्छा, वे क्या फुसफुसाये?'

'उसने धीमे स्वर में कहा, *हे पवित्र झील, मुझे इसे प्राप्त करने में सहायता करें। मैं आपसे इसके बाद फिर कभी कुछ नहीं मांगूंगा।*'

दक्ष अत्यंत प्रसन्न दिखा, 'तुम यह कहना चाहते हो कि नीलकंठ को संभवतः मेरी पुत्री से प्रेम हो गया है?'

'महाराज, आप साम्राज्य के नियमों को भूल नहीं सकते,' अत्यंत ही परेशान पर्वतेश्वर ने संपादित किया, 'आप जानते हैं कि सती विवाह नहीं कर सकती।'

'यदि नीलकंठ ने सती से विवाह का निर्णय लिया है तो पृथ्वी पर कोई नियम-कानून इसे रोक नहीं सकता।'

'महाराज, मुझे क्षमा करें। किंतु हमारी सभ्यता का समस्त आधार यही है कि कोई भी कानून से ऊपर नहीं है। यही वह बात है जो हमें वैसा बनाती है जो हम हैं। चंद्रवंशियों एवं नागाओं से बेहतर। यहां तक कि प्रभु श्री राम भी नियमों के ऊपर नहीं थे। तो कैसे यह गंवार इतना महत्वपूर्ण समझा जा सकता है?'

'क्या आप नहीं चाहते कि सती सुखी रहे?' दक्ष ने पूछा, 'उसे पार्वती किसी कारण से कहा जाता है, क्योंकि वह आपकी ईश्वर-पुत्री है। क्या आप नहीं चाहते कि वह पुनः अपनी खुशी प्राप्त कर ले?'

'मैं सती को अपनी पुत्री की तरह से ही हमेशा ही प्रेम करता रहा हूं,

महाराज,' पर्वतेश्वर ने अपनी आंखों के भावों का दुर्लभ प्रदर्शन किया, 'मैं उसके लिए कुछ भी करूंगा, नियम भंग करने के अलावा।'

'आपमें और मुझमें यही अंतर है। सती के लिए मैं नियम भंग करने में भी हिचकूंगा नहीं। वह मेरी पुत्री है। मेरा रक्त है और शरीर का अंग है। उसने अभी तक बहुत दुख झेल लिए हैं। यदि मुझे कोई ऐसा मार्ग मिलता है, जिससे वह प्रसन्न हो सके तो मैं उस मार्ग पर चलूंगा, चाहे उसका परिणाम कुछ भी क्यों न हो।'

— ༡ ⓪ ⚯ ↯ ⊕ —

शिव और नंदी ने अपने घोड़ों को रजत वेदिका के मुख्य बाजार के निकट नियत स्थान पर बांध दिया। आगे बढ़ते हुए नंदी ने अपने पसंदीदा भोजनालय के लिए शिव का मार्गदर्शन किया। ताजा-ताजा पकाए गए मांस की आमंत्रण देने वाली मीठी सुगंध ने नंदी की मिट गई भूख को पूरी तरह से जगा दिया था, जिसकी शांति पिछले दो दिनों से राजसी विश्रामगृह में नहीं हो पाई थी। परंतु भोजनालय के स्वामी ने प्रवेश पर शिव को रोक दिया।

'क्या बात है, भाई?' नंदी ने पूछा।

'मुझे अत्यंत ही खेद है भाइयो। किंतु मैं भी इस समय धार्मिक संकल्प कर रहा हूं,' भोजनालय के मालिक ने शिव के गले की ओर संकेत करते हुए विनम्रता से कहा, 'और आप तो जानते हैं कि एक संकल्प यह भी है कि साथी संकल्प लेने वालों को मैं मांसाहार नहीं परोस सकता।'

नंदी ने आश्चर्य में बिना कुछ समझे-बूझे ही कहा, 'लेकिन किसने धार्मिक संकल्प...'

शिव द्वारा उसे बोलने से रोक दिया गया जिसने उसे अपनी आंखों के इशारे से मालाओं से गूंथे हुए अपने गले के गुलूबंद को दिखाया। नंदी ने सहमति में सिर हिलाया और शिव के साथ ही भोजनालय से बाहर चला गया।

'यह वर्ष का ऐसा समय है, जब धार्मिक संकल्प लिए जाते हैं, प्रभु,' नंदी

ने विवरण दिया, 'आप क्यों नहीं यहीं बगल में प्रतीक्षा कर लेते हैं? उस दूसरी दिशा में दाहिनी ओर कुछ अच्छे भोजनालय हैं। मैं वहां जाकर देखता हूं कि कोई ऐसा भोजनालय है जिसके मालिक ने संकल्प नहीं लिया हो।'

शिव ने सहमति में सिर हिलाया। नंदी शीघ्रता से उसे ओर चला गया तो शिव गली में इधर-उधर देखने लगा। यह बाजार का एक व्यस्त क्षेत्र था, जिसमें भोजनालय एवं दुकानें हर तरफ फैले हुए थे। किंतु इतने अधिक लोगों एवं व्यापार आदि के बावजूद गली में शोर-गुल नहीं था। कोई भी दुकानदार गली में बाहर आकर आवाजें नहीं लगा रहा था और अपनी वस्तुओं के विज्ञापन नहीं कर रहा था। ग्राहक बिना असफल हुए विनम्रता से बोल रहे थे, यहां तक मोल-भाव करने में भी।

*ये इतने अच्छे व्यवहार वाले मूर्ख व्यापारी हमारे पहाड़ों के उपद्रवी बाजारों में एक ढेले का भी व्यापार नहीं कर पाएंगे।*

शिव मेलूहावासियों के विचित्र व्यवहारों की सोच में इतना गुम हो गया कि उसे नगरीय ढिंढोरा पीटने वाले की पुकार तब तक नहीं सुनाई दी जब तक कि वह उसके ठीक पीछे नहीं आ पहुंचा।

'विकर्म स्त्रियों की सवारी, कृपया रास्ता दें!'

आश्चर्यचकित शिव पीछे मुड़ा तो उसने देखा कि एक लंबा-चौड़ा मेलूहावासी क्षत्रिय उसे नीचे देख रहा था। 'क्या आप थोड़ा बगल हटने की कृपा करेंगे, महोदय? विकर्म स्त्रियों की सवारी अपनी पूजा के लिए यहां से यात्रा करने वाली है।'

ढिंढोरा पीटने वाले का लहजा और आचरण निश्चित रूप से शालीन था। किंतु शिव किसी भ्रम में नहीं था। ढिंढोरा पीटने वाला शिव को पूछ नहीं रहा था। वह उसे बता रहा था। शिव जैसे ही सवारी के गुजरने देने के लिए पीछे हटा तो नंदी ने धीरे से उसके हाथ का स्पर्श किया।

'मैंने एक बहुत ही अच्छा भोजनालय ढूंढ़ लिया है, प्रभु,' उल्लसित नंदी ने कहा, 'मेरे पसंदीदा में से एक। और उसका रसोई अगले कम से कम एक घंटे तक तो चालू रहने वाला है। हमें खाने के लिए बहुत भोजन मिल जाने वाला है!'

शिव ने ठहाका लगाया, 'यह बड़े आश्चर्य की बात है कि केवल एक भोजनालय इतना भोजन बना सकेगा कि तुम्हारी भूख को शांत कर दे!'

नंदी भी साथ में हंसने लगा जब शिव ने उसकी पीठ पर थपकी लगाई।

जैसे ही वे मुड़े और गली में जाने लगे तो शिव ने पूछा, 'ये विकर्म स्त्रियां कौन हैं?'

'विकर्म लोग, प्रभु,' नंदी ने गहरी सांस लेकर कहा, 'ये ऐसे लोग हैं जिन्हें अपने पूर्व जन्म के पाप के लिए इस जन्म में दंड मिला है। इसलिए उन्हें यह जीवन मर्यादा के साथ जीना होता है और उन्हें अपने दुख को गरिमा के साथ सहन करना होता है। यही एक उपाय है जिससे वे अपने पूर्व जन्म के पापों को अच्छे कर्म से स्वच्छ बना सकते हैं। विकर्म पुरुषों के लिए उनके अपने अलग प्रकार के प्रायश्चित हैं और स्त्रियों के लिए अलग आदेश हैं।'

'हम जिस मार्ग से अभी आए हैं, वहां पर विकर्म स्त्रियों की एक सवारी जा रही थी। क्या उनकी पूजा भी एक आदेश है?' शिव ने पूछा।

'जी हां, प्रभु। विकर्म स्त्रियों को बहुत सारे नियमों के पालन करने होते हैं। उनको मुक्ति के लिए पवित्र करने वाले अग्नि देव की पूजा प्रत्येक महीने एक विशेष अधिदेश के अनुसार करनी होती है। उन्हें विवाह करने की अनुमति नहीं होती है क्योंकि वे अपने बुरे भाग्य के कारण उनके जीवन को विषयुक्त कर सकते हैं, जिनसे वे विवाह करते हैं। उन्हें ऐसे किसी को स्पर्श करने की अनुमति नहीं होती है जो उनके निकट के संबंधी अर्थात परिवार वाले नहीं हैं अथवा जिन्हें वे अपने सामान्य कर्तव्यों के कारण स्पर्श न कर रहे हों। इसके अतिरिक्त भी कई अन्य प्रावधान हैं जिनके बारे में पूरी तरह से मुझे पता नहीं है। यदि आपको उत्सुकता है तो हम अग्नि मंदिर के पंडित से मिल सकते हैं, जो विकर्म लोगों के बारे में आपको सबकुछ बता सकते हैं।

'नहीं, मैं इस समय पंडित से नहीं मिलना चाहता,' शिव ने एक हल्की मुस्कान के साथ कहा, 'वह अपने भ्रामक और गूढ़ दर्शनों से मुझे निश्चय

ही तंग करेगा! लेकिन एक बात बताओ। यह निर्णय कौन लेता है कि विकर्म लोगों ने अपने पूर्व जन्म में पाप किया है?'

'उनके अपने कर्म, प्रभु,' नंदी ने कहा तो उसकी आंखें इस प्रकार संकेत दे रही थीं जैसे यह तो बहुत ही स्पष्ट था, 'उदाहरण के लिए यदि एक स्त्री मृत बच्चे को जन्म देती है, तो उसे यह दंड उसके अपने पूर्व जन्म में किया गया कोई पाप होता है। या फिर यदि किसी व्यक्ति को ऐसी बीमारी पकड़ लेती है, जिसके कारण उसे लकवा मार जाता है तो यह उसके साथ क्यों होगा, यदि प्रकृति ने उसे उसके पूर्व जन्म के लिए दंडित न किया हो।'

'यह मुझे बहुत ही बेहूदा प्रतीत होता है। एक स्त्री किसी मृत बच्चे को जन्म देती है, उसका कारण यह हो सकता है कि गर्भावस्था के दौरान उसने पर्याप्त रूप से देखभाल न की हो। या फिर यह किसी बीमारी के कारण भी हो सकता है। यह कोई कैसे कह सकता है कि उसके पूर्व जन्म के पापों के कारण उसे दंडित किया गया है?'

शिव के विचारों से नंदी स्तब्ध था। उससे कुछ भी कहते नहीं बन पा रहा था। वह एक मेलूहावासी था और वह गंभीरता से कर्म की अवधारणा को मानता था जो कई जन्मों तक चला करता था। वह धीरे से बड़बड़ाया, 'यही नियम है, प्रभु...'

'देखो, ईमानदारी से एक बात कहूं, यह नियम वस्तुतः मुझे अनुचित लगता है।'

नंदी के निराश मुख से प्रतीत हुआ कि वह पूरी तरह से हताश था कि मेलूहा के बारे में इतनी मूलभूत अवधारणा को शिव समझ नहीं पाए थे। किंतु शिव ने जो कहा था, उसका विरोध न करने के डर से उसने अपना परामर्श अपने पास ही रखा। आखिरकार शिव उसके प्रभु थे।

नंदी को उदास देखकर शिव ने उसकी पीठ धीमे से थपथपाई और कहा, 'नंदी, वह मेरा अपना विचार मात्र था। यदि यह नियम तुम्हारे लोगों के लिए काम करता है तो मुझे विश्वास है कि इसके पीछे कोई न कोई तर्क अवश्य होगा। तुम्हारा समाज कभी-कभी कुछ विचित्रताओं से भरा

लगता है, लेकिन इसमें ऐसे लोग हैं, जो बहुत ही सभ्य एवं ईमानदार हैं।'

यह सुनते ही नंदी के मुख पर मुस्कान तुरंत ही लौट आई और उसका पूरा ध्यान उस समय की सबसे गंभीर समस्या पर चला गया। उसकी वृहद भूख! वह भोजनालय में ऐसे घुसा जैसे जंग जीतने जा रहा हो। दबी हुई हंसी हंसते हुए पीछे-पीछे शिव भी उसके साथ भोजनालय में प्रवेश कर गया।

थोड़ी-सी दूरी पर मुख्य मार्ग पर विकर्म स्त्रियों की सवारी शांति से चली जा रही थी। वे सभी लंबे अंगवस्त्रम् से आच्छादित थीं, जो पवित्र नीले रंग में रंगे हुए थे। उनके सिर पश्चाताप में नीचे झुके हुए थे। उनकी पूजा की थालियों में तरह-तरह की पूजा-सामग्रियां भरी हुई थीं। सामान्य रूप से शांत बाजार की गलियां मृतकीय शांति का अनुभव दे रही थीं, जब वे दयनीय स्त्रियां वहां से बेकार में संकलित किए हुए वस्तुओं के समान गुजर रही थीं। उस सवारी के ठीक मध्य में अपना सिर नीचे झुकाए हुए, नीले अंगवस्त्रम् पहने हुए जिसने उसके सिर से पांव तक के शरीर को पूरी तरह से ढक रखा था, जिसे शिव देख नहीं पा रहा था, वह कोई और नहीं सती थी। उसका मुख निराशापूर्ण गरिमा का चित्र बना हुआ था।

— 𑀓𑀴𑀉𑀝𑀪𑀖 —

'इस प्रकार हम कहां थे, प्रभु?' दूसरे दिन जैसे ही शिव और नंदी उनके निजी कार्यालय में आराम से बैठ गए तो दक्ष ने कहा।

'प्रभु श्री राम जो परिवर्तन लाए थे, हम उस विषय पर बातचीत कर रहे थे, महाराज। और उन्होंने कैसे स्वधर्म त्यागी ब्राह्मणों के विद्रोह को पराजित किया था,' शिव ने उत्तर दिया।

'आप बिल्कुल सही हैं,' दक्ष ने कहा, 'प्रभु श्री राम ने स्वधर्म त्यागी ब्राह्मणों को निश्चय ही पराजित किया था। किंतु उनके विचार में जो मूल कारण था, वह और भी गहरा था। यह प्रश्न मात्र कुछ ब्राह्मणों के बारे में नहीं था जिन्होंने नियमों का पालन नहीं किया था। असली समस्या थी कि किसी व्यक्ति के अपने प्राकृतिक कर्म एवं समाज जो उसे करने पर मजबूर करता था, यह उनके मध्य का एक संघर्ष था।'

'मैं कुछ समझा नहीं महाराज।'

'यदि आप विचार करें कि स्वधर्म त्यागी ब्राह्मणों के साथ वह क्या आधारभूत समस्या थी? कुछ ब्राह्मण क्षत्रिय बनना चाहते थे और शासन करना चाहते थे। कुछ ब्राह्मण वैश्य बनना चाहते थे ताकि धन कमा सकें और अपना जीवन विलासिता में बिता सकें। जबकि उनका जन्म उन्हें ब्राह्मण के रूप में स्थापित कर देता था।'

'लेकिन मैंने सोचा था कि भगवान ब्रह्मा ने विधान बनाया था कि प्रतियोगितात्मक परीक्षाओं के बाद ही कोई ब्राह्मण बन सकता था,' शिव ने कहा।

'यह सही है, प्रभु। किंतु समय के साथ इस चयन-प्रक्रिया ने निष्पक्षता खो दी थी। ब्राह्मण की संतति ब्राह्मण बनने लगी। क्षत्रिय की संतति क्षत्रिय बनने लगी। और इसी प्रकार अन्यों की भी। चयन की औपचारिक व्यवस्था शीघ्र ही समाप्त हो गई। एक पिता यह सुनिश्चित करने लगा कि वह अपने पुत्र एवं पुत्री को सभी संसाधन एवं सहायता उपलब्ध कराए जिससे कि वे उनकी ही जाति में बना रहे। और इस प्रकार जाति व्यवस्था सख्त हो गई।'

'तो इसका अर्थ यह भी हुआ कि ऐसा भी व्यक्ति हुआ होगा जो कि ब्राह्मण बनने के लिए पर्याप्त रूप से गुणवान होगा किंतु यदि उसने शूद्र माता-पिता के घर में जन्म लिया होगा तो उसे ब्राह्मण बनने का अवसर नहीं मिला होगा?' शिव ने पूछा।

'हां शिव,' पर्वतेश्वर ने पहली बार शिव से बात करते हुए कहा। शिव ने इस बात पर गौर किया कि पर्वतेश्वर ने उसकी खुशामद नहीं की और न ही उसे प्रभु कहकर संबोधित किया, 'प्रभु श्री राम के विचार में कोई समाज योग्यता के अलावा यदि किसी अन्य वस्तुओं पर आधारित आचार-व्यवहार करता है तो वह समाज स्थिर नहीं रह सकता है। उनका विचार था कि एक व्यक्ति की जाति का निर्धारण उसके कर्म के आधार पर ही किया जा सकता है। उसके जन्म से नहीं। उसके लिंग से नहीं। इसमें कोई अन्य कारण हस्तक्षेप नहीं कर सकता है।'

'यह एक अच्छा सिद्धांत है, पर्वतेश्वर,' शिव ने तर्क दिया, 'लेकिन इसे आप व्यवहार में कैसे सुनिश्चित करेंगे। यदि एक बच्चा ब्राह्मण परिवार में जन्म लेता है और एक बच्चा जो शूद्र परिवार में जन्म लेता है, उनके लालन-पालन एवं संसाधनों में अत्यधिक अंतर होगा। इसलिए ब्राह्मण का बच्चा कम योग्यता वाला होने पर भी ब्राह्मण बन जाएगा जबकि शूद्र का बच्चा नहीं। यह उस शूद्र के बच्चे के लिए अनुचित नहीं है? इस व्यवस्था में "योग्यता" कहां है?'

'यही भगवान श्री राम की सहज योग्यता थी, शिव,' पर्वतेश्वर मुस्कुराया, 'निस्संदेह वे एक वीर सेनापति, एक प्रतिभाशाली प्रशासक और न्यायप्रिय निर्णय कुशल व्यक्ति थे। किंतु उनकी सबसे बड़ी देन इस व्यवस्था को बनाने में है जो यह सुनिश्चित करता है कि एक व्यक्ति का कर्म केवल उसकी योग्यता पर आधारित होता है, किसी अन्य बात पर नहीं। वही व्यवस्था है जिसने आज मेलूहा को बनाया है, जो वह आज है, इतिहास में सबसे महान साम्राज्य।'

'आप सोमरस की भूमिका को अनदेखा नहीं कर सकते पर्वतेश्वर,' दक्ष ने कहा, 'प्रभु श्री राम का सबसे बड़ा योगदान था, सबको सोमरस प्रदान करना। यह अमृत ही है जो मेलूहावासियों को ब्रह्मांड में सबसे चतुर बनाता है! यह सोमरस ही है जिसने हमें इस असाधारण एवं आदर्श समाज को स्थापित करने की यह योग्यता दी है।'

'क्षमा करें महाराज,' पर्वतेश्वर की ओर मुड़ने से पहले शिव ने कहा, 'लेकिन वह व्यवस्था क्या थी जो प्रभु श्री राम ने स्थापित की थी?'

'व्यवस्था बहुत सरल है,' पर्वतेश्वर ने कहा, 'जैसाकि हम सहमत हैं कि सर्वोत्तम समाज वह है जहां किसी व्यक्ति की जाति उसकी योग्यता एवं कर्म से निर्णीत होती है। किसी अन्य कारक से नहीं। प्रभु श्री राम ने एक व्यावहारिक व्यवस्था की स्थापना की जो यह सुनिश्चित करता है। मेलूहा में जो भी बच्चा जन्म लेता है उसे साम्राज्य अनिवार्यतः अंगीकृत करता है। यह व्यवस्थित ढंग से संचालित हो इसके लिए मयका नामक एक महान औषधालय नगर की स्थापना नर्मदा नदी के उत्तर में सुदूर दक्षिण में की गई

है। सभी गर्भिणी स्त्री को जनन के लिए वहां की यात्रा करनी पड़ती है। उस नगर में केवल गर्भिणी स्त्री को ही जाने की अनुमति दी जाती है। किसी अन्य को नहीं।'

'किसी अन्य को नहीं? उसके पति उसके माता-पिता को भी नहीं?' शिव ने पूछा।

'नहीं, इस नियम का कोई अपवाद नहीं है मात्र एक को छोड़कर। इस अपवाद को लगभग तीन सौ वर्ष पहले लागू किया गया था। कुलीन परिवारों के पति एवं माता-पिता को उस नगर में प्रवेश दिया गया था,' पर्वतेश्वर ने उत्तर दिया। उसके भाव कह रहे थे कि प्रभु श्री राम की व्यवस्था में इस भ्रष्टाचार से वह पूर्णतः असहमत था।

'तब गर्भिणी स्त्रियों की देखभाल मयका में कौन करता है?'

'औषधालय के कर्मचारी। वे इस कार्य में दक्षता से प्रशिक्षित हैं,' पर्वतेश्वर ने कहना जारी रखा, 'एक बार जब बच्चे का जन्म होता है तो उस बच्चे को स्वास्थ्य कारणों से मयका में ही रखा जाता है, जबकि माता अपने नगर लौट जाती है।'

'बिना बच्चे के ही?' स्पष्ट रूप से आश्चर्यचकित शिव ने पूछा।

'हां,' पर्वतेश्वर ने थोड़ी त्योरी चढ़ाकर कहा जैसे कि संसार में इससे अधिक स्पष्ट तथ्य हो ही नहीं सकता था, 'उसके बाद बच्चे को मेलूहा के गुरुकुल में भेजा जाता है जो कि एक विशालकाय गुरुकुल है और मयका के निकट ही है। प्रत्येक बच्चे को पूर्णतः एक प्रकार की शिक्षा का लाभ प्राप्त होता है। साम्राज्य के उपलब्ध संसाधनों के साथ वे बड़े होते हैं।'

'क्या वे माता-पिता एवं बच्चे से संबधित आंकड़े रखते हैं?'

'निस्संदेह वे रखते हैं। किंतु वे आंकड़े अत्यधिक गोपनीय रखे जाते हैं और वे मयका के आंकड़ा अधिकारी के पास ही होते हैं।'

'इसका साधारण-सा अर्थ यह होगा कि गुरुकुल एवं शेष साम्राज्य में किसी को भी यह पता नहीं होगा कि उस बच्चे को जन्म देने वाले माता-पिता कौन हैं,' शिव ने तर्क दिया क्योंकि जो वह सुन रहा था, वह

उसके परिणामों के बारे में सोच रहा था, 'इस प्रकार प्रत्येक बच्चा चाहे वह ब्राह्मण परिवार में जन्मा हो अथवा शूद्र परिवार में, उनको एक समान मानकर गुरुकुल में रखा जाएगा?'

'हां,' पर्वतेश्वर मुस्कुराया। प्रकट रूप से वह इस व्यवस्था पर गर्वित था, 'जब बच्चा किशोर हो जाता है तो उसे सोमरस भी दिया जाता है। इस प्रकार प्रत्येक बच्चे को सफल होने के लिए पूर्णतः एक समान अवसर प्रदान किए जाते हैं। पंद्रह वर्ष की आयु होने पर जब वे बच्चे वयस्कता को प्राप्त कर लेते हैं तो सभी बच्चों की एक व्यापक परीक्षा ली जाती है। इस परीक्षा के परिणाम यह निर्णय देते हैं कि वे बच्चे क्या होंगे, ब्राह्मण, क्षत्रिय, वैश्य या शूद्र।'

कनखला ने बीच में ही कहना प्रारंभ कर दिया, 'और उसके बाद बच्चों को एक वर्ष तक उस जाति से संबंधित विशेष प्रशिक्षण प्रदान किया जाता है। वे अपने वर्ण के रंग के फीते पहनते हैं, श्वेत ब्राह्मण के लिए, लाल क्षत्रिय के लिए, हरा वैश्य के लिए और काला शूद्र के लिए, और अपने-अपने जाति गुरुकुलों में शेष पढ़ाई पूरी करने के लिए वापस चले जाते हैं।'

'और इसी कारण से आपकी जाति व्यवस्था को वर्ण व्यवस्था कहा जाता है,' शिव ने कहा, 'वर्ण का अर्थ रंग है, क्या मैं सही हूं?'

'जी हां, प्रभु,' मुस्कान लिए कनखला ने कहा, 'आप अत्यंत ही चौकन्ने हैं।'

कनखला की ओर तिरस्कारपूर्ण दृष्टि से देखते हुए पर्वतेश्वर ने व्यंग्य करते हुए आगे बताया, 'हां, यह बहुत कठिन निष्कर्ष था।'

इस व्यंग्य पर ध्यान न देते हुए शिव ने पूछा, 'और उसके बाद फिर क्या होता है?'

'जब बालक सोलह वर्ष की आयु के हो जाते हैं तब उनका आवंटन उनकी जाति के आवेदक माता-पिताओं को कर दिया जाता है। उदाहरण के लिए, यदि किसी ब्राह्मण माता-पिता ने गोद लेने के लिए आवेदन

किया है तो मयका से किसी एक ब्राह्मण जाति के लिए चयनित बालक को उन्हें आवंटित कर दिया जाएगा। उसके बाद ये गोद लिए बालक गोद लेने वाले माता-पिता के साथ अपनी संतान के समान ही पलते-बढ़ते हैं।'

'और समाज आदर्श है,' शिव ने आश्चर्य से कहा क्योंकि इस अत्यंत ही सुंदर सरल व्यवस्था ने उसके मन को अभिभूत कर लिया था, 'प्रत्येक व्यक्ति को उसकी योग्यता के अनुसार ही स्थान दिया जाता है। इस व्यवस्था की प्रभाविता एवं इसका औचित्य विस्मयकारक है!'

'समय के साथ प्रभु,' दक्ष ने बीच में ही टोका, 'हमने पाया कि ऊंची जाति का प्रतिशत पूर्ण जनसंख्या में दिन-ब-दिन बढ़ता ही जा रहा है। इसका अर्थ है कि इस जगत में सब में प्रगति करने की योग्यता है। करना मात्र इतना है कि सभी बालकों को उचित अवसर प्रदान किए जाएं।'

'तो फिर नीची जाति वाले प्रभु श्री राम को इसके लिए अवश्य ही बहुत अधिक प्रेम करते होंगे?' शिव ने पूछा, 'उन्होंने सफल होने के लिए उन्हें वास्तविक अवसर प्रदान किए हैं।'

'हां, वे सही में उनसे बहुत प्रेम करते हैं,' पर्वतेश्वर ने उत्तर दिया, 'वे इनके सबसे अधिक निष्ठावान अनुयायी थे। जय श्री राम!'

'लेकिन मेरा अनुमान है कि बहुत-सी माताएं इससे प्रसन्न नहीं होंगी। मैं इसकी कल्पना भी नहीं कर सकता कि एक स्त्री अपने बच्चे के जन्म के तुरंत बाद ही उसे त्यागने के लिए स्वेच्छा से इच्छुक होती होगी, यह जानते हुए कि वह अब उसे फिर कभी नहीं मिलेगा।'

'परंतु यह वृहद अच्छाई के लिए है,' पर्वतेश्वर ने इस मूर्खता से भरे प्रतीत होते प्रश्न पर नाक-भौं सिकोड़कर कहा, 'और फिर प्रत्येक माता जिसे संतान चाहिए आवेदन कर सकती है और उसे उसके स्तर एवं चाहत के अनुरूप संतान का आवंटन भी हो सकता है। एक माता के लिए इससे बुरा कुछ नहीं हो सकता कि उसकी संतान उसकी अपेक्षाओं पर खरी न उतरे।'

शिव ने पर्वतेश्वर के इस विवरण पर त्योरी चढ़ाई लेकिन तर्क को चलने दिया और बोला, 'मैं इसका भी अनुमान लगा सकता हूं कि बहुतेरे

ऊंची जाति वाले जैसे ब्राह्मण इसलिए प्रभु श्री राम से खुश नहीं होंगे। आखिरकार उन्होंने सत्ता पर अपनी पकड़ खो दी थी।'

'जी हां,' दक्ष ने आगे कहा, 'बहुत सी ऊंची जातियों ने प्रभु श्री राम के इस सुधार का विरोध किया था। केवल ब्राह्मणों ने ही नहीं, बल्कि यहां तक कि क्षत्रियों एवं वैश्यों ने भी। प्रभु श्री राम ने उन्हें पराजित करने के लिए बड़े-बड़े युद्ध लड़े। पराजित होने वाले जो बच गए वे ही आज चंद्रवंशियों के रूप में हमारे समक्ष हैं।'

'तो आपके बीच का झगड़ा इतना पुराना है?'

'जी हां,' दक्ष ने कहा, 'चंद्रवंशी भ्रष्ट एवं घिनौने लोग हैं। कोई नैतिकता नहीं। कोई धर्माचार नहीं। वे हमारी समस्याओं के स्रोत हैं। हममें से कुछ लोगों का मानना है कि प्रभु श्री राम बहुत दयालु थे। उन्हें इनको पूरी तरह से नष्ट कर देना चाहिए था। किंतु उन्होंने इन्हें क्षमा कर दिया और जीवित रहने दिया। वास्तवकिता तो यह है कि हमें प्रभु श्री राम की जन्मभूमि अयोध्या में चंद्रवंशियों के शासन का संताप झेलना पड़ रहा है।'

इससे पहले कि शिव इस सूचना पर कोई प्रतिक्रिया व्यक्त कर पाता, नए प्रहर का घंटा बज गया था। सभी लोगों ने नए आने वाले घंटे के लिए एक छोटी-सी प्रार्थना की। शिव ने तत्काल ही खिड़की की ओर देखा। उसके मुख पर प्रत्याशा की छवि उभरी।

शिव के भावों को देखकर दक्ष मुस्कुराया, 'हम लोग मध्याह्न भोजन के लिए प्रस्थान कर सकते हैं, प्रभु। किंतु यदि आपका कोई अन्य अनुबंध है जिसे आप पूरा करना चाहते हैं तो हम लोग इस परिचर्चा को कल पुनः प्रारंभ कर सकते हैं।'

पर्वतेश्वर ने दक्ष को तीक्ष्ण दृष्टि से असहमतिपूर्ण रूप से घूरा। उसे पता था कि सम्राट आखिरकार क्या करना चाह रहे थे।

'यह बहुत ही अच्छा रहेगा, महाराज,' शिव मुस्कुराया, 'क्या मेरा चेहरा इतना पारदर्शी है?'

'जी हां, प्रभु। किंतु यह तो आपके पास उपहार-स्वरूप है। मेलूहा में

ईमानदारी से बढ़कर कोई भी वस्तु मूल्यवान नहीं है। आप अपने अनुबंध के लिए क्यों नहीं प्रस्थान करते हैं और हम लोग इस मुलाकात को कल प्रातः पुनः आयोजित करेंगे?'

दक्ष को बहुत-बहुत धन्यवाद ज्ञापित करते हुए शिव कमरे से नंदी के साथ बाहर निकल गया।

— ⅄◎⩌⇡⊛ —

शिव उत्तेजना एवं कंपकपी के साथ बाड़े की ओर बढ़ रहा था। जैसे ही उसने उस उद्यान से ढोल की थापों की आवाज सुनी तो उसने नंदी को विश्रामगृह में जाकर मध्याह्न भोजन करने के लिए भेज दिया। वह अकेला रहना चाहता था। उसने आनंदातिरेक की एक गहरी सांस ली और बाड़े के पीछे पहुंचा तो पाया कि गुरु जी एवं कृत्तिका की सावधान दृष्टि के अंतर्गत सती नृत्य का अभ्यास कर रही थी।

'इस समय आपको देखकर प्रसन्नता हुई, शिव,' गुरु जी ने औपचारिक नमस्ते करते हुए खड़े होकर कहा।

'खुशी तो मुझे हो रही है, गुरु जी,' शिव ने झुकते हुए उनको आदर प्रदान करते हुए उनके पांव का स्पर्श किया।

सती फ़र्श की ओर टकटकी लगाए देख रही थी। कृत्तिका ने उत्साहपूर्वक कहा, 'आपके नृत्य को मैं अपने मन से निकाल ही नहीं पा रही हूं।'

इस प्रशंसा पर शिव का मुख सुर्ख हो गया था, 'ओह, वह इतना अच्छा भी नहीं था।'

'अब आप प्रशंसा सुनने के लिए बेताब हो रहे हैं,' कृत्तिका ने छेड़खानी की।

'मैं सोच रहा था कि हम वहीं से शुरुआत कर सकते हैं, जहां पिछली बार हमने अपनी बात छोड़ी थी,' शिव ने सती की ओर मुड़कर कहा, 'मुझे नहीं लगता कि मैं आपको नृत्य सिखाने वाला या उस तरह का कोई बन सकता हूं। मैं केवल आपका नृत्य देखना चाहता था।'

सती ने अनुभव किया कि उसका वह विचित्र-सा असहज भाव दुबारा आ रहा था। यह शिव के बारे में ऐसा क्या है जो मुझे ऐसा अनुभव करा रहा है कि उससे बात करने में मैं नियम का उल्लंघन कर रही हूं? उसे पुरुषों से बात करने की अनुमति थी जब तक कि वह एक निश्चित आदरपूर्ण दूरी बनाकर रखे। मैं स्वयं को दोषी क्यों महसूस करूं।

'मैं अपनी ओर से पूरा प्रयत्न करूंगी,' सती ने औपचारिकता के साथ कहा, 'मैं कैसे सुधार कर सकती हूं, उसके बारे में आपके विचार से मुझे लाभान्वित होना है। मैं सच में ही आपकी नृत्य की कुशलता का आदर करती हूं।'

*आदर! आदर क्यों? प्यार क्यों नहीं?!*

शिव नम्रता से मुस्कुराया। उसके अंतर्मन ने कहा कि अब इस समय कुछ भी कहना उस पूरे क्षण को नष्ट कर देना होगा।

सती ने एक गहरी सांस ली, अपने अंगवस्त्रम् को कमर के चारों ओर लपेटकर बांध लिया और नटराज की मुद्रा बना ली। शिव मुस्कुराया जैसे ही उसने महसूस किया की धरती माता उसकी शक्ति और ऊर्जा को सती में प्रक्षेपित कर रही है।

पृथ्वी से ऊर्जा प्राप्त करके वह खड़ी हो गई और सती ने नृत्य शुरू कर दिया। और सचमुच में ही उसके नृत्य में सुधार हो चुका था। ऐसा प्रतीत हो रहा था कि भाव उससे प्रस्फुटित हो रहे थे। वह हमेशा से ही तकीनीकी रूप से सही थी, किंतु उसके मनोभावों की सच्ची लगन ने उसके नृत्य को अगले स्तर तक पहुंचा दिया था। शिव ने महूसस किया कि अवास्तविकता का एक स्वप्नमय बोध उसे पुनः वशीभूत कर रहा था। सती ने जब अपने फुर्तीले शरीर से नृत्य के अलग-अलग पदों का प्रदर्शन करना शुरू किया तो उसका चुंबकीय आकर्षण शिव को खींच रहा था। कुछ क्षण के लिए शिव को ऐसा प्रतीत हुआ जैसे कि नृत्य में जिस पुरुष की वह कल्पना कर रही थी, वह और कोई नहीं स्वयं शिव ही था। अंततः जब उसने नृत्य समाप्त किया तो दर्शकगणों ने तत्काल ही तालियों की गड़गड़ाहट से उस नृत्य की प्रशंसा की।

'यह आपके द्वारा किया गया अब तक का सर्वोत्तम नृत्य था,' गुरु जी ने गर्व के साथ कहा।

'धन्यवाद गुरु जी,' सती ने झुकते हुए कहा। उसके बाद आशापूरक दृष्टि से शिव की ओर देखा।

'यह अति सुंदर था,' शिव ने लगभग चिल्लाकर कहा, 'सर्वथा उत्कृष्ट। मैंने आपसे कहा था न कि आपमें योग्यता है?'

'मैंने सोचा कि आक्रमण करने वाले दृश्य में मैंने नृत्य पद ठीक नहीं किए थे,' सती ने आलोचनात्क ढंग से बात कही।

'आप स्वयं पर कुछ अधिक ही दबाव डाल रही हैं,' शिव ने दिलासा दिया, 'वह एक बहुत छोटी भूल थी। वह भूल मात्र इसलिए हुई क्योंकि आप अपनी कोहनी का एक कोण भूल गईं। जिसके कारण आपका अगला नृत्य पद थोड़ा अजीब लगा।' बड़ी शीघ्रता से उठते हुए शिव ने कहना जारी रखा, 'चलिए, मैं आपको दिखाता हूं।'

वह सती तक चलकर पहुंचा और उसने सही कोण बनाने के लिए सती का हाथ पकड़ा। सती भयभीत होकर तुरंत ही पीछे हट गई और गरु जी एवं कृत्तिका हैरान-परेशान दिखे। शिव को तत्काल ही महसूस हो गया था कि कुछ बहुत ही बुरा हो गया था।

'मुझे क्षमा करें,' शिव ने वास्तव में खेद से कहा, 'मैं तो केवल यह दिखा रहा था कि कोहनी की स्थिति कहां होनी चाहिए थी।'

स्तब्ध एवं जड़वत सती शिव को घूर रही थी।

गुरु जी पहले व्यक्ति थे जिन्होंने अपना विवेक पुनः प्राप्त किया और उन्हें बोध आया कि शिव को अवश्य ही शुद्धिकरण पूजा के लिए जाना चाहिए, 'अपने पंडित के पास जाइए शिव। उनसे कहिए कि आपको शुद्धिकरण की आवश्यकता है। दिन के समाप्त होने से पहले ही जाइए।'

'क्या? यह शुद्धिकरण क्या है? मुझे इसकी क्यों आवश्यकता है?'

'कृपया, आप शुद्धिकरण के लिए जाइए, शिव,' सती ने कहा तो उसकी गर्वीली आंखों से अश्रुधारा प्रवाहित होने लगी थी, 'यदि आपको कुछ

भी होता है तो मैं स्वयं को कभी भी क्षमा नहीं कर पाऊंगी।'

'मुझे कुछ भी नहीं होगा! देखिए, मुझे बहुत खेद है यदि आपको स्पर्श करके मैंने किसी नियम का उल्लंघन किया है। मैं दुबारा ऐसा नहीं करूंगा। इसको कृपा कर इतनी बड़ी बात न बनाइए।'

'यह बड़ी बात है!' सती ने चीखकर रोते हुए कहा।

सती की इतनी कड़ी प्रतिक्रिया ने शिव को हिला दिया।

*ऐसी कौन-सी बड़ी बात हो गई जो ये लोग इसे इतनी बड़ी बात बनाते जा रहे हैं।*

कृत्तिका सती के निकट गई किंतु इस प्रकार कि स्पर्श न हो और फुसफुसा कर कहा, 'हमें घर चलना चाहिए देवी।'

'नहीं, नहीं। कृपा करके रुकिए,' शिव ने विनती की, 'मैं आपको स्पर्श नहीं करूंगा। मैं वचन देता हूं।'

विषाद के नैराश्य वाले भाव के साथ वहां से जाने के लिए सती मुड़ गई। गुरु जी एवं कृत्तिका ने उसका अनुसरण किया। बाड़े के किनारे तक पहुंचने पर वह मुड़ी और उसने पुनः हाथ जोड़कर विनती की, 'कृपया रात्रि से पूर्व शुद्धिकरण के लिए अवश्य जाइए। कृपया भूलिएगा नहीं।'

शिव के मुख पर न समझने वाले विद्रोह के भाव देखकर गुरु जी ने सलाह दी, 'उसकी बात मानिए, शिव। वह आपके भले के लिए ही ऐसा कह रही है।'

— ≬◎⛎⚶⊛ —

'ये क्या बेवकूफी है!' उस मूक स्वीकृति पर उसके हताशा भरे प्रयासों ने अंततः उसके शोकग्रस्त सोचों को तोड़ दिया तो शिव चिल्लाया। वह राजसी विश्रामगृह के सोने वाले कमरे में लेटा हुआ था। वह शुद्धिकरण के लिए नहीं गया था। उसने इस बारे में जानने का प्रयत्न भी नहीं किया था कि वह रस्म क्या थी।

*सती को छूने पर मुझे शुद्धिकरण की क्या आवश्यकता है? मैं तो उसे*

*हर संभव प्रकार से छूते हुए अपना शेष जीवन बिताने की इच्छा रखता हूं। क्या मुझे प्रतिदिन उसे छूने पर शुद्धिकरण करवाना पड़ेगा? बकवास है!*

उसी समय एक परेशान करने वाली सोच ने शिव के मन में प्रवेश किया।

*क्या यह मेरे कारण है? क्या मुझे उसे छूने की अनुमति नहीं है क्योंकि मैं जाति-चिह्न विहीन हूं? एक निकृष्ट अकुलीन!*

'नहीं, यह सच नहीं हो सकता,' शिव ने अपने ही मन में कहा, 'सती ऐसा कुछ नहीं सोचती है। वह एक भली स्त्री है।'

*लेकिन अगर यह सच है? हो सकता है कि वह जानती हो कि मैं नीलकंठ हूं...*

अध्याय - 7

# प्रभु श्रीराम का अधूरा कार्य

'आप आज प्रातः कुछ विचलित प्रतीत हो रहे हैं, प्रभु। क्या आप ठीक हैं?' चिंतित दक्ष ने पूछा।

'हूं ऽ ऽ?' शिव ने ऊपर देखा और कहा, 'मुझे क्षमा करें, महाराज। मैं थोड़ा अन्यमनस्क था।'

दक्ष ने चिंतित भाव से कनखला को देखा। उन्होंने पिछली रात्रि को भोजन के समय सती को भी इसी प्रकार के विषाद भरे चेहरे के साथ देखा था। किंतु उसने कुछ भी बताने से मना कर दिया था।

'क्या आप बाद में भेंट करने की इच्छा रखते हैं?' दक्ष ने पूछा।

'बिल्कुल नहीं, महाराज। सब ठीक है। मुझे क्षमा करें और वार्तालाप जारी रखें,' शिव ने कहा।

'ठीक है, जैसा आप कहें,' चिंतित दक्ष ने कहा, 'हम लोग प्रभु श्री राम द्वारा समाज में लाए गए परिवर्तनों के बारे में बात कर रहे थे।'

'जी हां,' शिव ने अपने सिर को हल्का हिलाकर कहा ताकि वह सती द्वारा किए गए अंतिम अनुरोध के चित्र को मन से निकाल सके।

'मयका व्यवस्था ने अत्यंत ही अच्छी तरह से काम किया। हमारा समाज तेजी से बढ़ने लगा। इस पृथ्वी पर हमारी भूमि पहले से ही सबसे अधिक संपदा-सम्पन्न रही है। किंतु पिछले एक हजार दो सौ सालों में हमने बड़े ही नाटकीय ढंग से अन्य लोगों की तुलना में असाधारण प्रगति की।

आज मेलूहा समस्त विश्व में सबसे धनी एवं शक्तिशाली साम्राज्य बन चुका है। हमारे नागरिक एक आदर्श जीवन जीते हैं। कोई अपराध नहीं है। लोग वही करते हैं जो उनके लिए सबसे अच्छा होता है न कि उन्हें अनुचित सामाजिक आदेश द्वारा कुछ बुरा करने को विवश होना पड़ता है। हम किसी अन्य देश पर जीत की मंशा से अथवा अकारण ही आक्रमण नहीं करते। असल में हमारा समाज एक आदर्श समाज बन चुका है।'

'जी हां, महाराज,' शिव ने वार्तालाप में धीरे-धीरे सम्मिलित होते हुए सहमति दी, 'मैं नहीं मानता कि आदर्शता को कभी भी प्राप्त किया जा सकता है। यह एक यात्रा के समान होता है न कि एक गंतव्य। लेकिन आपका समाज आदर्श के काफी निकट है।'

'आपको ऐसा क्यों लगता है कि हम लोग आदर्श नहीं हैं?' पर्वतेश्वर ने आक्रामकता से तर्क किया।

'आप सोचते हैं कि यह आदर्श है, पर्वतेश्वर?' शिव ने नम्रता से पूछा, 'क्या मेलूहा में सब कुछ वैसा ही होता है जैसाकि प्रभु श्री राम ने अधिदेश दिया था?'

पर्वतेश्वर चुप हो गया। चाहे वह इसके उत्तर को अच्छा माने या ना माने उसे इस बात का प्रत्यक्ष का पता था।

'प्रभु सही कह रहे हैं पर्वतेश्वर,' दक्ष ने कहा, 'सुधार की गुंजाइश हमेशा रहती है।'

'यह कहने के बाद भी, महाराज,' शिव ने कहा, 'आपका समाज अद्भुत है। यहां सब कुछ बहुत ही सुव्यवस्थित प्रतीत होता है। एक बात मेरी समझ में नहीं आ रही है कि तब आप लोग अपने भविष्य को लेकर इतने चिंतित क्यों हैं? आखिर समस्या क्या है? नीलकंठ की क्यों आवश्यकता है? मुझे ऐसा कुछ भी दिखाई नहीं देता कि जो प्रकट रूप से आपके समक्ष है और विपत्ति मात्र एक सांस भर की दूरी पर है। यह हमारे देश जैसा नहीं है जहां इतनी अधिक विपत्तियां हैं कि आपको यही पता नहीं चलता है कि आखिर शुरुआत कहां से करें!'

'प्रभु, नीलकंठ की आवश्यकता इस कारण से है कि हमारे सामने ऐसी

चुनौतियां हैं जिनका हम मुकाबला नहीं कर सकते हैं। हम अपने तक ही सीमित रहते हैं और दूसरे साम्राज्यों को उसके हिसाब से जीने देते हैं। हम दूसरे समाजों से व्यापार करते हैं, किंतु कभी भी हस्तक्षेप नहीं करते हैं। सीमांत नगरों से आगे हम अनिमंत्रित विदेशियों को प्रवेश की अनुमति नहीं देते हैं। इस प्रकार हम सोचते हैं कि यह उचित है अन्य समाज भी हमें हमारे हिसाब से जीवन जीने दे और किसी प्रकार का हस्तक्षेप न करे।'

'और महाराज, अनुमानतः वे ऐसा नहीं चाहते?'

'नहीं वे ऐसा नहीं चाहते हैं।'

'क्यों?'

'एक साधारण-सा शब्द है, प्रभु,' दक्ष ने उत्तर दिया, 'ईर्ष्या। वे हमारे बेहतर तरीकों से घृणा करते हैं। हमारी प्रभावशाली पारिवारिक व्यवस्था उनकी आंखों में खटकती है। हम हमारे साम्राज्य में सब की देखभाल करते हैं, यह तथ्य उन्हें अप्रसन्न करता है क्योंकि वे अपनी देखभाल स्वयं नहीं कर सकते हैं। वे एक खेद भरा जीवन व्यतीत करते हैं। और वे अपने आप में सुधार करने के बजाय हमें नीचे खींचकर अपने स्तर पर ले जाना चाहते हैं।'

'मैं समझ सकता हूं। मेरा कबीला कैलाश पर्वत पर अत्यधिक ईर्ष्या का सामना करता था क्योंकि मानसरोवर झील के किनारे पर हमारा नियंत्रण था और इस प्रकार हमारे पास सबसे उपयुक्त भूमि थी। लेकिन कभी-कभी मुझे लगता है कि काश हमने अपना सुंदर ऐश्वर्य स्वेच्छापूर्वक उनसे बांटा होता तो हम रक्तपात को टाल सकते थे।'

'किंतु हम अपना ऐश्वर्य उन लोगों के साथ बांटते हैं प्रभु, जो इसकी इच्छा प्रकट करते हैं। इसके बावजूद ईर्ष्या हमारे शत्रुओं को अंधा बना देती है। चंद्रवंशियों को यह पता चल गया कि यह सोमरस ही था जिसने हमारी श्रेष्ठता को प्रत्याभूत किया था। हास्यास्पद बात यह है कि उन्हें सोमरस का ज्ञान है। किंतु वे पूंजीगत उत्पादन करना नहीं जान सके हैं, जैसाकि हम लोग करते हैं और इस प्रकार वे उसके समस्त लाभ नहीं उठा पा रहे हैं।'

'बीच में बोलने के लिए क्षमा करें, महाराज, लेकिन इस सोमरस का

उत्पादन कहां होता है?'

'इसका उत्पादन एक गोपनीय स्थल पर होता है जिसका नाम मंदार पर्वत है। सोमरस का चूरन वहां बनाया जाता है और उसके बाद समस्त साम्राज्य में उसका वितरण किया जाता है। समस्त मेलूहा में नियत किए हुए मंदिरों में प्रशिक्षित ब्राह्मण उसका जल एवं अन्य आवश्यक सामग्रियों में मिश्रित कर लोगों को उसका पान करवाते हैं।'

'ठीक है।' शिव ने कहा।

'चंद्रवंशी हमारे समान शक्तिशाली नहीं हो सके क्योंकि उनके पास कभी भी पर्याप्त मात्र में सोमरस नहीं रहा है। ईर्ष्या के कारण उन्होंने सोमरस को नष्ट करने एक घुमावदार रास्ता अपनाया ताकि अंततः हमें नष्ट कर सकें। सोमरस का एक बहुत ही महत्वपूर्ण घटक है सरस्वती नदी का जल। किसी और स्रोत का जल इसमें काम नहीं करता है।'

'सच में? क्यों?'

'हमें इसका ज्ञान नहीं है, प्रभु। हमारे वैज्ञानिक इसकी व्याख्या नहीं कर पाए हैं। किंतु तथ्य यही है कि मात्र सरस्वती का जल ही काम करेगा। इसी कारण से चंद्रवंशियों ने हमें नुकसान पहुंचाने के लिए सरस्वती की हत्या करने का प्रयास किया है।'

'नदी की हत्या?' शिव ने अविश्वास के साथ कहा।

'जी हां, प्रभु,' दक्ष ने कहा और उसकी बच्चों जैसी आंखें चंद्रवंशियों के इस विश्वासघात पर जलने लगीं, 'सरस्वती नदी का उद्गम उत्तर में दो विशाल नदियों सतलज एवं यमुना के संगम से होता है। प्राचीन समय में सतलज एवं यमुना नदियों की धाराएं तटस्थ क्षेत्र में हुआ करती थी। हम दोनों ही अर्थात सूर्यवंशी एवं चंद्रवंशी वहां जाकर सोमरस के लिए जल लेकर आते थे।'

'लेकिन उन्होंने सरस्वती की हत्या कैसे करने का प्रयास किया था, महाराज?'

'उन्होंने यमुना की धारा के मार्ग को बदल दिया ताकि वह दक्षिण की ओर न जाकर पूर्व की दिशा से मुख्य नदी गंगा में जाकर मिले।'

'आप ऐसा कर सकते हैं?' शिव ने आश्चर्य में पूछा, 'नदी की धारा के प्रवाह को मोड़ सकते हैं!'

'हां, निस्संदेह कर सकते हैं,' पर्वतेश्वर ने कहा।

'हम बहुत अधिक अप्रसन्न हुए,' दक्ष ने बीच में ही कहा, 'किंतु हमने उन्हें उनके कपट को सुधारने का अवसर दिया।'

'और?'

'और आप चंद्रवंशियों से किस वस्तु की आशा कर सकते हैं, प्रभु,' दक्ष ने घृणा से कहा, 'उन्होंने ऐसा कुछ करने से साफ इंकार कर दिया। उन्होंने दावा किया कि किसी छोटे-से भूकंप के कारण समय के साथ नदी ने स्वयं ही अपनी धारा का प्रवाह बदल लिया था। और उससे भी बुरा यह कि उन्होंने अब दावा कर दिया कि चूंकि नदी ने स्वयं ही अपनी धारा का रुख मोड़ लिया था तो हम मेलूहावासियों को ईश्वर की इच्छा समझकर इसे स्वीकार कर लेना चाहिए।'

'निस्संदेह हमने यह स्वीकार करने से मना कर दिया,' पर्वतेश्वर ने कहा, 'महाराज के पिता सम्राट ब्रह्मनायक के नेतृत्व में हमने स्वद्वीप पर आक्रमण कर दिया।'

'चंद्रवंशियों का राज्य?' शिव ने पूछा।

'हां, शिव,' पर्वतेश्वर ने कहा, 'और वह एक गुंजायमान विजय थी। चंद्रवंशियों की सेना की बुरी तरह से पराजय हुई। कृपालु सम्राट ब्रह्मनायक ने उनकी भूमि और उनके शासन को रहने दिया। यहां तक कि हमने युद्ध की क्षतिपूर्ति या वार्षिक शुल्क भी नहीं मांगा। उस आत्मसमर्पण समझौते की एकमात्र शर्त थी यमुना की वापसी। हमने यमुना को पुनः उसकी मौलिक धारा में प्रवाहित कर दिया ताकि वह सरस्वती से मिल सके।'

'आप उस युद्ध में लड़े थे पर्वतेश्वर?'

'हां,' पर्वतेश्वर ने कहा। उसकी सीना गर्व से फूला हुआ था, 'उस समय मैं मात्र एक सिपाही था, किंतु मैंने वह युद्ध लड़ा था।'

दक्ष की ओर मुड़ते हुए शिव ने पूछा, 'तो फिर अब समस्या क्या है,

महाराज? आपके शत्रु बहुत अच्छी तरह से पराजित हुए। फिर भी सरस्वती मर क्यों रही है?'

'हमारा मानना है कि चंद्रवंशी एक बार पुनः कुछ कपट कर रहे हैं। हम अभी तक कुछ भी अच्छी तरह समझ नहीं पाए हैं। उनकी पराजय के बाद हम दोनों साम्राज्यों के मध्य के क्षेत्र को किसी साम्राज्य की निजी भूमि से पृथक घोषित कर दिया गया और उस पर जंगल उग गए हैं। उस क्षेत्र में यमुना की प्रारंभिक धारा भी सम्मिलित थी। हमने उस समझौते का अनुपालन किया और क्षेत्र को कभी भी छेड़ा नहीं। ऐसा प्रतीत होता है कि उन्होंने जो वचन अपनी ओर से दिया था, उसका पालन नहीं किया।'

'क्या आप निश्चित रूप से यह कह सकते हैं, महाराज? क्या उस क्षेत्र का निरीक्षण किया गया है? क्या चंद्रवंशियों के प्रतिनिधि से आपके साम्राज्य में इसके बारे में विचार-विमर्श हुआ है?'

'क्या आप यह कहना चाह रहे हैं कि हम असत्य बोल रहे हैं?' पर्वतेश्वर ने प्रतिरोध किया, 'एक सच्चा सूर्यवंशी कभी असत्य वचन नहीं कहता।'

'पर्वतेश्वर!' दक्ष ने डांटते हुए क्रोध में कहा, 'प्रभु के कहने का वैसा कोई तात्पर्य नहीं था।'

'मेरी बात ध्यान से सुनिए, पर्वतेश्वर,' शिव ने नम्रता से कहा, 'यदि मैंने अपने देश में अकारण युद्धों से कुछ भी सीखा है तो वह यह है कि युद्ध का आश्रय अंतिम होना चाहिए। यदि कोई अन्य समाधन है तो इसमें कोई हानि नहीं है कि कुछ युवा सैनिकों की जीवन-रक्षा की जा सके। एक मां कहीं न कहीं हमें दुआ अवश्य देगी।'

'हम लोग युद्ध ना करें! बहुत अच्छा! क्या महान मुक्तिदाता हमें मिला है!' पर्वतेश्वर ने मन ही मन में बुदबुदाते हुए कहा।

'क्या आपको अब भी कुछ कहना है पर्वतेश्वर?' कनखला ने चिल्लाकर कहा, 'मैंने आपको पहले ही कहा था। आप नीलकंठ का अनादर मेरी उपस्थिति में नहीं करेंगे!'

'मैं आपसे आज्ञा नहीं लेता,' पर्वतेश्वर गुर्राया।

'बहुत हुआ!' दक्ष ने आदेश दिया और शिव की ओर मुड़कर कहा, 'मुझे क्षमा करें प्रभु। आप सही हैं। आश्वस्त हुए बिना हमें युद्ध की घोषणा नहीं करनी चाहिए। इसी कारण से मैंने अब तक युद्ध को टाला हुआ है। किंतु इस विषय में तथ्यों को देखिए। पिछले पचास वर्षों में सरस्वती की धारा कम होती ही जा रही है।'

'और पिछले कुछ वर्ष तो सचमुच ही भयावह रहे हैं,' कनखला ने कहा, वो धीमे-धीमे मरती जा रही नदी के दुख में बड़ी ही मुश्किल से अपने आंसुओं के बहने को रोक सकी, जिसे अधिकतर मेलूहावासी माता-स्वरूप आदर करते थे, 'सरस्वती अब तो समुद्र तक भी नहीं पहुंच पाती है और राजस्थान में भूमिगत डेल्टा तक जाकर समाप्त हो जाती है।'

'और सोमरस बिना सरस्वती के जल के नहीं बनाया जा सकता है,' दक्ष ने कहना जारी रखा, 'चंद्रवंशियों को यह पता है। इसी कारण वे उसे मारने का प्रयास कर रहे हैं।'

'इसके बारे में स्वद्वीप के प्रतिनिधि का क्या कहना है? क्या उससे पूछताछ की गई है?'

'स्वद्वीप से हमारा कोई कूटनीतिक संबंध नहीं है, प्रभु,' दक्ष ने कहा।

'क्या सचमुच में? मैंने सोचा कि दूसरे देशों के प्रतिनिधियों का होना आपकी एक नवीन व्यवस्था थी। यह आपको उन्हें भली-भांति जानने-समझने का मौका देता है और युद्ध को टालने में मदद करता है। मैंने सुना है कि दो दिनों के बाद मेसोपोटामिया से एक राजनयिक दल यहां आ रहा है। तो फिर स्वद्वीप से भी कूटनीतिक संबंध क्यों नहीं हो सकता है?'

'आप उन्हें जानते नहीं हैं, प्रभु। वे अविश्वासी लोग हैं। कोई भी सूर्यवंशियों की तरह जीने वाला स्वेच्छा से चंद्रवंशियों से बात करके अपनी आत्मा को गंदा करना नहीं चाहेगा।'

शिव ने त्योरी चढ़ाई किंतु कुछ कहा नहीं।

'आप नहीं जानते कि वे किस स्तर तक नीचे गिर चुके हैं, प्रभु। पिछले कुछ वर्षों में तो उन्होंने आतंकी आक्रमणों में शापयुक्त नागाओं तक

के प्रयोग भी करने प्रारंभ कर दिए हैं!' कनखला ने घृणित भाव से कहा।

'आतंकी हमले?'

'जी हां, प्रभु,' दक्ष ने कहा, 'उनकी पराजय ने उन्हें कई दशकों तक शांत रखा। पिछले युद्ध में हमारी अत्यधिक तीव्र विजय के कारण उनका मानना है कि वे प्रत्यक्ष युद्ध में हमें पराजित नहीं कर सकते। अतः वे ऐसे धावे करने लगे हैं जो उनके जैसे घिनौने लोग ही कर सकते हैं। आतंकी आक्रमण।'

'मैं कुछ समझा नहीं। वे असल में करते क्या हैं?'

'वे हत्यारों के छोटे-छोटे दल भेजते हैं, जो सहसा सार्वजनिक किंतु असैन्य स्थलों पर आक्रमण करते हैं। उनकी मंशा असैनिकों पर आक्रमण करना होता है, जैसे ब्राह्मण, वैश्य एवं शूद्र। वे मंदिर एवं सार्वजनिक स्नानघरों को उजाड़ना चाहते हैं, ऐसे स्थल जहां संभवतः उनका सामना करने के लिए सैनिक नहीं होंगे, किंतु उनका यह विनाश साम्राज्य के मनोबल का नाश करेगा और आतंक फैलाएगा।'

'यह तो घृणित है! हमारे देश में पूरी तरह से जंगली प्रकृतिवाले भी संभवतः ऐसा न करें,' शिव ने कहा।

'हां,' पर्वतेश्वर ने कहा, 'ये चंद्रवंशी बहादुरों की तरह युद्ध नहीं करते। ये कायरों की तरह युद्ध करते हैं।'

'तो फिर आप उनके देश पर हमला क्यों नहीं करते? इसे हमेशा के लिए समाप्त कर दीजिए।'

'हम ऐसा करना चाहते हैं, प्रभु,' दक्ष ने कहा, 'किंतु मैं आश्वस्त नहीं हूं कि हम उन्हें पराजित कर सकते हैं।'

दक्ष की ओर मुड़ने से पहले शिव ने पर्वतेश्वर की ओर देखा जो अपनी सेना के इस अपमान पर मन ही मन खौल रहा था, 'क्यों महाराज? आपके पास बहुत अच्छी प्रशिक्षित एवं प्रभावी सेना है। मुझे विश्वास है कि आपकी सेना उन्हें पराजित कर सकती है।'

'दो कारण हैं, प्रभु। प्रथमतः हम लोग संख्या में बहुत कम हैं। यहां तक कि हम सौ वर्षों पहले भी उनसे संख्या में कम थे। किंतु उस समय

हमारा अंतर उतना अधिक नहीं था, जितना कि अब है। हमारा अनुमान है कि उनकी जनसंख्या आठ करोड़ है जबकि उनकी तुलना में हमारी जनसंख्या मात्र अस्सी लाख है। वे हमारे विरुद्ध एक बहुत बड़ी सेना खड़ी कर सकते हैं, उनकी इतनी बड़ी संख्या ही हमारी तकनीकी श्रेष्ठता को क्षीण कर देगी।'

'लेकिन आपकी जनसंख्या कैसे कम हो सकती है? आपके पास ऐसे लोग हैं जो दो सौ सालों से अधिक समय तक जी सकते हैं! आपकी जनसंख्या तो उनसे कहीं अधिक होनी चाहिए थी।'

'समाजशास्त्रीय कारण, प्रभु,' दक्ष ने कहा, 'हमारा साम्राज्य अमीर है। अपने कर्तव्यों से भी अधिक बच्चे केवल एक विकल्प की वस्तु हैं। मयका व्यवस्था से बच्चों का गोद लेना माता-पिताओं द्वारा कम संख्या में होता है, सामान्यतः एक या दो ही ताकि वे उनका लालन-पालन उचित प्रकार से कर सकें। मयका में कम संख्या में स्त्रियां पहुंच रही हैं। स्वद्वीप में गरीब लोगों के बच्चे उनके लिए आय के साधन के रूप में मजदूरी करते हैं। जितनी संख्या में बच्चे होते हैं उतनी ही कम गरीबी होती है। अतः उस देश की जनसंख्या बहुत अधिक होती जा रही है।'

'और युद्ध टालने का दूसरा कारण?'

'दूसरा कारण ऐसा कुछ है जो हमारे नियंत्रण में है। हम *युद्ध के नियम* के साथ युद्ध करते हैं। मानक एवं आचारनीति के साथ। चंद्रवंशी वैसा कुछ भी नहीं करते हैं। और मुझे डर है कि हममें जो यह एक कमी है उसका लाभ हमारे निर्दयी शत्रु उठा सकते हैं।'

'युद्ध के नियम?' शिव ने पूछा।

'जी हां। उदाहरण के लिए, हम बिना शस्त्र वालों पर आक्रमण नहीं करते। एक बेहतर शस्त्र वाला व्यक्ति जैसे अश्वारोही सैनिक अपने से कमजोर शस्त्र वाले सैनिकों पर आक्रमण नहीं करता जैसे तलवार उठाए पैदल सैनिकों पर। एक खड़गधारी किसी व्यक्ति को उसकी कमर से नीचे वार नहीं करता क्योंकि यह आचारनीति के विरुद्ध है। चंद्रवंशी इन बारीकियों की परवाह नहीं करते हैं। अपनी जीत शीघ्रता से सुनिश्चित

करने के लिए वे किसी पर भी कभी भी आक्रमण कर सकते हैं।'

'मुझे क्षमा करें, महाराज,' पर्वतेश्वर ने कहा, 'किंतु यही वह अंतर है जिसके कारण हम वो हैं जो कि आज हम हैं। जैसाकि प्रभु श्री राम ने कहा था, किसी व्यक्ति की आचारनीति एवं उसका चरित्र उसके अच्छे समय में नहीं आंका जा सकता है। केवल बुरे समय में ही पता चलता है कि कोई व्यक्ति अपने धर्म पर कितना अडिग रहता है।'

'किंतु पर्वतेश्वर,' गहरी सांस लेते हुए दक्ष ने कहा, 'हम लोगों पर ऐसे लोग आक्रमण नहीं कर रहे हैं जो हमारी तरह नैतिक एवं शालीन हैं। हमारी जीवनशैली पर आक्रमण हो रहा है। यदि हम अपने यथासंभव तरीके से युद्ध नहीं करते हैं तो हम पराजित हो जाएंगे।'

'मुझे एक बार पुनः क्षमा करें, महाराज,' पर्वतेश्वर ने कहा, 'मैंने यह कभी नहीं कहा कि हमें युद्ध का उत्तर युद्ध से नहीं देना चाहिए। मैं तो बार-बार आपसे कहता आ रहा हूं कि आप हमें चंद्रवंशियों के विरुद्ध युद्ध करने की घोषणा करने की अनुमति दीजिए। किंतु यदि हम अपने नियमों, आचारनीतियों, विधि-संहिताओं के बिना युद्ध करते हैं तो हमारी 'जींवनशैली' तो समझिए कि विनष्ट हो ही जाएगी। और चंद्रवंशी बिना हमसे युद्ध किए ही जीत जाएंगे।'

नगरीय प्रहर के घंटे के बजते ही बातचीत रुक गई और सभी ने छोटी पूजा की। शिव ने इस सोच के साथ खिड़की की ओर देखा कि आज सती नृत्य करेगी या नहीं।

दक्ष ने आशाभरी दृष्टि से शिव को देखा, 'क्या आप कहीं जाना चाहते हैं, प्रभु।'

'नहीं, महाराज,' शिव ने अपने अंतर्मन में चल रही पीड़ा एवं गड़बड़ को छुपाते हुए कहा, 'मुझे नहीं लगता कि इस समय कोई मेरी प्रतीक्षा कर रहा है।'

इस पर दक्ष के मुख से मुस्कुराहट उसकी आशा के साथ ही अदृश्य हो गई। शिव ने कहना जारी रखा, 'यदि आपको उचित लगे तो क्या हम यह परिचर्चा जारी रख सकते हैं, महाराज? संभवतः मध्याह्न भोजन हम कुछ

देर बाद भी कर सकते हैं।'

'निस्संदेह, हम चर्चा जारी रख सकते हैं, प्रभु,' स्वयं को संयत करते हुए दक्ष मुस्कुराए।

'मैंने अब तक की सारी कहानी समझ ली है, महाराज। जबकि मैं इस समय आपके द्वारा आक्रमण नहीं करने के कारणों को समझ रहा हूं, साथ ही यह भी समझ रहा हूं कि आपके पास स्पष्ट रूप से कोई योजना है, जिसमें मेरे नीले गले को विचित्र भूमिका निभानी है।'

'जी हां, हमारे पास योजना है, प्रभु। मैं अनुभव करता हूं कि एक सम्राट होने के नाते यदि मैं भी हमारे कुछ लोगों के उचित क्रोध की धारणा बना लूं तो वह हमारी विपत्ति का समाधान नहीं कर पाएगा। मेरा मानना है कि स्वद्वीप के लोग स्वयं बुरे नहीं हैं। उनके जो चंद्रवंशी शासक हैं और जो उनकी जीवनशैली है, उसने उन्हें बुरा बना दिया है। हमारे लिए आगे बढ़ने का सबसे सरल एवं निश्चित मार्ग है कि हम स्वद्वीप वासियों की रक्षा करें।'

'स्वद्वीप वासियों की रक्षा?' शिव ने सच में आश्चर्य से पूछा।

'जी हां, प्रभु। उनकी उस दुष्ट दर्शन से रक्षा जो उनकी आत्माओं को संक्रमित कर रहा है। अधर्मी शासकों से उनकी रक्षा। उनके दुखी एंवं अर्थहीन अस्तित्व से उनकी रक्षा। और उन्हें उत्कृष्ट सूर्यवंशियों के जीवन के उत्तम ढंग के लाभ देकर हम ऐसा कर सकते हैं। एक बार जब वे हमारी तरह हो जाएंगे तो युद्ध करने का कोई कारण ही नहीं रह पाएगा। हम लोग भाइयों की तरह रहेंगे। यह मेरे पिता ब्रह्मनायक का अधूरा कार्य है। असल में यह प्रभु श्री राम का अधूरा कार्य है।'

'यह बहुत बड़ा कार्य है, महाराज,' शिव ने कहा, 'यह दयाशीलता एवं र्ध को अवश्य लहरा रहा है। लेकिन यह बहुत ही भारी कार्य है। आपको उनकी सेना को पराजित करने के लिए सैनिकों की आवश्यकता होगी और उन्हें अपनी ओर करने के लिए धर्म प्रचारकों की भी। यह कार्य आसान नहीं होगा।'

'मैं मानता हूं। यहां तक कि मेरे साम्राज्य में बहुत से लोग हैं जो स्वद्वीप पर आक्रमण करने पर भी चिंतित हैं, और मैं स्वद्वीप के दुरुस्तीकरण की एक बहुत बड़ी चुनौती उनके सामने रख रहा हूं। इसी कारण से मैं इसे नीलकंठ के बिना आरंभ नहीं करना चाहता था, प्रभु।'

शिव को बहुत सालों पहले कही हुई अपने चाचा की बात याद हो आई, जिसमें दूसरे जीवन के बारे में उन्होंने बताया था।

*तुम्हारा प्रारब्ध इन पर्वतों के बाद स्थित है। तुम उसे पूरा करोगे या फिर से उससे भाग जाओगे, यह तुम पर निर्भर करता है।*

जैसे ही दक्ष ने पुनः कहना आरंभ किया तो शिव ने अपना ध्यान केंद्रित किया।

'जिन विपत्तियों का सामना हम कर रहे हैं, उसकी भविष्यवाणी पहले ही कर दी गई थी, प्रभु,' दक्ष ने कहना जारी रखा था, 'प्रभु श्री राम ने स्वयं कहा था कि कोई भी दर्शन चाहे कितना भी आदर्श क्यों न हो, वह मात्र एक सीमित समय तक ही प्रभावी रहता है। यह प्रकृति का नियम है और इसे टाला नहीं जा सकता है। किंतु पौराणिक कथाएं हमें यह भी बताती हैं कि जब ये विपत्तियां एक आम आदमी के लिए अलंघ्य हो जाएंगी, तो नीलकंठ प्रकट होंगे। और वे दुष्ट चंद्रवंशियों का नाश करेंगे और अच्छाई की शक्तियों की पुनः स्थापना करेंगे। प्रभु, आप ही नीलकंठ हैं। आप हमारी रक्षा कर सकते हैं। आप प्रभु श्री राम के अधूरे कार्य को पूरा कर सकते हैं। आप अवश्य हमारा नेतृत्व करें और चंद्रवंशियों को पराजित करने में हमारी सहायता करें। आप स्वद्वीप वासियों को एक जगह पर बटोरकर उन्हें सच की राह पर अवश्य लायें। नहीं तो मुझे डर है कि यह जो सुंदर साम्राज्य आज हमारे पास है, जो मेलूहा आदर्श के निकट का समाज है, वह वर्षों न समाप्त होने वाले युद्ध से नष्ट हो जाएगा। क्या आप हमारी सहायता करेंगे, प्रभु? क्या आप हमारा नेतृत्व करेंगे?'

शिव पूरी तरह से चकराया हुआ था, 'लेकिन मैं कुछ समझा नहीं, महाराज? वास्तव में मुझे क्या करना होगा?'

'मैं नहीं जानता, प्रभु। हमें मात्र हमारा लक्ष्य पता है और यह कि आप

हमारे मार्गदर्शक होंगे। हमें कौन सा मार्ग लेना है, यह आप पर निर्भर करता है।'

*ये चाहते हैं कि आठ करोड़ लोगों के जीवन जीने के ढंग को मैं अकेले ही बदल दूं! क्या ये लोग पागल हैं?*

शिव ने संभलकर बोलना प्रारंभ किया, 'मुझे आप लोगों से और आपके कष्टों से बहुत सहानुभूति है, महाराज। लेकिन ईमानदारी से कहूं तो मुझे वास्तव में यह समझ में नहीं आ रहा कि कैसे मेरे जैसा एक आदमी ऐसा अंतर ला सकता है।'

'यदि वह व्यक्ति आप हैं, प्रभु,' दक्ष ने कहा। उसकी नम हुई आंखें भक्ति एवं आस्था से बड़ी हो गईं, 'तो वे पूरे ब्रह्मांड को परिवर्तित कर सकते हैं।'

'मैं इस बारे में पूरी तरह से असंदिग्ध नहीं हूं, महाराज,' शिव ने एक दुर्बल मुस्कान के साथ कहा, 'मेरी उपस्थिति क्यों इतना बड़ा अंतर लाएगी? मैं कोई चमत्कार करने वाला आदमी नहीं हूं। मैं चुटकी बजाकर बिजली गिराने वाले बाण चंद्रवंशियों पर नहीं चला सकता।'

'आपकी उपस्थिति मात्र ही यह अंतर उत्पन्न कर देगी, प्रभु। मैं आपको साम्राज्य में भ्रमण करने का आमंत्रण देता हूं। आप नीले गले का प्रभाव लोगों पर देखिए। एक बार हमारे लोग यह विश्वास कर लेंगे कि वे चाहें तो वे कुछ भी कर लेंगें!'

'आप नीलकंठ हैं प्रभु,' कनखला ने भी कहा, 'लोगों को नीले गले के वाहक पर आस्था है। उनकी आस्था आप में है। क्या आप हमारी सहायता करेंगे, प्रभु?'

*क्या तुम पुनः भाग जाओगे?*

'लेकिन आपको कैसे पता कि मेरा नीला गला मुझे सच्चा नीलकंठ बनाता है?' शिव ने पूछा, 'आपको क्या पता कि नीले गले वाले कितने मेलूहावासी आविष्कृत होने के लिए प्रतीक्षा में बैठे हुए हैं!'

'नहीं, प्रभु,' दक्ष ने कहा, 'वह मेलूहावासी नहीं हो सकता। पौराणिक

गाथा बताती है कि नीलकंठ विदेशी होंगे। वह सप्त-सिंधु से नहीं हो सकते। और सोमरस का पान करने के बाद उनका गला नीला हो जाएगा।'

शिव ने कोई उत्तर नहीं दिया। वह पूरी तरह से स्तब्ध लग रहा था क्योंकि सचाई उसके सामने प्रत्यक्ष खड़ी थी।

श्रीनगर। प्रथम रात्रि, सोमरस। इसी कारण से मेरा शरीर भला-चंगा हो गया था। इसी कारण से मैं पहले से भी अधिक शक्तिशाली महसूस कर रहा हूं।

दक्ष और कनखला ने शिव को आशाभरी दृष्टि से देखा। उन्हें शिव के निर्णय की प्रतीक्षा थी। वे उनके उचित निर्णय के लिए पूजारत थे।

*केवल मैं ही क्यों? सभी गुणवालों को सोमरस दिया गया था। क्या मेरे चाचा जी सही थे? क्या सचमुच ही मेरा कोई प्रारब्ध है?*

पर्वतेश्वर ने संकुचित हुई आंखों से शिव को घूरा।

*मैं किसी प्रारब्ध का पात्र नहीं हूं। लेकिन संभवतः मेरे लिए प्रायश्चित करने का यह एक अवसर हो।*

*लेकिन सबसे पहले...*

शिव ने नियंत्रित विनम्रता से पूछा, 'महाराज, इससे पहले कि मैं उत्तर दूं, क्या मैं एक प्रश्न पूछ सकता हूं?'

'निस्संदेह, प्रभु।'

'क्या आप इस पर विश्वास करते हैं कि मित्रता के लिए ईमानदारी आवश्यक होती है? इसके बावजूद कि सच उसके मित्र को बुरा लगे?'

'जी हां, निस्संदेह,' दक्ष ने यह सोचते हुए कहा कि पता नहीं शिव के कहने का आशय क्या होगा।

'पूरी ईमानदारी केवल दो व्यक्तित्वों के संबंध की आधारशिला ही नहीं, बल्कि किसी स्थिर समाज का भी आधार है,' पर्वतेश्वर में बीच में ही कहा।

'मैं इससे सहमत हूं,' शिव ने कहा, 'लेकिन फिर भी, मेलूहा मेरे प्रति ईमानदार नहीं था।'

किसी ने भी कुछ नहीं कहा।

शिव ने सभ्यता किंतु दृढ़ता भरे स्वर में कहा, 'जब हमारे कबीले को मेलूहा आने का निमंत्रण दिया गया था तो हमें ऐसा प्रतीत करवाया गया था कि आप लोगों को अप्रवासी चाहिएं क्योंकि आप लोगों को काम करने के लिए लोगों की आवश्यकता थी। और मैं अपने पिछड़े प्रदेश की भूमि से बचकर खुश था। लेकिन अब मुझे आभास हुआ कि आप बड़े ही व्यवस्थित ढंग से नीलकंठ की तलाश कर रहे थे।'

नंदी की ओर मुड़ते हुए शिव ने कहा, 'हमें यह नहीं बताया गया था कि जैसे ही हम मेलूहा में प्रवेश करेंगे तो सोमरस जैसी कोई औषधि हमें पिलाई जाएगी। हमें यह भी नहीं बताया गया था कि उस दवाई का ऐसा प्रभाव होगा।'

नंदी ने दोषयुक्त दृष्टि से नीचे देखा। उसके प्रभु का उस पर क्रोधित होना उचित था।

दक्ष की ओर मुड़ते हुए शिव ने कहना जारी रखा था, 'महाराज, आपको पता ही है कि मुझे बताए बिना ही श्रीनगर में पहली रात ही मुझे सोमरस पिलाया गया था।'

'उस अधमता के लिए मैं क्षमाप्रर्थी हूं, प्रभु,' दक्ष ने हाथ जोड़कर विनती करते हुए कहा, 'इसके लिए मैं हमेशा शर्मिंदा रहूंगा। किंतु हमारे लिए यह बहुत ही महत्वपूर्ण था, प्रभु। और फिर सोमरस ने आपके शरीर पर काफी सकारात्मक प्रभाव डाला है। इसने किसी भी प्रकार से आपको हानि नहीं पहुंचाई है।'

'मैं जानता हूं। मैं दीर्घायु एवं स्वस्थ जीवन के लिए दुखी नहीं हूं, महाराज,' शिव ने बात को घुमाकर कहा, 'क्या आप जानते हैं कि उस रात संभवतः मेरे कबीलेवालों को भी सोमरस दिया गया था? और वे गंभीर रूप से बीमार हो गए थे, संभवतः सोमरस के कारण।'

'वे किसी भी जोखिम में नहीं थे, प्रभु,' कनखला ने क्षमाप्रार्थी होते हुए कहा, 'कुछ लोगों को पहले से ही कोई न कोई बीमारी होती है। जब सोमरस उनके शरीर में प्रवेश करता है तो वह उस बीमारी को उजागर कर देता है, जिसे ठीक कर देने के बाद वह बीमारी फिर कभी नहीं होती है। इसी कारण

शरीर मृत्युपर्यंत स्वस्थ रहता है। असल में आपके कबीलेवाले अब अधिक स्वस्थ हैं, प्रभु।'

'इसमें कोई संदेह नहीं है कि अधिक स्वस्थ हैं,' शिव ने कहा, 'बात सोमरस के प्रभाव की नहीं है। मैं और मेरा कबीला अब बेहतर हैं। यह सच है। फिर भी जो अब तक मैंने मेलूहा को समझा है उससे मुझे प्रतीत होता है कि किसी से बिना तथ्य बताए कुछ काम करवाना प्रभु श्री राम का तरीका नहीं हो सकता है। कैलाश पर्वत पर ही हमें सारा सच बता देना चाहिए था। तब आप हमें हमारी इच्छा के अनुसार चुनाव का अवसर देते न कि आप ही हमारे लिए चुनाव करते। संभवतः हम तब भी मेलूहा आते, किंतु तब वह हमारा चयन होता।'

'हमें इस कपट के लिए क्षमा करें, प्रभु,' दक्ष ने दोषी होकर खेद में कहा, 'यह सच में हमारे तरीके से काम करना नहीं है। हम अपनी सचाई एवं ईमानदारी पर गर्व करते हैं। किंतु हमारे पास और कोई रास्ता नहीं था। हम सच में बहुत-बहुत क्षमाप्रार्थी हैं, प्रभु। आपके लोगों की देखरेख की जा रही है। वे इतने स्वस्थ हैं, जितना पहले कभी नहीं थे। वे अपना जीवन लंबे समय तक अच्छा व्यतीत करेंगे।'

पर्वतेश्वर ने अंततः अपनी चुप्पी तोड़ी। कई दशकों पहले जब से यह खोज शुरू हुई थी, वह अपने हृदय की बात बताना चाहता था जो वह अब तक बता नहीं सका था। उसने कहा, 'शिव, हम लोगों ने जो किया है, उसके लिए हम सच में क्षमा मांगते हैं। आपको क्रोध करने का पूरा अधिकार है। झूठ बोलना हमारा तरीका नहीं है। मेरे विचार से जो किया गया वह कुरूप था और प्रभु श्री राम ने इसके लिए कभी क्षमा नहीं किया होता। हमारी विपत्तियां चाहे कितनी ही गंभीर क्यों न हों, हमें कोई अधिकार नहीं है कि हम किसी को अपनी सहायता करने के लिए धोखे में रखें। मैं अत्यधिक क्षमाप्रार्थी हूं।'

शिव ने अपनी भौंहे ऊपर उठाईं।

*पर्वतेश्वर अकेला है जो बहाने बनाने के बजाय खेद प्रकट कर रहा है। वह महान सम्राट श्री राम के तरीकों का सच्चा अनुयायी है।*

शिव मुस्कुराया।

दक्ष ने राहत की एक गहरी ध्वनि वाली सांस ली।

शिव दक्ष की ओर मुड़ा और उसने कहा, 'अब हमें उसे भुला देना चाहिए, महाराज। जैसाकि मैंने कहा था, आपके साम्राज्य के बारे में कुछ चीजें हैं जिसमें सुधार किया जा सकता है। इसमें कोई संदेह नहीं है। लेकिन फिर भी, जितनी दुनिया अब तक मैंने देखी है, मैं दावे के साथ कह सकता हूं कि उनमें से यह सबसे अच्छे समाजों में से एक है। और इसके लिए युद्ध करना एक नेक कार्य होगा। लेकिन मेरी कुछ शर्तें हैं।'

'निस्संदेह, प्रभु,' दक्ष ने उन्हें प्रसन्न करने की इच्छा से कहा।

'इस समय मैं यह नहीं कहता कि मैं यह कार्य कर पाऊंगा जिसकी आपको मुझसे आशा है और यह भी नहीं कह सकता कि मैं नहीं करूंगा। मेरे कहने का तात्पर्य यह है कि मैं अपनी ओर से पूरा प्रयत्न करूंगा। लेकिन उससे पहले, मैं आपके समाज को और अधिक समझना चाहता हूं ताकि मैं कैसे आपकी मदद कर पाऊंगा उसके लिए असंदिग्ध हो जाऊं। मैं मानकर चल रहा हूं कि मुझसे कुछ भी छुपाया नहीं जाएगा और ना ही मुझे भ्रमित किया जाएगा।'

'निस्संदेह, प्रभु।'

'दूसरी बात, आपको अभी भी अपनी जनसंख्या बढ़ाने के लिए अप्रवासियों की आवश्यकता है। लेकिन आप उन्हें भ्रम में न रखें। मेरे विचार से आप उन्हें मेलूहा के बारे में सबकुछ सच-सच बता दें और उन्हें निर्णय लेने दें कि वे आना चाहते हैं अथवा नहीं? या फिर आप उन्हें आमंत्रित ही ना करें। क्या यह उचित है?'

'निस्संदेह उचित है, प्रभु,' दक्ष ने कहा। कनखला की ओर सिर हिलाते दक्ष ने कहा, 'हम इस आज्ञा का पालन तत्काल ही करेंगे।'

'साथ ही, यह स्पष्ट है कि मैं वापस कश्मीर नहीं जा रहा हूं। क्या मेरा कबीला, मेरे गुणवाले देवगिरि लाए जा सकते हैं? मेरी इच्छा है कि वे मेरे साथ रहें।'

'निस्संदेह, प्रभु,' दक्ष ने एक क्षण कनखला को देखकर कहा, 'आज ही निर्देश भेज दिए जाएंगे कि उन्हें देवगिरि बुला लिया जाए।'

'और मैं उस स्थान पर जाना चाहता हूं, जहां सोमरस का उत्पादन किया जाता है। मैं देवताओं के इस पेय को समझना चाहता हूं। ऐसा प्रतीत हो रहा है कि ऐसा करना महत्वपूर्ण है।'

'निस्संदेह, प्रभु,' दक्ष ने कहा। उसका चेहरा धैर्यहीन मुस्कुराहट से भरता जा रहा था, 'कनखला आपको वहां कल ही लेकर जाएगी। असल में, मेरा परिवार भी परसों ब्रह्मा मंदिर में पूजा करने के लिए जाने वाला है। संभवतः वहां हम मिल सकते हैं।'

'यह बहुत ही अच्छा रहेगा,' मुस्कुराकर शिव ने कहा और उसके बाद एक गहरी सांस लेकर बोला, 'और अंत में, मुझे लगता है कि आप अपने लोगों को नीलकंठ के आगमन का समाचार देने को उत्सुक होंगे।'

दक्ष और कनखला ने सहमति में सिर हिलाया।

'मैं आपसे अनुरोध करना चाहता हूं कि आप अभी ऐसा न करें।'

दक्ष और कनखला के चेहरे तुरंत ही उतर गए। नंदी की आंखें फर्श पर चिपकी हुई थीं। उसने वार्तालाप को सुनना बंद कर दिया था। उसके मिथ्या साक्ष्य की विशालता उसे अंदर ही अंदर तोड़े जा रही थी।

'महाराज, मुझे ऐसा लगता है कि जब आपके लोगों को यह पता चलेगा कि मैं नीलकंठ हूं तो मेरे द्वारा किया गया हर काम और मेरी कही हुई बातों का अन्य अर्थ लिया जाएगा, उसके अत्यधिक विश्लेषण होंगे,' शिव ने विवरण दिया, 'मुझे डर है कि मुझे आपके समाज के बारे में कुछ अधिक जानकारी नहीं है या फिर यों कहें कि मुझे अभी अपने कार्य के बारे में पता नहीं है कि मैं इसको कर पाऊंगा या नहीं।'

'मैं समझ सकता हूं, प्रभु,' दक्ष ने कहा। उसके चेहरे पर एक टूटी हुई मुस्कान आई, 'आपको मैं वचन देता हूं। मेरे तत्काल अधीन कर्मचारी, मेरा परिवार एवं वे लोग जिन्हें आप बताना चाहेंगे, उन्हें ही नीलकंठ के आगमन की जानकरी होगी। इसके आलावा किसी को नहीं।'

'धन्यवाद, महाराज। लेकिन मैं फिर से कहता हूं: मैं एक साधारण कबीला वाला हूं जिसका गला किसी अच्छी औषधि के कारण नीला हो गया है। ईमानदारी से मुझे अभी भी पता नहीं है कि जो विपत्तियां आप झेल रहे हैं, उसमें एक आदमी क्या कर सकता है?

'और मैं पुनः वही बात दुहराऊंगा, प्रभु,' दक्ष ने बच्चे जैसी मुसकान के साथ कहा, 'यदि वह व्यक्ति आप हैं, तो इस ब्रह्मांड को बदलकर रख सकते हैं!'

अध्याय - 8

# भगवान का पेय

शिव और नंदी राजसी विश्रामगृह वापस लौट रहे थे। शिव ने निर्णय लिया था वह अकेले ही भोजन करेगा। नंदी शिव के कुछ कदम पीछे चल रहा था। उसका सिर स्व-प्रत्यारोप में नीचे झुका हुआ था, 'प्रभु, मुझे क्षमा करें।'

शिव मुड़ा और उसने नंदी को घूरकर देखा।

'आप सही हैं, प्रभु। हम लोग अपनी समस्याओं में और नीलकंठ की खोज में इतने व्यस्त थे कि हमें हमारे द्वारा किए जा रहे अप्रवासियों के लिए अनुचित व्यवहार का एहसास ही नहीं हुआ। मैंने आपको बहकाया है, प्रभु। मैंने आपसे झूठ कहा था।'

शिव ने कुछ भी नहीं कहा। वह नंदी की आंखों में गहरे झांक रहा था।

'मैं अत्यधिक क्षमाप्रार्थी हूं, प्रभु। मैंने आपके साथ विश्वासघात किया है। आप जो भी दंड देंगे, वह मुझे स्वीकार होगा।'

शिव के होंठों पर एक हल्की-सी मुस्कान आई। उसने नंदी के कंधे पर हल्की थपकी लगाई, जैसे संकेत दे रहा हो कि उसने नंदी को क्षमा कर दिया है। लेकिन उसकी आंखों ने एक स्पष्ट संदेश भी दिया, 'मुझसे कभी झूठ नहीं बोलना, मित्र।'

नंदी ने सिर हिलाया और फुसफुसा कर कहा, 'कभी नहीं प्रभु। कभी भी नहीं। मैं अत्यधिक शर्मिंदा हूं।'

'भूल जाओ नंदी,' शिव ने कहा। उसकी मुस्कान अब और बड़ी हो

गई थी, 'अब वे अतीत की बातें हैं।'

वह मुड़ा और उसने चलना पुनः प्रारंभ कर दिया। अचानक ही शिव
ने सिर हिलाया और बहुत ही धीमे स्वर में कहा, 'विचित्र लोग हैं।'

'आपने कुछ कहा, प्रभु?' नंदी ने पूछा।

'नहीं कुछ विशेष नहीं। मैं तुम्हारे समाज की कुछ मनोरंजक बातों के
बारे में सोच रहा था।'

'मनोरंजक, प्रभु?' नंदी ने पूछा। अब वह कुछ अधिक आत्मविश्वास
से भरा हुआ था क्योंकि उसके प्रभु उससे बोल रहे थे।

'बात यह है कि तुम्हारे देश के कुछ लोग ऐसा सोचते हैं कि मात्र
मेरा नीला गला उन्हें उनके असंभव कार्य को पूरा करने में मदद करेगा। कुछ
लोग वास्तव में मानते हैं कि मेरा नाम इतना पवित्र हो चुका है कि वे उस
नाम को बोल भी नहीं सकते। '

नंदी थोड़ा-सा मुस्कुराया।

'उधर दूसरी ओर,' शिव ने कहना जारी रखा था, 'कुछ लोग स्पष्ट रूप
से सोचते हैं कि मेरी कोई आवश्यकता नहीं है। असल में, वे यहां तक
सोचते हैं कि मेरा स्पर्श करना इतना प्रदूषित करता है कि मुझे शुद्धिकरण
की आवश्यकता है।'

'शुद्धिकरण? आपको इसकी क्यों आवश्यकता है, प्रभु?' थोड़ा चिंतित
होते हुए नंदी ने पूछा।

शिव ने अपने शब्दों को संभालकर रखा, 'ऐसा है कि मैंने किसी को
स्पर्श किया। और मुझसे कहा गया कि मुझे शुद्धिकरण करवाना आवश्यक
है।'

'क्या? आपने किसको स्पर्श किया, प्रभु? क्या वह विकर्म व्यक्ति
था?' अत्यधिक चिंतित नंदी पूछा, 'मात्र एक विकर्म व्यक्ति को स्पर्श करने
पर ही आपको शुद्धिकरण की आवश्यकता हो सकती है।'

शिव के मुख का रंग अचानक ही बदल गया। उसकी आंखों के सामने
से पर्दा उठ गया था। उसे सहसा उस दिन की समस्त घटनाओं का महत्व

समझ में आ गया था। स्पर्श करने पर उसका तेजी से हटना। गुरु जी और कृांतका की आघात लगने जैसी प्रतिक्रिया।

'तुम विश्रामगृह को जाओ, नंदी। मैं तुम्हें वहीं मिलता हूं।' शिव ने कहा और विश्रामगृह के उद्यान की ओर मुड़ गया।

'प्रभु, क्या हुआ?' शिव के साथ तेज कदम मिलाने के प्रयास के साथ नंदी ने पूछा, 'क्या आपने शुद्धिकरण करवाया अथवा नहीं?'

'तुम विश्रामगृह को जाओ, नंदी,' तेजी से उससे दूर जाते हुए शिव ने कहा, 'मैं तुम्हें वहीं मिलता हूं।'

— 𑀓𑀐𑀉𑀖𑀔 —

शिव ने लगभग एक घंटे तक प्रतीक्षा की। किंतु वह व्यर्थ रही क्योंकि सती वहां नहीं आई। उस क्षण को कोसते हुए वह वहीं अकेला ही तख्त पर बैठ गया, जिस क्षण वह भयावह विचार उसके मन में उपजा था।

*मैंने आखिर यह कैसे सोच लिया कि मेरा स्पर्श सती को प्रदूषित लगेगा? मैं सचमुच ही निरा मूर्ख हूं।*

उसने अपने मन में उस दुर्भाग्यशाली मुलाकात के प्रत्येक क्षण को टटोला और उसके प्रत्येक पहलू पर विचार किया।

*'यदि आपको कुछ भी होता है तो स्वयं को कभी भी क्षमा नहीं कर पाऊंगी।'*

*उसने कहा था। यह कहने का उसका तात्पर्य क्या था? क्या उसके मन में मेरे प्रति कुछ भावनात्मक लगाव हैं? या फिर वह एक ऐसी आदरणीया स्त्री है जो किसी दूसरे के दुर्भाग्य का कारण बनना नहीं देख सकती है? और उसे स्वयं को निकृष्ट क्यों समझना चाहिए? यह विकर्म की पूरी की पूरी अवधारणा ही मूर्खता प्रतीत होती है!*

अब वह आने वाली नहीं थी, इसका एहसास होते ही शिव उठ खड़ा हुआ। उसने तख्त को बहुत बल लगाकर ठोकर मारी तो उसे आभास हुआ कि कभी उसके उस सुन्न हुए पांव के अंगूठे में पुनः संवेदना लौट चुकी

थी। चिल्लाकर कोसता हुआ वह विश्रामगृह की ओर वापस चलने लगा। नृत्य मंडप के पास से गुजरते हुए उसने देखा कि वहां कुछ गिरा पड़ा था। वह उसे उठाने की नीयत से उसके निकट गया। वह मणियों का कंगन था। उसने उसके दाएं हाथ पर उसे देखा था। उसका धागा टूटा हुआ नहीं लग रहा था।

*क्या उसने जान-बूझकर गिराया होगा?*

उसने पहले उसे सूंघा। सांझ के सूरज की चुंबन वाली पवित्र झील की उसमें महक थी। उसने उसे अति रुचिकर ढंग से होंठों से लगाया और कोमलता से उसका चुंबन लिया। मुस्कुराते हुए उसने अपनी कमर में बंधी थैली में उसे रख लिया। वह मंदार पर्वत से वापस आएगा और उससे मिलेगा। उसे उससे मिलना ही होगा। यदि आवश्यक हुआ तो वह संसार के नष्ट होने तक उसे मनाएगा। वह उसे पाने के लिए समस्त मानव-जाति से युद्ध करेगा। उसके बिना उसकी जीवन-यात्रा अधूरी थी। उसका हृदय इसे जानता था। उसकी आत्मा यह जानती थी।

— 𑀓𑀰𑀼𑀧𑀘 —

'अब और कितनी दूर है, प्रधानमंत्री महोदया?' एक उत्सुक बालक की तरह चंचल होकर नंदी ने पूछा।

ऐसा केंद्र जहां देवताओं के पेय का उत्पादन होता है, उस रहस्यपूर्ण मंदार पर्वत का भ्रमण किसी भी मेलूहावासी के लिए विशेष सम्मान की बात थी। अधिकतर सूर्यवंशियों के लिए मंदार पर्वत साम्राज्य की आत्मा था क्योंकि जब तक यह सुरक्षित था उनका सोमरस भी सुरक्षित था।

'देवगिरि को छोड़े हुए मात्र एक घंटा ही बीता है कप्तान,' मुस्कान के साथ कनखला ने कहा, 'मंदार पर्वत तक एक दिन की यात्रा होती है।'

'दरअसल इस सवारी की खिड़की पर यह जो झिलमिली लगी हुई है, इसके कारण बाहर कुछ भी दिखाई नहीं दे रहा है। और चूंकि मैं सूरज को देख भी नहीं सकता तो मैं यह भी नहीं ता कता कि कितना समय बीत चुका है। इसी कारण मैं पूछ रहा था।'

'प्रहर का कंदील आपके ठीक पीछे है, कप्तान। यह झिलमिली आपकी सूर्य की तीव्र किरणों से सुरक्षा के लिए है।'

कनखला के इस तर्क पर शिव मुस्कुराया। वह इस बात को अच्छी तरह से समझ रहा था कि वे झिलमिलियां उनकी सुरक्षा के लिए नहीं थीं, बल्कि वे मंदार की सुरक्षा के लिए थीं। उस स्थल को परम गोपनीय रखने के लिए। बहुत ही कम लोग ऐसे थे जिन्हें उसके सही स्थल की जानकारी थी। मंदार पर्वत की ओर जाने वाली सड़क और उस पर चलने वाले राहगीरों के लिए अरिष्टनेमी नामक सैनिकों का एक विशेष दस्ता लगाया गया था। मंदार पर्वत के वैज्ञानिकों, अरिष्टनेमी दलों एवं उन व्यक्तियों जिन्हें सम्राट ने प्राधिकृत किया हो, उनके अलावा उस पहाड़ पर जाने की अथवा उसके स्थल को जानने की किसी अन्य को अनुमति नहीं थी। यदि चंद्रवंशी मंदार पर आतंकी आक्रमण करते हैं तो मेलूहा के लिए सबकुछ समाप्त हो जाएगा।

'हम वहां किससे मिलेंगे, कनखला?' शिव ने पूछा।

'प्रभु, हम बृहस्पति से मिलेंगे। वे साम्राज्य के मुख्य वैज्ञानिक हैं। हमारे समस्त साम्राज्य हेतु सोमरस उत्पादन के लिए वैज्ञानिकों के दल का वे नेतृत्व करते हैं। निस्संदेह वे अन्य क्षेत्रों में भी शोध करते हैं। एक पक्षी संदेशवाहक पहले ही उनके पास आपके आगमन का समाचार लेकर भेजा जा चुका है। हम लोग उनसे कल प्रातः भेंट करेंगे।'

शिव ने धीमे से सिर हिलाया और मुस्कुराकर कनखला को देखते हुए कहा, 'धन्यवाद।'

नंदी ने प्रहर कंदील को पुनः देखा और शिव अपनी पुस्तक पढ़ने लगा। अत्यंत ही भयावह युद्ध के बारे में वह एक बहुत ही मनोरंजक हस्तलिखित कथा थी, जो सहस्रों वर्ष पूर्व देवों एवं असुरों के मध्य लड़ा गया था, अनंतकाल तक चलने वाला सत्य एवं असत्य के मध्य का विरोधात्मक युद्ध। देवों ने भगवान रुद्र अर्थात महादेव, देवों के देव की मदद से असुरों को पराजित किया था और संसार में पुनः सत्य की स्थापना की थी।

— 𑀓𑀰𑀝𑀲𑀫 —

'आशा है कि आपको अच्छी नींद आई होगी, प्रभु,' कनखला ने शिव से पूछा जब शिव एवं नंदी बृहस्पति के कार्यालय के पहुंचे थे।

यह प्रथम प्रहर के अंतिम घंटे का प्रारंभ था। मंदार पर्वत पर दिन का प्रारंभ अति शीघ्रता से हो चुका था।

'हां, अच्छी नींद आई,' शिव ने कहा, 'किंतु एक लयात्मक ध्वनि रात भर सुनाई पड़ रही थी।'

कनखला मुस्कुराई, किंतु उसने कुछ कहा नहीं। उसने अपना सिर झुकाया और द्वार खोलकर शिव को बृहस्पति के कार्यालय में प्रवेश करने दिया। शिव अंदर गया और उसके पीछे कनखला एवं नंदी भी अंदर प्रवेश कर गए। बृहस्पति के उस विशाल कार्यालय में तख्तों पर विचित्र प्रकार के उपकरण व्यवस्थित ढंग से रखे हुए थे, जो अलग-अलग ऊंचाइयों में थे। ताड़पत्र पर लिखा हुआ विवरण प्रत्येक उपकरण की बगल में रखा हुआ था, जहां स्पष्ट रूप से कुछ शोध हुए थे। कमरा नियंत्रित रूप से नीले रंग में रंगा हुआ था। एक किनारे पर एक विशाल खिड़की थी जिसमें से पर्वत की तलहटी में बसे उस सघन वन का असाधारण दृश्य दिखाई पड़ रहा था। कमरे के मध्य में बहुत ही साधारण कम ऊंचाई की पीढ़ियों को वर्गाकार रूप में व्यवस्थित किया गया था। वह एक अल्पव्ययी कमरा था, जहां प्रत्येक स्थल पर सरलता एक कलात्मकता का आयोजन कर रही थी।

बृहस्पति कमरे के मध्य में हाथ जोड़कर नमस्ते की मुद्रा में खड़ा हुआ था। वह शिव से बहुत ही छोटा एक मध्यम ऊंचाई का था। गेहुंए रंग की त्वचा, गहरी आंखें और सुंदर सिंगार की गई दाढ़ी बृहस्पति को एक अलग ही व्यक्तित्व प्रदान कर रही थी। सिवाय चोटी के पूरी तरह से मुंडित सिर और प्रशांत भाव वाला मुख उसे एक बुद्धिजीवी व्यक्तित्व बता रहा था। उसका शरीर थोड़ा स्थूल था। उसके चौड़े कंधे और बेलनाकार सीना इस बात की उद्घोषणा कर रहे थे कि उसने थोड़ी भी कसरत नहीं की थी, किंतु बृहस्पति का शरीर उसकी बुद्धि का वाहन था न कि क्षत्रियों अथवा योद्धाओं का मंदिर। बृहस्पति ने लाक्षणिक रूप से एक श्वेत धोती पहन रखी थी और अंगवस्त्रम् कंधें पर ढीला रखा हुआ था। उसने जनेऊ भी लाक्षणिक रूप से

धारण कर रखा था।

'आप कैसी हैं कनखला?' बृहस्पति ने पूछा, 'बहुत समय से आपको देखा नहीं।'

'जी हां, बृहस्पति,' कनखला ने नीचे झुकते हुए नमस्ते करते हुए कहा।

शिव ने देखा कि बृहस्पति ने जो दूसरा बाजूबंद पहन रखा था, उस पर हंस का प्रतीक चिह्न बना हुआ था। ब्राह्मणों में यह बहुत ही उत्तम जाति-वर्ग माना जाता था।

'ये प्रभु शिव हैं,' कनखला ने शिव की ओर संकेत करके कहा।

'मात्र शिव से काम चल जाएगा, धन्यवाद,' शिव ने नम्रता से बृहस्पति को नमस्ते करते हुए कहा।

'फिर ठीक है। केवल शिव ही रहेगा। और आप कौन हैं?' नंदी की ओर मुड़कर बृहस्पति ने पूछा।

'ये कप्तान नंदी हैं,' कनखला ने उत्तर दिया, 'प्रभु शिव के सहायक।'

'मुझे आपसे मिलकर प्रसन्नता हुई, कप्तान,' शिव की ओर मुड़ने से पूर्व बृहस्पति ने कहा, 'मैं असभ्यता नहीं कर रहा। किंतु क्या संभव है कि मैं आपका गला देख सकूं।'

शिव ने सहमति में सिर हिलाया। उसने जब अपना गुलूबंद हटाया तो बृहस्पति उसके निकट गले का परीक्षण करने के लिए आया। जब उसने शिव के गले से चमकीला नीला रंग प्रस्फुटित होते देखा तो उसके चेहरे की मुस्कुराहट अदृश्य हो गई। बृहस्पति कुछ समय के लिए मूक हो गया। धीमे-धीमे अपनी चेतना प्राप्त कर वह कनखला की ओर मुड़ा और बोला, 'यह छल नहीं है। रंग अंदर से प्रस्फुटित हो है। यह कैसे संभव है? इसका अर्थ है कि...'

'जी हां,' कनखला ने ऐसी प्रसन्नता के साथ धीमे स्वर में कहा जो उसके अंतर्मन से निकल रही थी, 'इसका अर्थ है कि नीलकंठ आ गए हैं। हमारे मुक्तिदाता, हमारे रक्षक।'

'सच तो यह है कि मुझे नहीं पता कि मैं रक्षक हूं अथवा नहीं,' अपने

गले में गुलूबंद को पुनः बांधते हुए असहज शिव ने कहा, 'लेकिन मैं आपके इस सुंदर साम्राज्य की मदद करने का पूरा प्रयत्न अवश्य ही करूंगा। असल में यही कारण है कि मैं आपके पास यहां आया हूं। मुझे ऐसा एहसास हो रहा है कि यह महत्वपूर्ण है कि मैं जान सकूं कि सोमरस कैसे काम करता है।'

ऐसा प्रतीत हो रहा था कि बृहस्पति अभी भी आंखें चौंधिया जाने वाली स्थिति में था। वह शिव को निरंतर देख रहा था लेकिन उसका ध्यान कहीं और था। ऐसा प्रतीत हो रहा था कि वह उन परिस्थितियों के परिणामों के बारे में विचार कर रहा था जो नीलकंठ के आगमन के बाद होने वाले थे।

'बृहस्पति...' कनखला ने मुख्य वैज्ञानिक को वहां वर्तमान में लाने के प्रयत्न के साथ पुकारा।

'हुं ऽ ऽ म!'

'क्या आप बता सकते हैं कि यह सोमरस कैसे काम करता है, बृहस्पति?' शिव ने पुनः पूछा।

'निस्संदेह,' जैसे ही उसकी आंखें पुनः अपने सामने खड़े लोगों पर आ टिकीं, बृहस्पति ने झट से कहा। फिर नंदी का ध्यान आते ही उसने पूछा, 'कप्तान के समक्ष बोलना क्या उचित होगा?'

'नंदी मेलूहा में हमेशा मेरे साथ रहा है,' शिव ने कहा, 'मैं आशा करता हूं कि उसका रहना उचित ही होगा।'

नंदी अत्यंत द्रवित हो गया कि उसके प्रभु अभी भी उस पर विश्वास करते थे और उसे प्रकट भी करते थे। नंदी ने पुनः प्रतिज्ञा की कि चाहे उसके प्राण चले जाएं वह प्रभु से कभी भी असत्य नहीं बोलेगा।

'आप जो कहें, शिव,' गर्मजोशी से मुस्कुराते हुए बृहस्पति ने कहा।

शिव ने महसूस किया कि बृहस्पति में अधीनता नहीं थी और न ही उसे नीलकंठ की खोज पर अत्यधिक अंतर पड़ा था। पर्वतेश्वर की तरह ही बृहस्पति ने भी उसे शिव नाम लेकर ही संबोधित किया था न कि 'प्रभु'। यद्यपि शिव ने महसूस किया कि जबकि पर्वतेश्वर का रुख अविश्वासी चिड़चिड़ेपन से चालित था, वहीं बृहस्पति का रुख एक आत्मविश्वसी भद्रता

से चालित था।

'धन्यवाद,' शिव मुस्कुराया, 'तो यह सोमरस कैसे काम करता है?'

— ⚡🌀⛎♆⊕ —

मंदार पर्वत की ओर जाने वाले मार्ग पर राजशाही सवारी धीरे-धीरे आगे बढ़ रही थी। एक सौ साठ अश्वारोहियों का मार्गदर्शक दल चार पंक्तियों में पांच राजसी सवारियों के पहले चल रहा था। साथ ही एक सौ साठ अश्वारोही दल उनके पीछे भी उसी प्रकार की बनावट में चल रहा था। अगल-बगल दोनों ओर चालीस सिपाहियों का पहरा चल रहा था। प्रत्येक बग्घी पर दस सैनिक एवं चार नौकरानियां भी चल रही थीं। ये सैनिक प्रसिद्ध अरिष्टनेमी थे, जो समस्त भारतवर्ष में सबसे अधिक भयभीत करने वाली नागरिक सेना थी।

पांचों बग्घियां ठोस लकड़ी की बनी हुई थीं, जिनमें कोई खिड़की नहीं थी, केवल ऊपर की ओर निकली हुई दरार हवा के लिए बनी हुई थी। चालक के ठीक पीछे जाफरी लगी हुई थी, ताकि हवा एवं प्रकाश अंदर आ सके और यदि आक्रमण होता है तो उसे तुरंत बंद किया जा सके। सभी बग्घियां एक प्रकार की माप वाली एवं देखने में एकरूप वाली थीं, जिससे यह अनुमान लगाना कठिन था कि राजसी परिवार किस बग्घी में ले जाया जा रहा था। यदि किसी के पास ऐसी दिव्यदृष्टि थी कि वह वो चीजें भी देख सकता था, जिन्हें एक आम आदमी की आंखें नहीं देख सकती थीं तो इस बात का संज्ञान ले सकता था कि पहली, तीसरी एवं चौथी बग्घियां खाली थीं। दूसरी बग्घी में राजसी परिवार के लोग थे, दक्ष, उसकी पत्नी वीरिनी और उनकी पुत्री सती। अंतिम बग्घी में पर्वतेश्वर एवं उसके कुछ महत्वपूर्ण सेनापति थे।

'पिताजी, मुझे अभी भी समझ में नहीं आ रहा है कि आप मुझे पूजा में ले जाने का हठ क्यों कर रहे हैं? मुझे तो मुख्य पूजा में सम्मिलित होने की भी अनुमति नहीं है,' सती ने पूछा।

'मैंने तुम्हें पहले भी बहुत बार कहा है,' दक्ष ने सती के हाथ पर प्यार

से थपकी देते हुए कहा, 'मेरी कोई भी पूजा पूर्ण नहीं होती जब तक कि मैं तुम्हारा मुख न देख लूं। मैं इन बेकार के नियमों की परवाह नहीं करता।'

'पिताजी!' सती ने शर्मिंदगी वाली मुस्कान तथा थोड़ा उलाहना देने के लिए सिर हिलाकर कहा। वह जानती थी कि उसके पिता का इस तरह से विधियों का अनादर करना उचित नहीं था।

सती की माता वीरिनी ने बड़ी ही अनुपयुक्त मुस्कान के साथ दक्ष को देखा। उसके बाद एक क्षण सती की ओर देखकर पुनः अपनी पुस्तक में रम गई।

राजसी सवारी से कुछ ही दूरी पर सघन वन में पचास सैनिकों का एक दल लुक-छुपकर बिना कोई ध्वनि किए चल रहे थे। सैनिकों ने चमड़े से बने हल्के कवच अपने धड़ पर पहन रखे थे और उनकी धेतियां सैन्य शैली में बंधी हुई थीं ताकि उनको चलने-फिरने में असुविधा न हो। प्रत्येक के पास दो तलवारें, एक लंबा चाकू और एक धातु एवं चमड़े से बनी ढाल थी, जो उनकी पीठों पर लटकी हुई थी। उनमें से एक सुंदर नवयुवक जिसका चेहरा युद्ध से लगे घाव से शोभायमान हो रहा था, उसने गहरे भूरे रंग की पगड़ी पहन रखी थी, जो इस बात का संकेत कर रही थी कि वह अधिपति था। उसके चमड़े का कवच बहुत ढीला बंधा हुआ था और एक सोने का हार एवं एक बाजूबंद उसके ऊपर बाहर निकलकर झूल रहा था। उस बाजूबंद पर श्वेत रंग का क्षैतीय अर्द्ध चंद्राकार चंद्रमा बना हुआ था अर्थात चंद्रवंशियों का प्रतीक चिह्न।

उसके बगल में एक दैत्याकार व्यक्ति चल रहा था जो सिर से पांव तक लबादे से ढका हुआ था। एक सांप के फणदार सिर जैसा आकार उस लबादे पर सिर पर सिला हुआ था जबकि उसका चेहरा काले मुखौटे से ढका हुआ था। उसकी शक्तिशाली बांहों एवं भावहीन बादाम जैसी दिखने वाली आंखों के अलावा उसका और कोई अंग नहीं दिख रहा था। उसके दाएं हाथ की कलाई पर चमड़े का बना हुआ कड़ा बंधा हुआ था जिस पर कढ़ाई किया हुआ नागों वाले ओऽम का प्रतीक चिह्न बना था। उस फणदार लबादे वाले व्यक्ति ने अधिपति की ओर बिना मुड़े कहा, 'विश्वद्युम्न, तुम्हारा प्रतीक

चिह्न दिख रहा है। उसे अंदर कर लो और अपने कवच को कस लो।'

लज्जित विश्वद्युम्न ने तत्काल ही अपना हार अंदर कर लिया और अपने कंधे की बगल में लगी डोरियों को खींचकर सीने पर लगे कवच को कस लिया।

'स्वामी, क्षमा कीजिए,' विश्वद्युम्न ने कहा, 'कदाचित हमें आगे बढ़कर देख लेना चाहिए कि यह मंदार पर्वत की ओर जाने वाला मार्ग है अथवा नहीं। एक बार जब हम यह जान जाएंगे तो हमें निश्चित हो जाएगा कि हमारा गुप्तचर सही था। मुझे पूरा विश्वास है कि हम वापस लौटकर तब उसका अपहरण कर सकते हैं। हम लोग वैसे भी संख्या में बहुत कम हैं। हम इस समय कुछ भी जोखिम नहीं उठा सकते।'

उस फणदार लबादे वाले व्यक्ति ने शांति से उत्तर दिया, 'विश्वद्युम्न, क्या मैंने आक्रमण का आदेश दिया है? तब कहां से हमारी संख्या कम होने की बात आती है? और हम लोग मंदार पर्वत की दिशा में जा रहे हैं। कुछ घंटो का विलंब आसमान नहीं गिरा देगा। अभी के लिए, हमें केवल इनका पीछा करना है।'

विश्वद्युम्न ने मुंह का सारा थूक निगल लिया। वह अपने स्वामी के विचारों का विरोध करने से अधिक कुछ भी घृणा नहीं करता था। आखिरकार वे उसके स्वामी ही थे जिन्होंने ऐसे विरले सूर्यवंशी की खोज की थी जो उनके उद्देश्यों के लिए सहानुभूति रखता था। यह भेदन उन्हें जड़ से उखाड़ फेंकने को संभव करेगा और मेलूहा की आत्मा को नष्ट करेगा। उसने धीरे से कहा, 'लेकिन स्वामी, आपको पता ही है कि रानी को विलंब पसंद नहीं है। लोगों के मध्य अशांति फैलने की स्थिति बनती जा रही है। उससे संभवतः ध्यान केंद्रण समाप्त होता जा रहा है।'

फणदार लबादे वाला व्यक्ति तेजी से मुड़ा। उसका शरीर क्रोध को दर्शा रहा था लेकिन उसका स्वर शांत था, 'मैं अपना ध्यान केंद्रण नहीं खो रहा हूं। यदि तुम जाना चाहते हो तो जा सकते हो। तुम्हें तुम्हारा धन मिल जाएगा। यदि मुझे करना पड़ा तो मैं अकेला की कर लूंगा।'

अपने नेता की यह दुर्लभ भावना देखकर स्तब्ध विश्वद्युम्न ने तुरंत ही अपनी बात बदल दी, 'नहीं, स्वामो। मैं वह नहीं कह रहा था। मुझे क्षमा करें। मैं आपके साथ तब तक रहूंगा जब तक कि आप मुझे जाने के लिए नहीं कहते। जब हमने शताब्दियों तक प्रतीक्षा की है तो कुछ घंटे से कुछ अंतर नहीं पड़ेगा।'

वह पलटन राजसी सवारी का पीछा करती रही।

$$ - \, \lambda\, ⓪\, \mho\, ♦\, ⊛ \, - $$

'अवधारणात्मक स्तर पर सोमरस कैसे कार्य करता है, वह बहुत ही सरल है,' बृहस्पति ने कहा, 'जो लगभग असंभव कार्य था, वह था इस अवधारणा को मूर्त रूप देना। यह भगवान ब्रह्मा की प्रतिभा थी। जय श्री ब्रह्मा!'

'जय श्री ब्रह्मा,' शिव, कनखला और नंदी ने एकसाथ कहा।

'इससे पहले कि हम यह समझें कि कैसे यह औषधि बढ़ती आयु की प्रक्रिया को नाटकीय ढंग से धीमा कर देती है, उससे पहले हमें यह समझना होगा कि हमें जीवित क्या रखता है,' बृहस्पति ने कहा, 'एक मौलिक वस्तु है, जिसके बिना हममें से कोई भी जीवित नहीं रह सकता है।'

शिव ने बृहस्पति को इसकी व्याख्या करने की आशा में देखा।

'और वह मौलिक वस्तु है ऊर्जा,' बृहस्पति ने व्याख्या की, 'जब हम चलते हैं, बातचीत करते हैं, सोचते हैं अर्थात जब हम वो कुछ भी करते हैं, जिससे हमें जीवित कहा जाता है, तो हम ऊर्जा का उपयोग करते हैं।'

'हमारे लोगों के बीच में भी इसी प्रकार की अवधारणा है,' शिव ने कहा, 'अंतर केवल इतना है कि हम उसे शक्ति कहते हैं।'

'शक्ति?' आश्चर्यचकित बृहस्पति ने कहा, 'मनोरंजक। यह शब्द कई शताब्दियों से ऊर्जा को बताने के लिए प्रयुक्त नहीं हुआ है। यह पाण्ड्य लोगों का शब्द था, जो भारतवर्ष के सभी लोगों के पूर्वज थे। क्या आपको पता है कि आपका कबीला कहां से आया है? उनका वंश क्या है?'

'मैं इसके बारे में कुछ निश्चित नहीं बता सकता, लेकिन मेरे कबीले में एक वृद्ध महिला है जिसका दावा है कि उसे हमारे इतिहास की पूरी जानकारी है। जब वह देवगिरि आती है तो संभवतः हमें उससे पूछना चाहिए।'

'संभवतः हमें ऐसा करना चाहिए,' बृहस्पति मुस्कुराया, 'चलिए पुनः हम अपनी चर्चा पर वापस लौटते हैं कि हमारा शरीर बिना ऊर्जा के कुछ भी नहीं कर सकता। तो यह ऊर्जा कहां से आती है?'

'जो हम भोजन करते हैं, उससे,' नंदी ने भीरुता से सुझाव दिया। अंततः उसे इतने महत्वपूर्ण व्यक्तियों के मध्य बोलने का आत्मविश्वास आता जा रहा था।

'बिल्कुल ठीक। जो भोजन हम करते हैं, वह ऊर्जा का संचयन करता है, जिसे बाद में हम उपयोग कर सकते हैं। इसी कारण से जब हम भोजन नहीं करते हैं तो हम दुर्बलता महसूस करते हैं। हालांकि मात्र भोजन करने से ही हम ऊर्जा प्राप्त नहीं करते हैं। हमारे शरीर के अंदर किसी वस्तु द्वारा उसे संचालित करना होता है ताकि हम उसका उचित उपयोग कर सकें।'

'बिल्कुल सही,' शिव ने सहमति दी।

'भोजन को ऊर्जा में बदलने का कार्य हवा करती है जिससे हम श्वास लेते हैं,' बृहस्पति ने कहना जारी रखा था, 'हवा में बहुत प्रकार के गैस होते हैं। उनमें से एक को प्राण वायु (ऑक्सीजन) कहा जाता है, जो हमारे भोजन के साथ प्रतिक्रिया करके ऊर्जा मुक्त करता है। यदि हमें प्राण वायु प्राप्त न हो तो हमारा शरीर ऊर्जा की कमी से भूखाग्रस्त (क्षुधाकातर) हो जाएगा और हमारी मृत्यु हो जाएगी।'

'लेकिन यह तो वह प्रक्रिया है जो हमें जीवित रखती है,' शिव ने कहा, 'इससे औषधि का क्या लेना-देना है? औषधि को तो उन कारणों के लिए काम करना है जो बुढ़ापा, कमजोरी एवं मृत्यु को लाता है।'

बृहस्पति मुस्कुराया, 'जो मैंने आपको बताया उसका आपके वृद्ध होने से अवश्य कुछ लेना-देना है। क्योंकि ऐसा प्रतीत होता है कि प्रकृति

में संवेदना है। वही वस्तु जो हमें जीवित रखती है, हमें वृद्ध बनाने एवं अंततः मृत्यु तक ले जाने का कारण बनती है। जब प्राण वायु भोजन के साथ प्रतिक्रिया करके ऊर्जा को मुक्त करती है तो साथ ही यह जारणकर्त्ता नामक स्वतंत्र स्वच्छंद तत्त्व भी मुक्त होता है। ये जारणकर्त्ता विषाक्त भी होते हैं। जब आप किसी फल को बाहर रखते हैं और वह खराब हो जाता है तो इसका कारण है कि उसका जारण हो चुका है अथवा जारणकर्त्ता ने उसके साथ प्रतिक्रिया करके उसे सड़ा दिया है। इसी प्रकार की जारण प्रक्रिया धातुओं के क्षयीकरण (जंग लगने) का भी कारण बनती है। यह उस नई धातु के साथ विशेष रूप से होता है, जिसका हमने आविष्कार किया है, लोहा। प्राणवायु हमारे भोजन को ऊर्जा में परिवर्तित करती है। किंतु साथ ही यह हमारे शरीर में जारणकर्त्ताओं की भी मुक्ति करती है, जो हमारे अंदर प्रतिक्रिया करने लगता है। हम अंदर से ही जंगरोधित हो जाते हैं और इसी कारण वृद्धावस्था और मृत्यु को प्राप्त होते हैं।'

'अग्निदेव भला करें,' नंदी आश्चर्य में बोला, 'वही वस्तु जो हमें जीवन देती है, वही धीमे-धीमे हमें मृत्यु भी देती है?'

'हां,' बृहस्पति ने कहा, 'इसके बारे में थोड़ा विचार करें। हमारा शरीर उन सभी वस्तुओं का भंडारण करता है जिनकी उसे बाहरी जगत से उत्तरजीविता के लिए आवश्यकता होती है। वह पर्याप्त भोजन संचित करता है ताकि यदि आप कुछ दिनों तक भोजन नहीं भी करते हैं तो आपकी मृत्यु नहीं होती है। वह जल भी पर्याप्त मात्रा में भंडार करता है ताकि कुछ दिनों की प्यास से आपकी मृत्यु नहीं होती है। यह तार्किक भी प्रतीत होता है, क्या मैं सच कह रहा हूं? यदि आपके शरीर को किसी वस्तु की आवश्यकता होती है तो यह कुछ न कुछ इस हेतु भी रखा करता है ताकि इस कमी की पूर्ति कर सके।'

'बिल्कुल,' शिव सहमत हुआ।

'उधर दूसरी ओर, शरीर पर्याप्त प्राणवायु का भंडारण कुछ मिनटों से अधिक देर तक नहीं करता है, [illegible] हमें जीवित रखने के लिए सबसे अधिक महत्वपूर्ण तत्त्व है। इसका अर्थ समझना कठिन है। इसकी

एकमात्र व्याख्या यही हो सकती है कि शरीर इस प्राणवायु की सुध को विष के समान भी समझता है। अतः इसका भंडारण हानिकारक हो सकता है।'

'तो फिर भगवान ब्रह्मा ने क्या किया?' शिव ने पूछा।

'बहुत शोध करने के पश्चात भगवान ब्रह्मा ने सोमरस का आविष्कार किया जिसका पान करने पर यह जारणकर्त्ता से प्रतिक्रिया करता है, उसे सोख लेता है और स्वेद तथा मूत्र के जरिये शरीर से बाहर निकाल देता है। इस सोमरस के कारण शरीर में जारणकर्त्ता नहीं रह पाता है।'

'क्या इसी कारण जब सोमरस पीने का बाद पहली बार पसीना निकलता है तो वह विषाक्त होता है?'

'हां। सोमरस के पान के बाद जो स्वेद बाहर निकलता है वह विशेषकर हानिकारक होता है। इतना ही नहीं इस बात को भी याद रखिए कि सोमरस के पान करने के बाद स्वेद एवं मूत्र कई वर्षों तक विषाक्त रहता है। अतः इसे आपको अपने शरीर से बाहर तो निकालना है और साथ में यह भी सुनिश्चित करना है कि यह किसी अन्य पर प्रभाव न करे।'

'अच्छा, तो इसी कारण से मेलूहावासी स्वास्थ्य विज्ञान में आसक्त हैं?'

'हां। इसी कारण से प्रत्येक मेलूहावासी को दो वस्तुओं की शिक्षा शैशवावस्था से ही दी जाती है, जल एवं स्वास्थ्य विज्ञान। जल उन सभी बहिःस्रावियों का सबसे अच्छा सोख्ता है जो सोमरस सृजन करता है और विष का उत्सर्जन करता है। मेलूहावासियों को बताया जाता है कि आप बाल्टी भर-भरकर जल का पान करें। और जिन वस्तुओं को धोया जा सकता है उसे अवश्य धोएं! मेलूहावासी दिन में कम से कम दो बार स्नान करते हैं। प्रत्येक अपमार्जन एक विशेष कमरे में किया जाता है और विषाक्त एवं गंदे जल-मल को जल-मल निकासी ढकी हुई नालियों द्वारा सुरक्षित ढंग से नगर के बाहर पहुंचा दिया जाता है।'

'स्वास्थ्य विज्ञान का कड़ा मानक!' शिव मुस्कुराया क्योंकि उसे कश्मीर में पहले ही दिन इस बारे में आयुर्वती के वे कड़े वचन याद आ गए थे। उसने पूछा, 'सोमरस का उत्पादन कैसे होता है?'

'इसके उत्पादन में बहुत कठिनाइयों का सामना करना पड़ता है। इसके लिए ढेर सारी आवश्यक सामग्रियों की आवश्यकता होती है जो सरलता से उपलब्ध नहीं होती हैं। उदाहरण के लिए संजीवनी वृक्ष। इस साम्राज्य में इस वृक्ष का रोपण वृहद स्तर पर किया जाता है। इसके उत्पादन की प्रक्रिया के परिणामस्वरूप अत्यधिक ताप निकलता है। इस प्रक्रिया के दौरान हमें अत्यधिक जल की आवश्यकता होती है ताकि मिश्रण को यथावत रखा जा सके। प्रक्रिया प्रारंभ करने के पूर्व संजीवनी वृक्ष की शाखाओं का सरस्वती नदी के जल के साथ मंथन किया जाता है। अन्य स्रोतों का जल इस प्रक्रिया में प्रभावी नहीं होता है।'

'वह जो विचित्र स्वर मुझे हमेशा सुनाई देता है, क्या उसी मंथन का है?'

'यह वास्तव में उसी की ध्वनि है। हमारे पास विशालकाय मंथन उपकरण हैं जो इस पर्वत के आधार पर एक गुफा में स्थित है। सरस्वती का जल एक जटिल प्रक्रिया वाली नहरों की व्यवस्था से यहां लाया जाता है। जल को एक अत्यधिक विशाल कुंड में संचित किया जाता है, जिसे हम प्रेमभाव से सागर कहते हैं।'

'सागर? एक समुद्र? आप एक कुंड के पानी को इस नाम से पुकारते हैं?' आश्चर्यचकित शिव ने पूछा क्योंकि उसने इसके बारे में लोक कथा सुनी थी कि एक अत्यधिक विशाल एवं अंतहीन जलपिंड को सागर कहा जाता है।

'यह थोड़ी अत्युक्ति है,' बृहस्पति ने मुस्कुराहट के साथ स्वीकार करते हुए कहा, 'किंतु यदि आप उसे देखेंगे तो उसके आकार को देखने के बाद अनुभव करेंगे कि हमारा इस नाम से पुकारना उतना अनुचित भी नहीं है।'

'अच्छा तो ठीक है, मैं अवश्य ही इन सभी सुविधाओं को देखना पसंद करूंगा। कल रात जब हम आए थे तो बहुत देर हो चुकी थी, इसलिए मैंने अभी तक इस पहाड़ का बहुत कम ही हिस्सा देखा है।'

'मध्याह्न भोजन के उपरांत मैं आपको दिखाने ले चलूंगा,' बृहस्पति ने कहा।

शिव उत्तर में धीमे से मुस्कुराया। वह कुछ कहने वाला था, लेकिन

कनखला और नंदी को देखकर उसने स्वयं को रोक लिया।

बृहस्पति ने उस हिचकिचाहट को देख लिया था। उसने महसूस किया कि शिव कुछ पूछना चाहते थे, किंतु नंदी एवं कनखला की उपस्थिति में वे पूछ नहीं पा रहे थे। बृहस्पति उनकी ओर मुड़ा और बोला, 'मेरा विचार है कि शिव मुझसे कुछ पूछना चाहते हैं। क्या मैं आप लोगों से बाहर प्रतीक्षा करने का अनुरोध कर सकता हूं?'

यह बृहस्पति द्वारा आदर प्राप्ति की माप को दर्शाता था कि कनखला तुरंत ही बाहर जाने के लिए खड़ी हो गई। उसने नमस्ते किया और बाहर चली गई। नंदी ने उसका अनुसरण किया। बृहस्पति एक मुस्कान के साथ शिव की ओर मुड़ा, 'आप वह प्रश्न क्यों नहीं पूछते जिसे पूछने के लिए आप आए हैं?'

अध्याय - 9

# प्रेम और उसका परिणाम

'**मैं** उनके सामने आपसे यह प्रश्न पूछना नहीं चाहता था। उनकी आस्था बहुत अधिक है,' एक व्यंग्यपूर्ण हंसी के साथ शिव ने कहा। वह बृहस्पति को चाहने लगा था। उसे ऐसे व्यक्तियों के साथ रहना अच्छा लगता था जो उसे अपने समकक्ष समझते थे।

बृहस्पति ने सहमति में सिर हिलाया, 'मैं समझ सकता हूं, मित्र। आप क्या पूछना चाहते हैं?'

'मैं ही क्यों?' शिव ने पूछा, 'क्यों इस सोमरस ने मेरे ऊपर ऐसा प्रभाव डाला? हो सकता है कि मेरा गला नीला हो, लेकिन मुझे नहीं पता कि मैं कैसे सूर्यवंशियों का रक्षक बन सकता हूं। सम्राट मुझसे कहते हैं कि मैं वह व्यक्ति हूं जो प्रभु श्री राम के अधूरे कार्य को पूरा करूंगा और चंद्रवंशियों का नाश करूंगा।'

'उन्होंने आपसे यह कहा?' बृहस्पति ने कहा। उसकी आंखें आश्चर्य में खुली रह गईं, 'सम्राट कभी-कभी उबाऊ हो सकते हैं। किंतु संक्षेप में कहूं तो जो उन्होंने कहा वह पूर्ण सत्य नहीं है। पौराणिक गाथा यह नहीं कहती कि नीलकंठ सूर्यवंशियों की रक्षा करेंगे। पौराणिक गाथा दो बातें कहती है। प्रथम, नीलकंठ सप्त-सिंधु से नहीं होंगे। और द्वितीय, नीलकंठ 'बुराइयों के विनाशक' होंगे। मेलूहावासी यह मानते हैं कि इसका अर्थ है कि नीलकंठ चंद्रवंशियों का विनाश करेंगे क्योंकि वे सचमुच ही दुष्ट हैं। किंतु चंद्रवंशियों के विनाश करने का अर्थ यह नहीं है कि सूर्यवंशियों की रक्षा हो जाएगी!

चंद्रवंशियों के अलावा भी अनेक समस्याएं हैं, जिनका हमें समाधान करना है?'

'किस तरह की समस्याएं? जैसे नागा लोग?'

ऐसा प्रतीत हुआ कि बृहस्पति एक क्षण के लिए हिचकिचाया। उसने सावधानीपूर्वक उत्तर दिया, 'कई समस्याएं हैं। हम लोग उनके समाधान के लिए कठिन प्रयास कर रहे हैं। किंतु पुनः उस प्रश्न पर आते हैं कि सोमरस का प्रभाव आप पर ऐसा क्यों हुआ?'

'हां, ऐसा क्यों हुआ? क्यों मेरा गला नीला हो गया? मेरे शरीर के अधःपतन को रोकने की बात भूल जाइए, सोमरस ने मेरे जोड़ उखड़े हुए कंधे और शीतदंश वाले पांव के अंगूठे को भी सही कर दिया।'

'इसने घाव को ठीक किया?' आश्चर्य से भरे बृहस्पति ने कहा, 'यह असंभव है! इसका कार्य मात्र कालिक क्षय एवं रोगों को रोकना है न कि घावों को सही करना।'

'वो तो ठीक है, लेकिन मेरे साथ ऐसा ही हुआ है?'

बृहस्पति ने कुछ क्षण के लिए सोचा, 'इसके लिए हमें प्रयोग करना होगा ताकि हम किसी निश्चित निष्कर्ष पर पहुंच सकें। यद्यपि जितना मुझे ज्ञान है उसके आधर पर इस समय के लिए मैं केवल इतनी ही व्याख्या कर सकता हूं कि आप हिमालय के उस पार ऊंचे स्थल से आए हैं, क्या मैं सही हूं?'

शिव ने सिर हिलाकर सहमति दी।

'जब आप ऊंचे पर्वतों की ओर जाते हैं तो हवा पतली होती जाती है,' बृहस्पति ने कहना जारी रखा था, 'पतली हवा में प्राणवायु कम हो जाती है। इसका अर्थ है कि आपका शरीर कम प्राणवायु में जीवित रहने का आदी था तथा जारणकर्त्ता से उसकी कम हानि हुई थी। अतः जब सोमरस के प्रति-जारणकर्त्ता का प्रभाव हुआ तो उसका प्रभाव आपके शरीर में कुछ अधिक हुआ होगा।'

'यह एक कारण हो सकता है,' शिव सहमत था, 'लेकिन अगर ऐसा

था तो मेरे समस्त कबीले को ही ठंडा और नीला हो जाना चाहिए था। केवल मैं ही क्यों?'

'यह बहुत ही उत्तम बिंदु है,' बृहस्पति ने माना, 'किंतु एक बात बताइए। क्या आपके कबीलेवालों ने भी अपनी पूर्व स्थिति वाली शारीरिक स्थितियों में परिवर्तन अनुभव किया है?'

'वास्तव में यह सही है।'

'तो संभव है कि कम हवा वाले प्रदेश में रहने का कारण इसमें कुछ न कुछ भूमिका अवश्य रखता है। किंतु आपके सभी कबीलेवालों में नीला गला नहीं हुआ तो इससे स्पष्ट है कि 'पतली हवा वाला सिद्धांत' संभवतः एक आंशिक व्याख्या ही प्रस्तुत करता है। हम इस पर और अधिक शोध कर सकते हैं। मुझे विश्वास है कि इस नीले गले की कोई न कोई वैज्ञानिक व्याख्या अवश्य होगी।'

शिव ने बृहस्पति को ध्यान से देखा क्योंकि उसने बृहस्पति के अंतिम कथन का आशय समझते हुए पूछा, 'आप नीलकंठ की पौराणिक कथा में विश्वास नहीं करते हैं, क्या मैं सही हूं?'

बृहस्पति ने थोड़ा असहज रूप से मुस्कुराते हुए शिव को देखा। वह शिव को पसंद करने लग गया था और वह शिव को ऐसी कोई बात नहीं कहना चाहता था जिससे उसका अनादर हो। किंतु वह असत्य भी नहीं बोल सकता था, 'मैं विज्ञान में विश्वास करता हूं। यह सभी वस्तुओं के लिए एक समाधान एवं औचित्य प्रदान करता है। और यदि ऐसा कुछ है जो चमत्कार की तरह का प्रतीत होता है तो उसकी मात्र यही व्याख्या है कि उसके लिए अभी तक किसी वैज्ञानिक कारण की खोज नहीं हो पाई है।'

'तो फिर मेलूहावासी अपनी समस्याओं के लिए विज्ञान की शरण क्यों नहीं लेते?'

'इस बारे में मैं कुछ निश्चित नहीं कह सकता,' बृहस्पति ने सोच की मुद्रा में कहा, 'संभवतः यह इसलिए कि विज्ञान क्षमतावान है किंतु ठंडे दिल का स्वामी है। नीलकंठ से भिन्न वह आपके लिए आपकी समस्या का समाधान नहीं करता है। यह मात्र ऐसे उपकरण प्रदान कर सकता है जो

आपके संघर्ष के लिए आवश्यक हों। संभवतः इसलिए भी कि अपनी समस्याओं के स्वयं समाधान ढूंढ़ने की तुलना में लोगों को यह मानना सरल प्रतीत होता है कि कोई आएगा जो उनकी समस्याओं का समाधान कर देगा।'

'तो फिर आपको क्या लगता है कि मेलूहा में नीलकंठ को क्या भूमिका निभानी चाहिए?'

बृहस्पति ने शिव को सहानुभूतिपूर्वक देखा, 'मैं यह सोचता हूं कि एक सच्चे सूर्यवंशी को अपने असुरों से स्वयं संघर्ष करना चाहिए न कि किसी और पर इस बात के लिए दबाव डालना चाहिए कि वह उनकी समस्या का समाधान करे। एक सच्चे सूर्यवंशी का कर्तव्य यह है कि उसे स्वयं ही अपनी योग्यता एवं शक्ति की अंतिम सीमा तक कार्य करना चाहिए। नीलकंठ का आगमन केवल सूर्यवंशी के प्रयासों को दो गुना कर देगा क्योंकि यह सपष्ट है कि बुराइयों का संहार निकट है।'

शिव ने सहमति में सिर हिलाया।

'क्या आप इस बात से चिंतित हैं कि आस्था के दबाव के कारण आप एक उत्तरदायित्व ले रहे हैं, जो आप नहीं लेना चाहते और यह आपके लिए बहुत तनाव वाला होगा?' बृहस्पति ने पूछा।

'नहीं, मेरी चिंता का विषय वह नहीं है,' शिव ने उत्तर दिया, 'यह एक बहुत ही सुंदर साम्राज्य है और मैं अवश्य इसकी मदद करना चाहता हूं, जितनी मैं कर सकता हूं। लेकिन तब क्या होगा जब आपके लोग जो मुझ पर अपनी सुरक्षा के लिए पूरी तरह से निर्भर हैं और वह सुरक्षा मैं नहीं कर सका? इस समय मैं यह नहीं कह सकता कि मैं वह सब कर पाऊंगा, जिनकी मुझसे आशा की जा रही है। तो फिर मैं कैसे कह सकता हूं?'

बृहस्पति मुस्कुराया। उसकी अपनी नियमों की भाषा में कोई व्यक्ति यदि अपने वचन एवं कथन को गंभीरता से लेता है तो वह सम्मान के योग्य होता है, 'आप एक भले व्यक्ति प्रतीत होते हो, शिव। आप संभवतः आने वाले दिनों में बहुत दबाव का सामना करेंगे। सावधन रहें, मित्र। नीले गले

के कारण एवं जो यह आस्था उत्पन्न करता है, उसके कारण आपका निर्णय इस समस्त भूमि के लिए अत्यंत ही बड़े परिणाम वाला होगा। याद रखिए, एक व्यक्ति लोककथा का नायक है अथवा नहीं उसका निर्णय इतिहास लेता है न कि कोई भविष्यवाणी।'

शिव मुस्कुराया। वह खुश था कि आखिरकार उसे एक ऐसा व्यक्ति मिल गया था जो उसकी विपदा को समझ सका था। और उससे भी महत्वपूर्ण बात थी कि वह कुछ सुझाव देने के लिए भी सहमत था।

— ☈◍ᚒᚠ⊛ —

संध्या हुए बहुत समय बीत चुका था। बृहस्पति के साथ पूरी दोपहर मंदार पर्वत की बहुत प्रसन्न कर देने वाली यात्रा के बाद शिव अपने बिस्तर पर लेटा हुआ एक पुस्तक पढ़ रहा था। बगल की मेज पर उसका समाप्त हो चुका चिलम रखा हुआ था।

'असुरों के विरुद्ध सचाई की युद्ध' नामक पुस्तक के कुछ पहलू उसे सोचने पर विवश कर रहे थे। असुर लोग राक्षस थे और देवों के प्रति उनकी शारीरिक घृणा के कारण उनका असुरों की तरह व्यवहार करना अपेक्षित था। वे अवसर पाते ही देवों के नगरों पर आक्रमण करते थे ताकि देवों को बलात अपनी तरह से जीने के लिए बाध्य कर सकें। यह शिव के लिए आश्चर्य का विषय नहीं था। जो उसे अनपेक्षित था वह था कुछ देवों के ऐसे व्यवहार जो विजय के अंधे अनुसरण में अनैतिकता की सीमा तक लांघ गए थे। भगवान रुद्र स्वयं व्यक्तिगत रूप से महान थे, लेकिन ऐसा प्रतीत होता था कि वृहद सचाई को देखते हुए उन्होंने देवों के अविवेक की उपेक्षा कर दी थी।

इस सोच के मध्य में ही शिव ने विश्रामगृह के बाहर कुछ हलचल सुनी। उसने प्रथम तल के छज्जे से बाहर देखा तो राजसी काफिले का आगमन हो चुका था। अरिष्टनेमी सैनिकों ने प्रवेश द्वार पर अभिवादन हेतु एक बहुत ही सलीकेदार पंक्ति बना ली थी। दूर दूसरी बग्घी से कुछ लोग उतरते हुए प्रतीत हुए। शिव ने मान लिया था कि वह राजसी परिवार ही

होगा। आश्चर्य इस बात का था कि ऐसा प्रतीत हो रहा था कि अरिष्टनेमी राजसी परिवार के स्वागत में कोई अनावश्यक हड़बड़ी नहीं दिखा रहे थे। वहां पर सेवक का कोई सामान्य दासत्व का भाव नहीं दिख रहा था जो राजसी परिवार के समक्ष दिखना चाहिए था। शिव को ऐसा लगा कि इसका कारण यह होगा क्योंकि मेलूहावासियों में समकक्षता की धुन सवार रहती है।

यद्यपि, शिव की इस समकक्षता सिद्धांत को उस समय चुनौती मिल गई जब उसने पांचवी बग्घी को देखा जिससे पर्वतेश्वर उतरा। यहां ऐसा प्रतीत हुआ कि अरिष्टनेमी घबराहट में थे। वरिष्ठ अधिपति पर्वतेश्वर के पास भागा-भागा गया और उसने मेलूहा के सैनिक तरीके से अभिवादन किया, जूतों की एड़ी से खटाक की ध्वनि, शरीर सावधान की मुद्रा में जकड़ा हुआ और दाहिने हाथ की मुट्ठी को बांधकर तीव्रता से बाएं सीने पर धरना। इस अभिवादन के बाद अधिपति नीचे सेना के प्रधान सेनानायक के सम्मान में झुका। उसके पीछे खड़े सैनिकों ने भी अपने अधिपति की मुद्रा को दुहराया। पर्वतेश्वर ने इसके उत्तर में औपचारिक रूप से अपने सिर को थोड़ा झुकाते हुए अभिवादन किया। वह आगे बढ़कर सैनिकों का निरीक्षण करने लगा और अधिपति उसके दो कदम पीछे चल रहा था।

शिव की भावना थी कि पर्वतेश्वर के लिए यह सम्मान मात्र उसके पद के कारण नहीं था। वह उस व्यक्ति के लिए था। चिड़चिड़ेपन के साथ-साथ पर्वतेश्वर एक बहादुर योद्धा भी था। एक सैनिक का सेनापति तभी एक व्यक्ति की भांति आदर पाता है जब उसके वचन सत्य होते हैं। शिव अरिष्टनेमी सैनिकों की आंखों में उस आदर की शक्ति देख रहा था, जो अपने सेनानायक का ध्यान पाकर झुक रहे थे।

कुछ समय के बाद ही शिव ने अपने द्वार पर हल्की खटखटाहट सुनी। उसे यह जानने की आवश्यकता नहीं थी कि द्वार के बाहर कौन हो सकता था। एक गहरी सांस लेकर उसने द्वार खोल दिया।

जैसे ही दक्ष अंदर आने लगा तो उसकी स्थिर मुस्कुराहट अदृश्य हो गई क्योंकि गांजे की अपरिचित गंध ने उसकी सुधि पर धावा बोल दिया।

कनखला जो सम्राट की दाईं ओर थी वह भी पूरी तरह से हैरान-परेशान दिखाई दी।

'यह दुर्गंध कैसी है?' दक्ष ने बृहस्पति से पूछा जो उसके बाईं ओर खड़ा था, 'संभवतः आपको प्रभु का कमरा बदल देना चाहिए। आप इनको ऐसी असुविधा में कैसे रख सकते हैं?'

'मुझे ऐसा प्रतीत होता है कि शिव को इस सुगंध से सुविधा होती है, महाराज,' बृहस्पति ने कहा।

'यह एक ऐसी गंध है जो मेरे साथ ही यात्रा करती है, महाराज,' शिव ने कहा, 'मुझे यह पसंद है।'

दक्ष चकित था। उसके मुख ने इस विकर्षण को छुपाने का कोई प्रयास नहीं किया। लेकिन जल्दी ही वह अपने पुराने स्वरूप में आ गया, 'विघ्न डालने के लिए क्षमा करें, प्रभु,' दक्ष ने कहा। उसकी मुस्कुराहट वापस लौट चुकी थी, 'मैंने सोचा कि मैं आपको सूचित कर दूं कि मैं और मेरा परिवार विश्रामगृह में पहुंच चुके हैं।'

'यह तो आपका बड़प्पन है, महाराज,' शिव ने औपचारिक नमस्ते के साथ कहा।

'मैं और मेरा परिवार कल प्रातः आपके साथ नाश्ता करने के सम्मान की आशा रखता है, प्रभु।'

'यह तो मेरे लिए सम्मान की बात होगी, महाराज।'

'अति सुंदर। अति सुंदर,' दक्ष का चेहरा खिल उठा जैसे ही वह उस प्रश्न को पूछने के लिए तैयार हुआ जो उसके मन को चंचल कर रहा था, 'आपका सोमरस के बारे में क्या सोचना है, प्रभु? क्या यह सच में देवों का पेय नहीं है?'

'जी हां महाराज। यह अवश्य ही चमत्कारिक पेय प्रतीत होता है।'

'यह हमारी सभ्यता का आधार है,' दक्ष ने कहना जारी रखा था, 'जब एक बार आप हमारी इस धरती की यात्रा पूर्ण करेंगे तब आपको हमारी जीवन जीने के अच्छे ढंग का ज्ञान होगा। मुझे पूरा विश्वास है कि इसकी रक्षा करने के लिए

आप अपने हृदय में कुछ न कुछ अवश्य प्राप्त करेंगे।'

'महाराज, मैं तो अभी से ही आपके साम्राज्य के लिए बहुत ही उच्च विचार रखता हूं। यह सचमुच में ही एक महान साम्राज्य है, जो अपने नागरिकों से बहुत ही अच्छा व्यवहार करता है। मैं इस पर संदेह नहीं कर सकता कि यह जीवन जीने के ढंग की रक्षा योग्य है। हालांकि जिसके बारे में मुझे कुछ निश्चित नहीं है, वह यह है कि मैं क्या कर पाऊंगा। आपकी सभ्यता अत्यधिक प्रगति कर चुकी है और मैं एक साधारण कबीलेवाला हूं।'

'आस्था एक बहुत ही शक्तिशाली अस्त्र होता है, प्रभु,' दक्ष ने कहा। उसके हाथ निवेदन में जुड़े हुए थे, 'बस केवल आवश्यकता इस बात की है कि जितनी आस्था हमारी आप में है, उतनी ही आप में आप की हो जाए। मुझे पूरा विश्वास है कि यदि आप हमारे साम्राज्य में कुछ दिन और रहेंगे और हमारे लोगों पर आप की उपस्थिति का प्रभाव देखेंगे तो आप अवश्य जान जाएंगे कि आप क्या कर सकते हैं।'

शिव ने दक्ष के बालकों जैसे विश्वास के विरुद्ध विवाद करना छोड़ दिया।

बृहस्पति ने शिव को राहत पहुंचाने से पूर्व उसे आंखों से संकेत किया, 'महाराज, शिव थके हुए से प्रतीत होते हैं। आज उनके लिए बहुत लंबा दिन था। संभवतः अब उन्हें आराम करना चाहिए और हम कल पुनः मिल सकते हैं।'

दक्ष मुस्कुराया, 'संभवतः आप सही हैं, बृहस्पति। आपको परेशान करने के लिए मुझे क्षमा करें, प्रभु। हम कल प्रातः नाश्ते पर आपकी प्रतीक्षा करेंगे। आपकी रात्रि शुभ हो।'

'शुभ रात्रि,' शिव ने भी अभिवादन किया।

— 人◎Ս৭⊛ —

दक्ष बार-बार प्रहर कंदील को परेशान होते हुए देख रहा था जबकि सती शांति से मेज पर प्रतीक्षा कर रही थी। उसकी बाईं ओर कनखला, बृहस्पति

एवं पर्वतेश्वर थे। उसकी दाहिनी ओर एक खाली कुर्सी रखी हुई थी। नीलकंठ के लिए, सती ने सोचा। उस खाली कुर्सी की बगल में सती बैठी हुई थी और उसकी दाहिनी ओर उसकी माता वीरिनी बैठी हुई थीं। दक्ष ने बहुत सोच-विचारकर बैठने की उचित व्यवस्था पर संतोष व्यक्त किया था।

सती ने समस्त व्यवस्था का भार उठाया था। औपचारिकता से परिपूर्ण मेज एवं कुर्सियों की व्यवस्था की गई थी, जबकि सामान्यतः मेलूहा के लोग एक छोटी मेज एवं बैठने के लिए मसनद की व्यवस्था पसंद करते थे। प्यारे केले के पत्तों की जगह सोने की थाली ने ले ली थी। स्वाद बढ़ाने वाले कुल्हड़ों या मिट्टी की प्यालियों की जगह चांदी के गिलासों ने ले ली थी। उसने सोचा कि उसके पिता नाश्ते के दौरान मुलाकात के लिए कुछ अधिक ही आशांवित थे। उसने देखा था कि वे उन कई तथाकथित नीलकंठ से आस लगाए हुए थे। वे सभी चमत्कारिक व्यक्ति कपटी निकले थे। उसने आशा की थी कि उसके पिता को एक बार फिर उसी निराशा का सामना न करना पड़े।

ढिंढोरा पीटने वाले ने शिव एवं नंदी के आने की घोषणा की। जैसे ही दक्ष भक्तिभाव से प्रभु के स्वागत के लिए खड़ा हुआ तो पर्वतेश्वर ने अपने सम्राट के इस दासत्व भरे व्यवहार पर अपनी आंखों की पुतलियां घुमाईं। वह इस व्यवहार से अप्रसन्न प्रतीत हुआ। उसी समय सती एक गिलास उठाने झुकी जो उसके हाथ से छूटकर फर्श पर गिर कर झन्नाहट की एक तीव्र ध्वनि उत्पन्न कर गया था।

'प्रभु,' दक्ष ने मेज के चारों तरफ बैठे व्यक्तियों की ओर संकेत कर उनका परिचय देते हुए कहा, 'कनखला, बृहस्पति, पर्वतेश्वर को तो आप जानते ही हैं। वह दाहिनी ओर मेरी पत्नी रानी वीरिनी हैं।

शिव नम्रता से मुस्कुराया जब उसने वीरिनी के औपचारिक नमस्ते का उत्तर एक सभ्य नमस्ते से दिया।

'और उसकी बगल में,' दक्ष ने अपनी खुशी न छुपाते हुए एक बड़ी मुस्कान के साथ कहा, तब तक हाथ से छूटे गिलास को उठाकर सती खड़ी

हो रही थी, 'मेरी पुत्री है, राजकुमारी सती।'

शिव ने जब अपने जीवन को अपनी ओर घूरते देखा तो एकबारगी उसे लगा कि उसकी सांस रुक गई थी। उसके दिल की धड़कन अत्यधिक तीव्र गति से लयात्मक हो चुकी थी। वह दावे के साथ कह सकता था कि उसे इस विश्व की सबसे अधिक पसंदीदा सुगंध के एक झकोरे की अनुभूति हुई थीः सूर्यास्त के समय पर होने वाली उस पवित्र झील की मीठी सुगंध की। पूर्व की भांति ही वह मंत्रमुग्ध था।

उस कमरे में एक असुविधाजनक शांति छाई हुई थी। सिवाय उस ध्वनि के जो सती के हाथ से पुनः एक बार गिलास के छूटने से फर्श पर गूंज रही थी। उस झन्नाहट की ध्वनि ने कुछ पल के लिए सती की स्थिर दृष्टि में विघ्न डाला। उसने अतिमानवीय प्रयासों से अपने चेहरे पर आए स्तब्ध रहने वाले भाव को नियंत्रण करने में सफलता पाई। उसकी सांसें बहुत ही तीव्रता से चल रही थी जैसे उसने अभी-अभी शिव के साथ युगल नृत्य किया हो। वह केवल इस बात को नहीं जान रही थी कि उसकी आत्मा भी वही कर रही थी।

दक्ष ने उस हतप्रभ हुए युगल जोड़े को आनंदातिरेक से देखा। वह उस निर्देशक की भांति था जिसने अपने नाटक का प्रदर्शन उसी तरह का देखा था जैसे कि वह अपेक्षा कर रहा था। नंदी शिव के पीछे खड़ा था जो सती के मुख के भावों को देख सकता था। सहसा उसे सब कुछ स्पष्ट हो चुका था। नृत्य का अभ्यास, विकर्म स्पर्श, शुद्धिकरण और प्रभु का विषाद। यद्यपि उसे आंशिक रूप से डर भी लग रहा था, किंतु उसने सोच लिया था कि उसे क्या करना था। यदि प्रभु की यही इच्छा थी तो वह उनकी इस इच्छा की पूर्ति के लिए कुछ भी करेगा। बृहस्पति ने उस युगल जोड़े को खाली निगाहों से घूरा। वह अनपेक्षित परिस्थिति से होने वाले परिणामों के बारे में गहरी सोच में था। पर्वतेश्वर ने इस परिस्थिति को थोड़ा भी न छुपाते हुए अरुचि से देखा। जो कुछ हो रहा था वह अनुचित था, अनैतिक और उससे भी अधिक अवैध।

'प्रभु,' दक्ष ने अपनी दाईं ओर पड़ी खाली कुर्सी की ओर इशारा कर कहा, 'कृपया अपना स्थान ग्रहण करें और हम प्रारंभ करें।'

शिव ने कोई प्रतिक्रिया नहीं दी। उसने दक्ष के शब्दों को सुना नहीं था। वह उस जगत में था जहां मात्र एक ही ध्वनि थी जो सती की गहरी सांसों के सामंजस्यपूर्ण संगीत से आ रही थी। यह एक ऐसी ध्वनि थी जिस पर वह आनंदपूर्वक अगले सात जन्मों तक नृत्य कर सकता था।

'प्रभु,' दक्ष ने पुनः कहा। इस बार थोड़े ऊंचे स्वर में।

उस स्वर से बाधित हुए शिव ने अंततः दक्ष को ऐसे देखा जैसे वह किसी दूसरी दुनिया से निकलकर आया हो।

'कृपया अपना स्थान ग्रहण करें, प्रभु,' दक्ष ने कहा।

'जी हां, निस्संदेह महाराज,' शर्मिंदगी से अपनी दृष्टि बचाते हुए शिव ने कहा।

जब शिव बैठ गया तो भोजन परोसा गया। मेलूहावासियों का यह एक सुंदर एवं साधारण व्यंजन था, जो वे सुबह के नाश्ते में पसंद करते थे। चावल एवं कुछ दालों को उबालकर उसे एक गाढ़े ढंग से घोंट दिया जाता था। इसके छोटे-छोटे हिस्से केले के पत्तों में लपेटकर उसे एक बेलनाकार गोलाकार फलक में भाप से पकाया जाता था। यह खाद्य पदार्थ केले के पत्ते में लिपटा हुआ ही परोसा जाता था और साथ में मसालों वाली मसूर की दाल स्वाद के लिए परोसी जाती थी। इस भोज्य का नाम इडली था।

'आप नीलकंठ हैं?' अभी तक इससे स्तब्ध सती ने कोमलता से फुसफुसा कर शिव से पूछा, जो अपनी सांसों में इच्छित रूप से कुछ शांति ला पाई थी।

'लगता तो ऐसा ही है,' ठिठोली की हंसी के साथ शिव ने उत्तर दिया, 'प्रभावित हुईं?'

सती ने इस प्रश्न का उत्तर अभिमान से उठी हुई भौंहों से दिया। उसका मुखौटा वापस आ चुका था, 'मैं क्यों प्रभावित होऊंगी?'

*क्या?*

'प्रभु,' दक्ष ने कहा।

'कहिए, महाराज,' दक्ष की ओर मुड़ते हुए शिव ने कहा।

'मैं सोच रहा था,' दक्ष ने कहा, 'हमारी पूजा शाम तक समाप्त हो जाएगी। इसके बावजूद हमें यहां बृहस्पति के साथ समीक्षा करने के लिए दो दिनों तक रुकना पड़ेगा। वीरिनी एवं सती को यहां रखने का कोई अर्थ नहीं है क्योंकि अनावश्यक ही इतना समय उनके लिए उबाऊ होगा।'

'धन्यवाद महाराज,' बृहस्पति ने बनावटी हंसी के साथ कहा, 'मंदार पर्वत पर राजसी परिवार का जो विश्वास आपने दिखाया है वह अत्यंत ही उत्साहवर्द्धक है।'

मेज पर बैठे सभी लोगों की हंसी छूट गई। दक्ष भी अपनी विशालहृदयता के भावों को दिखाते हुए हंस पड़े।

'आप जानते हैं मेरे कहने का तात्पर्य क्या था बृहस्पति!' दक्ष ने अपना सिर हिलाते हुए कहा। शिव की ओर मुड़कर उन्होंने कहा, 'जो मुझे पता है, प्रभु, आप कल प्रातः देवगिरि के लिए प्रस्थान करने वाले हैं। मेरे विचार से यह अच्छा रहेगा यदि वीरिनी एवं सती भी आपके साथ ही चली जाएं। बाकी बचे लोग दो दिनों के बाद वहां पहुंच जाएंगे।'

सती ने आशंकित होकर देखा। वह यह नहीं जानती। पता नहीं क्यों, लेकिन उसका मन कह रहा था कि वह इस योजना से सहमत न हो। दूसरी ओर उसका मन यह भी कह रहा था कि उसे डरने की कोई आवश्यकता नहीं थी। उसने अपने पच्चासी वर्ष एक विकर्म स्त्री के रूप में बिताए थे और इन वर्षों में उसने नियमों का उल्लंघन कभी नहीं किया था। उसके पास इतना आत्म-नियंत्रण था कि वह जान सकती थी कि क्या सही था और क्या गलत।

शिव के पास वैसी कोई सोच नहीं थी। उसने स्पष्ट रूप से प्रसन्न होकर कहा, 'मेरे विचार से यह बहुत अच्छा सुझाव है, महाराज। नंदी और मैं दोनों महारानियों के साथ देवगिरि तक एक साथ यात्रा कर सकते हैं।'

'तो फिर ठीक है,' दक्ष ने प्रकट रूप से संतुष्ट होकर कहा, 'पर्वतेश्वर आप कृपया यह सुनिश्चित करें कि अरिष्टनेमी मार्गदर्शक दो भागों में विभक्त हो वापसी की यात्रा की तैयारी करें।'

'महाराज, मैं नहीं समझता कि यह बुद्धिमानी है,' पर्वतेश्वर ने कहा, 'अरिष्टनेमी का एक बड़ा दल देवगिरि में अन्यत्र नियुक्ति हेतु तैयारी में लगा हुआ है। साथ ही मंदार पर्वत पर जो दल है वह किसी भी परिस्थिति में घटाया नहीं जा सकता है। हमारे पास दो काफिलों के लिए पर्याप्त सैनिक नहीं हैं। संभवतः यदि हम सभी लोग एक साथ परसों ही यात्रा करें तो उचित होगा।'

'मुझे विश्वास है कि इसमें कोई समस्या नहीं होगी,' दक्ष ने कहा, 'और आप हमेशा कहते हैं कि प्रत्येक अरिष्टनेमी सैनिक पचास दुश्मनों के बराबर है? तो फिर ठीक है। प्रभु नीलकंठ, वीरिनी एवं सती कल प्रातः ही प्रस्थान करेंगे। कृपया आप सारी व्यवस्था कर दें।'

पर्वतेश्वर अप्रसन्नता से अपने विचारों में खो गया और शिव एवं सती पुनः एक-दूसरे से फुसफुसा कर बातें करने लगे।

'आप शुद्धिकरण के लिए गए, है न?' सती ने गंभीरता से पूछा।

'हां,' शिव ने कहा। वह झूठ नहीं बोल रहा था। देवगिरि में अंतिम रात्रि को वह शुद्धिकरण पूजा के लिए गया था। वैसे तो वह नहीं मानता था कि उसे इसकी आवश्यकता थी। फिर भी वह जानता था कि जब भी वह सती से मिलेगा तो वह अवश्य पूछेगी। और वह उससे झूठ नहीं बोलना चाहता था।

'लेकिन मेरा मानना है कि यह शुद्धिकरण की अवधारणा बिल्कुल ही वाहियात है,' शिव ने फुसफुसा कर कहा, 'दरअसल, यह विकर्म की अवधारणा ही पूरी तरह से गलत है। मेरा विचार है कि मेलूहा में कुछ चीजों में से यह एक चीज है जो उचित नहीं है और इसमें बदलाव लाना चाहिए।'

सती ने शिव को दृष्टि उठाकर देखा। उसका चेहरा भाव-विहीन था। शिव ने उसकी आंखों में घूरकर देखा ताकि उसके मन में क्या चल रहा था उसे समझ सके। लेकिन उसे केवल खाली दीवार ही दिखी।

— ꗃ⦿ꝵꝥ⊕ —

वह अगले दिन के दूसरे प्रहर का प्रारंभ था जब शिव, वीरिनी, सती और नंदी ने सौ अरिष्टनेमियों के साथ देवगिरि के लिए प्रस्थान किया था। दक्ष,

पर्वतेश्वर एवं कनखला विश्रामगृह के बाहर उन्हें विदा करने के लिए खड़े थे। बृहस्पति को किसी प्रयोग के कारण वहां जाना पड़ा था।

सभी यात्रियों को एक ही बग्घी में बैठना पड़ा क्योंकि दिशा-निर्देशों के अनुसार कोई काफिला जब सम्राट को लेकर चलता था तो चार बग्घियां पृथक से रखना अनिवार्य था। चूंकि राजसी सवारी पांच बग्घियों में आई थी, इसलिए इस काफिले के लिए एक ही बग्घी बची थी। पर्वतेश्वर इस बात पर बहुत अप्रसन्न था कि अपारंपरिक तरीके से राजसी परिवार यात्रा कर रहा था जिसमें कोई छलावा बग्घी नहीं थी, लेकिन उसके विरोध को दक्ष ने अस्वीकार कर दिया था।

बग्घी के अंदर एक आरामदायक सेज पर बैठी हुई सती ने देखा कि शिव पुनः अपना गुलूबंद गले पर लगाए हुए था। उसने पूछा, 'आप अपना गला हमेशा ढककर क्यों रखते हैं?'

'जब कोई यह मेरा नीला गला देखता है तो वह कुछ अधिक ही ध्यान देने लगता है और उससे मैं बहुत ही असुविधाजनक महसूस करता हूं,' शिव ने उत्तर दिया।

'किंतु आपको तो इसका अभ्यस्त होना पड़ेगा। यह नीला गला अदृश्य नहीं हो जाएगा।'

'सच है,' शिव ने मुस्कुराहट के साथ उत्तर दिया, 'लेकिन जब तक मैं अभ्यस्त नहीं हो जाता, यह गुलूबंद मेरा कवच है।'

जैसे ही काफिले ने प्रस्थान किया तो पर्वतेश्वर और कनखला दक्ष के पास गए।

'आपको उस व्यक्ति में इतनी आस्था क्यों है, महाराज?' पर्वतेश्वर ने दक्ष से पूछा, 'उसने इतना आदर पाने के लिए अभी तक कुछ भी नहीं किया है। वह हमारी विजय में हमारा नेतृत्व कैसे कर सकता है जब वह इसके लिए प्रशिक्षित ही नहीं किया गया है? नीलकंठ की यह समस्त अवधारणा ही हमारे नियमों के विरुद्ध जाती है। मेलूहा में उसी व्यक्ति को वह कार्य दिया जाता है, जिसके लिए वह सक्षम हो, उसमें वह कार्य करने की योग्यता हो और वह हमारी व्यवस्था द्वारा प्रशिक्षित हो।'

'हम युद्ध की स्थिति में हैं, पर्वतेश्वर,' दक्ष ने उत्तर दिया, 'एक अघोषित युद्ध, किंतु युद्ध की निश्चित स्थिति में। हम लगभग हर दूसरे सप्ताह आतंकी आक्रमणों का सामना कर रहे हैं। ये कायर चंद्रवंशी सामने से आक्रमण भी नहीं करते कि हम उनका सामना कर सकें। और हमारी सेना उनके क्षेत्र में खुला आक्रमण करने के लिए बहुत छोटी है। हमारे 'नियम' काम नहीं कर रहे हैं। हमें चमत्कार की आवश्यकता है। किसी आकस्मिक लाभ का पहला नियम है कि चमत्कार तभी संभव होता है जब राष्ट्रीय नियमों को भूल जाएं और आस्था रखें। मेरी नीलकंठ में आस्था है। और उसी प्रकार हमारे लोगों में भी।'

'किंतु शिव को अपने आप पर आस्था नहीं है। कैसे आप उसे हमारा रक्षक बलात ही बनाएंगे, जब वह स्वयं नहीं करना चाहता है?'

'सती यह परिवर्तन करेगी।'

'महाराज, क्या आप अपनी पुत्री का चारा की तरह प्रयोग करेंगे?' संत्रस्त पर्वतेश्वर ने पूछा, 'और आप वास्तव में यह चाहते हैं वह रक्षक केवल अपनी कामुकता के कारण हमारी सहायता करने का निर्णय ले!'

'यह कामुकता नहीं है!'

पर्वतेश्वर एवं कनखला दक्ष की प्रतिक्रिया पर स्तब्ध होकर चुप रह गए।

'आपको मैं किस प्रकार का पिता दिखाई देता हूं?' दक्ष ने कहा, 'आपको लगता है कि मैं इस प्रकार अपनी पुत्री का प्रयोग करूंगा। संभव है कि वह प्रभु के संग सुविधा एवं प्रसन्नता प्राप्त कर ले। उसने पहले से ही बहुत दुख झेल रखा है। मैं उसे खुश देखना चाहता हूं। और ऐसा करते समय यदि हमारे साम्राज्य का भी भला हो जाए तो इसमें हानि ही क्या है?'

पर्वतेश्वर कुछ कहना चाहता था, लेकिन उसने अभी कुछ नहीं कहना उचित समझा।

'हमें चंद्रवंशी आदर्श को नष्ट करने की आवश्यकता है,' दक्ष ने कहना जारी रखा, 'और इसका एकमात्र उपाय यही है कि स्वद्वीप के निवासियों को हम हमारी जीवनशैली की सुविधाओं का लाभ प्रदान करें। एक आम स्वद्वीपवासी इसके लिए हमारा आभारी रहेगा, किंतु चंद्रवंशी शासक अपनी

सारी शक्ति से और हर प्रकार से हमें रोकने का प्रयास करेंगे। वे हमारा सामना कर सकते हैं किंतु वे चाहे कितना भी प्रयास कर लें, नीलकंठ के नेतृत्व में लोगों का सामना नहीं कर सकते। और यदि सती नीलकंठ के साथ है, वे तो कभी भी चंद्रवंशियों के विरुद्ध हमारा नेतृत्व करने से मना नहीं करेंगे।'

'किंतु महाराज, क्या आपको सचमुच यह लगता है कि प्रभु हमारे साथ होंगे क्योंकि वे आपकी पुत्री से प्रेम करते हैं?' कनखला ने पूछा।

'आपने मुख्य बिंदु को नहीं समझा। प्रभु को हमारे पक्ष में करने की आवश्यकता नहीं है,' दक्ष ने कहा, 'वे तो पहले से ही हमारी ओर हैं। हम एक महान सभ्यता हैं। हम चाहे परिपूर्ण एवं सर्वथा आदर्श न हों किंतु महान तो हैं ही। इसे नहीं देखने वाला कोई अंधा ही होगा। नीलकंठ को हमारा नेतृत्व करने के लिए मात्र स्वयं में विश्वास एवं प्रेरणा की आवश्यकता है। जब वे सती के निकट जाते हैं तो उनकी स्वयं में आस्था ही उन्हें प्रेरित कर देगी।'

'और यह कैसे होगा, महाराज?' पर्वतेश्वर ने थोड़ा गुस्से में पूछा।

'आपको पता है कि किसी पुरुष के जीवन में सर्वाधिक शक्तिशाली संबल क्या होता है?' दक्ष ने पूछा।

कनखला और पर्वतेश्वर ने दक्ष की ओर स्तंभित होकर देखा।

'जिसको वह प्रेम करता है उसे प्रभावित करने की तीव्र इच्छा,' दक्ष ने समझाया, 'मुझे देखिए। मैंने हमेशा अपने पिता को प्रेम किया। उनको प्रभावित करने की मेरी इच्छा आज भी मुझे कुछ करने के लिए प्रेरित करती रहती है। उनके निधन के बाद भी मैं कुछ ऐसा करना चाहता हूं कि उन्हें गर्व महसूस हो। यह मुझे मेरे उस प्रारब्ध की ओर प्रेरित कर रहा है कि जो एक सम्राट होने के नाते समस्त भारतवर्ष में सूर्यवंशियों के जीवन के विशुद्ध ढंग को पुनः स्थापित करे। और जब नीलकंठ में यह इच्छा बलवती होगी कि सती उन पर गर्व कर सके तब वे उस चरम पर पहुंच जाएंगे जहां से उनके प्रारब्ध की पूर्ति होगी।'

पर्वतेश्वर ने गुस्से से नाक-भौं सिकोड़ी क्योंकि वह इस तर्क से सहमत

नहीं था, लेकिन चुप रहा।

'किंतु यदि सती इससे कुछ अलग चाहती हो तो?' कनखला ने पूछा, 'जैसे कि उसका पति सारा समय उसके साथ ही बिताए।'

'मुझे मेरी पुत्री के बारे में पता है,' दक्ष ने पूरे आत्मविश्वास से उत्तर दिया, 'मुझे यह भी पता है कि उसे प्रभावित कैसे किया जा सकता है।'

'यह बहुत ही दिलचस्प विचार है, महाराज,' कनखला मुस्कुराई, 'मात्र उत्सुकतावश मैं यह पूछना चाहती हूं कि आपके विचार में एक स्त्री के जीवन में सर्वाधिक शक्तिशाली संबल क्या होता है?'

दक्ष खुलकर जोर से हंसा, 'आप ये क्यों पूछ रही हैं? क्या आपको यह पता नहीं है?'

'वैसे तो मेरे जीवन का सबसे शक्तिशाली संबल मेरी यह इच्छा है कि मेरी सास के उठने से पहले ही मैं घर से बाहर निकल जाऊं!'

दक्ष एवं कनखला दोनों ने ही जोर से ठहाका लगाया।

पर्वतेश्वर को इसमें हंसने वाली कोई बात नहीं लगी, 'मुझे क्षमा करें, लेकिन अपनी सास के बारे में इस प्रकार बोलना उचित नहीं है।'

'ओह शांत हो जाइए पर्वतेश्वर,' कनखला ने कहा, 'आप हर चीज को कुछ अधिक ही गंभीरता से लेते हैं।'

'मेरे विचार में,' मुस्कान लिए दक्ष ने कहा, 'एक स्त्री के जीवन में सबसे अधिक शक्तिशाली संबल होता है सराहना, प्रेम और सम्मान।'

कनखला मुस्कुराई और उसने सहमति में सिर हिलाया। उसके सम्राट सचमुच ही मानवीय भावों को समझते हैं।

अध्याय - 10

# फणदार व्यक्ति वापस आता है

मंदार पर्वत की गहराइयों से बाहर, सावधानीपूर्वक छेनी से काटे गए रास्ते से जब काफिला बाहर निकला तो वीरिनी ने बग्घी को एक मिनट रोकने का अनुरोध किया। उस पर्वत के उपकारों के लिए वीरिनी, सती, शिव और नंदी ने नीचे उतरकर घुटनों के बल बैठकर छोटी-सी पूजा की। भयभीत कर देने वाले दाढ़ी-मूंछों वाला पट्टी बंधा हुआ साठ साल का व्यक्ति अरिष्टनेमी भब्रव्य अत्यधिक चौकन्ना होकर उनकी देखभाल कर रहा था।

कुछ क्षण बाद भब्रव्य वीरिनी के पास गया और अपनी अधैर्यता प्रदर्शित करते हुए बोला, 'महारानी, संभवतः बग्घी में जाने का समय हो चला है।'

वीरिनी ने सिर ऊपर उठाकर कप्तान को देखा और सहमति में सिर हिलाकर खड़ी हो गई। सती, शिव एवं नंदी ने उनका अनुसरण किया।

'यह वही है,' विश्वद्युम्न ने दूरबीन को नीचे रखते हुए, अपने स्वामी की ओर देखकर कहा।

पलटन सुरक्षित दूरी पर काफिले से छुपी हुई थी। सघन एवं अभेद्य शाखाएं एवं पत्तियां एक प्रभावी कवच था।

'हां,' उस फणदार व्यक्ति ने कहा और उसने शिव के सुगठित मांसल

शरीर पर निगाह जमा दी। बिना दूरबीन के भी उसको यह संदेह नहीं था कि यह वही व्यक्ति था जिसने ब्रह्मा के मंदिर में कुछ सप्ताह पहले ही संघर्ष किया था, 'वह आदमी कौन है?'

'मुझे जानकारी नहीं है, स्वामी।'

'उस पर नजर रखना। यह वही आदमी है, जिसने पिछला आक्रमण विफल कर दिया था।'

विश्वद्युम्न कहना चाहता था कि पिछला प्रयास इसलिए विफल हुआ था क्योंकि वह अनियोजित था। जाति-चिह्न विहीन आदमी की उपस्थिति की भूमिका बहुत कम थी। विश्वद्युम्न अपने स्वामी के हाल के अतार्किक निर्णयों को समझ नहीं पा रहा था। संभवतः उनके अंतिम लक्ष्य से निकटता के कारण उनके निर्णय आच्छादित थे। इसके बाद भी विश्वद्युम्न ने अपने विचारों को अपने पास ही रखने की बुद्धिमानी की, 'संभवतः आक्रमण करने से पहले हम लोगों को इनका पीछा एक घंटे तक करना चाहिए, स्वामी। वह अरिष्टनेमी की अतिरिक्त सहायता से सुरक्षित दूरी होगी। हम लोग इसे जल्दी से समाप्त करके रानी को बता सकते हैं कि गुप्तचर की सूचना सही थी।'

'नहीं, जब तक वे मंदार पर्वत से आधा दिन की दूरी तक नहीं पहुंच जाते तब तक हम लोग कुछ घंटे और प्रतीक्षा करेंगे। उनकी नई बग्घियों में कुछ ऐसी व्यवस्था है कि वे आपातस्थिति का संकेत तत्काल ही दे देते हैं। हमें यह सुनिश्चित करना है कि जब तक उनकी कोई मदद पहुंचे, हम अपना कार्य पूरा कर ले।'

'जी हां, स्वामी,' विश्वद्युम्न ने कहा। वह खुश हो रहा था कि उसके स्वामी की प्रसिद्ध सामरिक बुद्धि क्षीण नहीं हुई थी।

'और याद रखो, मैं चाहता हूं कि यह जल्द समाप्त हो जाए,' फणदार व्यक्ति ने आगे कहा, 'हम जितना अधिक समय लेंगे, उतने ही अधिक लोग घायल होंगे।'

'जी हां, स्वामी।'

— 人⓪ᅡᅟ�898 —

मध्याह्न भोजन के लिए जब काफिला रुका तो आधी दूरी तय की जा चुकी

थी और तीसरे प्रहर का प्रारंभ हो चुका था। यहां पर जंगल को काफी दूरी तक काट दिया गया था, जिसके कारण अचानक आक्रमण का अवसर नहीं था। महारानी की नौकरानियों ने शीघ्रता से भोजन बाहर निकाला और उस खुले एवं साफ किए हुए स्थल के मध्य में उन्हें गर्म करना प्रारंभ कर दिया। राजसी दल एवं शिव काफिले के प्रारंभ में देवगिरि की दिशा में बैठे हुए थे। भब्रव्य पीछे की ओर एक ऊंची जगह पर खड़ा था और अपनी चील की दृष्टि से चारों ओर चौकन्ना होकर देख रहा था। राजसी दल के अलावा आधे अरिष्टनेमी के सैनिक भी भोजन करने के लिए बैठ गए थे जबकि शेष सावधानी से पहरे पर लगे थे।

शिव अपनी थाली में दूसरी बार भात लेने ही वाला था कि उसने सड़क से कुछ दूरी पर टहनी के चटकने की आवाज सुनी। मध्य में ही रुककर उसने ध्यान से पुनः सुनने की कोशिश की। अब कोई आवाज नहीं थी। उसकी सहज बुद्धि ने कहा कि कोई आखेटक जीव होगा, जिसे लगा होगा कि उससे गलती हो गई है तो वह शांत हो गया। शिव ने सती की ओर देखा यह देखने के लिए कि उसने सुना अथवा नहीं। वह भी सड़क की ओर ध्यान लगाकर देख रही थी। एक हल्की सी चरमराहट हुई जैसे ही टहनी के ऊपर से पांव हटा और उस पर दबाव हल्का हो गया। केवल ध्यान लगाकर सुनने वालों के अलावा यह एक सामान्य लोगों पता नहीं चलने वाला था।

शिव ने तत्काल ही अपनी थाली रख दी। उसने तलवार निकाली और ढाल को पीठ पर लगा लिया। भब्रव्य ने शिव को देखा तो उसने भी अपनी तलवार निकाल ली और साथ ही वह अपने सैनिकों को जल्दी-जल्दी संकेत देने लगा कि वे भी वैसा ही करे। सती और नंदी कुछ ही क्षण में युद्ध के लिए तैयार थे और अपनी पारंपरिक युद्धक शैली में आ चुके थे।

सती ने बिना मुड़े हुए वीरिनी को फुसफुसा कर कहा, 'माताजी, कृपया बग्घी में चली जाइए और बंद कर लीजिए। अपने साथ नौकरानियों को भी ले जाइए। किंतु पहले अश्वों को बग्घी से अलग करवा दीजिए। हम लोग पीछे हटने वाले नहीं है और हम शत्रुओं द्वारा आपका अपहरण भी नहीं चाहते हैं।'

'तुम आ जाओ सती,' वीरिनी ने आग्रह किया और इसी मध्य

नौकरानियों ने बग्घी का द्वार खोल दिया।

'नहीं, मैं यहीं रुक रही हूं। कृपया शीघ्रता कीजिए। हमारे पास संभवतः अधिक समय नहीं है।'

वीरिनी तेजी से बग्घी में चली गई। नौकरानियों ने तुरंत अंदर जाकर उसका द्वार अंदर से बंद कर लिया।

कुछ दूरी पर भब्रव्य ने धीमे स्वर में अपने सहायक से कहा, 'मुझे इनकी चाल का पता है। मैंने इन कायरों को दक्षिण की सीमा पर देखा है। ये एक आत्मघाती दस्ता पहले भेजेंगे और ऐसा प्रतीत करवाएंगे कि वे पीछे हट रहे हैं और उसके बाद दुबारा आक्रमण कर देंगे। मैं हानियों के बारे में परवाह नहीं करता। हम लोग इन दोगले लोगों का पीछा करेंगे और एक-एक को नष्ट कर देंगे। ये लोग अरिष्टनेमी से भिड़ने आए हैं। उन्हें इसकी कीमत चुकानी ही पड़ेगी।'

इस मध्य शिव सती की ओर मुड़ा और सावधानी से फुसफुसा कर उससे बोला, 'मेरा विचार है कि वे अवश्य ही किसी उच्च लक्ष्य की इच्छा में होंगे। राजसी परिवार से महत्वपूर्ण और कुछ नहीं हो सकता है। क्या आप सोचती हैं कि आपको बग्घी में प्रतीक्षा करनी चाहिए?'

सती की आंखें आश्चर्य से शिव की ओर बरछी की तरह उठीं। उसके मुख से हल्का सा दर्द का भाव आने के बाद चमक आई, 'मैं संघर्ष करूंगी...'

*ये समझती क्यों नहीं है? जो मैंने कहा है वह पूरी तरह से तार्किक है। शत्रु के मुख्य लक्ष्य को प्राप्त करना कठिन बना दो तो वे युद्ध करने की इच्छा खो बैठते हैं।*

शिव ने इन ख्यालों को अपने मन से निकाल दिया और सड़क पर ध्यान केंद्रित करने लगा। समूचे काफिले ने अपनी धमनियों को तनावपूर्ण कर लिया था ताकि शत्रुओं के आगे बढ़ने की ध्वनि को ध्यान से सुन सकें। वे लोग घात लगाकर आक्रमण होने की दशा के लिए पूरी तरह से तैयार थे। अब उनके शत्रुओं की बारी थी कि वे पहल करें। जैसे ही उन्होंने सोचा कि यह झूठी शंका थी कि तभी नीचे की सड़क की ओर से शंख ध्वनि गूंजी,

मंदार पर्वत की ओर से। शिव पीछे मुड़ा लेकिन वह आगे नहीं बढ़ा। जो कोई भी ध्वनि कर रहा था वह बहुत तेजी से भागता आ रहा था।

शिव उस कोलाहलपूर्ण ध्वनि को पहचान नहीं पाया। हालांकि दक्षिणी सीमा के अरिष्टनेमियों को पता चल गया कि वह क्या था। यह ध्वनि नागध्वनि शंख की थी। नागाओं के आक्रमण की घोषणा के लिए यह बजाया गया था।

यद्यपि भब्रव्य युद्ध करने के लिए अपना धैर्य खो रहा था, तथापि वह युद्ध संचालन की मानकीय प्रक्रिया को भूला नहीं था। उसने एक सहायक को आज्ञा दी जो भागकर बग्घी के पास गया। उसने एक लाल रंग के बक्से को बाहर निकाला जो नीचे से बंद था। उसने उस पर ठोकर मारी तो वह खुल गया। उसके बाद उसने बगल में लगे एक बटन को दबाया। उस बक्से में से एक बेलनाकार चिमनी तरह की संरचना लगभग पच्चीस फीट सीधे ऊपर खड़ी हो गई। उस चिमनी ने यह सुनिश्चित किया कि जो धुआं उसमें से निकले वह सघन जंगल में खो न जाए और देवगिरि एवं मंदार पर्वत के पहरेदारों द्वारा देख लिया जाए। सैनिक ने एक आग लगी हुई लकड़ी से आग को उस बक्से में सबसे अंतिम खांचे में डाल दिया। लाल रंग का धुआं चिमनी से निकलने लगा जो इस बात का प्रतीक था कि उच्च स्तर का खतरा था। मदद छह घंटे दूर थी। चार, यदि जिधर से सहायता आने वाली थी वह सड़क पक्की थी। भब्रव्य संघर्ष को अधिक देर चलने नहीं देना चाहता था। वह चाहता था कि जब तक सहायता पहुंचे उससे बहुत पहले ही प्रत्येक नागा और चंद्रवंशियों का सफाया हो जाए।

उसके बाद मंदार पर्वत की ओर जाने वाली सड़क की ओर से आक्रमण प्रारंभ हो गया। चंद्रवंशियों के एक छोटे दस सैनिकों के दल ने अरिष्टनेमियों पर धावा बोल दिया। एक सैनिक नागा शंख पकड़े हुए था और जोर-जोर से फूंक रहा था। उनमें से एक व्यक्ति ने अपना पूरा सिर एवं माथा कपड़े से ढक रखा था, मात्र आंखों के लिए एक कटे हुए हिस्से को छोड़कर। वह नागा था!

शिव एक जगह पर स्थिर रहा। वह देख पा रहा था कि संघर्ष काफिले के अंत में तीव्रता से चल रहा था। चंद्रवंशी केवल दस थे। अरिष्टनेमियों

को मदद की आवश्यकता नहीं थी। उसने सती और नंदी को संकेत दिया कि वे जहां हैं, वहीं रहें। सती सहमत थी क्योंकि वह भी यही आशा कर रही थी कि आक्रमण छल-बल वाला होने वाला था।

संघर्ष छोटा और उग्र था। चंद्रवंशी सैनिक क्रूरतापूर्वक लड़े, लेकिन वे संख्या में कम थे। जैसी कि भब्रव्य ने आशा की थी, वे क्षण भर में ही मुड़े और तेजी से भागने लगे थे।

'उनका पीछा करो,' भब्रव्य चिल्लाया, 'सभी को मार डालो।'

अरिष्टनेमी अपने अधिपति के पीछे भागते हुए चंद्रवंशियों का पीछा करने के उद्देश्य से भागे। अधिकतर लोगों ने शिव के चिल्लाकर कहने को नहीं सुना, 'नहीं! यहीं रुको। उनका पीछा मत करो।'

उस समय तक कुछ अरिष्टनेमी सैनिकों ने शिव को सुन लिया, लेकिन अधिकतर सैनिक चंद्रवंशियों के पीछे भागते चले गए। सती, नंदी और पच्चीस सैनिकों के साथ शिव उस मैदान में छूट गया। शिव देवगिरि की ओर जाने वाली सड़क की ओर घूमा, उस दिशा में जिधर से टहनी के चटकने की ध्वनि आई थी।

वह दुबारा शेष बचे अरिष्टनेमी सैनिकों की ओर मुड़ा। अपने पीछे की ओर संकेत देकर धैर्य और शांति से बोला, 'असली आक्रमण इधर से होने वाला है। चार-चार की कसी हुई बनावट में उस दिशा में तैयारी की दशा में रहो। हमें उनको लगभग पांच से दस मिनट तक रोके रखना है। बाकी के सैनिक तब तक वापस आ जाएंगे जब उन्हें मालूम पड़ेगा कि उधर कोई और चंद्रवंशी संघर्ष करने के लिए नहीं है।'

अरिष्टनेमियों ने शिव को देखा और सहमति में सिर हिलाया। वे युद्ध से कठोर बन चुके सैनिक थे। उन्हें मात्र एक स्पष्ट बुद्धि वाला और शांत सेनापति चाहिए था जो जानता था कि उसे क्या करना चाहिए था। इसके सिवा और कुछ नहीं। वे शीघ्र ही उस बनावट में आ गए जो शिव ने बताई थी और प्रतीक्षा करने लगे।

उसके बाद असली आक्रमण प्रारंभ हुआ। चालीस चंद्रवंशी सैनिक फणदार व्यक्ति के नेतृत्व में पेड़ों के पीछे से प्रकट हुए। वे धीरे-धीरे सूर्यवंशी

काफिले की ओर बढ़ रहे थे। संख्या में कम होने के कारण अरिष्टनेमी शत्रुओं के निकट आने की प्रतीक्षा में स्थिर रहे।

'राजकुमारी को हमें दे दो और हम यहां से चले जाएंगे,' उस फणदार व्यक्ति ने कहा, 'हम अनावश्यक खून बहाना नहीं चाहते हैं।'

*यह वही ब्रह्मा मंदिर वाला जोकर है। उसका पहनावा तो विचित्र है, लेकिन वह लड़ाई अच्छी करता है।*

'हम भी रक्तपात नहीं चाहते,' शिव ने कहा, 'शांति से चले जाओ और हम वचन देते हैं कि तुम लोगों को प्राणदान मिलेगा।'

'अरे जंगली, गंवार, वो तुम हो जो मृत्यु के मुख में पहुंचे हुए हो,' उस फणदार व्यक्ति ने कहा। वह अपने स्वर के बजाय अपनी मुद्राओं से क्रोध दर्शा रहा था। उसकी आवाज भयानक रूप से शांत रही थी।

शिव ने देखा कि भूरी पगड़ी पहने अधिकारी फणदार व्यक्ति को उतावलेपन में देख रहा था।

*पदस्थों में मतभेद!*

'मैं तो केवल एक चेहरा देख रहा हूं जो एक मूर्ख मुखौटा है। और जो बहुत जल्द ही तुम्हारे दयनीय गले के नीचे लटका मिलेगा! साथ ही अपने उस बिना दिमाग वाले सहायक से कहो कि वह अपनी सामरिक योजना को छोड़े नहीं।'

फणदार व्यक्ति फिर भी शांत रहा। उसने विश्वद्युम्न की ओर देखा तक नहीं।

*लानत है! यह आदमी तो कुछ अधिक ही सही निकला।*

'यह अंतिम चेतावनी है, जंगली आदमी,' उस फणदार व्यक्ति ने पुनः दुहराया, 'उसे इसी वक्त हमारे हवाले कर दो।'

सती को अचानक ही खयाल आया, तो वह बग्घी की ओर मुड़ी और उसने चीखकर कहा, 'माताजी! नया आपातकालीन शंख सामने के लोहे के जाल के पास है। उसे अभी इसी समय बजाइए!'

मदद के लिए एक तीव्र आग्रह बग्घी से गूंज पड़ा। भब्रव्य उसके

सैनिकों को मदद के लिए बुला लिया गया था। फणदार व्यक्ति ने मन ही मन बुरा-भला कहा क्योंकि उसे एहसास हो चुका था कि उसके सुअवसर को समाप्त कर दिया गया था। उसके पास इस अभियान को पूरा करने के लिए बहुत कम समय बचा था। बाकी के सूर्यवंशी जल्द ही वापस आ जाएंगे, 'आक्रमण!'

अरिष्टनेमी अपनी-अपनी जगहों पर स्थिर बने रहे।

'स्थिर बने रहो,' शिव ने कहा, 'उनके लिए प्रतीक्षा करो। तुम लोगों को बस कुछ समय बिताना है। राजकुमारी को सुरक्षित रखो। हमारे मित्र बहुत की जल्द हमारे साथ होंगे।'

जब चंद्रवंशी और करीब आ गए तो अचानक ही सती ने उनके घेरे को तोड़ते हुए फण वाले व्यक्ति पर धावा बोल दिया। सती के इस अचानक आक्रमण ने चंद्रवंशियों के आक्रमण को धीमा कर दिया।

अरिष्टनेमियों के लिए कोई विकल्प नहीं था। उन्होंने चंद्रवंशियों पर क्रूर बाघों की तरह आक्रमण कर दिया।

शिव ने तेजी से सती के दाहिनी ओर कदम बढ़ाया ताकि उस ओर कोई हमला न होने पाए क्योंकि विश्वद्युम्न आगे बढ़ता हुआ खतरनाक ढंग से सती के निकट आ चुका था। विश्वद्युम्न ने अपनी तलवार लहराई ताकि शिव को अपने रास्ते में न आने दे। लेकिन शिव इतनी तेजी से उस ओर गया कि विश्वद्युम्न स्वयं ही असंतुलित हो गया। शिव ने बड़ी आसानी से उसका वार बचाया और अपनी ढाल से उसे धकेलकर अपने साथियों के पास पहुंचा दिया। इस मध्य नंदी सती के बाईं ओर चला गया था ताकि जो चंद्रवंशी उधर से आक्रमण कर रहे थे उन्हें रोक सके।

इस मध्य सती उस फणदार व्यक्ति पर तीव्रता से आघात करती जा रही थी। उस फणदार व्यक्ति को देखकर ऐसा प्रतीत हो रहा था कि उसकी मंशा केवल अपनी रक्षा करने की थी न कि प्रत्युत्तर देने की। वह उसे जीवित एवं बिना हानि पहुंचाए ले जाना चाहता था।

शिव ने विश्वद्युम्न के कंधे के आर-पार एक बर्बरतापूर्वक घाव लगाया, क्योंकि उसने अपना कंधा खुला छोड़ दिया था। मुंह बनाते हुए विश्वद्युम्न

ने अपनी ढाल को उठाकर शिव के दूसरे वार को बचा लिया। उसी मुद्रा से विश्वद्युम्न ने अपने तलवार वाले हाथ को उठाते हुए शिव के धड़ पर वार किया। शिव ने तुरंत ही अपनी ढाल नीचे कर अपने को बचाने का प्रयास किया। लेकिन वह उतनी तेजी से नहीं हो सका। विश्वद्युम्न ने शिव के सीने पर चीरा लगाते हुए घाव लगा दिया। पीछे हटते हुए और उछलकर दाहिनी ओर जाते हुए शिव ने अपनी तलवार को तेजी से घोंपने वाले तरीके से नीचे किया तो विश्वद्युम्न ने फुर्ती से अपनी ढाल नीचे कर उसका वार बचा तो लिया, लेकिन शिव की गैर-पारंपरिक शैली ने उसे अव्यवस्थित कर दिया। वह लड़खड़ाकर पीछे हट गया, उसे महसूस हो गया था कि शिव अत्यंत ही कुशल तलवारबाज था। यह बहुत ही लंबी और कठिन जुगलबंदी होने वाली थी।

नंदी ने एक चंद्रवंशी सैनिक को मौत के घाट उतार दिया था क्योंकि उसने नियम का उल्लंघन किया था और कमर के नीचे वार कर नंदी की जांघ पर तीखा घाव लगा दिया था। रक्त की धार के तेजी से बहने के बावजूद नंदी एक दूसरे सैनिक से भयानक युद्ध कर रहा था, जिसने बाईं ओर से उस पर धावा बोल दिया था। चंद्रवंशी ने अपनी ढाल को नंदी की घायल जांघ पर जोर से दे मारा जिससे नंदी लड़खड़ाकर गिर पड़ा था। चंद्रवंशी ने सोचा कि अब तो उसका काम तमाम हो ही गया। वह अपनी तलवार को दोनों हाथों से उठाकर उसे नीचे करने ही वाला था कि अचानक ही एक ओर वक्र रूप से घूमते हुए गिर गया जैसे कि किसी अत्यधिक बल ने उसे गिरा दिया हो। जैसे ही वह गिरा तो नंदी ने देखा कि एक चाकू उस चंद्रवंशी की पीठ में गहरा घोंपा हुआ था। ऊपर देखने पर उसने देखा कि शिव का बायां हाथ उस चाकू को फेंकने के बाद एक बहुत ही मधुर ढंग से वक्राकार होते हुए नीचे आ रहा था। दाहिने हाथ से शिव ने विश्वद्युम्न के क्रूर काटने वाले आघात को बचाया। जैसे ही नंदी किसी तरह से अपने पैरों पर खड़ा हुआ तो शिव ने अपने पीछे से ढाल को पुनः आगे कर लिया।

फणदार व्यक्ति को पता था कि वे बहुत समय ले रहे थे। बाकी बचे अरिष्टनेमी बहुत ही जल्द वापस आ जाने वाले थे। उसने सती के सिर के

पीछे जाने का प्रयत्न किया ताकि वह उसे अचेत कर सके, किंतु वह बहुत सचेत और तीव्र गति वाली थी। वह बाईं ओर जाकर अपने शत्रु का सामना करने को तैयार थी। अपने अंगवस्त्रम् में छुपे हुए चाकू को बाएं हाथ से निकालकर उस फणदार व्यक्ति के विशालकाय उदर को काटते हुए चला दिया। चाकू ने उसके लबादे को तो काट दिया लेकिन नीचे पहने कवच के कारण उसका प्रभाव रुक गया।

और उसके बाद एक गुंजायमान गर्जना के साथ भब्रव्य और अन्य अरिष्टनेमी अपने साथियों के साथ मिलकर संघर्ष करने के लिए वापस आ पहुंचे। फणदार व्यक्ति ने देखा कि अब वह संख्या में बहुत कम हो चुके थे तो उसके पास विकल्प नहीं बचा था। उसने अपने सैनिकों को पीछे हटने का आदेश दिया। शिव ने भब्रव्य को चंद्रवंशियों का पीछा करने से एक बार फिर रोक दिया।

'उन्हें जाने दो, वीर भब्रव्य,' शिव ने कहा, 'हमें उन्हें पकड़ने का अवसर अवश्य मिलेगा। इस समय हमारा पहला कर्तव्य है कि हम राजशाही परिवार की सुरक्षा सुनिश्चित करें।'

जिस प्रकार उस विदेशी ने संघर्ष किया था उसे देखकर भब्रव्य ने शिव को प्रशंसा भरी दृष्टि से देखा न कि उसके नीले गले के कारण, जिसके बारे में उसे पता भी नहीं था। उसने नम्रता से सहमति में सिर हिलाया, 'यह उचित जान पड़ता है, विदेशी।'

भब्रव्य ने अरिष्टनेमी सैनिकों को एक कसे हुए घेरे की बनावट में व्यवस्थित किया और घायलों को उस घेरे के अंदर ले लिया। मृत शरीरों को छुआ नहीं गया। कम से कम तीन अरिष्टनेमी सैनिक मारे गए थे और चंद्रवंशियों के नौ सैनिकों के मृत शरीर उस खुली जगह में इधर-उधर बिखरे पड़े थे। अंतिम सैनिक ने अपने प्राण स्वयं ले लिए क्योंकि वह इतना अधिक घायल हो चुका था कि उसके वहां से भागने की संभावना नहीं थी। अच्छा यही था कि जीवन देने वाले के आग़ोश में चले जाएं न कि शत्रुओं के हाथ पड़कर गुप्त योजना बताएं। भब्रव्य ने सैनिकों को नीचे झुककर रहने और ढालों को सामने करने का आदेश दिया ताकि

तीरों से सुरक्षा हो सके। और वे सहायता दल की प्रतीक्षा करने लगे।

— 🜊 —

'हे ईश्वर,' सती को अपने आगोश में सख्ती से लेते हुए चिंतित दक्ष ने रोते हुए कहा।

पांच सौ सैनिकों का राहत दल दूसरे प्रहर के चौथे घंटे में पहुंचा। पर्वतेश्वर की जोखिम की चेतावनी के बावजूद दक्ष, बृहस्पति और कनखला ने उस काफिले के साथ चलने का मन बना लिया था। सती को अपनी पकड़ से छोड़ते हुए दक्ष फुसफुसाया जब उसकी आंखों से आंसू बह निकले, 'तुम घायल नहीं हो, कहो नहीं न?'

'मैं ठीक हूं, पिताजी,' सती ने संकोच से कहा, 'बस कुछ खरोंच वाले घाव हैं, कुछ भी गंभीर नहीं है।'

'इसने बहुत ही बहादुरी से सामना किया,' वीरिनी ने गर्व से चमकते हुए मुख से कहा।

'मेरे विचार से यह एक मां का पक्षपात है,' सती ने कहा। उसका गंभीर स्वभाव पुनः वापस आ चुका था। शिव की ओर मुड़ते हुए उसने कहना जारी रखा, 'वे तो शिव थे, जिन्होंने आज हमारी रक्षा की है, पिताजी। इन्होंने चंद्रवंशियों की योजना का अनुमान लगा लिया था और सभी छितरे लोगों को निर्णायक समय पर इकट्ठा किया था। यह इन्हीं के कारण हुआ कि हम उन्हें परास्त कर सके।'

'ओह, मुझे लगता है ये कुछ अधिक ही दयालु हैं,' शिव ने कहा।

वह अंततः प्रभावित हो ही गई!

'वह बिल्कुल कृपालु नहीं है, प्रभु,' प्रकट रूप से आभारी दक्ष ने कहा, 'आपने अपना चमत्कार अभी से प्रारंभ कर दिया है। हमने असल में एक आतंकी आक्रमण का करारा उत्तर दिया है। आप नहीं जानते यह हमारे लिए कितना महत्वपूर्ण है!'

'लेकिन यह आतंकी हमला नहीं था, महाराज,' शिव ने कहा, 'यह

राजकुमारी के अपहरण का एक प्रयास था।'

'अपहरण?' दक्ष ने पूछा।

'वह फणदार व्यक्ति निश्चित रूप से राजकुमारी को जीवित एवं बिना हानि पहुंचाए अपहरण कर ले जाना चाहता था।'

'कौन फणदार व्यक्ति?' दक्ष ने चौकन्ना होकर चिल्लाकर कहा।

'वह नागा था, महाराज,' शिव ने दक्ष के वातोन्माद वाली प्रतिक्रिया पर आश्चर्य करते हुए कहा, 'मैंने उसे लड़ाई करते देखा है। वह बहुत ही अच्छा योद्धा है। वह अपनी चाल में थोड़ा धीमा अवश्य है, लेकिन बहुत अच्छा लड़ाका है। लेकिन जब वह सती से लड़ाई कर रहा था तो वह प्रयास कर रहा था कि उन्हें कोई नुकसान न पहुंचे।'

दक्ष के चेहरे से रंग पूरी तरह से उतर गया। वीरिनी ने एक अजनबी चमक के साथ अपने पति की ओर देखा जिसमें भय एवं गुस्से का विचित्र मिश्रण था। उनके चेहरों के भावों ने शिव को असुविधाजनक बना दिया जैसे कि वह परिवार के निजी क्षणों में हस्तक्षेप कर रहा हो।

'पिताजी,' चिंतित सती ने पूछा, 'क्या आप ठीक हैं?'

दक्ष से कोई प्रतिक्रिया न सुनकर शिव सती की ओर मुड़कर बोला, 'संभवतः उचित रहेगा कि आप अपने परिवार से अकेले में बात करें। यदि आपको बुरा न लगे तो मैं नंदी और अन्य सैनिकों को जाकर देखता हूं कि उनकी स्थिति कैसी है।'

— ⁂ —

पर्वतेश्वर अपने सैनिकों के मध्य भ्रमण कर रहा था। वह घायलों का परीक्षण कर रहा था और यह सुनिश्चित कर रहा था कि उनकी देखभाल एवं उपचार ठीक तरह से हो। भब्रव्य उसके दो कदम पीछे चल रहा था। वह उस चंद्रवंशी के पास गया जिसे शिव ने मारा था जब वह नंदी की जीवन-रक्षा कर रहा था। उसने भय से गुर्राकर [illegible] 'इस व्यक्ति की पीठ में छुरा घोंपा गया है!'

'जी हां, स्वामी,' अपना सिर झुकाए भब्रव्य ने कहा।

'किसने किया यह? किसने हमारे युद्ध के पवित्र नियमों का उल्लंघन किया?'

'मेरे विचार से उस विदेशी ने, स्वामी। लेकिन मैंने सुना है कि वह कप्तान नंदी को बचाने का प्रयास कर रहा था, जिस पर एक चंद्रवंशी ने धावा बोल दिया था। और वह चंद्रवंशी स्वयं युद्ध के नियमों का पालन नहीं कर रहा था, जिसने नंदी की कमर के नीचे वार किया था।'

पर्वतेश्वर ने मुरझाए चेहरे से भब्रव्य को देखा तो वह डर के मारे गिड़गिड़ाने के भाव प्रदर्शित करने लगा, 'नियम मात्र निमय होते हैं,' उसने गुर्राकर कहा, 'यदि आपका शत्रु उसका पालन नहीं करे तब भी उसका अनुपालन किया जाता है।'

'जी हां, स्वामी।'

'जाओ जाकर मृत व्यक्तियों के अंतिम संस्कार की विधिवत तैयारी करो। चंद्रवंशियो की भी।'

'स्वामी,' आश्चर्यचकित भब्रव्य ने पूछा, 'लेकिन वे तो आतंकी हैं।'

'वे चाहे आतंकी हों,' पर्वतेश्वर गुर्राया, 'लेकिन हम सूर्यवंशी हैं। हम लोग प्रभु श्री रान के अनुयायी हैं। शत्रुओं के लिए भी एक उचित आचरण होता है जिनका हम अनुपालन करते हैं। चंद्रवंशी भी उचित अंतिम संस्कार के अधिकारी हैं। क्या यह स्पष्ट है?'

'जी हां, स्वामी।'

— ⅄◎Մ↑⊛ —

'तुम उस विदेशी को प्रभु के नाम से क्यों संबोधित करते हो?' नंदी की बगल में लेटे हुए एक घायल अरिष्टनेमी सैनिक ने पूछा।

नंदी और अन्य घायलों के साथ लगभग आधा घंटा बिताकर शिव अभी-अभी गया था। यदि कोई उन घायलों को अब देखता तो विश्वास करना कठिन होता कि उन्होंने कुछ घंटे पहले ही एक युद्ध लड़ा था। वे

आनंद से एक-दूसरे से बातें कर रहे थे। कुछ लोग अपने मित्रों की इस बात पर खिंचाई कर रहे थे कि जब संघर्ष का प्रारंभ हुआ था तो वे कैसे प्रलोभक वस्तु के लिए भागे थे। क्षत्रियों की भाषा में कहें तो मृत्यु के मुख पर हंसी-ठिठोली करना ही उनके अदम्य साहस एवं वीरता का प्रतीक था।

'क्योंकि वे मेरे प्रभु हैं,' नंदी से सरल उत्तर दिया।

'लेकिन वह तो विदेशी है। एक जाति-चिह्न विहीन विदेशी,' अरिष्टनेमी ने कहा, 'इसमें संदेह नहीं है कि वह एक बहुत ही बहादुर योद्धा है। लेकिन मेलूहा में कई बहादुर योद्धा हैं। उसके बारे में विशेष क्या है? और वह राजसी परिवार के मध्य इतना समय क्यों व्यतीत करता है?'

'मैं इसका उत्तर नहीं दे सकता, मित्र। तुम्हें पता चल जाएगा जब वह समय आएगा।'

अरिष्टनेमी ने नंदी की ओर प्रश्नसूचक दृष्टि से देखा। उसके बाद उसने सिर हिलाया और मुस्कुराने लगा। वह एक सैनिक था। वह केवल यहां और इस समय की चिंता करता था। व्यापक प्रश्न उसके मन में अधिक समय तक घर नहीं बसाता था, 'चाहे जो भी हो, मेरे विचार से यह सही समय है कि मैं बता दूं कि तुम एक बहुत ही बहादुर व्यक्ति हो मित्र। मैंने तुम्हें घायल अवस्था में लड़ते देखा है। तुम आत्म-समर्पण शब्द का अर्थ नहीं जानते हो। मैं तुम्हें अपना भ्राता बनाने में गर्व महसूस करूंगा।'

अरिष्टनेमी द्वारा कहा गया कथन बहुत बड़ा था। भ्राता व्यवस्था जो मेलूहा की सेना में अनुसरण किया जाता था उसका अर्थ था कि सैनिक से लेकर अधिपति तक प्रत्येक सैनिक को एक मित्र नियत किया जाता था। दो भ्राता भाइयों की तरह होंगे जो हमेशा एक साथ युद्ध करेंगे और एक-दूसरे की रक्षा करेंगे। वे एक-दूसरे के लिए स्वेच्छा से जगत से लड़ाई करेंगे, वे कभी समान स्त्री से प्रेम नहीं करेंगे और वे हमेशा एक-दूसरे से सच बोलेंगे चाहे वह कितना ही कड़वा क्यों न हो।

साम्राज्य में अरिष्टनेमी सबसे अधिक आदर पाने वाले विशेष सैनिक

थे। अरिष्टनेमी किसी को भी भ्राता तभी बनाने को तैयार होते थे जब वे उनकी श्रेणी का योद्धा हो। नंदी को पता था कि वह अरिष्टनेमी का भ्राता नहीं बन सकता था। उसे उसके प्रभु के साथ रहना था। लेकिन एक अरिष्टनेमी द्वारा भ्राता बनाने की इच्छा जाहिर करना उसके लिए सम्मान की बात थी और यह उसके आंसुओं को बाहर प्रवाहित करने के लिए भी काफी था।

'अब मेरे ऊपर भावुक होने की आवश्यकता नहीं है,' किलकारी मारकर हंसते हुए, अपनी नाक को सिकोड़कर अरिष्टनेमी ने कहा।

अरिष्टनेमी के कंधे पर थपकी लगाते हुए नंदी ठहाका मारकर हंस पड़ा।

'तुम्हारा नाम क्या है, मित्र?' नंदी ने पूछा।

'कौस्तव,' अरिष्टनेमी ने उत्तर दिया, 'किसी दिन हम दोनों एक साथ मिलकर चंद्रवंशियों की सेना से युद्ध करेंगे, मित्र। और प्रभु श्री राम की कृपा से इन सभी दोगलों का नाश कर देंगे।'

'अग्निदेव की सौगंध, हम अवश्य करेंगे।'

— ᚦ◎ᚢᚢ⊕ —

'यह बहुत ही दिलचस्प बात है कि आपने नागाओं के मन को कैसे पढ़ लिया?' बृहस्पति ने शिव से कहा। उस समय वह शिव के धड़ पर लगे गहरे घाव को साफ होते और मरहम-पट्टी होते देख रहा था।

शिव ने बल देकर कहा था कि उसके घाव का उपचार तभी किया जाए जब अन्य सभी सैनिकों के घावों के उपचार पूर्ण कर लिए जाएं।

'वैसे तो मैं इसकी व्याख्या नहीं कर सकता,' शिव ने कहा, 'नागा लोग कैसे सोच रहे होंगे, वह मुझे बहुत ही प्रकट लग रहा था।'

'वैसे मैं इसकी व्याख्या कर सकता हूं!'

'क्या सचमुच में? क्या?'

'इसकी व्याख्या है कि आप सर्वशक्तिमान 'न' शब्द हैं जिसका उच्चारण नहीं किया जा सकता है!' बृहस्पति ने अपनी आंखें बड़ी-बड़ी गोल

करते हुए और जादू करने की मुद्रा में एक प्राचीन जादूगर की तरह हाथ उठाकर कहा।

वे जोरदार ठहाका लगाकर हंस पड़े, जिससे शिव का शरीर थोड़ा पीछे की ओर झुक गया। सेना के वैद्य ने शिव को कड़ी नजर से देखा, तो उस पर वह थोड़ा शांत हो गया और उसे घाव की देखभाल समाप्त करने दी। आयुर्वेदिक मलहम लगाने के बाद और उसे औषधीय नीम के पत्तों से ढकने के बाद वैद्य ने सूती कपड़े से उसकी पट्टी कर दी।

'इसे प्रत्येक दूसरे दिन बदलना पड़ेगा विदेशी,' वैद्य ने पट्टी की ओर संकेत करते हुए कहा, 'देवगिरि में राजशाही वैद्य आपके लिए यह कर देगा। और एक सप्ताह के लिए इसको जल से भीगने न दें। साथ ही इस अवधि में सोमरस न लें क्योंकि आप पूरी तरह से स्नान नहीं कर पाएंगे।'

'ओह, इन्हें सोमरस की आवश्यकता नहीं है,' बृहस्पति ने मसखरी करते हुए कहा, 'उसने इन पर जितना नुकसान पहुंचाना था, अब तक पहुंचा दिया है।'

शिव और बृहस्पति बिना रुके फिर से ठहाके लगाने लगे तो वैद्य गुस्से में अपना सिर हिलाते हुए वहां से चलता बना।

'किंतु गंभीरता से यह पूछना है कि,' बृहस्पति ने शांत होते हुए कहा, 'वे आप पर आक्रमण क्यों करेंगे? आपने किसी को कोई हानि भी नहीं पहुंचाई है।'

'मैं नहीं समझता कि यह आक्रमण मुझ पर था। मेरा मानना है कि यह सती के लिए किया गया था।'

'सती! सती क्यों? यह तो और भी विस्मयकारी है।'

'संभवतः यह विशेष रूप से सती के लिए भी नहीं था,' शिव ने कहा, 'मेरा मानना है कि उनका निशाना राजशाही परिवार था। प्राथमिक निशाना संभवतः सम्राट थे। चूंकि वे वहां नहीं थे तो द्वितीयक लक्ष्य के लिए गए, अर्थात सती। मेरा मानना है कि उनका मुख्य उद्देश्य था कि वे किसी

राजशाही व्यक्ति का अपहरण करें और उसका इस्तेमाल अपने लाभ के लिए करें।'

बृहस्पति ने कोई प्रतिक्रिया नहीं दी। वह चिंतित नजर आया। अपने दोनों हाथों को एक-दूसरे में जकड़कर और अपने चेहरे के निकट लाकर उसने गहरी सोच में डूबकर दूर शून्य में देखा। शिव ने अपनी थैली को टटोला और चिलम निकाल ली। उसने सूखे गांजे को उसमें सावधानीपूर्वक भरा। बृहस्पति ने मुड़कर अपने मित्र को देखा और वह जो कर रहा था, उससे अप्रसन्न दिखा।

'मैंने इससे पहले कभी नहीं कहा शिव और संभवतः कहना भी नहीं चाहिए था क्योंकि, वैसे... चूंकि आप स्वतंत्र व्यक्ति हो,' बृहस्पति ने कहा, 'लेकिन मैं आपको मित्र मानता हूं। और मेरा कर्तव्य है कि मैं आपको सच बताऊं। मैंने करचप में मिश्र के व्यापारियों को गांजे लेने की आदत में देखा था। यह आपके लिए अच्छा नहीं है।'

'आप गलत हैं, मित्र,' शिव ने बड़ी मुस्कान के साथ कहा, 'दरअसल यह इस दुनिया में सबसे अच्छी आदत है।'

'आपको संभवतः पता नहीं है, शिव। इसके बहुत सारे हानिकारक प्रभाव होते हैं। और सबसे अधिक यह आपको अपने अतीत के बारे सोचने की क्षमता को कम कर, आपकी याददाश्त को हानि पहुंचाता है।'

शिव का चेहरा अलाक्षणिक रूप से गंभीर हो गया। उसने बृहस्पति को एक मधुर मुस्कान के साथ देखा और कहा, 'इसी कारण से तो यह अच्छी आदत है। जो इसका पान करता है, उस मूर्ख को कभी भी अपने अतीत को भूलने का डर नहीं सताता है।'

शिव ने चिलम को जलाया, उससे एक गहरा कश लिया और बोलना जारी रखा, 'वे नहीं भूलने से डरते हैं।'

बृहस्पति ने तीव्रता से शिव के मुख को देखा इस सोच के साथ कि वह कितना बुरा अतीत होगा जिसने उसके मित्र को इस गांजे की लत की ओर प्रेरित किया होगा।

अध्याय - 11

# नीलकंठ प्रकाश में आते हैं

अस्थायी छावनी में रात्रि बिताने के बाद दूसरे दिन प्रातः राजशाही काफिले ने देवगिरि की यात्रा प्रारंभ की। उन परिस्थितियों को देखते हुए रात में यात्रा करना सुरक्षित नहीं था। नंदी समेत सभी घायल पहली तीन एवं पांचवीं बग्घी में लेटे हुए थे। राजशाही परिवार और शिव चौथी बग्घी में यात्रा कर रहे थे। एक दिन पूर्व जिन सैनिकों ने संघर्ष में हिस्सा लिया था उन्हें आराम की दृष्टि से घोड़ों से यात्रा करने का अवसर प्रदान किया गया था। मृत तीन अरिष्टनेमियों के शोक में बृहस्पति एवं कनखला सैनिक दल के साथ पैदल चल रहे थे। पर्वतेश्वर, भब्रव्य एवं दो अन्य सैनिक एक अस्थाई बनाई गई लकड़ी की पालकी को उठाकर चल रहे थे, जिसमें मृतक की राख रखने वाले तीन बर्तनों में युद्धमृत सैनिकों की राख रखी हुई थी। वे बर्तन उनके परिवार वालों को अंतिम संस्कार की रस्म, राख को सरस्वती नदी में प्रवाहित करने के लिए दिया जाएगा। नंदी भी पैदल चलना चाहता था लेकिन वैद्यों ने हठ किया कि वह इस स्थिति में नहीं था।

अपने सैनिकों की बहादुरी पर पर्वतेश्वर गर्व के साथ चल रहा था। मेरे लड़कों ने, जैसाकि वह उन्हें पुकारता था, दिखा दिया था कि वे उस धातु के बने थे, जो भगवान इंद्र की भट्टी में तपी थी। उसने अपने आपको वहां रहकर उनसे लड़ाई न कर पाने के लिए कोसा। उसने स्वयं को बहुत डांट लगाई कि वह अपनी ईश्वर-पुत्री की रक्षा करने के लिए वहां नहीं था, जब वह खतरे में थी। उसने ईश्वर से उस दिन के लिए प्रार्थना की जिस दिन

उसे वह अवसर मिलेगा जब वह कायर चंद्रवंशियों का विनाश करेगा। उसने चुपके से यह निर्णय लिया कि वह उन तीन मृत सैनिकों के परिवार वालों को अगले तीन महीनों का अपना वेतन दे देगा।

'यहां तक कि मैंने भी नहीं सोचा था कि वे इतना नीचे गिर सकते हैं!' दक्ष ने घृणा से कहा।

आराम से सो रहे शिव और सती दक्ष के इस क्रोध भरे भाव से नींद से जाग उठे। वीरिनी ने पुस्तक पढ़ते-पढ़ते सिर उठाकर देखा। उसने अपनी आंखें संकुचित करके अपने पति को देखा।

'कौन, महाराज?' शिव ने मदहोशी में पूछा।

'दिलीप! वह मानवता के नाम पर एक रोग!' दक्ष ने अपनी घृणा को बिना छुपाए हुए कहा।

वीरिनी लगातार अपने पति को तीखी दृष्टि से घूर रही थी। उसने धीरे से अपना हाथ बढ़ाकर सती के हाथ को अपनी ओर खींचा। उसे अपने होंठों के पास ले जाकर उस पर एक चुंबन दिया। उसके बाद उसने अपना हाथ सती के हाथ पर सुरक्षा प्रदान करने की मुद्रा में रखा। सती ने सिर उठाकर अपनी मां की ओर मुस्कान के संकेत के साथ देखा और अपने थके हुए सिर को वीरिनी के कंधे पर रख दिया।

'यह दिलीप कौन है, महाराज?' शिव ने पूछा।

'वह स्वद्वीप का सम्राट है,' दक्ष ने कहा, 'सभी जानते हैं कि सती मेरी आंखों का तारा है। और संभवतः उसका अपहरण इसलिए करना चाहते थे कि वे मेरे हाथ बांध सकें।'

शिव ने दक्ष को सहानुभूतिपूर्वक देखा। चंद्रवंशियों के इस कपट पर सम्राट के गुस्से को फूटने को वह समझ रहा था।

'और फिर उसका यह स्तर कि वह इतना नीचे गिर सकता है कि इस घटिया हरकत में नागाओं का इस्तेमाल कर सकता है,' क्रोधित दक्ष ने कहा, 'यह हमें बताता है कि चंद्रवंशी क्या कुछ नहीं कर सकते!'

'मुझे नहीं लगता कि नागा को इसमें इस्तेमाल किया गया था,

महाराज,' शिव ने धीमे स्वर में कहा, 'ऐसा प्रतीत होता था कि वही नेता था।'

हालांकि दक्ष अपने न्यायसंगत क्रोध में इतना खोया हुआ था कि वह शिव के इशारे में भी खोजबीन कर रहा था, 'संभवतः वह नागा इस पलटन का नेता रहा होगा, प्रभु, लेकिन वह अवश्य ही चंद्रवंशियों के अधीन काम रहा होगा। कोई नागा नेता नहीं हो सकता है। वे लोग शापित लोग हैं। वे जन्म से ही अपंग और विद्रूप होते हैं। उन्हें तरह-तरह के रोग होते हैं जो कि उन्हें उनके पूर्व जन्म के पापों के कारण दंड स्वरूप मिलते हैं। नागाओं को दूसरों को अपना चेहरा दिखाने में भी शर्मिंदगी महसूस होती है। लेकिन उनके पास अत्यधिक शक्ति एवं निपुणता है। उनकी उपस्थिति मेलूहावासियों एवं अधिकतर स्वद्वीप वासियों के लिए अत्यंत भय उत्पन्न करती है। चंद्रवंशी इतना नीचे गिर चुके हैं कि वे उन विद्रूप असुरों से भी मेल-जोल रखने लगे हैं। वे हमसे इतनी घृणा करते हैं कि वे इतना भी नहीं सोच रहे हैं कि नागाओं से मेल से वे अपनी आत्माओं को कितने गहरे पाप के दलदल में धकेल रहे हैं।'

शिव, सती और वीरिनी दक्ष की इस निंदा को निरंतर चुप्पी के साथ सुन रहे थे।

शिव की ओर मुड़ते हुए दक्ष ने कहना जारी रखा, 'आप देख रहे हैं, प्रभु कि हम कैसे कीड़े-मकोड़ों के विरुद्ध खड़े हैं। उनका कोई नियम नहीं है, न ही सम्मान। और वे हमसे संख्या में एक के मुकाबले दस हैं। हमें आपकी सहायता की आवश्यकता है, प्रभु। यह केवल मेरे लोगों की बात नहीं है बल्कि मेरे परिवार की भी बात है। हम खतरे में हैं।'

'महाराज, मैं आपकी सहायता करने के लिए कुछ भी करूंगा,' शिव ने कहा, 'लेकिन मैं सेनापति नहीं हूं। मैं चंद्रवंशियों के विरुद्ध सेना का नेतृत्व नहीं कर सकता। मैं तो एक साधारण कबीलाई नेता हूं। एक ऐसा आदमी क्या अंतर ला सकता है?'

'कम से कम मुझे आपके आगमन की घोषणा राजसभा एवं लोगों में करने की आज्ञा दीजिए, प्रभु,' दक्ष ने आग्रह किया, 'उसके बाद आप कुछ

सप्ताह इस साम्राज्य में भ्रमण कीजिए। आपकी उपस्थिति लोगों के मनोबल को ऊंचा उठा देगी। देखिए आपने कल कितना बड़ा अंतर उत्पन्न किया। हमने आपके कारण, आपकी तीक्ष्ण बुद्धि के कारण एक त्रासदकारी आक्रमण को विफल कर दिया। कृपया मुझे आपके आगमन की घोषणा करने दीजिए। मैं केवल इतना ही चाहता हूं।'

शिव ने दक्ष के उत्साही चेहरे को कंपकंपी के साथ देखा। वह सती एवं वीरिनी की आंखों को भी अपने चेहरे पर गड़ा हुआ महसूस कर रहा था। विशेषकर सती की।

*मैं स्वयं को किस उलझन में डाल रहा हूं?*

'ठीक है,' शिव ने आत्मसमर्पण करते हुए कहा।

दक्ष उठा और उसने शिव को ऐसी पकड़ के साथ गले लगाया कि जैसे वह कभी न छोड़े।

'धन्यवाद, प्रभु! आपका बहुत-बहुत धन्यवाद,' दक्ष के खुशी के आंसू रुक नहीं रहे थे। शिव ने बड़ी मुश्किल से सांस लेने के लिए दक्ष की पकड़ से अपने को छुड़ाया, 'मैं आपकी उपस्थिति की घोषणा कल ही राजसभा में करूंगा। उसके बाद आप तीन सप्ताह के बाद समस्त साम्राज्य के भ्रमण के लिए प्रस्थान कर सकते हैं। मैं स्वयं व्यक्तिगत रूप से सारी व्यवस्थाएं सुनिश्चित करूंगा। सेना का एक समूचा दल आपकी सुरक्षा के लिए होगा। पर्वतेश्वर और सती भी आपके साथ जाएंगे।'

'नहीं!' वीरिनी ने बहुत ही कर्कश स्वर में विरोध किया। आज से पहले ऐसे स्वर में उन्हें बोलते सती ने नहीं सुना था, 'सती कहीं नहीं जा रही है। मैं आपको हमारी पुत्री के जीवन को संकट में डालने नहीं दूंगी। वह मेरे साथ देवगिरि में रुक रही है।'

'वीरिनी, नादानी मत करो,' दक्ष ने शांति से समझाते हुए कहा, 'क्या तुम सचमुच ऐसा मानती हो कि जब प्रभु नीलकंठ साथ में होंगे तो सती को कुछ हो सकता है? जब वह प्रभु के साथ है तो सबसे अधिक सुरक्षित है।'

'वह नहीं जा रही है। और यह मेरा अंतिम निर्णय है!' सती का हाथ

कसकर पकड़ते हुए वीरिनी ने कठोर स्वर में आंखें तरेर कर कहा।

वीरिनी की उपेक्षा कर दक्ष शिव की ओर मुड़कर बोले, 'आप चिंता न करें, प्रभु। मैं सारी व्यवस्था करवा दूंगा। पर्वतेश्वर और सती भी आपके साथ यात्रा करेंगे। आपको सती को कभी-कभी थोड़ा संयम में रखना होगा।'

शिव ने त्योरी चढ़ाई और सती ने भी।

दक्ष मिलनसारिता से मुस्कुराकर बोला, 'मेरी प्यारी पुत्री की प्रवृत्ति कभी-कभी बहुत बहादुर बनने की है। जैसे कि एक बार जब वह बच्ची ही थी, तो एक वृद्ध स्त्री पर जंगली कुत्तों के दल ने आक्रमण कर दिया था। उसकी रक्षा करने के लिए वह अकेले ही हाथ में तलवार लिए कूद पड़ी थी। अपने इस दर्द के लिए उसने लगभग अपने प्राणों की बलि दे दी थी। वह मेरे जीवन का सबसे बुरा दिन था। मेरे विचार से उसी आवेगशीलता के कारण वीरिनी चिंतित है।'

शिव ने सती को देखा। लेकिन उसके चेहरे पर कोई भाव नहीं था।

'यही कारण है कि,' दक्ष ने कहना जारी रखा, 'मैं आपको सुझाव दे रहा हूं कि इसे संयम में रखना होगा। उसके बाद कुछ भी समस्या नहीं होगी।'

शिव ने पुनः सती की तरफ देखा। उसने सती के लिए अपने मन में प्रशंसा की एक लहर के साथ अंतहीन प्रेम महसूस किया।

*इसने वह कर दिया जो मैं नहीं कर सका था।*

— 𑀓 ⓪ � ♃ ⊕ —

अगले दिन प्रातः शिव ने पाया कि वह मेलूहा के राजशाही दरबार में दक्ष के बगल में बैठा हुआ था। उस दरबार की भव्यता ने उसे पूरी तरह से भौंचक्का कर दिया था। चूंकि यह एक सार्वजनिक स्थल था इसलिए सामान्यतः मेलूहा की चुप्पी एवं कमतर शैली यहां कहीं नहीं दिखाई दे रही थी। यह महान सार्वजनिक स्नानघर के पास में ही बना हुआ था। जहां वेदिका मानकीय भट्टे की ईंटों से बनाई गई थी, वहीं फर्श समेत पूरी संरचना

सागौन की लकड़ी से बनी थी, आसानी से नक्काशी किए जाने वाला एवं गढ़ा जाने वाला फिर भी शक्तिशाली। वेदिका पर बड़े ही पुष्ट लकड़ी के खंभे खांचों में सलीके से लगाए गए थे। खंभों को अत्यधिक खर्चीले ढंग से दिव्य व्यक्तित्वों के चित्रों से गढ़ा गया था, जैसे अप्सराएं, देवगण एवं ऋषि, दिव्य सुंदर देवियां, ईश्वर और ज्ञानी व्यक्तित्व, और भी अन्य। एक विभूषित गढ़ी हुई लकड़ी की छत थी, जो सोने एवं चांदी से बने हुए चित्रों से सजी थी और वह खंभों के सबसे ऊपर मुकुट के समान सजी हुई थी। पवित्र नीले एवं राजशाही लाल रंगों में रंगी पताकाएं छत से नीचे की ओर लटकी हुई थीं। दीवार पर प्रत्येक ताखों पर प्रभु श्री राम के जीवन को दर्शाते हुए चित्र बने हुए थे। लेकिन शिव को दरबार के अति सुंदर स्थापत्य कला को निहारने का समय बहुत कम था। दक्ष के भाषण में उसकी आशाएं प्रकट होंगी और जो उसे पूरी तरह से असुविधाजनक प्रतीत हो रही थी।

'जैसाकि आप लोगों में से कई लोगों ने सुना होगा,' दक्ष ने घोषणा की, 'कल एक और आतंकी आक्रमण हुआ था। चंद्रवंशियों ने मंदार पर्वत से देवगिरि के मार्ग पर राजशाही परिवार को हानि पहुंचाने का प्रयास किया था।'

दरबार को भय के भाव वाले कलरव ने भर दिया। सभी लोगों को जो प्रश्न परेशान कर रहा था, वह था कि चंद्रवंशियों ने मंदार पर्वत का मार्ग कैसे जान लिया था। इस मध्य शिव स्वयं को इस बात की याद दिला रहा था कि यह आतंकी आक्रमण नहीं था। यह अपहरण का एक प्रयास था।

'चंद्रवंशियों ने बहुत ही कपट से आक्रमण की योजना बनाई थी,' दक्ष ने बड़बड़ाहट को अपनी दमदार आवाज से मंद करते हुए कहा।

उस दरबार के निपुण शिल्पकारों ने उसकी संरचना इस प्रकार की थी कि राजशाही वेदिका से बोला गया स्वर समस्त दरबार में गुंजायमान हो, 'लेकिन हमने उनको पराजित कर दिया। दशकों में पहली बार हमने उनके कायरतापूर्ण आतंकी आक्रमण विफल करते हुए उन्हें पराजित किया है।'

इस घोषणा के साथ ही एक उल्लसित गर्जना दरबार में उठती चलती

गई। उन्होंने इससे पहले चंद्रवंशियों को आमने-सामने की लड़ाई में अवश्य
परास्त किया था, लेकिन इस भयानक आतंकी हमलों का प्रत्युत्तर आज से
पहले उनके पास नहीं था। इसका कारण यह था कि त्रासदकारी असैनिक
स्थलों पर हमला करते थे और जब तक सूर्यवंशी सैनिक पहुंचते, वे भाग
चुके होते थे।

अपने हाथ उठाकर दरबारियों को शांत रहने को कहते हुए दक्ष ने
कहना जारी किया, 'हमने उन्हें परास्त किया क्योंकि अंततः सत्य के जीत
की घड़ी आ गई है! हमने उन्हें परास्त किया क्योंकि हमारा नेतृत्व तात मनु
के संदेशवाहक ने किया! हमने उन्हें परास्त किया क्योंकि न्याय की घड़ी
आ चुकी है!'

बड़बड़ाहट तेज होती चली गई। क्या नीलकंठ अंततः आ ही गए हैं?
सबने अफवाह सुनी थी। लेकिन किसी ने उस पर विश्वास नहीं किया था।
पूर्व में भी कई बार झूठी घोषणाएं हो चुकी थीं।

दक्ष ने अपने हाथ ऊपर उठाए। उसने प्रतीक्षा की ताकि लोगों की
अग्रदृष्टि का माहौल पूरी तरह से तैयार हो जाए। लोग इस सच को सुनने
की आस में हो जाएं। और उसके बाद उसने हर्ष के साथ गर्जना की, 'हां!
वह अफवाह सत्य है। हमारे रक्षक आ गए हैं! नीलकंठ आ गए हैं!'

राजशाही वेदिका पर उसके गुलूबंद को हटाकर जब उसकी प्रदर्शनी
लगा दी गई तो शिव अपनी पलकें झपका गया। कुलीन समाज के
मेलूहावासियों ने उनके पास भीड़ लगा दी, शिव के कानों में तरह-तरह के
कथन गूंजने लगे।

'हमने अफवाह सुनी थी, प्रभु। लेकिन हमने कभी विश्वास नहीं किया
था कि वह सच था।'

'अब हमें किसी भी चीज से डरने की आवश्यकता नहीं है, प्रभु। अब
बुराई के नष्ट होने में गिनती के दिन रह गए हैं।'

'आप कहां से आए हैं, प्रभु?'

'कैलाश पर्वत से? वह कहां है, प्रभु? मैं वहां की धार्मिक यात्रा करना

चाहता हूं।'

इन बार-बार पूछे गए प्रश्नों और उन लोगों के इस अंधविश्वास ने शिव को हिलाकर रख दिया। जैसे ही उसे अवसर मिला, उसने दक्ष से दरबार से जाने का अनुरोध किया।

$$— \; \text{ֈ}\textcircled{0}\text{Ս}\text{Ϥ}\textcircled{⊕} \; —$$

दरबार में जो कुछ भी हुआ था उसको सोचते हुए कुछ समय बाद शिव अपने कमरे में आराम से बैठा हुआ था। गुलूबंद उसके गले पर पुनः आ चुका था।

'पवित्र झील की कृपा से, क्या मैं इन लोगों की समस्याओं का समाधान कर पाऊंगा?'

'आपने क्या कहा, प्रभु?' नंदी ने पूछा, जो कुछ दूरी पर धैर्य से बैठा हुआ था।

'तुम्हारे लोगों की आस्था मुझे चिंतित करती है,' शिव ने स्वर तीव्र करके कहा ताकि नंदी सुन सके, 'यदि एक-एक आदमी से लड़ना होता तो मैं तुम्हारे लोगों की रक्षा करने के लिए किसी से भी संघर्ष कर सकता था। लेकिन मैं कोई नेता नहीं हूं। और निश्चित रूप से मैं 'बुराइयों का विनाशक' नहीं हूं।'

'मुझे पूरा विश्वास है कि आप किसी के भी विरुद्ध विजय प्राप्त करने में हमारा नेतृत्व कर सकते हैं, प्रभु। देवगिरि आते समय आपने उन्हें मार्ग में पराजित किया था।'

'वही असली जीत नहीं थी,' शिव ने अस्वीकार करते हुए कहा, 'वह एक छोटी पलटन थी जो प्राण लेने के लिए नहीं अपहरण के उद्देश्य से आई थी। यदि हम सुव्यवस्थित और बड़ी सेना का सामना करते हैं, जिसका उद्देश्य प्राण हरण करना होगा तो परिस्थितियां भिन्न होंगी। मेरे विचार से, ऐसा प्रतीत होता है कि मेलूहा कुछ विकट एवं निर्दयी शत्रुओं के विरुद्ध खड़ा है। तुम्हारे देश को एक व्यक्ति में विश्वास की आवश्यकता नहीं है। यह उसका उत्तर नहीं है। तुम्हारे लोगों को परिवर्तनशील समय को अपनाना

होगा। हो सकता है कि तुम लोग अपने जीवन जीने के ढंग के कारण इस बात से अनभिज्ञ हो कि अपने रक्त-पिपासु शत्रुओं का कैसे सामना करें। एक नई व्यवस्था की आवश्यकता है। मैं कोई भगवान नहीं हूं जो किसी चमत्कार से तुम्हारी समस्याओं का समाधान कर देगा।'

'आप बिल्कुल सही हैं, प्रभु,' नंदी ने उस भाग्यशाली सरल व्यक्ति के विश्वास के साथ कहा जिसे सोचों ने अधिक परेशान नहीं किया था, 'एक नई व्यवस्था की आवश्यकता है और स्पष्ट है कि नहीं पता कि वह व्यवस्था क्या होनी चाहिए। लेकिन मैं एक बात अवश्य समझता हूं। एक हजार साल पहले हमने ऐसी ही विपत्तियों का सामना किया था और प्रभु श्री राम आए थे और उन्होंने हमें अच्छे तरीके सिखाए। मुझे पूरा विश्वास है कि उसी प्रकार आप हमारा नेतृत्व उत्कृष्ट मार्ग पर ले जाने में करेंगे।'

'मैं प्रभु श्री राम नहीं हूं, नंदी!'

*कैसे यह बेवकूफ मेरी तुलना प्रभु श्री राम से कर सकता है जो मर्यादा पुरुषोत्तम थे, नियमों के सच्चे अनुगामी।*

'आप प्रभु श्री राम से भी बेहतर हैं, प्रभु,' नंदी ने कहा।

'ये बेवकूफी की बातें मत करो नंदी! मैंने ऐसा किया ही क्या है जो मेरी तुलना प्रभु श्री राम से की जा सके? बेहतर की बात को तो रहने ही दो?'

'किंतु आप ऐसे काम करेंगे जो आपको उनसे बेहतर सिद्ध करेगा, प्रभु।'

'अब तुम बकवास बंद करो!'

— ⚹⊚ᵿᛣ⊕ —

शिव के साम्राज्य भ्रमण की तैयारियां जोर-शोर से चल रही थी। फिर भी शिव को दोपहर में सती के नृत्य पाठ के लिए समय मिल रहा था। उनके मध्य एक शांतिपूर्ण मित्रता विकसित होती जा रही थी। लेकिन शिव इस बात से दुखी था कि जहां सती उसको आदर दे रही थी, वहीं उसमें भावनाओं या भावों के प्रदर्शन में कोमलता नहीं आ रही थी।

इस बीच शिव के कबीले को देवगिरि बुला लिया गया था, जहां उन्हें रहने के लिए आरामदायक निवास और काम दिए गए थे। लेकिन भद्र को गुणवालों के साथ नहीं रहना था। उसे कहा गया था कि वह नीलकंठ की यात्रा में उनके साथ रहे।

'वीरभद्र! तुमने यह नाम कब पा लिया?' कश्मीर से प्रस्थान करने के बाद शिव ने पहली बार मिलने पर उससे पूछा।

'बड़ा ही बेकार कारण है,' भद्र ने मुस्कुराकर कहा, जिसके पीछे का कूबड़ चमत्कारी सोमरस की कृपा से पूरी तरह से अदृश्य हो चुका था, 'यहां की यात्रा करते समय मैंने काफिले के नेता को एक बाघ के हमले से बचाया था। उसने मेरे नाम से पहले एक वीर व्यक्ति की उपाधि दी।'

'तुमने एक बाघ का सामना अकेले किया?' शिव ने स्पष्ट रूप से प्रभावित होकर पूछा।

भद्र ने सहमति में सिर हिलाया। उसे यह कहना अजनबी-सा लगा।

'अरे वाह, तब तो सही में तुम वीरभद्र कहलाने के हकदार हो।'

'हां, सही है!' भद्र मुस्कुराया। उसके बाद अचानक गंभीर होकर उसने पूछा, 'यह पागलनपन भरी उपाधि 'बुराइयों का विनाशक' ...क्या आपको ठीक लग रहा है? आप इनके आग्रहों में केवल अपने अतीत के कारण नहीं जा रहे, है न?'

'मैं इस समय प्रवाह के साथ जा रहा हूं, मित्र। कोई मुझे बता रहा है कि मेरी शंकाओं के बावजूद सही में मैं इन लोगों की मदद कर सकता हूं। ये मेलूहावासी पूरी तरह से पागल हैं, इसमें संदेह नहीं है। और यह भी सच है कि जो आस ये मुझसे लगाए बैठे हैं, वे सभी मैं पूरी नहीं कर सकता। लेकिन मुझे अवश्य महसूस होता है कि चाहे वह जितना भी छोटा क्यों न हो यदि मैं कुछ भी अंतर ला सकता हूं तो मैं अपने अतीत पर संतोष व्यक्त कर सकता हूं।'

'यदि आप निश्चित हैं तो मैं भी हूं। मैं आपके साथ कहीं भी जाऊंगा।'

वीरभद्र हंसा और उसने शिव को आलिंगनबद्ध कर लिया, 'आपकी

बड़ी याद आई, शिव।'

'मुझे भी।'

'दोपहर में बाग में मिलते हैं। मेरे पास बहुत अच्छा गांजा है।'

'पक्का!'

बृहस्पति ने भी शिव के साथ यात्रा करने की अनुमति प्राप्त कर ली थी। उसने विवरण दिया कि कुछ अलभ्य रसायन के साथ मेसोपोटामिया का जहाज बंदरगाह नगरी करचप आने वाला था। उसके एक दल को उन पदार्थों की जांच करके उन्हें लाना ही था। तो यह अच्छा रहेगा कि वे लोग भी शिव के साथ यात्रा कर लें और वह काम भी कर लें। दक्ष ने कहा कि उसे इसमें कोई परेशानी नहीं थी, यदि प्रभु को कोई आपत्ति नहीं थी। शिव ने उत्साहित होकर इस सुझाव को मान लिया था।

दरबार में नीलकंठ के बारे में घोषणा के दिन से तीन सप्ताह के बाद अंततः वह दिन आ ही गया जब शिव को समस्त साम्राज्य का भ्रमण प्रारंभ करना था। उस दिन प्रातः ही दक्ष शिव के कमरे में आया।

'आपने मुझे बुला लिया होता, महाराज,' नमस्ते कर शिव ने कहा, 'आपको यहां आने की आवश्यकता नहीं थी।'

'आपके कमरे में आना मेरे लिए खुशी की बात है, प्रभु,' दक्ष शिव के अभिवादन को नीचे झुककर प्रत्युत्तर देते हुए मुस्कुराया, 'मैंने सोचा कि मैं आपकी भेंट उस वैद्य से करवा दूं जो आपकी यात्रा के दौरान आपके साथ भ्रमण करेगी। वह कल रात ही कश्मीर से आई है।'

दक्ष एक ओर हो गया ताकि उसके मार्गदर्शक वैद्य को कमरे में अंदर ला सकें।

'आयुर्वती!' शिव ने चकित होकर कहा तो उसका चेहरा खुशी से चमक उठा। उसने एक सुंदर मुस्कान के साथ कहा, 'आपको पुनः देखकर बहुत खुशी हो रही है।'

'खुशी तो मुझे हो रही है, प्रभु,' आयुर्वती का मुख चमक उठा था, जब वह शिव के पांव छूने के लिए झुकी।

शिव जल्दी से एक ओर हट गया और बोला, 'मैंने आपसे पहले भी कहा था, आयुर्वती। आप जीवनदात्री हैं। कृपया मेरे पांव छूकर मुझे शर्मिंदा न करें।'

'और आप नीलकंठ हैं, प्रभु। बुराई के विनाशक,' आयुर्वती ने भक्तिभाव से कहा, 'आप मुझे आशीर्वाद देने की कृपा से कैसे वंचित कर सकते हैं?'

शिव ने विषाद में अपना सिर हिलाया और आयुर्वती को अपने पैर छूने दिए। उसने बड़ी कोमलता से उसके सिर पर हाथ रखा और आशीर्वाद दिया।

कुछ घंटों के बाद शिव, सती, पर्वतेश्वर, बृहस्पति, आयुर्वती, कृत्तिका, नंदी और वीरभद्र भ्रमण पर निकल पड़े। उनके साथ पंद्रह सौ सैनिकों का एक दल, पच्चीस घरेलू नौकरानियां और पचास अन्य सहायक अनुचर उनकी सुरक्षा एवं सुविधा के लिए चल पड़े थे। उनकी योजना ब्यास नदी पर स्थित कोटद्वार नगर तक सड़क मार्ग से जाने की थी। वहां से वे नौकाओं से बंदरगाह नगरी करचप तक जाने वाले थे। उसके बाद वे पूर्व में लोथल नामक नगर जाएंगे। उसके बाद वे अंत में उत्तर दिशा में सरस्वती के डेल्टा क्षेत्र में जाकर नौकाओं द्वारा वापस देवगिरि वापस लौट जाएंगे।

अध्याय - 12

# मेलूहा का भ्रमण

'मनु कौन थे?' शिव ने पूछा, 'मैंने उनके बारे में कई बार सुना है और उन्हें 'तात' क्यों संबोधित किया जाता है?'

काफिला कई दिनों से देवगिरि से कोटद्वार जाने वाले मार्ग पर चल रहा था। जिसके मध्य भाग में सात बग्घियां थीं, जो ठीक वैसी ही थीं, जैसी कि मंदार पर्वत की यात्रा के दौरान प्रयुक्त की गई थीं। उनमें से पांच खाली थीं। शिव, सती, बृहस्पति और कृत्तिका दूसरी बग्घी में यात्रा कर रहे थे। पर्वतेश्वर पांचवीं बग्घी में आयुर्वती और अपने कुछ विश्वासपात्र सेनापतियों के साथ था। सेनानायक की उपस्थिति का अर्थ था कि प्रत्येक नियम का पालन कड़ाई से होगा। अतः नंदी जिसका पद उसे बग्घी में चलने की अनुमति नहीं देता था, वह अपने अश्वारोहियों के दल के साथ एक अश्व पर सवार था। वीरभद्र को नंदी के दल में एक सैनिक की तरह शामिल कर लिया गया था। अपने अधिपतियों के साथ पूरा का पूरा सैनिक दल मानकीय अगला भाग, पिछला भाग एवं काफिले को दोनों बगलों से सुरक्षित कर चल रहा था।

बृहस्पति एवं सती दोनों ही एक साथ शिव के प्रश्न का उत्तर देने लगे।

'सम्राट मनु एक...'

दोनों ने ही बोलना छोड़ दिया।

'कृपया, आप बताइए बृहस्पति जी,' सती ने कहा।

'नहीं, नहीं,' बृहस्पति ने एक हल्की मुस्कान के साथ कहा, 'आप क्यों नहीं ये कथा बताती हैं?'

वह जानता था कि किसका स्वर नीलकंठ सुनना पसंद करेंगे।

'कभी नहीं बृहस्पति जी। मैं आपका स्थान कैसे ले सकती हूं? यह तो पूर्णतः अनुचित होगा।'

'कोई मेरे प्रश्न का उत्तर देगा या फिर आप दोनों इस लंबे चलने वाले आप-आप में ही लगे रहेंगे,' शिव ने पूछा।

'ठीक है, ठीक है,' बृहस्पति हंसा, 'अब फिर से नीले मत हो जाइए।'

'यह बहुत ही मसखरी वाली बात थी, बृहस्पति,' शिव मुस्कुराया, 'इसे रखे रहिए और आपको सौ सालों में शायद कोई ऐसा मिल जाए तो इस पर हंस पड़े।'

इस पर बृहस्पति और शिव ठहाका मारकर हंस पड़े तो सती इस अनुचित प्रकार के वार्तालाप पर विस्मित थी। किंतु यदि आदरणीय मुख्य वैज्ञानिक सुविधाजनक प्रतीत हुए तो वह कुछ नहीं बोलेगी। और उसके बाद भी वह शिव को कैसे फटकार सकती थी? उसके हाथ नीति के नियमों ने बांध रखे थे। उन्होंने उसके जीवन की रक्षा की थी। दो बार।

'ऐसा है कि सम्राट मनु के तात होने के बारे में आप सही थे,' बृहस्पति ने कहा, 'उन्हें समस्त भारतवर्ष के लोगों द्वारा हमारी सभ्यता का जनक माना जाता है।'

'स्वद्वीप वासियों के भी?' शिव ने अविश्वास से पूछा।

'अवश्य, हमारा यही मानना है। वैसे वर्तमान से साढ़े आठ हजार वर्ष पहले सम्राट मनु हुए थे। प्रकट रूप से वे दक्षिण भारत के एक राजकुमार थे। नर्मदा नदी के उस पार की भूमि से लेकर जहां भूमि समाप्त हो जाती है और समुद्र प्रारंभ हो जाता है। वह भूमि है संगम तमिल।'

'संगम तमिल?'

'हां। संगम तमिल उस समय विश्व का सबसे धनी एवं शक्तिशाली

साम्राज्य था। सम्राट मनु के वंशज पांड्यों ने उस भूमि पर कई वंशों तक राज किया था। हालांकि सम्राट मनु द्वारा छोड़े गए आंकड़ों से हमें पता चलता है कि उनके समय तक राजाओं ने अपने पुरानी नीतिसंहिता भुला दी थी। भ्रष्ट आचरणों में घिरकर वे अपने अपार धन से खुशियां मनाने में व्यस्त रहते थे न कि अपने कर्तव्यों एवं आध्यात्मिक जीवन के प्रति। उसके बाद एक भयानक आपदा आई। समुद्र बढ़ गया और उनकी समस्त सभ्यता नष्ट हो गई।'

'हे भगवान!' शिव ने लगभग चिल्लाकर कहा।

'सम्राट मनु को यह पता था कि ऐसा दिन आने वाला था और वे इसके लिए पहले से ही तैयार थे। उनका मानना था कि उनका वह प्राचीन प्रदेश जिस अधोगति में घिरा पड़ा था, उसे ईश्वर के प्रचंड कोप का भाजन बनना ही था। उस विपदा से बचने के लिए उन्होंने अपने अनुयायियों के एक दल के साथ जहाजों से उत्तर दिशा की ओर ऊंची भूमि की ओर प्रस्थान किया। उनकी पहली छावनी मेहरागढ़ नानक स्थल पर स्थापित की गई जो वर्तमान मेलूहा के सुदूर पश्चिमी पर्वतों का स्थल है। नैतिक एवं उचित समाज की स्थापना की चाह में उन्होंने अपने राजकुमारों के पहनावे को तिलांजलि दे दी और पुजारी बन गए। दरअसल भारतवर्ष में पुजारियों के लिए कहा जाने वाला संबोधन पंडित सम्राट मनु के पारिवारिक नाम पांड्य से ही निकला है।'

'मनोरंजक। तो फिर सम्राट मनु का वह छोटा-सा दल इतने बड़े भारतवर्ष में कैसे परिवर्तित हो गया?'

'जब वे मेहरागढ़ आए तो उसके बाद कुछ वर्षों तक उन्हें बहुत ही कठिन जीवन बिताना पड़ा। प्रत्येक वर्ष मानसून के समय बाढ़ एवं समुद्र की लहरें और अधिक शक्तिशाली हो जाती थीं। किंतु कई वर्षों बाद और तात मनु की प्रार्थना की शक्ति से ईश्वर का क्रोध मंद पड़ने लगा और जल स्तर आगे बढ़ने से रुक गया। हालांकि समुद्र अपने पूर्व स्थान तक पीछे खिसककर कभी नहीं गया।'

'इसका अर्थ यह है कि सुदूर दक्षिण में कहीं अभी भी समुद्र प्राचीन संगम तमिल को डुबोये हुए है?'

'हमारा ऐसा ही मानना है,' बृहस्पति ने उत्तर दिया, 'जब समुद्र ने आगे बढ़ना रोक दिया तो तात मनु और उनके लोग पर्वत से नीचे आ गए। वे यह देखकर स्तब्ध रह गए कि एक पतली-सी धारा वाली सिंधु एक विशालकाय नदी में परिवर्तित हो चुकी थी। कई अन्य छोटी-छोटी धाराएं बड़ी हो चुकी थीं और छह बड़ी नदियों का जन्म हो चुका था, सिंधु, सरस्वती, यमुना, गंगा, सरयु एवं ब्रह्मपुत्र। तात मनु ने कहा था कि नदियों ने इतने जलप्रवाह के साथ बहना इसलिए प्रारंभ कर दिया था क्योंकि ईश्वर के प्रचंड प्रकोप के कारण धरती का ताप बहुत बढ़ गया था। ताप बढ़ने के कारण हिमालय में बर्फ की सरिताएं एवं हिम नदियों ने पिघलना प्रारंभ कर दिया था जो उस समय तक हिमाच्छादित थे। और इस प्रकार उन्होंने नदियों के सृजन कर दिए थे।'

'हु ऽ ऽ म...'

'गांव एवं बड़े नगर इन नदियों के किनारे बस गए और बढ़ने लगे। इसी कारण हमारी सात नदियों की इस भूमि को सप्त-सिंधु कहा गया, जिसका जन्म संगम तमिल के विनाश के कारण हुआ था।'

'सात? लेकिन आपने तो उत्तर भारत में केवल छह नदियों के सृजन की बात कही थी।'

'हां, यह सही है। सातवीं नदी तो पहले से ही अस्तित्व में थी। वह नर्मदा है, जो हमारी दक्षिण की सीमा बनी। तात मनु ने अपनी संतति को नर्मदा से दक्षिण में जाने के लिए कड़ाई से मना किया था। इस नियम का पालन हम करते हैं और चंद्रवंशी भी।'

'तो फिर तात मनु के अन्य नियम क्या हैं?'

'वास्तव में उनके अनेक नियम हैं। वे सभी एक पुस्तक में सूचीबद्ध हैं, जिसका नाम है मनुस्मृति। क्या आप उस समूचे लेख को सुनने की इच्छा रखते हैं?'

'प्रलोभक है,' शिव मुस्कुराया, 'लेकिन मैं सोचता हूं कि अभी रहने दें।'

'आपकी आज्ञा हो तो प्रभु, संभवतः हम तात मनु के हमारे समाज के

मार्गदर्शन के बारे में मध्याह्न भोजन के समय विचार-विमर्श कर सकते हैं,' कृत्तिका ने सुझाव दिया।

— ⅄ⓞUꞛ⊗ —

जिस मार्ग से नीलकंठ का काफिला यात्रा करके निकल चुका था, उससे कुछ दूरी पर चालीस लोग ब्यास नदी के साथ-साथ शांति से पैदल चल रहे थे। दो में से एक आदमी अपने सिर पर बांस से बनी हुई एक प्रकार की घिरनाव को लेकर चल रहा था। यह उस क्षेत्र का बहुत ही सहज दृश्य था। वहां के स्थानीय निवासी बांस, बेंत और रस्सी से वहनीय प्रकार की घिरनावें बनाते थे जो एक व्यक्ति द्वारा आसानी से ले जायी जा सकती था। यह देखने में गोल आकार की थी और कई बार गोल-गोल घूमकर चलती थी। अतः उसे घिरनाव कहा जाता था। इसमें एक सामान्य नाव की भांति एक सिरा नहीं होता था। प्रत्येक घिरनाव दो व्यक्तियों को अच्छी गति से ले जाने में सुरक्षित होती थी। उस पलटन के सबसे आगे युद्ध के लगे घावों के चिह्नों से गर्वित मुख वाला एक नवयुवक चल रहा था, जिसने भूरी पगड़ी पहन रखी थी। उससे थोड़ा आगे एक फणदार व्यक्ति चल रहा था। उसका झुका हुआ सिर, सिकुड़ी हुई आंखें और बड़े ही सलीके से कदम बढ़ाने से प्रतीत हो रहा था कि वह किसी गहरी सोच में डूबा हुआ था। उसकी सांस धौंकनी की तरह चल रही थी। उसने अपने हाथ उठाकर उत्साहहीन तरीके से अपने नकाब वाले ललाट को रगड़ा। उसके दाएं हाथ की कलाई पर चमड़े का कड़ा था, जिस पर नाग का प्रतीक चिह्न बना हुआ था।

'विश्वद्युम्न,' फणदार व्यक्ति ने कहा, 'हम लोग यहां से नदी में प्रवेश करेंगे। जब भी हम आबादी वाले क्षेत्र के पास पहुंचेंगे तो हम नदी से बाहर हो जाएंगे ताकि हमारी पहचान न होने पाए। हमें करचप दो महीने के भीतर पहुंचना है।'

'करचप, मेरे स्वामी?' विश्वद्युम्न ने आश्चर्य से पूछा, 'मुझे तो लग रहा था कि रानी के साथ हमारी गुप्त मुलाकात लोथल के बाहर होने वाली थी।'

'नहीं,' फणदार व्यक्ति ने उत्तर दिया, 'हम लोग उनसे करचप के बाहर मिलेंगे।'

'ठीक है, मेरे स्वामी,' विश्वद्युम्न ने पीछे मुड़कर कोटद्वार की ओर जाती हुई सड़क को देखते हुए कहा। उसे पता था कि उसके सरदार एक बार फिर राजकुमारी के अपहरण का प्रयास करना चाहेंगे। उसे यह भी पता था कि काफिले के साथ चल रही उस विशालकाय सेना के रहते ऐसा प्रयास दुस्साहिक ही होने वाला था। वैसे भी वे अपने मुख्य कार्यक्रम के लिए समय से पीछे चल रहे थे। उन्हें रानी से मिलना था।

अपने एक सैनिक की ओर मुड़ते हुए विश्वद्युम्न ने कहा, 'श्रृक्ता, अपनी घिरनाव को नदी में रखो और पतवार मुझे दे दो। इस यात्रा के हिस्से में मैं स्वामी को घिरनाव में लेकर जाऊंगा।'

श्रृक्ता ने तत्काल वह किया जो उसे कहा गया था। विश्वद्युम्न और फणदार व्यक्ति पलटन में सबसे पहले थे जो नदी में उतरे थे। जब उसके आदमी नदी में नाव रख रहे थे तब तक विश्वद्युम्न नाव खेकर चल चुका था। नदी में नीचे की ओर कुछ दूरी पर उस फणदार व्यक्ति ने देखा कि दो स्त्रियां एक घिरनाव पर लापरवाही से मटरगश्ती कर रही थीं। एक स्त्री घिरनाव की बगल से पानी लेकर दूसरे पर छिड़क रही थी और दूसरी उससे बचने का असफल प्रयास कर रही थी कि वह भीग न जाए। बच्चों की तरह हरकत वाले इस खेल के कारण उनकी नाव खतरनाक ढंग से हिल-डुल रही थी। फणदार व्यक्ति ने देखा कि उन स्त्रियों ने ध्यान नहीं दिया था कि दूसरे किनारे से एक मगरमच्छ नदी में प्रवेश कर चुका था। अपने लिए एक अच्छे भोजन के बारे में विचार कर वह मगरमच्छ उन स्त्रियों की नौका की ओर बड़ी तेजी से बढ़ने लगा।

'अपने पीछे देखो,' उस फणदार व्यक्ति ने उन स्त्रियों की ओर चिल्लाकर कहा और उसने विश्वद्युम्न को इशारा किया कि वह नौका को उन स्त्रियों की ओर ले चले।

उस दूरी से वे स्त्रियां उसकी बात नहीं सुन सकीं। उन्होंने यह अवश्य देखा कि दो आदमी बांस की नौका को खेकर उनकी ओर आ रहे थे। उन्होंने

देखा कि एक व्यक्ति लगभग दैत्याकार सिर से पांव तक लबादे में ढका हुआ था और उसका चेहरा भी नकाब से ढका हुआ था। वह आदमी उत्तेजना के साथ इशारे कर रहा था। उन दोनों के पीछे एक बड़ी संख्या में सैनिक नदी में नौकाओं को खेकर चले आ रहे थे। उन स्त्रियों के लिए इतनी चेतावनी बहुत थी। यह सोचते हुए कि वे उनकी ओर गलत इरादे से आ रहे थे, वे स्त्रियां तेजी के अपने पतवार चलाकर उनसे दूर मगरमच्छ की दिशा में जाने लगीं।

'नहीं!' फणदार व्यक्ति चिल्लाया।

उसने विश्वद्युम्न से पतवार छीन ली और अपने ताकतवर हाथों से तेजी से बांस की नाव को खेने लगा। वह अपनी और उन स्त्रियों के मध्य की दूरी को कम करने लगा। लेकिन उतनी भी तेजी से नहीं। उस मगरमच्छ ने निकट आकर उन स्त्रियों की बांस की नौका के नीचे गोता लगाया और उस बांस की नौका पर हमला बोल दिया और अपने विशालकाय शरीर से उसे धक्का दे दिया। जिसके कारण वह बांस की नौका पलट गई और डूब गई। वे स्त्रियां उछलकर ब्यास नदी में गिर गईं।

वे अपने आपको नदी में बहने और डूबने से बचने के लिए भयभीत होकर चिल्लाने लगीं। जोर से धक्का मारने के कारण वह मगरमच्छ अपनी गति से काफी दूर निकल गया था। वह मुड़ते हुए उन बेबस और संघर्ष करती स्त्रियों की ओर बढ़ने लगा। कुछ समय की देरी उन स्त्रियों के लिए भाग्यशाली रही। राहत वाली बांस की नौका उनके और मगरमच्छ के मध्य आ चुकी थी। विश्वद्युम्न की ओर मुड़ते हुए उस फणदार व्यक्ति ने आदेश दिया, 'स्त्रियों को बचाओ।'

जब तक कि विश्वद्युम्न कोई प्रतिक्रिया दिखा पाता, उस फणदार व्यक्ति ने अपने लबादे को एक ओर फेंका और नदी में गोता लगा दिया। दांतों के मध्य चाकू दबाए वह अपनी ओर आते मगरमच्छ की ओर तैरने लगा। विश्वद्युम्न ने एक स्त्री को पकड़कर बांस की नौका पर डाल लिया, जो तब तक अचेत हो चुकी थी। दूसरी स्त्री की ओर मुड़ते हुए उसने उसको ढांढस बंधाया, 'मैं जल्द ही वापस आता हूं।'

विश्वद्युम्न मुड़ा और अत्यधिक तेजी से किनारे की ओर बांस की नौका को खेकर जाने लगा। बीच में उसने पास आते सैनिकों से कहा, 'जल्दी पतवार चलाओ। स्वामी की जान खतरे में है।'

सैनिकों ने पतवार चलाकर बांस की नौकाओं को उस ओर ले जाना प्रारंभ कर दिया जहां फणदार व्यक्ति नदी में कूदा था। पानी के नीचे जो संघर्ष चल रहा था उससे नदी का पानी लाल रंग का हो चुका था। उन सैनिकों ने जल एवं समुद्र के देवता भगवान वरुण की मूक प्रार्थना की कि वह रक्त उनके स्वामी का न हो।

उनमें से एक सैनिक अपनी तलवार लेकर नदी में कूदने ही वाला था कि वह फणदार व्यक्ति जलस्तर पर ऊपर आया। उसका पूरा शरीर रक्त से लाल था। यह रक्त उस मगरमच्छ का था। वह उस दूसरी स्त्री की ओर तेजी से ताकत लगाकर तैरने लगा जो लगभग अचेत हो चुकी थी। सही समय पर पहुंचकर उसने उस स्त्री का सिर पानी से बाहर निकाल दिया। इसी मध्य दो चंद्रवंशी सैनिक अपनी बांस की नौका से पानी में कूद पड़े।

'स्वामी, कृपया आप नौका पर चले जाएं,' उनमें से एक ने कहा, 'हम तैरकर किनारे आ जाएंगे।'

'पहले स्त्री का मदद करो,' उस फणदार व्यक्ति ने कहा।

सैनिकों ने उस अचेत स्त्री को बांस की नौका पर डाल दिया। उसके बाद वह फणदार व्यक्ति सावधानी से उस बांस की नौका पर चढ़ा और किनारे की ओर ले जाने लगा। जब तक फणदार व्यक्ति नदी के किनारे तक पहुंचता विश्वद्युम्न उस दूसरी स्त्री की चेतना वापस लाने में सफल हो चुका था। स्त्री तेजी से घटी घटनाओं के कारण कुछ भी समझ नहीं पा रही थी।

'क्या तुम ठीक हो?' विश्वद्युम्न ने उस स्त्री से पूछा।

उत्तर में उस स्त्री ने विश्वद्युम्न से हटकर दूर देखा और बहुत जोर से चिल्ला पड़ी। विश्वद्युम्न भी पीछे मुड़ा। नदी के किनारे पर फणदार व्यक्ति दूसरी स्त्री के शिथिल शरीर को बांहों में लिए आ रहा था। उसके विशालकाय शरीर में उसके कपड़े चिपके हुए थे। उस नासमझ स्त्री ने देखा

कि उस व्यक्ति के पूरे शरीर पर रक्त पड़ा था, जिसे उसने अपनी मित्र स्त्री का समझ लिया।

'तुमने यह क्या किया, राक्षस?' स्त्री ने चिल्लाकर कहा।

नागा ने अचानक ऊपर सिर उठाकर देखा। उसकी आंखों में थोड़ा आश्चर्य दिखाई दिया। लेकिन उसने कुछ भी बोलने से स्वयं को रोका। उसने सावधानी से उस स्त्री को भूमि पर लिटा दिया। विश्वद्युम्न के पास वाली स्त्री ने उसे भय से देखा।

'नागा!' वह जोर से चिल्लाई।

इससे पहले कि विश्वद्युम्न कोई प्रतिक्रिया दिखाता, वह स्त्री उछलकर खड़ी हो गई और भागते हुए चिल्लाने लगी, 'सहायता करें! सहायता करें! एक नागा मेरी मित्र को खा रहा है!'

नागा ने विषादपूर्ण दृष्टि से उस भागती हुई स्त्री को देखा। उसने अपनी संतप्त आत्मा की खिड़कियों को बंद कर दिया और अपना सिर हिलाया। विश्वद्युम्न इस मध्य मुड़ चुका था। उसने अपने स्वामी की आंखों में पहली बार आंसू देखे थे। उसने तत्काल ही अपनी आंखें नीची कर ली, लेकिन तब तक उसने अपने स्वामी की आंखों में दुख एवं पीड़ा के भाव देख लिए थे, जो सामान्यतः भावहीन रहते थे। क्रोध से थरथराते हुए विश्वद्युम्न ने अपनी तलवार निकाली ली और जिस स्त्री की उसने रक्षा की थी उस कृतघ्न स्त्री को मारने क़ी सौंगध लेने लगा।

'नहीं, विश्वद्युम्न,' नागा ने अपना नकाब वापस लगाकर आदेश दिया। उसके बाद एक सैनिक की ओर मुड़कर कहा, 'इसे होश में लाओ।'

'स्वामी,' विश्वद्युम्न ने तर्क किया, 'इसकी मित्र दूसरे लोगों को लेकर आएगी। इस स्त्री को इसके भाग्य के भरोसे पर छोड़कर हमें यहां से तत्काल निकल जाना चाहिए।'

'नहीं।'

'लेकिन स्वामी, लोग बहुत जल्द ही आ सकते हैं। हमें बचकर निकल जाना चाहिए।'

'तब तक नहीं जब तक कि इसे बचा नहीं लिया जाता,' नागा ने अपने स्वभावतः शांत स्वर में कहा।

— ⅄⊕⊔⇑⊛ —

नंदी एवं वीरभद्र समेत राजशाही दल एक विश्रामगृह के आंगन में मध्याह्न भोजन करने के लिए बैठा हुआ था, जहां वे अपनी यात्रा के दौरान रुके थे। आधी सेना भी भोजन कर रही थी। उन्हें उस ऊर्जा की आवश्यकता थी जिसके बल पर वे उस चिलचिलाती धूप में आगे की यात्रा कर सकें। पर्वतेश्वर व्यक्तिगत रूप से भोजन की व्यवस्था का परीक्षण करने आया हुआ था। वह सती की सुविधा के बारे में विशेषकर चिंतित था। हालांकि उसने उनके साथ भोजन करने से मना कर दिया था। वह अपने सैनिकों के साथ बाद में भोजन करने वाला था।

बाहरी घेरे के पहरे में शोरगुल ने शिव का ध्यान भंग कर दिया। बृहस्पति, नंदी और वीरभद्र को बैठे रहने का संकेत करते हुए वह इसकी खोजबीन करने के उद्देश्य से उठा। पर्वतेश्वर ने भी कोलाहल सुन लिया था और उसकी ओर बढ़ गया था।

'कृपया, उसकी रक्षा करें!' स्त्री रो रही थी, 'एक नागा उसे जीवित ही खा रहा है!'

'मुझे क्षमा करें,' अधिपति ने कहा, 'क्योंकि मेरे पास कड़े निर्देश हैं। हमें इस विश्रामगृह के आसपास से किसी भी परिस्थिति में बाहर जाने की अनुमति नहीं है।'

'क्या बात है?' पर्वतेश्वर ने पूछा।

आश्चर्य में मुड़ते हुए अधिपति ने अभिवादन किया और नीचे झुककर कहा, 'स्वामी, इस स्त्री का कहना है कि नागा ने इसकी मित्र पर आक्रमण कर दिया है। वह उसकी सहायता करने को कह रही है।'

पर्वतेश्वर ने उस स्त्री को गहरी दृष्टि से देखा। उसकी चाह तो यही थी कि वह नागाओं के दल का पीछा करे और उन्हें नष्ट कर दे। किंतु उसके

आदेश पूरी तरह से स्पष्ट थे। उसे नीलकंठ और सती को कभी भी अकेला नहीं छोड़ना था। उस पूरी सेना का उद्देश्य उनकी सुरक्षा करना था। किंतु वह एक क्षत्रिय था। वह किस प्रकार का क्षत्रिय होगा जो एक असहाय की रक्षा के लिए लड़ाई भी न कर सके? थोपे गए प्रतिबंध जो उस पर लगे हुए थे, उससे कांपते हुए वह कुछ कहने ही वाला था कि शिव वहां प्रकट हो गया।

'क्या बात है?' शिव ने पूछा।

'प्रभु,' अधिपति ने भौंचक्का होकर कहा। उसे विश्वास नहीं हो रहा था कि वह नीलकंठ से वार्तालाप कर रहा था, 'इस स्त्री का कहना है कि नागाओं ने इसकी मित्र पर आक्रमण कर दिया है। हमें चिंता है कि कहीं यह कोई चाल न हो। हमने मंदार पर्वत के मार्ग पर चंद्रवंशियों की दुहरी चाल के बारे में सुना है।'

शिव ने अपने अंतर्मन की बात सुनी, *'पीछे जाओ! उसकी सहायता करो!'*

एक ही झटके में अपनी तलवार निकालकर उसने उस स्त्री से कहा, 'मुझे अपनी मित्र के पास ले चलो।'

पर्वतेश्वर ने शिव को आदर से देखा। वह थोड़ा था, किंतु था आदर ही। उसने भी तत्काल ही अपनी तलवार निकाल ली और अधिपति की ओर मुड़कर बोला, 'अपनी पलटन के साथ हमारे पीछे आओ। सेनापति व्रक, अचानक हमले की तैयारी के साथ पूरी सेना को चौकन्ना रहने के लिए कहो। राजकुमारी को किसी भी हालत में सुरक्षित रखना है।'

शिव और पर्वतेश्वर उस स्त्री के पीछे दौड़ पड़े जो उन्हें उस ओर लेकर जा रही थी। वह वहां की स्थानीय महिला थी। अधिपति तीस सैनिकों के दल के साथ उनके साथ चल पड़ा था। लगभग एक घंटे की दौड़ के बाद वे अंततः नदी के किनारे उस स्थल पर पहुंचे जहां मदहोशी की हालत में एक स्त्री धरती पर बैठी हुई थी। गहरी-गहरी सांसें लेती हुई वह स्तब्ध होकर दूर किसी काल्पनिक दृश्य को गहराई से देख रही थी। उसके पूरे शरीर पर रक्त लगा हुआ था, किंतु विचित्र बात यह थी कि

उसे कोई चोट नहीं लगी थी। नदी से आते हुए और नदी की ओर जाते हुए बहुत सारे पदचिह्न दिखाई दे रहे थे।

अधिपति ने संदेह की दृष्टि से उस स्त्री को देखा, जो उन्हें वहां लेकर आई थी। अपने सैनिकों की ओर मुड़ते हुए उसने आदेश दिया, 'मुख्य सेनानायक एवं नीलकंठ के चारों ओर एक घेरा बना लो। यह चाल भी हो सकती है।'

'वह जीवित ही खायी जा रही थी, मैं सच कह रही हूं,' स्त्री ने चिल्लाकर कहा जो अपनी मित्र को जीवित एवं बिना किसी हानि के देखने पर विस्मित थी।

'नहीं ऐसा नहीं था,' शिव ने बड़ी शांति से कहा। उसने नदी में तैरते हुए एक मगरमच्छ के मृत शरीर की ओर संकेत किया। कौओं का बड़ा-सा झुंड उसके मृत शरीर पर बैठा था और एक दूसरे से लड़ाई करते हुए उसे नोंच-खसोट रहे थे, 'उसने अभी कुछ देर पहले ही उस मगरमच्छ से उसकी रक्षा की है।'

'वह जो कोई भी था, उस पार चला गया है, प्रभु,' अधिपति ने नदी के किनारे बहुत सारे पदचिह्नों को दिखाते हुए कहा।

'एक नागा इस स्त्री की रक्षा करने के लिए अपने जान जोखिम में भला क्यों डालेगा?' शिव ने पूछा।

पर्वतेश्वर भी इस पर अचंभित प्रतीत हुआ। अब तक जो उन्होंने देखा था, यह उन रक्त पिपासु नागाओं के स्वभावों के ठीक विपरीत घटने वाली घटना थी।

'प्रभु,' अधिपति ने शिव एवं पर्वतेश्वर दोनों को संबोधित करते हुए कहा, 'स्त्री सुरक्षित प्रतीत होती है। संभवतः सब लोगों का रुकना उचित नहीं जान पड़ता है। यदि आपकी आज्ञा हो तो मैं इन स्त्रियों को इनके गांव तक छोड़ आता हूं और काफिले को कोटद्वार में मिलता हूं। आप लोग विश्रामगृह की ओर प्रस्थान कर सकते हैं।'

'ठीक है,' पर्वतेश्वर ने कहा, 'अपने साथ चार सैनिकों को भी सुरक्षा

की दृष्टि से ले जाओ।

शिव एवं पर्वतेश्वर दोनों ही वहां से चल पड़े। उस अनोखी घटना पर दोनों ही विस्मित थे।

— ⅄ⵀⅡ⇑⊛ —

देर शाम को शिव, बृहस्पति, नंदी और वीरभद्र आग के पास गोल घेरे में शांति से बैठे हुए थे। शिव ने मुड़कर सती की ओर देखा जो आयुर्वती एवं कृत्तिका के साथ विश्रामगृह के बरामदे में कुछ दूरी पर बैठी गंभीर चर्चा में तल्लीन थी। पर्वतेश्वर पूर्व की भांति सैनिकों की व्यवस्था आदि देख रहा था। वह व्यक्तिगत रूप से सुरक्षा व्यवस्था एवं अपने सैनिकों की सुविधा का परीक्षण कर रहा था।

'यह तैयार है, शिव,' वीरभद्र ने चिलम शिव को देते हुए कहा।

शिव ने उस चिलम को अपने होंठों से लगाया और बहुत जोर से कश खींचा। प्रकट रूप से वह आनंदित हुआ। चैन की आवश्यकता को देखते हुए उसने अपने मित्र को देने से पहले थोड़ा और धूम्रपान किया। वीरभद्र ने बृहस्पति एवं नंदी को कश लेने का आग्रह किया, किंतु उन दोनों ने मना कर दिया। बृहस्पति ने शिव की ओर गहरी दृष्टि से देखा जो चुपके-चुपके सती को बार-बार देख रहा था। वह मुस्कुराया और उसने सिर हिलाया।

'क्या?' शिव ने पूछा क्योंकि उसने बृहस्पति की मुद्रा को देख लिया था।

'मैं आपकी आकांक्षा समझ रहा हूं, मित्र,' बृहस्पति ने फुसफुसा कर कहा, 'किंतु आप जिसकी आशा कर रहे हैं, वह बहुत कठिन है। लगभग असंभव।'

'जब वह इतनी मूल्यवान है तो आसान तो नहीं ही होगी। क्या हो सकती है?'

बृहस्पति मुस्कुराया और उसने शिव के हाथ पर थपकी दी।

वीरभद्र को पता था कि उसके मित्र को क्या चाहिए था। नृत्य एवं

संगीत। इसने उनकी मनोदशा को हमेशा ठीक किया है, 'इस दयनीय देश में लोग गाते और नाचते नहीं हैं क्या?'

'वीरभद्र, सावधान,' नंदी ने कहा। उसके बोलने का अंदाज अपने अधीनस्थ से दूसरा था, 'पहली बात तो यह है कि यह देश दयनीय नहीं है। यह विश्व में सबसे महान भूमि है।'

वीरभद्र ने मसखरी के लहजे में अपने दोनों हाथों को एक दूसरे से जकड़कर झूठी क्षमा याचना की।

'दूसरी बात,' नंदी ने कहना जारी रखा, 'हम तभी नृत्य करते हैं जब वैसा कोई अवसर होता है, जैसे होली का पर्व या फिर कोई सार्वजनिक प्रदर्शन।'

'लेकिन नृत्य करने में सबसे अधिक खुशी तब होती है जब आप बिना किसी कारण के करते हैं, कप्तान,' वीरभद्र ने कहा।

'मैं सहमत हूं,' शिव ने कहा।

नंदी तत्काल चुप हो गया।

बिना किसी चेतावनी के वीरभद्र ने अचानक ही अपने प्रदेश का एक लोकगीत गाना शुरू कर दिया। शिव अपने मित्र को देखकर मुस्कुराया क्योंकि वह अपना सबसे पसंदीदा गीत गा रहा था। गीत गाते हुए ही वीरभद्र धीरे से उठा और उसने उतार-चढ़ाव वाले उस धुन पर नाचना भी शुरू कर दिया था। थोड़ी ही देर में शिव भी उसके साथ नृत्य कर रहा था। नृत्य एवं गांजे के मिश्रण ने उसकी मनोदशा को पूरी तरह से परिवर्तित कर दिया था।

बृहस्पति ने पहले शिव को चौंककर देखा और उसके बाद प्रसन्नता से। उसने देखा कि उनके नृत्य में एक विशेष प्रकार की शैली थी, एक लय मिश्रित छह चलन थे। शिव ने हाथ आगे बढ़ाकर बृहस्पति और नंदी को खड़ा कर दिया। पहले तो वे परीक्षण के तौर पर नृत्य पद मिलाने के प्रयास में थे, उसके बाद नृत्य नहीं करने की इच्छा वाला बृहस्पति भी थिरकने लगा। उनका समूह आग के चारों ओर एक गोल घेरे में जोर से गाते हुए

नाच रहा था।

शिव अचानक ही उस समूह के घेरे से छूटकर बाहर सती के पास गया और बोला, 'मेरे साथ नृत्य कीजिए?'

भौंचक्की सती ने इंकार में सिर हिलाया।

'अब आ भी जाइए! जब गुरु जी और मेरे देखते समय आप नृत्य कर सकती हैं, तो यहां क्यों नहीं?'

'वह ज्ञान के लिए था!' सती ने कहा।

'तो? यदि आप किसी ज्ञान के लिए नहीं नृत्य करती हैं तो इसमें कुछ गलत है?'

'मैंने ऐसा नहीं कहा।'

'ठीक है। आप अपने प्रकार से ही करें,' शिव ने झुंझलाहट वाली मुद्रा में कहा, 'आयुर्वती, आप आइए!'

चकित आयुर्वती नहीं जानती थी कि वह क्या प्रतिक्रिया दे। इससे पहले कि वह कुछ कहने या करने का निर्णय ले पाती शिव ने उसका हाथ पकड़ा और उसे घेरे में खींच लिया। वीरभद्र ने इस मध्य कृत्तिका को भी लुभा लिया। उस समूह ने बहुत ही जोशपूर्ण ढंग से नृत्य किया और खूब जोर-जोर से गाना गाया। उस शांत रात्रि में यह बहुत ही अधिक शोरगुल था। सती उठ खड़ी हुई, वह स्पष्ट रूप से क्षुब्ध थी, उसने शिव की पीठ को तीखी दृष्टि से देखा और भागकर विश्रामगृह में चली गई। शिव का क्रोध और अधिक बढ़ गया जब उसने पीछे मुड़कर देखा और बरामदे पर सती को नहीं पा सका।

*लानत है!*

उसने मन ही मन कहा और नृत्य में रम गया। उसका हृदय पीड़ा और प्रसन्नता के एक विचित्र मिश्रण में घुलने लगा। उसने एक बार फिर बरामदे की ओर मुड़कर देखा। वहां कोई नहीं था।

*उस परदे के पीछे कौन है?*

शिव को वीरभद्र ने नृत्य के दूसरे पद करने के लिए खींच लिया।

उसके बाद कुछ क्षणों के बाद ही शिव को अवसर मिला कि वह बरामदे की ओर दुबारा देख सके। वह सती को देख पा रहा था। परदे के पीछे उसके शरीर की रूपरेखा दिख रही थी जो केवल उसे ही देख रही थी। केवल उसे।

*अति सुंदर!*

आश्चर्य और खुशी से भरपूर शिव उछल-उछलकर नृत्य करने लगा। अपने अत्यंत उत्साह के साथ। शिव को उसे प्रभावित करना ही था!

अध्याय – 13

# अपवित्र का आशीष

नीलकंठ के स्वागत में कोटद्वार अपने पूर्ण वैभव में था। दुर्ग की बाहरी दीवारों पर मशालें जली हुई थीं, जैसे दीवाली का त्योहार हो। लाल एवं नीली पताकाएं दुर्ग की लंबी-लंबी दीवारों से लटकी हुई थीं, जिन पर सूर्यवंशियों का सूर्य चमक रहा था। नयाचार का उल्लंघन करते हुए कोटद्वार के राज्यपाल नीलकंठ का स्वागत करने व्यक्तिगत रूप से दुर्ग के बाहर प्रतीक्षारत थे। कोटद्वार के दरबार में कुलीन वर्ग के लोगों के लिए औपचारिक रूप से नीलकंठ के प्रदर्शन के बाद, दूसरे दिन एक सार्वजनिक सभा का आयोजन किया गया। कोटद्वार की लगभग समस्त जनसंख्या अर्थात पैंसठ हजार लोग इसमें शामिल होने के लिए इकट्ठे हुए थे। उतनी बड़ी संख्या में लोगों को स्थान देने के लिए नगर की वेदिका के बाहर इस सभा का आयोजन किया गया था ताकि सभी लोगों को स्थान मिल सके।

शिव द्वारा दिए गए एक भाषण ने कोटद्वार वासियों को यह दृढ़ विश्वास दिला दिया था कि मेलूहा के संकट के दिन बहुत ही शीघ्र समाप्त होने वाले थे। लोगों का उस पर जो असाधारण विश्वास देखने को मिला था वह शिव के लिए आश्चर्यजनक प्रकटीकरण था। यद्यपि वह अपने शब्दों के चयन में बहुत सावधान था। उसने कहा कि वह मेलूहा के लोगों की सहायता के लिए उससे जो भी संभव हो सकेगा वह करेगा, लेकिन जनता ने उसके अपने-अपने अर्थ निकाल लिए थे।

'शापित चंद्रवंशियों का अंततः नाश होगा,' एक व्यक्ति ने कहा।

'हमें अब किसी चीज की चिंता करने की आवश्यकता नहीं है। नीलकंठ सब कुछ देख लेंगे,' एक स्त्री ने कहा।

भाषण देने वाली वेदिका पर बृहस्पति एवं सती के साथ बैठा हुआ पर्वतेश्वर जनता की प्रतिक्रिया पर अत्यधिक अप्रसन्न था। मुख्य वैज्ञानिक की ओर मुड़ते हुए उसने कहा, 'हमारा पूरा समाज नियम-कानून पर आधारित है और हमसे किसी का अंध अनुसरण करना अपेक्षित नहीं है। हमसे अपेक्षित है कि हम अपनी विपत्तियों का स्वयं ही समाधान करें और किसी एक व्यक्ति से चमत्कार की उम्मीद न रखें। इस व्यक्ति ने ऐसा क्या किया है जो इस अंधे विश्वास का पात्र है?'

'पर्वतेश्वर,' बृहस्पति ने नम्रता से कहा क्योंकि वह उसका बहुत आदर करता था, 'मेरा सोचना है कि शिव एक भला व्यक्ति है। वह इस बात का बहुत ध्यान रखता है कि वह कुछ अच्छा करे। और क्या कुछ अच्छा करने का इरादा किसी अच्छे कर्म की दिशा में प्रथम कदम नहीं है?'

पर्वतेश्वर पूरी तरह से सहमत नहीं था। नीलकंठ की पौराणिक गाथा में कभी भी विश्वास नहीं करने वाले सेनानायक ने सोचा कि प्रत्येक पुरुष एवं स्त्री को प्रशिक्षण एवं तैयारी से अपने स्थान को हासिल करना होता है न कि उसे वह चांदी की परात में मिल जाए क्योंकि उसका गला नीला हो, 'हां, वह सच हो सकता है। किंतु केवल इरादा ही पर्याप्त नहीं होता। उसके साथ-साथ क्षमता भी होनी चाहिए। यहां हम एक अप्रशिक्षित व्यक्ति को एक स्थान पर रखते हैं और यह आशा करते हैं कि वह हमारा रक्षक है। हमें इतना पता है कि वह पूरी तरह से तबाही की ओर ले जा सकता है। हम आस्था पर काम कर रहे हैं, न कि तर्क या नियमों पर या फिर अनुभव पर।'

'जब एक व्यक्ति पहाड़ के समान कठिन विपत्तियों के समक्ष खड़ा होता है तो कभी-कभी उस व्यक्ति को थोड़ी-बहुत आस्था की भी आवश्यकता होती है। औचित्य हमेशा काम नहीं करते हैं। हमें भी चमत्कार की आवश्यकता है।'

'आप चमत्कार की बात कर रहे हैं? एक वैज्ञानिक?'

'वैज्ञानिक चमत्कार भी होते हैं, पर्वतेश्वर,' बृहस्पति मुस्कुराया।

पर्वतेश्वर ने देखा कि शिव वेदिका से नीचे उतर रहा था, तो वह विचलित हो गया। जैसे ही वह नीचे उतरा तो लोगों में उसके हाथ छूने की होड़ लग गई। नंदी और वीरभद्र के नेतृत्व में सैनिक उन्हें थामे हुए थे। इसी भीड़ में एक अंधा भी व्यक्ति था। ऐसा प्रतीत हो रहा था कि इस हंगामे में उसे चोट न लग जाए।

'नंदी उस व्यक्ति को आने दो,' शिव ने कहा।

नंदी और वीरभद्र ने रस्सी नीचे झुकाकर उसे अंदर आने दिया।

एक अन्य व्यक्ति चीखा, 'मैं उनका पुत्र हूं। उन्हें मार्गदर्शन के लिए मेरी आवश्यकता है।'

'उसे भी आने दो।' शिव ने कहा।

उसका पुत्र तेजी से अंदर घुसा और उसने पिता का हाथ थाम लिया। वह अंधा व्यक्ति जो अचानक ही खोया हुआ महसूस कर रहा था, सहसा मुस्कुरा उठा। उसे परिचित हाथ का स्पर्श मिल चुका था। उसका पुत्र उसे शिव के निकट ले आया। उसके पुत्र ने कहा, 'पिताश्री, नीलकंठ आपके ठीक सामने खड़े हैं। क्या आप उनकी उपस्थिति का अनुभव कर सकते हैं?'

उस अंधे व्यक्ति की आंखों से अश्रुधारा प्रवाहित होने लगी। बिना सोचे-समझे ही वह झुका और उसने शिव के चरण स्पर्श करने का प्रयास किया। उसका पुत्र विचलित होकर जोर से चिल्लाया और उसने उस व्यक्ति को पीछे की ओर खींच लिया।

'पिताश्री!' पुत्र ने फटकारा।

शिव उसके पुत्र के बोलने के लहजे से भौंचक्का रह गया क्योंकि अब तक वह बहुत प्यार से बोल रहा था और वह बोल पड़ा, 'क्या हुआ?'

'मुझे क्षमा करें, प्रभु,' पुत्र ने क्षमा याचना की, 'इन्होंने जान-बूझकर नहीं किया। आपकी उपस्थिति के कारण उन्हें नियंत्रण नहीं रहा।'

'मुझे क्षमा करें, प्रभु,' उसे अंधे व्यक्ति ने कहा। उसकी आंखों से आंसू का प्रवाह रुक नहीं रहा था।

'क्षमा किसलिए?'

'वे विकर्म हैं, प्रभु,' पुत्र ने कहा, 'तब से जब बीस वर्ष पहले बीमारी ने इन्हें अंधा बना दिया। इन्हें आपको स्पर्श करने का प्रयत्न नहीं करना चाहिए था।'

सती उस समय शिव के निकट ही खड़ी थी। उसने यह बातचीत सुन ली थी। उसे उस अंधे व्यक्ति पर दया आ रही थी। वह उस पीड़ा का अनुभव कर सकती थी, जिससे किसी के स्पर्श को भी अपवित्र माना जाए। किंतु जो उसने करने का प्रयत्न किया था वह अनुचित था।

'मुझे क्षमा करें, प्रभु,' वह अंधा व्यक्ति बोल रहा था, 'किंतु आपके मेरे प्रति इस क्रोध को मेरे देश की रक्षा में रुकावट मत बनने दीजिएगा। हमारा देश सबसे महान है जिसे परमात्मा ने बनाया है। दुष्ट चंद्रवंशियों से इस साम्राज्य की रक्षा करें। हमारी रक्षा करें।'

वह अंधा व्यक्ति पश्चाताप की मुद्रा में हाथ जोड़े रोता जा रहा था। शिव उसके इस बड़प्पन से हिल गया था।

*वह अभी भी अपने देश को प्यार करता है जो उससे इतना अन्यायपूर्ण व्यवहार करता है। क्यों? और तो और वह यह भी नहीं सोच रहा कि उसके साथ अन्याय हो रहा है।*

शिव की आंखों से आंसू छलक आए। उसने महसूस किया कि वह ऐसे व्यक्ति को देख रहा है, जिस पर भाग्य ने निर्दयता की है।

*मैं इस बकवास को रोकूंगा।*

शिव ने आगे कदम बढ़ाया और झुक गया। हैरान-परेशान उस अंधे व्यक्ति के पुत्र ने अविश्वास में देखा कि नीलकंठ ने उसके विकर्म पिता के चरण छुए। कुछ क्षण के लिए वह अंधा व्यक्ति सागर में गोते लगा रहा था। जब उसे बात समझ आई कि नीलकंठ ने क्या किया तो सदमे में उसके हाथ उसके खुले मुंह पर चला गया।

शिव उस अंधे व्यक्ति के सामने उठा और खड़ा हुआ, 'मुझे आशीर्वाद दें, श्रीमान, ताकि मुझमें इतनी शक्ति आ जाए कि आप जैसे देशभक्त के

लिए मैं युद्ध कर सकूं।'

वह अंधा व्यक्ति मूक बन चुका था। अचंभे से उसकी आंखों के आंसू सूख गए थे। वह गिरने ही वाला था कि शिव ने एक क़दम आगे बढ़कर उसे थाम लिया, नहीं तो वह अवश्य गिर गया होता। उसके बाद उस अंधे व्यक्ति को इतना कहने का बल मिला, 'विजयी भव'।

शिव ने जब उसे छोड़ा तो पुत्र ने अपने पिता के शिथिल शरीर को पकड़ लिया। शिव ने जो किया था उस घटना पर समूची भीड़ स्तब्ध होकर मूक बन गई था। विकर्म को छूने की बात तो एक तरफ शिव ने तो उससे आशीर्वाद भी मांगा था। शिव मुड़ा तो उसने पर्वतेश्वर के क्रोध से भरे मुख को देखा। शिव ने नियम का उल्लंघन किया था। निर्लज्जता और सार्वजनिक रूप से उसे तोड़ा था। उसकी बगल में सती खड़ी थी। उसका मुख, उसकी आंखें, उसका पूरा व्यवहार भावविहीन था।

*यह ऐसी क्या बात सोच रही है?*

बृहस्पति और सती ने शिव के कमरे में प्रवेश किया, जैसे ही वह एकांत में हुआ। अपने दो पसंदीदा व्यक्तियों को देखने पर उसके मुख पर आई मुस्कान सती के स्वर के साथ अदृश्य हो गई, 'आपको अवश्य शुद्धिकरण करवा लेना चाहिए।'

उसने दृष्टि उठाकर उसकी ओर देखा और सरलता से कहा, 'नहीं।'

'नहीं? आप कहना क्या चाहते हैं?'

'मेरे कहने का सीध-सा अर्थ है। ना, नहीं, नको,' शिव ने कश्मीरी एवं कोटद्वार की लोक भाषाओं में नहीं के लिए प्रयुक्त होने वाले शब्दों के उच्चारण किए।

'शिव,' बृहस्पति ने गंभीरता के साथ कहा, 'यह मसखरी की बात नहीं है। मैं सती से सहमत हूं। राज्यपाल भी आपकी सुरक्षा के बारे में चिंतित हैं और उन्होंने एक पंडित की भी व्यवस्था कर ली है। वे बाहर प्रतीक्षा कर रहे हैं। आप अभी यह धर्माचार करवा लें।'

'लेकिन मैंने अभी कहा कि मैं नहीं करवाना चाहता।'

'शिव,' सती ने अपने पुराने लहजे में आकर कहा, 'मैं आपका अत्यधिक आदर करती हूं। आपकी वीरता। आपकी बुद्धि। आपकी प्रतिभा। सबका आदर करती हूं, लेकिन आप नियमों से परे नहीं हैं। आपने एक विकर्म को स्पर्श किया है। आपको शुद्धिकरण करवाना ही होगा। यह नियम है।'

'ठीक है, यदि विधि यह कहती है एक गरीब अंधे व्यक्ति को मेरा छूना अवैध है तो वह विधि ही अनुचित है।'

शिव के इस व्यवहार से सती स्तब्ध होकर मूक बन गई।

'शिव, मेरी बात सुनिए,' बृहस्पति ने तर्क दिया, 'शुद्धिकरण नहीं करवाना आपके लिए हानिकारक हो सकता है। आपको बड़े-बड़े कार्य करने हैं। आप भारतवर्ष के भविष्य के लिए महत्वपूर्ण हैं। केवल हठ के कारण आप स्वयं को जोखिम में मत डालिए।'

'यह हठ नहीं है। पूरी निष्ठा से आप मुझे एक बात बताइए कि कैसे यह मुझे हानि पहुंचाएगा यदि मैंने एक विकर्म व्यक्ति को छू दिया है, जिसके लिए मैं यह कहना चाहता हूं कि वह अभी भी अपने साम्राज्य से प्यार करता है, इसके बावजूद कि उसे इस तरह से अपमानित किया है और उसके साथ अनुचित व्यवहार किया गया है?'

'वह एक अच्छा व्यक्ति हो सकता है, शिव, किंतु उसके पूर्व जन्म के पाप आपके भाग्य को दूषित कर सकते हैं,' बृहस्पति ने कहा।

'तो उसे करने दीजिए! यदि उस व्यक्ति के कंधे से कुछ भार कम होता है, तो मैं स्वयं को धन्य समझूंगा।'

'यह आप क्या रहे हैं, शिव?' सती ने पूछा, 'आप किसी और के दंड के भागीदार क्यों बनेंगे?'

'पहली बात तो यह है कि मैं इस बकवास को नहीं मानता कि उसे उसके पूर्व जन्म के पापों के कारण कोई दंड मिला है। उसे एक बीमारी हुई, जो एक सीधी एवं सरल बात है। दूसरे, यदि मेरी इच्छा है कि मैं किसी दूसरे के इस तथाकथित पाप का भार उठाऊं तो इससे किसी और को क्या

परेशानी हो सकती है?'

'यह महत्व रखता है क्योंकि हम आपका भला चाहते हैं,' बृहस्पति ने लगभग रोते हुए कहा।

'देखो सती,' शिव ने कहा, 'अब आप मत कहना कि आप भी इस बकवास में विश्वास करती हैं।'

'यह बकवास नहीं है।'

'देखिए, क्या आप नहीं चाहती कि मैं आपके लिए संघर्ष करूं? समाज द्वारा किए जाने वाले इस अनुचित व्यवहार को समाप्त कीजिए, जो आपके साथ किया जा रहा है।'

'तो क्या यह इस कारण से है? मेरे लिए?' सती ने क्रोध में पूछा।

'नहीं,' शिव ने तत्काल ही प्रत्युत्तर किया और उसके बाद आगे जोड़ा, 'वैसे यह सही भी है। यह आपके बारे में भी है। यह विकर्म के बारे में हैं और जो वे अनुचित व्यवहारों का सामना कर रहे हैं। जाति बहिष्कृत की तरह जीवन जीने से मैं उनकी रक्षा करना चाहता हूं।'

'मुझे आपकी सुरक्षा की आवश्यकता नहीं है! मैं मुक्त नहीं हो सकती!' कमरे से बाहर निकलने से पहले सती ने चिल्लाकर कहा।

शिव ने उसके बाहर जाने को झुंझलाहट के साथ देखा, 'आखिर इस स्त्री को क्या हो गया है?'

'वह सही है, शिव,' बृहस्पति ने सुझाव दिया, 'वहां मत जाइए।'

'क्या इस विकर्म के संदर्भ में आप उससे सहमत हैं? अपने हृदय से इसका उत्तर दीजिए, बृहस्पति। क्या आप नहीं सोचते कि यह अनुचित है?'

'मैं उस बारे में बात नहीं कर रहा था। मैं सती के बारे में बात कर रहा था।'

शिव निडर भाव से बृहस्पति को देख रहा था। उसके मन, शरीर और आत्मा सभी कह रहे थे कि वह उसे मनाए। उसका जीवन उसके बिना अर्थहीन हो जाएगा। उसकी आत्मा का अस्तित्व उसके बिना अधूरा रह जाएगा।

'वहां मत जाइए, मित्र,' बृहस्पति ने पुनः कहा।

— 𑀦𑀼𑀇𑀁𑀦 —

राजशाही नौकायान से नदी नगर कोटद्वार से काफिला निकला। उसके आगे और पीछे राजशाही नौकायान की भव्यता एवं आकार वाले दो और नौकायान भी साथ-साथ चले। यह मेलूहा की लाक्षणिक सुरक्षा व्यवस्था थी, जिसमें अतिरिक्त नौकाएं यह गफलत उत्पन्न करने के लिए थे ताकि सरलता से पता न चले कि राजसी परिवार किस नौकायान में यात्रा कर रहा था। समस्त राजसी दल दूसरे नौकायान में था। इसके अतिरिक्त पांच अतिरिक्त छोटी एवं तेजी से इधर-उधर ले जायी जा सकने वाली नौकाएं राजसी काफिले के दोनों ओर चल रही थीं। वे राजसी नौकायानों की ही गति से दोनों ही ओर चल रहे थे ताकि घात लगाकर किए जाने वाले आक्रमण से सुरक्षा प्रदान की जा सके।

'जब मानसून सक्रिय नहीं होता है, प्रभु,' आयुर्वती ने कहा, 'तो नदियां यात्रा के लिए सबसे सुगम मार्ग होती हैं। यद्यपि हमारे साम्राज्य में सभी मुख्य नगरों को जोड़ने वाली सड़कें हैं, किंतु वे नदी द्वारा यात्रा की गति एवं सुरक्षा की तुलना में उतनी अच्छी नहीं कही जा सकती हैं।'

शिव ने मधुर मुस्कान से आयुर्वती को देखा। उस प्रकार के वार्तालाप के लिए इस समय उसकी रुचि नहीं थी। कोटद्वार में उस दुर्भाग्यशाली दिवस पर जब शिव ने शुद्धिकरण करवाने से मना कर दिया था तब से सती उससे नहीं बोली थी।

राजसी नौकायान नदी पर स्थित कई नगरों पर रुका। हर जगह लगभग वैसे ही आयोजन हुए। नीलकंठ के आगमन पर प्रत्येक नगर में अत्यधिक उल्लास स्पष्ट दिखाई दे रहा था।

इस प्रकार की प्रतिक्रिया मेलूहा में अप्राकृतिक थी। किंतु यह बात भी सही थी कि नीलकंठ प्रतिदिन नहीं आते थे।

'क्यों?' शिव ने बृहस्पति से पूछा। वह बहुत दिनों तक अपने व्याकुल मन की अशांति पर चुप रहा था।

'क्यों क्या?'

'आप जानते हैं मैं क्या बात कर रहा हूं, बृहस्पति,' शिव ने चिढ़ में अपनी आंखें संकुचित करते हुए कहा।

'वह सचमुच में ही विश्वास करती है कि वह विकर्म होने की पात्र है,' बृहस्पति ने दुख भरी मुस्कान के साथ कहा।

'क्यों?'

'वह जिस प्रकार से विकर्म बनी संभवतः उस कारण से।'

'वह कैसे हुआ था?'

'यह उसके पूर्व के विवाह के दौरान हुआ था।'

'क्या! सती का विवाह हुआ था?'

'हां। यह लगभग नब्बे वर्ष पहले की बात है। वह साम्राज्य के एक कुलीन परिवार से एक राजनीतिक विवाह था। उसके पति का नाम चंदनध्वज था। वह गर्भवती हुई और मयका प्रसूति के लिए गई। वह मानसून का समय था। दुर्भाग्य से बच्चा मृत उत्पन्न हुआ।'

'हे भगवान!' शिव ने सती की उस पीड़ा से सहानुभूतिपूर्वक कहा, जो उसे तब महसूस हुई होगी।

'इतना ही नहीं, इससे भी बुरा हुआ। उसी दिन इसके पति, जो अपने बच्चे के सुरक्षित जन्म के लिए नर्मदा में पूजा करने के लिए गए थे, वे दुर्घटनावश डूब गए। उस शापित दिन इसका जीवन नष्ट हो गया था।'

शिव ने बृहस्पति को घूरा। वह इतना स्तब्ध था कि कोई प्रतिक्रिया भी नहीं दे सका।

'वह विधवा हो गई और उसी दिन उसे विकर्म घोषित कर दिया गया।'

'लेकिन पति की मृत्यु के लिए उसे क्यों दोष दिया गया?' शिव ने तर्क किया, 'यह तो पूर्णतः बेतुकी बात है।'

'उसे पति की मृत्यु के कारण विकर्म घोषित नहीं किया गया था। यह तो उसके मृत बच्चा जनने के कारण किया गया था।'

'लेकिन वह तो किसी भी कारण से हो सकता है। हो सकता है कि स्थानीय वैद्यों से कोई चूक हो गई हो।'

'यह मेलूहा में नहीं होता है, शिव,' बृहस्पति ने शांत भाव से कहा, 'मृत शिशु का जन्म एक स्त्री के विकर्म बनने के लिए सबसे बुरा तरीका माना जाता है। इससे अधिक बुरा मात्र नागा बच्चे को जन्म देना माना जाता है। ईश्वर की कृपा है कि ऐसा नहीं हुआ था। क्योंकि यदि वैसा हुआ होता तो उसे समाज से पूर्णतः बहिष्कृत कर दिया जाता।'

'इसे बदलना होगा। विकर्म की अवधारणा अनुचित है।'

बृहस्पति ने शिव को गहरी दृष्टि से देखा, 'आप एक विकर्म की रक्षा कर सकते हैं, शिव। किंतु आप उस स्त्री की रक्षा कैसे कर सकते हैं जो रक्षित नहीं होना चाहती? वह सचमुच में ही ऐसा विश्वास करती है कि वह दंड की पात्र है।'

'क्यों? मैं निश्चय के साथ कह सकता हूं कि मेलूहा में वह पहली स्त्री नहीं होगी, जिसने मृत शिशु को जन्म दिया होगा। उसके पहले भी कई लोग हुए होंगे। उसके बाद भी कई लोग होंगे।'

'वह पहली राजशाही स्त्री थी, जिसने मृत शिशु को जन्म दिया था। उसका भाग्य सम्राट के लिए शर्मिंदगी का स्रोत रहा है। उनके वंश के बारे में यह प्रश्न खड़े करता है।'

'यह उनके वंश के बारे प्रश्न कैसे उठा सकता है? सती उनकी जन्म पुत्री नहीं है। वह भी मयका से आई होगी, क्या मैं सही हूं?'

'नहीं, मेरे मित्र। वह नियम कुलीन परिवारों के लिए दो सौ पचास वर्ष पहले शिथिल कर दिया गया था। प्रकट रूप से उस समय यह 'राष्ट्रीय हित' में किया गया था कि कुलीन परिवारों को अपनी जन्म संतति रखने की अनुमति प्रदान कर दी गई थी। कुछ नियमों में संशोधन किए जा सकते हैं। यदि नब्बे प्रतिशत ब्राह्मण, क्षत्रिय एवं वैश्य जो एक चयनित जाति-वर्ग एवं मानकीय व्यावसायिक स्तर से ऊंचे हों इस परिवर्तन के लिए मतदान करते हैं। ऐसी मतैक्यता की कुछ ही घटनाएं

हुई हैं। यह उनमें से एक थी। मात्र एक व्यक्ति ने इसका विरोध किया था।'

'कौन?'

'श्रीमान सत्यध्वज, पर्वतेश्वर के पितामह ने। जबसे यह नियम पारित हुआ है, तबसे उनके परिवार ने प्रतिज्ञा ले रखी है कि वे जन्म संतति नहीं रखेंगे। पर्वतेश्वर आज तक उस वचन का सम्मान करते हैं।'

'लेकिन यदि जन्म नियम को बदला जा सकता है,' शिव ने कुछ विचार कर कहा, 'तो विकर्म नियम क्यों नहीं बदला जा सकता?'

'क्योंकि इससे बहुत अधिक कुलीन परिवार प्रभावित नहीं हैं। यह एक कड़वी सचाई है।'

'लेकिन ये सारी बातें तो प्रभु श्री राम की सीख के विरुद्ध जाती हैं!'

'प्रभु श्री राम की सीख भी कहती है कि विकर्म की अवधारणा उचित है। क्या आप उसके ऊपर प्रश्नचिह्न नहीं लगाना चाहते?'

शिव ने नदी की ओर देखने से पहले चुप होकर ध्यान से बृहस्पति को देखा।

'प्रभु श्री राम के नियमों पर प्रश्न उठाना कोई अनुचित बात नहीं है, मित्र,' बृहस्पति ने कहा, 'कई बार ऐसा हुआ था जब उन्होंने दूसरों के कारण विवरण को देखकर नियम में बदलाव किए थे। प्रश्न यह है कि नियमों को परिवर्तित करने के पीछे आपकी मंशा क्या है? क्या इसलिए कि आप सचमुच ही ऐसा मानते हैं कि नियम अनुचित है? या फिर इसलिए कि आप सती की ओर आकर्षित हैं और आप इस असुविधाजनक नियम को हटाना चाहते हैं क्योंकि वह आपके मार्ग में बाधा है।'

'मैं सचमुच ही मानता हूं कि विकर्म नियम अनुचित है। मैं इसे उस समय से महसूस कर रहा हूं जबसे मुझे इसके बारे में पता चला है। उससे भी पहले जब मुझे पता चला कि सती विकर्म है।'

'किंतु सती ऐसा नहीं मानती कि नियम अनुचित है।'

'लेकिन वह एक नेक स्त्री है। वह इस प्रकार के आचरण की पात्र नहीं है।'

'वह मात्र एक नेक स्त्री ही नहीं है। मैं जितनी भी स्त्रियों से आज तक मिल पाया हूं, उनमें वह श्रेष्ठ है। वह सुंदर है, सच्ची है, सीधी बात करने वाली है, वीर है और बुद्धिमान है, उसमें वह सब है, जो एक पुरुष एक स्त्री में देखना चाहता है। किंतु आप मात्र एक व्यक्ति नहीं हैं। आप नीलकंठ हैं।'

शिव पीछे मुड़ा और वह उस नौकायान की लोहे की छड़ की आड़ पर अपने हाथ रखकर सहारा लेकर खड़ा हो गया। नदी के किनारे-किनारे दूर उस सघन वन को शिव ने देखा। उनका नौकायान जल में हिचकोले लेता हुआ आगे बढ़ रहा था। सुकून पहुंचाने वाली शाम की मंद पवन शिव के लंबे बालों के गुच्छों को लहरा रही थी।

'मैंने आपसे पहले भी कहा था, मित्र,' बृहस्पति ने कहा, 'इस दुर्भाग्यपूर्ण नीले गले के कारण, आप जो कोई भी निर्णय लेंगे उसके कई परिणाम होंगे। आपको कुछ भी करने से पहले कई बार सोचना पड़ेगा।'

— ☷⓪ᛃ⚶⊕ —

देर रात हो चुकी थी। राजशाही काफिला सिंधु नदी पर स्थित सुलेनगढ़ नामक नगर से चल पड़ा था। नीलकंठ को देखने पर सुलेनगढ़ में भावनाएं अवश्यंभावी रूप से उमड़ पड़ी थीं। अब जब भी नीलकंठ दर्शन देते थे तो यह एक सामान्य नियम जैसा प्रतीत होता था। उनकी सभ्यता के रक्षक अंततः आ ही गए थे।

हालांकि उनका रक्षक अपने ही निजी नर्क में था। पिछले कई सप्ताहों से सती ने शिव से दूरी बनाए रखी थी। वह अंदर ही अंदर टूट चुका था। उसकी पीड़ा और उदासी इतनी गहरी हो चुकी थी कि उसे माप पाना असंभव था।

काफिले का अगला पड़ाव प्रसिद्ध नगर मोहन जोदारो अथवा मोहन की वेदिका था। उस विशाल सिंधु नदी पर बसे उस नगर को महान

दार्शनिक-पंडित श्री मोहन को समर्पित किया गया था, जो कई सहस्राब्दियों पूर्व वहां निवास करते थे। जब उसने मोहन जोदारो के लोगों से भेंट कर ली तो शिव ने श्री मोहन के मंदिर भ्रमण करने की इच्छा प्रकट की। वह मंदिर नगर की मुख्य वेदिका के बाहर सिंधु नदी के तट पर नीचे जाकर बना हुआ था। राज्यपाल ने इच्छा जताई कि वे प्रभु नीलकंठ को एक भव्य सवारी में वहां ले चलेंगे। हालांकि शिव ने वहां अकेले ही जाने की हठ की थी। उसे प्रतीत हो रहा था कि वह मंदिर उसे खींच रहा था। उसे बुला रहा था। उसने यह भी अनुभव किया कि संभव है कि वहां उसके विपत्तिग्रस्त हृदय का कोई न कोई हल मिल जाए।

मंदिर बहुत ही साधारण था। स्वयं श्री मोहन की तरह ही। एक छोटे साधारण निर्माण ने घोषणा की कि यह किसी ज्ञानी का जन्मस्थल था। उस मंदिर के महत्व का प्रमाण मात्र इस बात से पता चलता था कि उसके प्रांगण में चारों दिशाओं में विशालकाय द्वार बन हुए थे। जैसाकि शिव ने निर्देशित किया था, नंदी और वीरभद्र एक पलटन समेत बाहर प्रतीक्षा कर रहे थे।

शिव सुविधा प्रदान करने वाले गुलूबंद को अपने गले में लपेटकर सीढ़ियों पर चढ़ने लगा। उसे एक लंबे समय के बाद शांति की अनुभूति हुई थी। उसने प्रवेश द्वार का घंटा बजाया और एक खंभे से सटकर बैठ गया। उसकी आंखें बंद थीं और वह गहरे ध्यान में लीन था। अचानक आश्चर्यजनक रूप से जाने-पहचाने स्वर ने पूछा, 'आप कैसे हैं मित्र?'

अध्याय – 14

# मोहन जोदारो का पंडित

शि व ने अपनी आंखें खोलीं तो वह उस व्यक्ति को निहारने लगा जो उस पंडित की प्रतिकृति जैसा जान पड़ रहा था, जो उसे ब्रह्मा मंदिर में मिला था और ऐसा प्रतीत हो रहा था कि उसी का दूसरा प्रतिरूप हो। उसके भी वैसे ही श्वेत लंबे प्रवाह की तरह झूलती दाढ़ी और श्वेत घने बाल थे। उसने केसरिया रंग की धोती और अंगवस्त्रम् पहन रखे थे। उसका झुर्रीदार मुख एक प्रशांत एवं स्वागतीय मुस्कान लिए हुए था। यदि उसकी लंबाई अधिक नहीं होती तो शिव सहवन में उसे वही पंडित समझ लेता, जो उसे ब्रह्मा मंदिर में मिला था।

'आप कैसे हैं, मित्र,' बैठते हुए उस पंडित ने पुनः पूछा।

'मैं ठीक हूं, पंडित जी,' शिव ने भारतीय शब्द 'जी' का प्रयोग करते हुए कहा, जो सम्मान देने के लिए प्रयुक्त होता है। वह समझ नहीं पा रहा था कि यह हस्तक्षेप उसे अच्छा लग रहा था या नहीं। उसे लगभग ऐसा ही प्रतीत हो रहा था कि उसे इस मंदिर में लाया गया था ताकि वह उस पंडित से भेंट कर सके। उसने पूछा, 'क्या मेलूहा के सभी पंडित एक जैसे ही दिखते हैं?'

वह व्यक्ति गर्माहट भरी मुस्कान के साथ बोला, 'सभी पंडित नहीं। मात्र हम।'

'और ये हम कौन हो सकते हैं, पंडित जी?'

'जब आप अगली बार हममें से किसी भी एक से मिलते हैं, तब हम

आपको बता देंगे,' पंडित ने रहस्यमय ढंग से कहा, 'यह हमारा वचन है।'

'अभी क्यों नहीं?'

'इस समय हमारी पहचान महत्वपूर्ण नहीं है,' पंडित मुस्कुराकर बोला, 'महत्वपूर्ण यह है कि आप किसी कारण से परेशान हैं। क्या आप उस संबंध में कुछ बात करना चाहते हैं?'

शिव ने एक गहरी सांस ली। उसकी सहज बुद्धि ने उससे कहा कि वह उस व्यक्ति पर भरोसा कर सकता था।

'यह एक नियुक्त कार्य है जिसे कथित रूप से मुझे मेलूहा के लिए पूरा करना है।'

'मुझे मालूम है। यद्यपि मैं नीलकंठ की भूमिका को मात्र एक नियुक्त कार्य कहकर टालूंगा नहीं। वह इससे बहुत अधिक करता है।' शिव के गले की ओर संकेत करते हुए पंडित ने कहा, 'सूती कपड़े के कुछ टुकड़े दैवीय दीप्ति को छुपा नहीं सकते।'

शिव ने आतुरता भरी मुस्कान से देखा, 'असल में, मेलूहा अवश्य ही एक आदर्श समाज प्रतीत होता है। और मैं वह सब कुछ करना चाहता हूं जो इसके संरक्षण के लिए आवश्यक हैं।'

'फिर समस्या क्या है?'

'समस्या यह है कि इस लगभग आदर्श से समाज में मैंने पाया कि कुछ परंपराएं अत्यधिक अनुचित हैं। और यह मेलूहा जिन आदर्शों को पाने की आकांक्षा रखता है, वे उससे असंगत हैं।'

'आप किन परंपराओं के बारे में बात कर रहे हैं?'

'उदाहरण के लिए, जिस प्रकार विकर्म के साथ व्यवहार किया जाता है।'

'यह अनुचित क्यों है?'

'कोई यह निश्चित होकर कैसे कह सकता है कि इन लोगों ने अपने पूर्वजन्म में पाप किए थे? और उनके वर्तमान के कष्ट उनके परिणाम हैं? यह मात्र दुर्भाग्य हो सकता है। या फिर प्रकृति का अनियमित कार्य।'

'आप सही हैं। यह हो सकता है। किंतु क्या आप सोचते हैं कि

विकर्म का दुर्भाग्य मात्र उसका व्यक्तिगत है?'

'क्या ऐसा नहीं है?'

'नहीं, ऐसा नहीं है,' पंडित उसे समझाया, 'यह पूरे समाज के लिए है। विकर्म के दुर्भाग्य का स्वीकारण मेलूहा की स्थिरता का एक अनिवार्य हिस्सा है।'

शिव ने अपनी त्योरी चढ़ाई।

'हे नीलकंठ, किसी सफल समाज की क्या आवश्यकता होती है, उसका लचीलापन एवं उसकी स्थिरता। आपको लचीलेपन की क्या आवश्यकता है? क्योंकि प्रत्येक व्यक्ति का अलग-अलग सपना होता है और उसी प्रकार अलग-अलग योग्यता होती है। एक योद्धा के पुत्र में एक महान व्यवसायी का गुण हो सकता है। तब समाज को इतना लचीला होना चाहिए कि उस पुत्र को अपने पिता के व्यवसाय से पृथक आजीविका चुनने की अनुमति होनी चाहिए। लचीलापन किसी समाज में परिवर्तन की अनुमति देता है ताकि उसके प्रत्येक सदस्य को अपने अंदर छुपे सच को बाहर निकालने का अवसर मिल सके और वह अपनी योग्यता के अनुसार प्रगति कर सके। और समाज में यदि प्रत्येक व्यक्ति अपने सच्चे सामर्थ्य को प्राप्त करता है तो संपूर्ण समाज भी अपने सच्चे सामर्थ्य को प्राप्त कर लेता है।'

'मैं सहमत हूं।'

*लेकिन इसका विकर्म से क्या लेना-देना है।*

'मैं कुछ ही देर में आपके प्रश्न पर आऊंगा। पहले थोड़ी देर के लिए मेरी बात सुन लें,' पंडित ने कहा, 'यदि हम इस बात को मान लें कि लचीलापन एक सफल समाज की कुंजी है तो मयका व्यवस्था इस आचरण को पूर्ण करने के लिए एक व्यावहारिक तरीका है। किसी भी बालक को यह पता नहीं कि उसके जन्म देने वाले माता-पिता का क्या व्यवसाय था। वे इस बात के लिए स्वतंत्र है कि वे अपनी किस प्राकृतिक योग्यता से प्रेरित होते हैं।'

'मैं सहमत हूं। मयका व्यवस्था लगभग आश्चर्यजनक रूप से न्यायसंगत है। एक व्यक्ति जो कुछ भी अपने जीवन में करता है, उसके लिए वह स्वयं

को श्रेय एवं दोष दोनों ही दे सकता है। लेकिन यह तो लचीलेपन के बारे में है। स्थिरता के बारे में क्या है?'

'स्थिरता एक व्यक्ति को चयन करने के अधिकार की स्वतंत्रता देती है, मित्र। लोग अपने सपने को तभी पूरा कर सकते हैं जब वे ऐसे समाज में निवास करते हैं जहां उत्तरजीविता के लिए प्रतिदिन का भय नहीं होता है। बिना सुरक्षा एवं स्थिरता वाले समाज में कोई बुद्धिजीवी या व्यवसायी या कलाकार या बुद्धिमान नहीं होता है। व्यक्ति हमेशा ही लड़ाई या उड़ान की स्थिति में होता है। वह एक पशु से बढ़कर कुछ नहीं होता है। फिर उसके पास वह अवसर ही कहां है कि विचारों के पलने दे सके अथवा किसी के सपने को पूरा कर सके? समाज बनाने के पूर्व समस्त मानव इसी प्रकार के थे। सभ्यता बहुत ही सहजता से टूटने वाली होती है। हमें मानवता को भुलाने के लिए और पशु बनने के लिए बस कुछ दशकों की अराजकता चाहिए होती है। असल में हमारी मौलिक प्रकृति अत्यधिक तीव्रता से हम पर हावी होती है। हम बड़ी सरलता से भूल सकते हैं कि हम विधियों, नियमों एवं नैतिकता वाले चेतन प्राणी हैं।'

'मैं समझ सकता हूं। हमारी मातृभूमि में कबीलेवाले जानवरों से बेहतर नहीं थे। वे तो एक अच्छा जीवन जीना भी नहीं चाहते थे।'

'वे नहीं जानते थे कि बेहतर जीवन संभव भी था, नीलकंठ। निरंतर लड़ाई का यही शाप है। यह हमें मानवीयता के सबसे सुंदर अंश को भुला देने को विवश करता है। इसी कारण से समाज को स्थिर रहना चाहिए ताकि हम एक-दूसरे को ऐसी परिस्थिति में न धकेल दें कि हमें उत्तरजीविता के लिए संघर्ष करना पड़े।'

'ठीक है। लेकिन लोगों का सामर्थ्य प्राप्त करना अस्थिरता क्यों उत्पन्न करेगा? असल में, यह लोगों को अपने जीवन में और अधिक खुशी प्रदान करेगा और इसलिए समाज उत्तरोत्तर स्थिर ही बनता जाएगा।'

'सच है, किंतु आंशिक रूप से। लोग तब प्रसन्न होते हैं जब वे बेहतर जीवन की ओर परिवर्तित होते हैं। किंतु दो परिस्थितियां हैं, जिनमें परिवर्तन भीषण गड़बड़ी की ओर ले जा सकता है। सर्वप्रथम लोग जब दूसरों द्वारा

किए गए परिवर्तन का सामना करते हैं अर्थात ऐसी परिस्थितियां जो वे समझ नहीं सकते हैं। यह उन्हें उसी प्रकार डराता है जैसे मृत्यु। जब परिवर्तन बहुत तीव्रता से घटित होता है तो वे विरोध करते हैं।'

'सच है, दूसरे द्वारा बलपूर्वक किए गए परिवर्तन को स्वीकार करना कठिन है।'

'और बहुत तीव्र गति से किया गया परिवर्तन अस्थिरता उत्पन्न करता है। यही प्रभु श्री राम की जीवनशैली की नींव रूपी दृढ़ शिलाएं हैं। ऐसी कई विधियां हैं जो किसी समाज को धीरे-धीरे परिवर्तित करती रहती हैं और उसे स्थिर भी रहने देती हैं। साथ ही, वे अपने नागरिकों को अपने सपनों का अनुसरण करने की स्वतंत्रता की अनुमति भी देती हैं। उन्होंने स्थिरता एवं लचीलेपन का एक आदर्श संतुलन बनाया था।'

'आपने एक दूसरी परिस्थिति के बारे में उल्लेख किया था...'

'दूसरी है जब लोग चाहते हुए भी परिवर्तन नहीं ला सकते हैं क्योंकि कारण उनके नियंत्रण में नहीं रहते हैं। मान लीजिए कि एक बहुत ही बेहतरीन योद्धा है जो अपने हाथों एवं आंखों का तालमेल किसी बीमारी के कारण खो बैठता है। वह अभी भी योद्धा है, किंतु असाधारण नहीं। वह समझता है कि उसके साथ अन्याय हुआ है और उसके लिए संभवतः वह कुंठित भी होगा। तब वह या तो अपने वैद्य या फिर समाज को इसके लिए दोषी ठहराएगा। ऐसे बहुत से असंतुष्ट व्यक्ति समाज के लिए एक नासूर बन सकते हैं, जिससे समाज को खतरा उत्पन्न हो सकता है।'

शिव ने त्योरी चढ़ाई। उसे यह तर्क पसंद नहीं आया। किंतु उसे भी पता था कि कुछ वर्षों पहले पक्रतिवालों ने उसके चाचा जी के शांति प्रस्ताव को मानने से केवल इसलिए मना कर दिया था कि उनका रोगग्रस्त एवं वृद्ध मुखिया अपनी उस आकांक्षा को पूरा करना चाहता कि वह एक ऐसा आपवादिक योद्धा था जिसने गुणवालों को पराजित किया था।

'उनका एकीकृत क्रोध अशांति उत्पन्न कर सकता है, यहां तक कि हिंसा भी,' पंडित ने कहा, 'प्रभु श्री राम ने इसका अनुभव कर लिया था। और इसी कारण से विकर्म की अवधारणा अस्तित्व में आई थी। यदि आप

किसी व्यक्ति को इस बात का विश्वास दिला देते हैं कि इस जन्म में उसका दुर्भाग्य उसके पूर्वजन्म के पापों के कारण ही है, तो वह खुद को अपने भाग्य के भरोसे आत्म-समर्पण कर देगा और समाज के ऊपर अपना गुस्सा नहीं निकालेगा।'

'लेकिन मैं इस बात से सहमत नहीं हूं कि विकर्म का बहिष्कार एक अच्छी युक्ति है। यह और अधिक दबे हुए क्रोध को जन्म देगा।'

'किंतु उन्हें बहिष्कृत नहीं किया जा रहा है। उनका लालन-पालन सब कुछ शासन द्वारा सहायता प्राप्त है। वे तब भी अपने परिवार वालों से हिल-मिलकर रह सकते हैं। जहां भी ऐसा संभव है, उन्हें अपनी व्यक्तिगत निपुणता प्राप्त करने की अनुमति होती है। वे स्वयं की सुरक्षा के लिए संघर्ष कर सकते हैं। जो वे नहीं कर सकते हैं, वह है कि वे किसी को प्रभावित नहीं कर सकते। क्या आप जानते हैं कि प्रभु श्री राम के इस साम्राज्य की स्थापना से पूर्व वह सामान्य विरोध क्या था? और यह विरोध उनका नहीं था, जो वास्तव में दूरदृष्टि रखते थे, या जो आम आदमी के लिए बेहतर जीवन प्रदान करते। उनका नेतृत्व ऐसे लोगों ने किया जो स्वयं अपने जीवन से बुरी तरह से असंतुष्ट थे। वे विकर्म के समान ही थे। और ऐसे विरोध समाज में उथल-पुथल मचा देते थे, जिन्हें पुनः एक सभ्य समाज बनाने में दशकों लग जाया करते थे।'

'तो आप यह कह रहे हैं कि जो कोई भी अपने जीवन से असंतुष्ट है उसे एक विकर्म बनकर अपने जीवन का आत्म-समर्पण कर देना चाहिए।'

'समाज की वृहत्तर भलाई के लिए।'

शिव हक्का-बक्का रह गया। वह इस बात पर विश्वास नहीं कर पाया कि वह क्या सुन रहा था। जो तर्क उसके सामने प्रस्तुत किए गए थे, उसे वे पूरी तरह से अस्वीकार थे, 'मुझे क्षमा करें, लेकिन मुझे लगता है कि यह व्यवस्था पूरी तरह से अन्यायपूर्ण है। मैंने सुना है कि मेलूहा में लगभग पांच प्रतिशत जनसंख्या विकर्म है। क्या इतनी बड़ी जनसंख्या हमेशा के लिए जाति बहिष्कृत रहने वाली है? यह व्यवस्था परिवर्तन की अपेक्षा करती है।'

'आप इसे बदल सकते हैं। आप नीलकंठ हैं। किंतु याद रखिए, कोई व्यवस्था शत-प्रतिशत आदर्श नहीं होती है। प्रभु श्री राम के समय

में एक मंथरा नामक स्त्री ने कुछ ऐसी घटनाओं को जन्म दिया था, जिसके परिणामस्वरूप लाखों लोगों के प्राण चले गए थे। उसके शारीरिक विकारों के कारण उसने बहुत कष्ट झेले थे। और उसके बाद, भाग्य ने उसे एक शक्तिशाली महारानी को प्रभावित करने की स्थिति में ला खड़ा किया था और इस प्रकार वह समस्त साम्राज्य को प्रभावित करने की स्थिति में आ गई थी। इसलिए भाग्य द्वारा एक विद्रूपित व्यक्ति के दुर्भाग्य ने असाधारण नरसंहार सृजन किए थे। यह आम लोगों के लिए अच्छा नहीं है कि वह व्यक्ति एक विकर्म घोषित हो जाता है? कोई उत्तर आसान नहीं होता है। यह कहने के बावजूद भी, मैं इतना कह सकता हूं कि आप भी सही हो सकते हैं। हो सकता है कि विकर्म व्यक्तियों की जनसंख्या इतनी अधिक हो चली है कि वह चरम स्थिति में पहुंच चुकी है, जो समाज को उलटकर अव्यवस्था उत्पन्न कर सकती है। क्या इस समस्या का निदान मेरे पास है? नहीं। हो सकता है आप कुछ निदान निकाल सकते हैं।'

शिव ने अपना चेहरा घुमा लिया। उसका हृदय इस बात का विश्वास करता था कि विकर्म व्यवस्था अन्यायपूर्ण एवं अनुचित था।

'क्या आप सभी विकर्मों के लिए चिंतित हैं, हे नीलकंठ?,' पंडित ने पूछा, 'या फिर मात्र एक के लिए?'

— ᛉ◎ᚢ ᛯ⊕ —

'प्रभु वहां क्या कर रहे हैं?' नंदी ने पूछा, 'वे बहुत समय ले रहे हैं।'

'मुझे नहीं पता,' वीरभद्र ने कहा, 'मुझे केवल इतना पता है कि शिव यदि यह कहते हैं कि उन्हें कुछ करने की आवश्यकता है, तो मुझे स्वीकार है।'

'तुम प्रभु का नाम लेकर क्यों पुकारते हो?'

'क्योंकि यह उनका नाम है।'

नंदी इस सरल उत्तर पर मुस्कुराया और मुड़कर मंदिर की ओर देखने लगा।

'मुझे यह बात बताओ, कप्तान,' वीरभद्र नंदी के समीप आते हुए बोला, 'क्या कृत्तिका की बोली लगी है? बोली लगी हुई है?'

'मेरा मतलब है,' वीरभद्र ने कहना जारी रखा, 'क्या उस तक पहुंचना नामुमकिन है?'

'पहुंचना नामुमकिन?'

'तुम्हें पता है मैं क्या कहना चाहता हूं,' वीरभद्र ने सिंदूरी लाल होते हुए कहा।

'वह एक विधवा है,' नंदी ने कहा, 'उसके पति का निधन पंद्रह वर्ष पूर्व हो गया था।'

'ओह, यह तो बहुत बुरा हुआ!'

'हां, बहुत बुरा,' नंदी ने वीरभद्र की ओर मुस्कान से देखा, 'लेकिन तुम्हारे प्रश्न का उत्तर यही है कि उसकी बोली नहीं लगी हुई है।'

'देवी, क्या मैं कुछ प्रार्थना कर सकती हूं?' कृत्तिका ने पूछा।

सती विश्रामगृह की खिड़की से मुड़ी और आश्चर्य में भौंहे उठाकर कृत्तिका को देखकर कहा, 'क्या मैंने तुम्हें अपनी बात कहने से कभी मना किया है? एक सच्चा सूर्यवंशी हमेशा अपने मन की बात करता है।'

'ठीक है,' कृत्तिका ने कहा, 'कभी ऐसा भी होता है, जब स्वयं का आत्म-नियंत्रण खोना उतना हानिकारक नहीं होता है।'

कृत्तिका ने जल्दी से कहा, इससे पहले कि उसके बोलने की हिम्मत पस्त हो जाए, 'उनके नीलकंठ होने की बात को भूल जाइए, देवी। मात्र एक व्यक्ति की तरह देखें तो आज तक मैंने जितने भी व्यक्ति देखे हैं, वे सबसे अच्छे हैं। वे बुद्धिमान, वीर, मसखरी करने वाले, दयालु और फिर वे उस भूमि की पूजा करते हैं जिस पर आपको गर्व है। क्या यह सचमुच में ही इतना बुरा है?'

सती ने कृत्तिका को गहरी चमक भरी दृष्टि से देखा। वह नहीं जान सकी

कि कृत्तिका जो कहना चाह रही थी वह उस पर अधिक दुखी थी या फिर खुद की उन भावनाओं पर, जो प्रकट रूप से स्पष्ट थीं।

कृत्तिका ने कहना जारी रखा, 'हो सकता है, यह हो भी सकता है कि नियमों का उल्लंघन सुख की ओर ले चलने वाला हो।'

'मैं एक सूर्यवंशी हूं,' सती ने कहा। उसका स्वर मद्धिम होता गया था, 'नियमों के सहारे ही हम जीवन जीते हैं। मुझे सुख से क्या लेना-देना? इसके बारे में फिर कभी बात करने की हिम्मत मत जुटाना!'

— ⅄ⓄⅡ↑⊛ —

'हां, एक विशेष विकर्म है,' शिव ने स्वीकार किया, 'लेकिन यह कारण नहीं है कि मैं विकर्म नियम को अनुचित मानता हूं।'

'मैं जानता हूं,' पंडित ने कहा, 'किंतु मैं यह भी जानता हूं कि आप इस समय उस विशेष के साथ संबंधों को लेकर परेशान हैं। आप नहीं चाहते वह ऐसा सोचे कि आप मात्र उसे पाने के लिए नियमों में बदलाव करना चाहते हैं, भले ही बदलाव कितने भी न्यायपूर्ण क्यों न हो। क्योंकि यदि सती को यह विश्वास हो जाता है तो वह आपके पास कभी भी नहीं आएगी।'

'आप उसका नाम कैसे जानते हैं?' शिव ने विस्मित होकर पूछा।

'हम बहुत कुछ जानते हैं, मित्र।'

'मेरा पूरा जीवन उसके बिना अर्थहीन है।'

'मैं जानता हूं,' पंडित मुस्कुराया, 'संभवतः मैं आपकी सहायता कर सकता हूं।'

शिव की भृकुटि तन गई। यह अनपेक्षित था।

'आप चाहते हैं कि वह भी आपके साथ प्रेम का आदान-प्रदान करे। लेकिन वह कैसे कर सकती है जब आप उसे समझते भी नहीं।'

'मुझे लगता है कि मैं उसे जानता हूं। मैं उससे प्रेम करता हूं।'

'हां, आप उससे प्रेम करते हैं, किंतु आप उसको जानते नहीं हैं। आप

यह नहीं जानते कि वह क्या चाहती है?'

शिव चुप हो गया। वह जानता था कि पंडित सही था। वह सती के बारे में पूरी तरह से गफलत में था।

'वह क्या चाहती है उसके बारे में आप एक अनुमान लगा सकते हैं,' पंडित ने कहना जारी रखा, 'लेन-देन के व्यवहार के सिद्धांत की सहायता से।'

'क्या?' चकराए हुए शिव ने कहा।

'यह समाज की संरचना करता है।'

'क्षमा करें, लेकिन इसका सती से क्या लेना-देना है?'

'कुछ और समय तक मेरी बात सुनें, नीलकंठ,' पंडित ने कहा, 'आपको पता ही होगा कि जो वस्त्र आप पहनते हैं, वे सूती धागों से बुनकर बनाए जाते हैं, सही है?'

'हां,' शिव ने उत्तर दिया।

'उसी प्रकार, लेन-देन के व्यवहार भी एक प्रकार के धागे हैं, जिन्हें बुनने पर एक समाज का निर्माण होता है, यही संस्कृति है। या फिर वह एक व्यक्ति के संदर्भ में उसके चरित्र को बुनकर बनाता है।'

शिव ने सहमति में सिर हिलाया।

'यदि आपको किसी वस्त्र की मजबूती का पता करना है तो आप उसकी बुनाई की गुणवत्ता का परीक्षण करते हैं। यदि आप किसी व्यक्ति के चरित्र या व्यवहार को समझना चाहते हैं तो उसके अंतः वैयक्तिक व्यवहार को या उसके लेन-देन के व्यवहार को समीपता से देख सकते हैं।'

'ठीक है,' शिव ने पंडित के शब्दों को समझते हुए धीमे से कहा, 'लेकिन लेन-देन का व्यवहार तो...'

'मैं समझता हूं,' पंडित ने बीच में ही टोका, 'लेन-देन का व्यवहार दो व्यक्तियों के मध्य एक पारस्परिक क्रिया है। यह वस्तुओं का व्यापार भी हो सकता है, जैसे एक शूद्र कृषक एक वैश्य से पैसों के लिए अपने अन्न का

लेन-देन करता है। किंतु यह पदार्थीय लेन-देन के व्यवहार से पृथक भी हो सकता है जैसे एक क्षत्रिय सत्ता में रहने के बदले किसी समाज को सुरक्षा प्रदान करता है।'

शिव ने सहमति में सिर हिलाया, 'लेन-देन का व्यवहार तो कुछ लेने और देने से अर्थ रखता है।'

'बिल्कुल सही। इसलिए हम इस तर्क से चलें तो यदि आपको किसी से कुछ चाहिए तो आपको उस व्यक्ति कुछ देना होगा, जो वह चाहता है।'

'तो फिर आप क्या सोचते हैं कि वह क्या चाहती है?'

'सती के व्यवहार को समझने का प्रयास करें। आप क्या सोचते हैं कि वह क्या चाहती है?'

'यह मैं नहीं जानता। वह बहुत ही अस्पष्ट है।'

'नहीं, वह नहीं है। एक स्वरूप है। सोचिए। वह संभवतः इतिहास में सबसे अधिक प्रतिष्ठित विकर्म है। उसके पास सत्ता और शक्ति है कि वह विरोध कर सके, यदि वह चाहे तो। उसमें अवश्य जोश है क्योंकि वह युद्ध करने से कभी भी पीछे नहीं हटती है। किंतु वह विकर्म विधि के विरुद्ध कभी स्वर नहीं उठाती है। साथ ही वह अधिकतर विकर्म की तरह नेपथ्य में नहीं जाती है और अपना जीवन अज्ञातवास में नहीं जीती है। वह नियमों का पालन करती है, फिर भी वह कराहती नहीं है और दूसरों से अपना दुखड़ा नहीं रोती है। उसका जीवन उससे चाहे जितना भी अन्यायपूर्ण व्यवहार करता है, वह स्वयं को मर्यादित रखती है। क्यों?'

'क्योंकि वह नेक स्त्री है।'

'इसमें संदेह नहीं कि वह नेक स्त्री है। किंतु वह कारण नहीं है। याद रखिए, लेन-देन के व्यवहार में आप कुछ देते हैं क्योंकि आप वापसी में कुछ प्राप्त करने की इच्छा रखते हैं। वह एक अनुचित विधि को स्वीकार कर रही है, किसी को भी दोषी महसूस करवाए बिना ही। और सबसे महत्वपूर्ण बात है कि वह जहां भी हो सके समाज की अच्छाई के लिए अपने सामर्थ्य का प्रयोग भी करती है। आप क्या सोचते हैं कि एक व्यक्ति अपने लेन-देन के व्यवहार से समाज को इतना कुछ देता है तो वापसी में वह क्या चाहता

है?'

'आदर, सम्मान,' शिव ने उत्तर दिया।

'बिल्कुल ठीक,' पंडित का मुख दीप्तिमान हो उठा, 'और आप क्या सोचते हैं कि आप क्या करते हैं जब आप वैसे व्यक्ति को संरक्षण देते हैं?'

'अनादर।'

'आप पूर्णतः सही हैं! मैं जानता हूं कि यह आपका प्राकृतिक स्वभाव है कि आप उसको संरक्षण देते हैं जो एक अच्छा व्यक्ति है और जिसको उसकी आवश्यकता प्रतीत हो। किंतु उस स्वभाव को सती के संबंध में आपको नियंत्रित करना होगा। उसका आदर कीजिए। और वह अबाध रूप से आपकी ओर खिंची चली आएगी। जो उसको प्रेम करते हैं, उससे उसे बहुत कुछ प्राप्त होता है। जो उसे नहीं प्राप्त होता है और जिसके लिए वह सबसे अधिक तरसती है, वह है, आदर।'

शिव ने पंडित की ओर कृतज्ञता भरे भाव से देखा। उसने उत्तर पा लिया था।

*आदर।*

— ✳⓪🜄🜍⊕ —

दो सप्ताह बाद नीलकंठ का काफिला करचप नगर पहुंचा जो सिंधु नदी के पश्चिम सागर से मिलन-स्थल पर स्थित था। यह एक शानदार चमचमाता हुआ नगर था जो एक वेदिका पर बसाया गया था, किंतु अब उसका विस्तार अत्यधिक हो चुका था। द्वितीय वेदिका पचास वर्ष पूर्व निर्मित की गई थी जो प्रथम वेदिका से भी भव्य एवं विशाल स्तर की थी। द्वितीय वेदिका पर करचप के उच्च वर्ग के लोग रहते थे। छोटे कद वाले वैश्य राज्यपाल झूलेश्वर ने जो सुना था, उसी परंपरा का अनुसरण करते हुए वह नगर के बाहर नीलकंठ को लेने आया हुआ था।

करचप एक लाख जनसंख्या वाला सीमांती व्यापारिक नगर था। इसलिए दक्ष के पिता ब्रह्मनायक की यह दूरदृष्टि थी कि उन्होंने सौ वर्षों

पूर्व ही एक वैश्य को करचप का राज्यपाल नियुक्त कर दिया था। झूलेश्वर ने अपने भाग्य पर सोने की कलई चढ़ाते हुए उस नगर का शासन बहुत ही अच्छे ढंग से किया था और वह अब तक का सबसे बुद्धिमान एवं प्रभावशाली राज्यपाल माना जाता था। करचप बहुत समय पहले ही लोथल को पीछे छोड़कर साम्राज्य के पूर्वी क्षेत्र में व्यापार की दृष्टि से मेलूहा का प्रमुख नगर बन चुका था। जबकि मेसोपोटामिया एवं मिश्र के विदेशियों को इस उदारपंथी नगर में आने की अनुमति थी, किंतु उससे आगे बिना स्पष्ट राजशाही अनुज्ञा पत्र के साम्राज्य में कहीं भी भ्रमण करने की अनुमति नहीं थी।

झूलेश्वर करचप में पहले ही दिन मार्गरक्षक बनकर नीलकंठ को पश्चिम सागर में पर्यटन करवाने के लिए ले गया। शिव ने कभी समुद्र नहीं देखा था और वह उस अथाह जल के विस्तार को देखकर मंत्रमुग्ध था। उसने कई घंटे बंदरगाह पर बिताए, जहां झूलेश्वर ने विभिन्न प्रकार के जहाजों एवं नौकाओं के निर्माण के बारे में गर्व के साथ विवरण दिया। यह करचप बंदरगाह से सटा हुआ एक पोत कारखाना था। बृहस्पति भी मेसोपोटामिया के व्यापारियों से आयात किए हुए सामानों का परीक्षण करने उनके साथ गया था।

शाम के समय शिव के लिए राजकीय भोजन का आयोजन किया गया। झूलेश्वर ने गर्व से घोषणा की कि अगले दिन नीलकंठ के सम्मान में एक यज्ञ का आयोजन प्रभु वरुण एवं प्रसिद्ध यमज अश्विनी कुमारों के तत्वावधान में किया जाएगा। यमज अश्विनी कुमार प्रख्यात जहाजी थे, जिन्होंने मेलूहा से मेसोपोटामिया तक का समुद्री रास्ता तय किया था और उसके आगे भी गए थे। उनके मानचित्र, उनके मार्गदर्शन और कथाएं इन समुद्री लोगों के लिए प्रेरणा एवं सीख के स्रोत थे।

भोजन के उपरांत शिव ने उन कमरों का भ्रमण किया जहां सती एवं कृत्तिका को रखा गया था।

'मैं सोच रहा था,' चूंकि सती उसके साथ पूरी तरह से औपचारिक बन चुकी थी, अतः शिव ने अब भी बहुत सावधानीपूर्वक कहा, 'क्या आप कल

यज्ञ के लिए आएंगीं?'

'मुझे क्षमा करें, प्रभु नीलकंठ,' सती ने शिष्टतापूर्वक कहा, 'किंतु मेरे लिए आयोजन में उपस्थित होना संभव नहीं हो पाएगा। ऐसे यज्ञों में मुझे उपस्थित होने की अनुमति नहीं है।'

शिव कहना चाहता था कि कोई कुछ नहीं कहेगा क्योंकि वह नीलकंठ के साथ यज्ञ में हिस्सा लेगी। लेकिन उसने कहा नहीं, 'संभवतः कल हम नृत्य का एक अभ्यास कर सकते हैं? मुझे यह भी याद नहीं है कि हमने कब आखरी बार एक साथ नृत्य किया था।'

'यह बहुत ही अच्छा रहेगा। मुझे आपके निर्देश सुनने का अवसर बहुत दिनों से प्राप्त नहीं हुआ है,' सती ने कहा।

शिव ने सती पर अप्रसन्नता से सिर हिलाया, उनके संबंधों में पड़ी हुई इस ठंडक ने उसे संतप्त कर दिया। जाने के लिए अभिवादन कर वह कमरे से बाहर निकल गया ।

कृत्तिका ने अलक्षित रूप से अपना सिर हिलाते हुए सती की ओर सरसरी निगाह से देखा।

अध्याय - 15

# अग्नि से परीक्षण

*अपने रोयेंदार अंगरखे में सिमटा हुआ और तीखे पत्थरों से बचने का प्रयत्न करता हुआ एक छोटा बालक धूल भरे भेड़ों के पदचिह्नों के पीछे तेजी से चल रहा था। सघन नमी वाले वन ने रास्ते का अतिक्रमण डरावने ढंग से कर रखा था। उस बालक को पक्का विश्वास था कि यदि उसने अपनी चाल धीमी की तो घनी झाड़ियों में खतरनाक एवं भीमकाय दैत्य उस पर झपट्टा मारने की ताक में बैठे हुए थे। उसका गांव वहां से बस कुछ ही घंटों की दूरी पर था। सूर्य पर्वतों के पीछे तीव्र गति से छुपता जा रहा था। दैत्य को अंधकार पसंद होता है, उसके अधिक परेशान करने पर उसकी माता और दादी ने उसे कई बार बताया था। किसी बड़े के साथ चलना उसे पसंद आया होता क्योंकि दैत्य बड़ों को तंग नहीं करते थे।*

*जैसे ही उसने एक विचित्र ठंडी सांस लेने जैसी ध्वनि सुनी तो उसके हृदय की धड़कन एक बार थम-सी गई। पीछे की ओर से आक्रमण की शंका में उसने अपनी तलवार निकाल ली। उसके दोस्तों ने जंगल के दैत्यों के बारे में कई कहानियां सुनी थीं। वे कायर कभी भी सामने से आक्रमण नहीं करते थे।*

*उस ध्वनि की दिशा जानने के उद्देश्य से वह बिना हिले-डुले खड़ा हो गया। उसमें बार-बार दुहराए जाने वाला एक विशिष्ट लय था और वह अस्पष्ट रूप से परिचित-सा प्रतीत हो रहा था। उसने*

अनुभव किया कि जैसे उसने इसे पहले भी सुना था। उस ध्वनि में अब एक पुरुष का भारी कराहने वाला स्वर भी मिल चुका था। यह दैत्य नहीं हो सकता था! उस बालक ने अपने शरीर में उत्तेजना की झुरझुरी का अनुभव किया। उसने अपने दोस्तों से फुसफुसाहट में खिलखिलाती हुई हंसी के साथ इसके बारे में सुना था, लेकिन उसने यह कार्य कभी देखा नहीं था। आज उसे अवसर था।

वह धीरे-धीरे झाड़ियों में सरकने लगा और उसकी तलवार उसके बगल में झूल रही थी। उस ध्वनि के स्रोत को पाने के लिए उसे बहुत दूर नहीं जाना पड़ा था। वह एक छोटे से साफ किए हुए स्थान से आ रही थी। वह एक पेड़ के तने के पीछे छुप गया और उसने चुपके से झांका।

वे एक युगल थे। वे बहुत जल्दी में लग रहे थे। उन्होंने अपने कपड़े भी पूरी तरह से नहीं उतारे थे। वह आदमी अत्यधिक बालों वाला था, लगभग भालू के जैसा। उस कोण से वह बालक उसकी पीठ ही देख पा रहा था। उसके सामने स्त्री के सामने का दृश्य था। वह आश्चर्यजनक रूप से सुंदर थी। उसके तरंगित केश लंबे और उज्ज्वल थे। आंशिक रूप से फटी हुई चोली के कारण अत्यधिक क्रूर रति-क्रिया से लाल रंग की धारी सहित उसके दृढ़ उरोज दिख रहे थे। उसका लहंगा फटा हुआ था और उसके उत्कृष्ट लंबे पांव प्रदर्शित हो रहे थे। उस बालक की उत्तेजना अकल्पनीय थी। प्रतीक्षा कीजिए जब उसका अभिन्न मित्र भद्र इस अनुभव को सुनेगा !

जब वह इस प्रदर्शन का आनंद ले रहा था, तभी उसकी बेचैनी बढ़ी। उसे कुछ गड़बड़ लगी। वह आदमी आवेश की तीव्र वेदना में था जबकि स्त्री निष्क्रिय सी लेटी हुई थी। उसका मुख बहुत सख्ती से बंद था। वह अपने प्रेमी को उत्साहित करने वाले शब्दों की कानाफूसी नहीं कर रही थी। क्या उसके गालों पर हर्षातिरेक के आंसू ढलक रहे थे? या उसके साथ बलात कर्म हो रहा था? लेकिन यह कैसे हो सकता है? उस आदमी का चाकू उस स्त्री की पहुंच में रखा हुआ

था। वह उसे उठाकर उसको आहत कर सकती थी।

बालक ने सिर हिलाया। उसने अपने अंतर्मन को शांत करने का प्रयास किया, 'चुप रहो। मुझे देखने दो।'

और उसके बाद वह क्षण आया जो उसे पूरे जीवन भर बार-बार तंग करता रहेगा। उस स्त्री का आंखें अचानक उस पर गईं।

'सहायता!' वह चीखी, 'कृपया सहायता करें!'

चौंकता हुआ वह बालक पीछे हटा। उसकी तलवार गिर गई। वह रोंयेदार दैत्य पीछे मुड़ा यह देखने के लिए कि स्त्री किसे पुकार रही थी। बालक ने तेजी से अपनी तलवार उठाई और भाग खड़ा हुआ। वह अपने शीतदंश वाले अंगूठे की पीड़ा की परवाह किए बिना ही दौड़ता चला गया। वह इस सोच से ही डरा हुआ था कि वह आदमी कहीं उसका पीछा न कर रहा हो। वह उस आदमी की भारी सांसों को अब भी सुन पा रहा था।

बालक ने उछलकर भेड़ों के पदचिह्नों को पकड़ा और तेजी से अपने गांव की ओर भागा। वह अब भी भारी सांसों को सुन रहा था। वह हर क्षण उसके समीप आता जा रहा था। बालक झटके से बाएं हटा, एक पैर की धुरी बनाकर घूमा और जोर से तलवार घुमाई।

वहां कोई भी नहीं था। भारी सांसों की ध्वनि नहीं थी। मात्र एक ध्वनि थी एक मनोविक्षिप्त स्त्री की बारम्बार तंग करने आग्रह वाली ध्वनि।

'सहायता! कृपया सहायता करें!'

उस छोटे बालक ने मुड़कर देखा। वह अबला स्त्री।

'पीछे लौटो! उसकी सहायता करो!' उसके अंतर्मन का स्वर रोया।

वह कुछ क्षण के लिए हिचकिचाया। उसके बाद मुड़ा और अपने गांव की ओर भाग गया।

**नहीं! पीछे लौटो! उसकी सहायता करो!**

शिव पसीने से नहाया हुआ जाग उठा था। उसका हृदय पागलों की तरह ढमढम कर रहा था। वह स्वाभाविकतः पीछे मुड़ा। वह उस भयानक दिन में किसी भी कीमत पर जाना चाहता था। प्रायश्चित करने के लिए। लेकिन कोई प्रायश्चित नहीं हो सकता था। स्त्री का भयभीत चेहरा बारम्बार उसके सामने आ रहा था। उसने अपनी आंखें बंद कर लीं। लेकिन आप उस चित्र के लिए अपनी आंखें कैसे बंद कर सकते हैं, जो आपके मन में छपा हुआ हो?

उसने अपने घुटने को ऊपर की ओर मोड़ लिया और अपने सिर को उस पर टिका दिया। उसके बाद उसने वही किया जो हमेशा करता था। वह रोने लगा।

---

द्वितीय वेदिका के केंद्रीय चतुर्भुज पर यज्ञ की वेदिका बनाई गई थी। करचप के लिए यह मेलूहा का लाक्षणिक सादगी वाला कार्य नहीं था। सीमांत नगर ने उस क्षेत्र को तड़क-भड़क वाले रंगों में ऐसा सजाया था कि देखने वाले देखते ही रह जाएं। वेदिका को चमकीले स्वर्णिम रंग में रंगा गया था। रंगीन सजावट वाले फूलों से लदे खंभे शामियाना को खड़ा किए हुए थे। सूर्यवंशी प्रतीक की चित्रकारी वाली लाल एवं नीले रंग की पताकाएं कई खंभों से गर्वित होकर झूल रही थी। वहां का समस्त वातावरण सजावट और प्रदर्शन का था।

झूलेश्वर ने शिव का स्वागत वेदिका के मुख पर किया और उनका मार्गदर्शन करके उन्हें यज्ञ की रस्म वाले स्थल पर बिठा दिया। राज्यपाल के बार-बार आग्रह करने पर शिव नें अपना गुलूबंद यज्ञ की अवधि तक के लिए निकाल दिया था। पर्वतेश्वर और बृहस्पति नीलकंठ के दाहिनी ओर बैठे थे जबकि झूलेश्वर और आयुर्वती बाईं ओर। नंदी और वीरभद्र को शिव के पीछे बैठने के लिए आमंत्रित किया गया था ग्रपि यह परंपरागत नहीं था, किंतु नीलकंठ के अनुरोध पर झूलेश्वर ने इसकी अनुमति दे दी थी। झूलेश्वर एक

सर्वत्रवासी सीमांत नगर का प्रशासक था और उसका मानना था कि कार्य त्वरित गति से करने के लिए मेलूहा की कई कड़ी विधियों को थोड़ा लचीला किया जा सकता था। उसकी इस प्रकार की उदारता ने करचप को विभिन्न प्रकार के कुल एवं वंशों तथा जातियों के लोगों के लिए चुंबक बना दिया था और सामान, सेवाओं एवं विचारों के आदान-प्रदान करने का मुख्य केंद्र बना दिया था।

शिव ने सती के छज्जे की ओर देखा जहां से दूर से वह केंद्रीय चतुर्भुज दिख रहा था। यद्यपि जब यज्ञ हो रहा हो तो सती को वेदिका पर आने की अनुमति नहीं थी तथापि उसे एक निश्चित दूरी से अपने कमरे से उसकी कार्यवाही को देखने की अनुमति थी। उसकी बगल में खड़ी कृत्तिका के साथ वहां की कार्यवाही को देखते हुए छज्जे के पर्दे के पीछे खड़ी हुई सती को शिव ने देख लिया था।

यज्ञ का प्रारंभ करने से पहले रिवाज के अनुसार पंडित खड़ा हुआ और उसने औपचारितावश पूछा, 'यदि किसी को इस यज्ञ के संबंध में कोई आपत्ति है, तो कृपया अभी बताइए। अन्यथा हमेशा के लिए शांति बनाए रखिए।'

यह एक पारंपरिक प्रश्न मात्र था, जिसका वास्तव में कथित रूप से कुछ उत्तर नहीं देना था। इसलिए जब एक स्वर तीव्र स्वर में गूंजा कि मुझे आपत्ति है तो एक सामूहिक उछ्वास गूंज उठा।

किसी को भी देखकर पहचानने की आवश्यकता नहीं थी कि वह स्वर कहां से आया था। वह तारक था, जो साम्राज्य के अत्यधिक रूढ़िवादी उत्तर-पश्चिम क्षेत्र का एक अप्रवासी था। जबसे तारक करचप आया था, उसने इस 'पाप से अवनतिशील नगर' का 'नैतिक पुलिस' बनने का बीड़ा उठा लिया था।

शिव ने अपनी गर्दन घुमाकर देखी कि किसने आपत्ति की थी। उसने देखा कि तारक उस पूजा की वेदिका के एक किनारे पर बैठा हुआ था, जो सती के छज्जे के बहुत समीप थी। जीवन भर लड़ाई-झगड़े के कारण लगे चेहरे पर कटे के निशान वाला वह एक दैत्याकार व्यक्ति था, जिसका पेट बहुत बड़ा था और थोड़ी-बहुत मांसल बांहें भी थीं। उसका आकार बड़ा ही

बेजोड़ था। उसके बाजूबंद को देखे बिना ही यह स्पष्ट था कि तारक क्षत्रिय था, जिसने सेना के निचले पायदान पर काम करके अपनी जीविका चलाई थी।

झूलेश्वर ने क्रोध में तारक को घूरा, 'अब क्या है? इस बार हमने सुनिश्चित किया है कि हमारी सजावट में चंद्रवंशियों के सफेद रंग न हो। या फिर तुम यह सोचते हो कि जो जल यज्ञ के लिए लाया गया है वह वेदों के अनुसार सही तापमान का नहीं है?'

भीड़ ने मुंह बिचकाया। पर्वतेश्वर ने झूलेश्वर को तीव्रता से देखा। इससे पहले कि वह राज्यपाल को वेदों का इस तरह संदर्भ के लिए बुरा-भला कहता, तारक बोल उठा, 'विधि कहती है कि यज्ञ वेदिका पर किसी विकर्म को रहने की अनुमति नहीं होनी चाहिए।'

'हां,' झूलेश्वर ने कहा, 'और यदि तुम्हें विकर्म घोषित नहीं किया गया है तो मैं नहीं सोचता कि विधि का उल्लंघन हो रहा है।'

'हां, हो रहा है।'

वहां इकट्ठी भीड़ में आश्चर्य मिश्रित बड़बड़ाहट फैल गई। झूलेश्वर ने अपने हाथ उठाकर लोगों को शांत करते हुए कहा, 'यहां कोई विकर्म नहीं है, तारक। अब बैठ जाओ।'

'राजकुमारी सती अपनी उपस्थिति से यज्ञ को अपवित्र करती हैं।'

शिव और पर्वतेश्वर ने तीखी दृष्टि से तारक को देखा। तारक के इस कथन से झूलेश्वर और वहां उपस्थित समस्त लोग स्तब्ध रह गए, 'तारक!' झूलेश्वर ने कहा, 'तुम कुछ अधिक ही बोल गए। राजकुमारी सती यज्ञ के नियमों का पालन करते हुए विश्रामगृह में हैं। वह यज्ञ की वेदिका पर उपस्थित नहीं है। अब बैठ जाओ, इससे पहले कि मैं तुम्हें कोड़े लगवाऊं।'

'आप किस अपराध के लिए मुझे कोड़े लगवाओगे, राज्यपाल?' तारक ने चिल्लाकर कहा, 'विधि की रक्षा के लिए विरोध करना मेलूहा में अपराध नहीं है।'

'किंतु विधि का उल्लंघन नहीं हुआ है!'

'हां, हुआ है। विधि के शब्दों को यदि आप देखें तो वह कहता है कि जब यज्ञ हो रहा हो तो कोई विकर्म उस वेदिका पर नहीं रह सकता है।

यह यज्ञ नगर की द्वितीय वेदिका पर हो रहा है। उसी वेदिका पर उनके होने से राजकुमारी यज्ञ को अपवित्र कर रही है।'

तारक तकनीकी दृष्टि से सही था। अधिकतर लोगों ने विधि का अर्थ इस प्रकार लिया था कि विकर्म को यज्ञ के आयोजन वाली वेदिका पर उपस्थित नहीं होना चाहिए। और फिर मेलूहा के अन्य नगरों की भांति करचप भी एक वेदिका पर निर्मित था तो यदि हम विधि का यह अर्थ लगाएं तो सती को समस्त द्वितीय वेदिका पर कहीं भी नहीं होना चाहिए था। यज्ञ को विधिसम्मत रखने के लिए सती को या तो किसी और वेदिका पर रहना चाहिए या फिर नगर के दुर्ग की दीवार के बाहर।

झूलेश्वर क्षण भर के लिए सकते में आ गया क्योंकि तारक की आपत्ति सैद्धांतिक रूप से उचित थी। उसने दुर्बलता से शक्ति प्रदर्शन किया, 'अब बस भी करो तारक। तुम कुछ अधिक ही अंतः विवकेशील बनने का प्रयास कर रहे हो। मेरा विचार है कि यह स्पष्टीकरण कुछ अधिक ही कड़ा है। मैं सोचता हूं कि...'

'नहीं, श्री झूलेश्वर जी,' उस भीड़ में से एक तीव्र स्वर गुंजायमान हुआ।

सभी लोग उस ओर देखने लगे जिधर से वह स्वर आया था। सती, जो छज्जे पर बाहर आ चुकी थी, उसने कहना जारी रखा, 'आपको मध्य में ही टोकने के लिए मेरी क्षमा याचना स्वीकार करें, राज्यपाल,' सती ने एक औपचारिक नमस्ते के साथ कहा, 'किंतु तारक की विधि की विवेचना उचित है। मैं बहुत-बहुत क्षमाप्रार्थी हूं कि मेरे कारण यज्ञ के अनुष्ठान में विघ्न उत्पन्न हुआ। मेरे अनुगामी और मैं नगर को अभी इसी समय छोड़े देते हैं। हम तीसरे प्रहर के प्रारंभ में वापस आएंगे, संभवतः तब तक यज्ञ का अनुष्ठान समाप्त हो चुका होगा।'

शिव ने अपनी मुट्ठी भींच ली। वह बड़े पागलपन से तारक की गर्दन मरोड़ना चाहता था लेकिन बड़े ही अतिमानवीय प्रयास से उसने स्वयं पर नियंत्रण किया हुआ था। कुछ ही मिनटों में सती कृत्तिका एवं अपने निजी अंगरक्षकों के साथ विश्रामगृह से बाहर निकल आई। शिव ने मुड़कर नंदी और वीरभद्र को देखा, जो उसका संकेत समझकर सती के साथ जाने के

लिए उठ खड़े हुए। वे समझ गए कि शिव चाहते थे कि नगर के बाहर सती की सुरक्षा सुनिश्चित हो।

'यह बहुत ही घृणित है कि आपको स्वयं इसका एहसास नहीं हुआ,' तारक ने तिरस्कार से सती से कहा, 'आप किस प्रकार की राजकुमारी हैं? क्या आप अपनी विधियों का सम्मान करना नहीं जानतीं हैं?'

सती ने तारक को देखा। उसका मुख प्रशांत था। उसने विवाद में पड़ना उचित नहीं समझा और अपने पहरेदारों द्वारा अश्वों को तैयार करने की प्रतीक्षा करने लगी।

'मुझे समझ में नहीं आता कि नीलकंठ के काफिले में एक विकर्म स्त्री यात्रा करके क्या कर रही है? वह समस्त यात्रा को प्रदूषित कर रही है,' तारक ने चिढ़ाते हुए कहा।

'बहुत हो चुका,' शिव बीच में कूद पड़ा, 'राजकुमारी सती गरिमा के साथ यहां से जा रही हैं। अपना आक्षेप इसी समय बंद कर दो।'

'नहीं मैं बंद नहीं करूंगा,' तारक ने चिल्लाकर कहा, 'आप किस प्रकार के नेता है? आप प्रभु श्री राम की विधियों को चुनौती दे रहे हैं।'

'तारक!' झूलेश्वर ने लगभग चीखते हुए कहा, 'प्रभु नीलकंठ को विधि को चुनौती देने का अधिकार है। यदि तुम अपने जीवन की रक्षा करना चाहते हो तो उनके अधिकार को चुनौती देने का प्रयास मत करना।'

'मैं एक मेलूहावासी हूं,' तारक चिल्लाया, 'कोई विधि को भंग करे तो उसे चुनौती देना मेरा अधिकार है। एक धोबी, एक तुच्छ कपड़े धोने वाले ने प्रभु श्री राम को चुनौती दी थी। यह उनकी महानता थी कि उन्होंने उस व्यक्ति की आपत्ति को स्वीकार किया और अपनी पत्नी का परित्याग कर दिया। मैं नीलकंठ से बल देकर कहूंगा कि वे प्रभु श्री राम के उदाहरण से कुछ सीखें और निर्णयों को लेने में अपनी बुद्धि का प्रयोग करें।'

'बहुत हो गया तारक!' सती भड़क उठी।

तारक की टिप्पणी से समस्त इकट्ठी भीड़ स्तब्ध होकर चुप हो गई। किंतु सती नहीं। उसके अंदर कुछ टूट चुका था। उसने बहुत समय से अनादर झेला था। और उसने मर्यादित होकर सहन भी किया था। किंतु इस समय

इस व्यक्ति ने शिव का अनादर किया था। उसके शिव का। उसने अंततः इस बात को मान लिया था।

'मैं अग्नि परीक्षा के अधिकार का आह्वान करती हूं,' सती ने कहा। वह अब पूर्ण नियंत्रण में थी।

हैरान देखने वाले अपने कानों पर विश्वास नहीं कर सके। अग्नि से परीक्षण!

यह बद से बदतर होता जा रहा था। अग्नि परीक्षा के अंतर्गत एक अनुचित ढंग से हत हुए मन वाला उस उत्पीड़क को द्वंद्व युद्ध के लिए ललकार सकता था। यह अग्नि परीक्षा कही जाती थी क्योंकि इसमें युद्ध आग के एक घेरे के अंदर किया जाता था। उस घेरे से बाहर निकलने का कोई अवसर नहीं होता था। द्वंद्व युद्ध कर्त्ताओं को तब तक लड़ते रहना होता था जब तक कि एक आत्मसमर्पण न कर दे अथवा एक की मृत्यु न हो जाए। उन दिनों अग्नि परीक्षा विरले ही हुआ करते थे। और एक स्त्री द्वारा इसका आह्वान लगभग नहीं ही सुना गया था।

'इसका कोई कारण नहीं बनता है, देवी,' झूलेश्वर ने आग्रह किया। इस विषय के समान ही वह इस कल्पना से भी भयभीत था कि राजकुमारी सती का वध उसके नगर में होने की आशंका थी। वह विशाल तारक अवश्य ही उनका वध कर देगा। सम्राट का प्रचंड क्रोध अत्यंत ही भयानक होगा। तारक की ओर मुड़ते हुए झूलेश्वर ने आदेश दिया, 'तुम इस चुनौती को स्वीकार नहीं करोगे।'

'और लोग मुझे कायर कहें।'

'तुम अपनी बहादुरी सिद्ध करना चाहते हो?' पर्वतेश्वर ने पहली बार अपना मुंह खोला, 'तो मेरे साथ युद्ध करो। मैं इस चुनौती में सती का सहायक रहूंगा।'

'हे पितृतुल्य, सहायक को नियुक्त करने का अधिकार मात्र मेरा है,' सती ने पर्वतेश्वर को पिता के समान संदर्भित करते हुए कहा। और तारक की ओर मुड़ते हुए पुनः कहा, 'मैं किसी सहायक की नियुक्ति नहीं करती। तुम मेरे साथ युद्ध करोगे।'

'ऐसा तुम कुछ भी नहीं करोगे, तारक,' इस बार बृहस्पति ने आपत्ति की।

'तारक, तुम्हारे द्वंद्व युद्ध के मना करने का केवल इतना ही कारण हो सकता है कि तुम मरने से डरते हो,' शिव ने कहा।

सभी लोग नीलकंठ की ओर मुड़ गए। स्पष्ट था कि उनके शब्दों को सुनकर सभी स्तब्ध थे। सती की ओर मुड़कर शिव ने कहना जारी रखा, 'करचप के नागरिको, मैंने राजकुमारी को युद्ध करते देखा है। वह किसी को भी पराजित कर सकती हैं। यहां तक कि देवताओं को भी।'

सती ने घूरकर शिव को देखा। अब वह पूरी तरह से स्तब्ध थी।

'मैं यह चुनौती स्वीकार करता हूं,' तारक गुर्राया।

सती ने तारक की ओर सिर हिलाकर उसकी चुनौती स्वीकार कर ली और अपने श्वेत अश्व पर सवार हो गई। उसके बाद एड़ लगाकर अश्व को चलाकर वेदिका के किनारे तक गई। उसने अपने अश्व को एक क्षण के लिए रोका और उसने एक बार पुनः शिव की ओर मुड़कर देखा। वह उस पर मुस्कुराई, मुड़ी और उसने अश्व को तेजी से भगा दिया।

— ✶⓪Ⴑ⩓⊕ —

वह तीसरे प्रहर का प्रारंभ था जब शिव और बृहस्पति चुपके से स्थानीय व्यायाम गृह में तारक को अभ्यास करते देखने गए, जहां वह दो साथियों के साथ अभ्यास कर रहा था। उस दिन का यज्ञ एक त्रासदी ही था। सब लोग इस विचार से बुत बन गए थे कि अगले दिन राजकुमारी का वध हो जाएगा। कोई भी अनुष्ठान में प्रतिभाग नहीं करना चाहता था। किंतु जब यज्ञ का आह्वान कर दिया गया था तो उसका अनुष्ठान होना ही था, अन्यथा देवताओं के रुष्ट होने का अंदेशा था। वह भीड़ वहां खड़ी अवश्य थी किंतु कोई अनुष्ठान में मन से उपस्थित नहीं था और यज्ञ समाप्त हो गया था।

अपने सहकर्मी पर तारक का प्रसिद्ध भयानक प्रहार देखकर बृहस्पति की आत्मा कांप गई और तत्काल ही उसे इस निर्णय पर पहुंचा गई, 'मैं आज रात ही इसका वध कर दूंगा, तो कल उनका वध नहीं होगा।'

शिव चौंकते हुए अविश्वास के साथ मुख्य वैज्ञानिक की ओर मुड़ा,

'बृहस्पति? आप ये क्या कह रहे हैं?'

'सती बहुत अच्छी हैं, उनका ऐसे दुर्भाग्य से सामना नहीं हो सकता। मैं उनके लिए अपना जीवन और अपनी प्रतिष्ठा का बलिदान देने के लिए तैयार हूं।'

'लेकिन आप तो ब्राह्मण हैं। आप किसी के प्राण नहीं ले सकते।'

'यह मैं आपके लिए करूंगा,' बृहस्पति फुसफुसाया। उसकी भावनाएं उसके निर्णय को आच्छादित कर रही थीं, 'आप उनको नहीं खोएंगे, मित्र।'

शिव बृहस्पति के निकट आया और उसे बांहों में भर लिया, 'आप अपनी आत्मा को भ्रष्ट न करें, मित्र। मैं इतने बड़े बलिदान के योग्य नहीं हूं।'

बृहस्पति ने शिव को जकड़ा हुआ था।

एक कदम पीछे जाकर शिव ने फुसफुसा कर कहा, 'देखा जाए तो आपके बलिदान की आवश्यकता होगी ही नहीं। जिस प्रकार यह निश्चित है कि सूर्य पूर्व में ही उदित होगा, उसी प्रकार यह निश्चित है कि कल सती तारक को पराजित करेगी।'

— ᛞ◎Ⴎ⇑⊕ —

तीसरे प्रहर के कुछ घंटों के बाद सती विश्रामगृह लौट आई थी। वह अपने कमरे में नहीं गई, बल्कि उसने नंदी और वीरभद्र को केंद्रीय आंगन में बुलवा भेजा। उसने अपनी तलवार निकाली और उन दोनों के साथ अभ्यास प्रारंभ कर दिया था।

उसके कुछ देर के बाद पर्वतेश्वर वहां आया। वह पूरी तरह से टूटा हुआ प्रतीत हो रहा था। उसके मुख के भाव स्पष्ट रूप से इस भय को प्रदर्शित कर रहे थे कि वह सती से अंतिम बार बात करेगा। सती ने अभ्यास बंद कर दिया, अपनी तलवार म्यान में डाली और जुड़े हुए हाथों से आदरपूर्वक नमस्ते करते हुए धीमे स्वर में बोली, 'पितृतुल्य।'

पर्वतेश्वर सती के समीप आया। उसका चेहरा घबराया हुआ प्रतीत हो रहा था। वह निश्चित तौर पर नहीं कह सकती थी, किंतु उसे ऐसा प्रतीत

हुआ कि वे रोते रहे थे। वह उनकी आत्मविश्वासी आंखों में आज से पहले कभी भी सांकेतिक रूप से भी आंसू नहीं देख पाई थी।

'मेरी बच्ची,' पर्वतेश्वर बुदबुदाया।

'मैं वही कर रही हूं, जो मुझे उचित लगा,' सती ने कहा, 'मैं खुश हूं।'

पर्वतेश्वर में कुछ भी बोल पाने की शक्ति नहीं बची थी। कुछ क्षण के लिए उसने तारक के वध के बारे में भी सोच लिया था। किंतु वह अवैधानिक होता।

उसी समय शिव और बृहस्पति भी वहां आ पहुंचा। शिव ने पर्वतेश्वर के चेहरे को देख लिया था। यह पहली बार था जब उसने सेनानायक के चेहरे पर दुर्बलता के लक्षण देखे थे। जबकि वह पर्वतेश्वर की अवस्था को अच्छी तरह से समझ रहा था, किंतु उसका जो असर सती पर हो रहा था वह उसे अच्छा नहीं लगा।

'मुझे क्षमा करें, मैं देर से आया,' शिव ने आंखें मटकाते प्रसन्न मुद्रा में कहा।

सभी लोग मुड़कर उसे देखने लगे।

'दरअसल, मैं और बृहस्पति भगवान वरुण देव के मंदिर में तारक के लिए प्रार्थना करने गए थे,' शिव ने कहा, 'उसकी आत्मा दूसरी दुनिया की यात्रा करेगी उसके लिए हमने पूजा की ताकि वह आरामदायक रहे।'

सती खिलखिलाकर हंस पड़ी। और आंगन में सभी ने उसका अनुसरण किया।

'भद्र, तुम अभ्यास के लिए सही प्रतिद्वंद्वी नहीं हो,' शिव ने कहा, 'तुम तेजी से इधर-उधर की चाल करते हो। नंदी तुम राजकुमारी के साथ द्वंद्व युद्ध करो। अपनी फुर्ती पर नियंत्रण रखो।'

सती की ओर मुड़कर शिव ने कहना जारी रखा, 'मैंने तारक को अभ्यास करते देखा है। उसके वार में अत्यधिक बल है। किंतु इन वारों के बल ने उसकी गति को धीमा कर दिया है। उसकी शक्ति को उसकी दुर्बलता बनानी होगी। अपनी फुर्ती को उसकी चाल के विरुद्ध प्रयोग करना

होगा ।'

उसके प्रत्येक शब्द को समझते हुए सती ने सहमति में सिर हिलाया । उसने नंदी के साथ अपना अभ्यास प्रारंभ कर दिया । नंदी की धीमी गति की तुलना में अत्यधिक फुर्ती से चलन करते हुए सती ऐसे वार करने में सफल हो रही थी जो किसी व्यक्ति के लिए प्राण घातक हो सकते थे ।

अचानक ही शिव को एक उपाय सूझा । नंदी को रुकने का निर्देश देते हुए उसने सती से पूछा, 'क्या आपको लड़ाई करने के शस्त्र के चयन की अनुमति होती है?'

'हां । यह मेरा विशेषाधिकार है क्योंकि चुनौती मैंने दी है ।'

'तो फिर चाकू का चयन कीजिए । यह उसके वार की पहुंच को कम कर देगा जबकि आप आगे-पीछे तीव्र गति से चलन कर सकती हैं ।'

'यह तो बहुत ही बढ़िया विचार है!' पर्वतेश्वर ने सहमत होते हुए कहा जबकि बृहस्पति ने सहमति में सिर हिलाया ।

सती ने तत्काल ही सहमति का संकेत दिया । लगभग उसी समय वीरभद्र दो चाकुओं को लेकर आ पहुंचा । उसने एक चाकू नंदी को दिया और दूसरा सती को, 'अभ्यास कीजिए, देवी ।'

— 𝍖 ◍ ᛞ ᛞ ⊕ —

एक वृत्ताकार क्रीड़ा-स्थल के मध्य में तारक एवं सती खड़े हुए थे । यह करचप की मुख्य रंगभूमि नहीं थी जो अत्यधिक विशालकाय थी । यह मुख्य रंगभूमि के बगल में संगीत समारोहों के लिए निर्मित थी, जिसे करचप में आए मेसोपोटामिया के अप्रवासी बहुत पसंद करते थे । वह रंगभूमि लगभग उसी माप की थी जितनी कि अग्नि परीक्षा के लिए आवश्यक था । वह इतनी बड़ी भी नहीं थी कि एक व्यक्ति अपने प्रतिद्वंद्वी से अत्यधिक दूरी बना ले और इतनी छोटी भी नहीं थी कि भिड़ंत तुरंत समाप्त हो जाए । मैदान के चारों ओर लोगों के बैठने के लिए चबूतरे बने हुए थे, जिस पर बीस हजार लोगों की भीड़ इस अद्भुत एवं अति महत्वपूर्ण द्वंद्व युद्ध को देखने के लिए आए हुए थे, जो करचप में पिछले पांच सौ वर्षों में नहीं हुआ था ।

प्रत्येक व्यक्ति के होंठों पर एक प्रार्थना थी। तात मनु कोई चमत्कार करें कि सती विजयी हो जाए। यदि ऐसा न हो तो कम से कम वह जीवित अवश्य रहे। तारक और सती ने एक-दूसरे को नमस्ते में अभिवादन किया और सम्मान के साथ लड़ने की प्राचीन प्रतिज्ञा को दुहराया। उसके बाद क्रीड़ांगन के मुख्य चबूतरे के शीर्ष पर स्थित भगवान वरुण देव की प्रतिमा की झुककर प्रार्थना की ताकि जल एवं समुद्र के देवता का आशीर्वाद उन्हें प्राप्त हो। भगवान वरुण देव की प्रतिमा के ठीक नीचे अपने औपचारिक आसन को झूलेश्वर ने शिव के लिए रख छोड़ा था। राज्यपाल उनकी बाईं ओर आयुर्वती और कृत्तिका के साथ बैठा हुआ था। बृहस्पति और पर्वतेश्वर शिव के दाएं बैठे हुए थे। नंदी और वीरभद्र अपने जाने-पहचाने स्थल पर शिव के ठीक पीछे थे। इस द्वंद्व युद्ध के बारे में संदेश देने के लिए एक पक्षी संदेशवाहक सम्राट दक्ष के लिए कल ही भेज दिया गया था। हालांकि इतना समय नहीं था कि उनके उत्तर की अपेक्षा की जा सके।

आखिरकार झूलेश्वर उठकर खड़ा हुआ। वह अग्नि परीक्षा से घबराया हुआ सा था, किंतु शांत प्रतीत हो रहा था। रीति के अनुसार उसने मुट्ठी बांधकर हाथ को अपने सीने से लगाया और अचानक ही गर्जना करते हुए बोला, *सत्य! धर्म! मान!*

समस्त क्रीड़ांगन में से सहमति के स्वर गूंजे, सत्य! धर्म! मान!

तारक और सती ने भी पुनरावृत्ति की, सत्य! धर्म! मान!

झूलेश्वर ने क्रीड़ांगन के रखवाले को सिर हिलाकर संकेत दिया जिसने आनुष्ठानिक तेल की मशाल को प्रकाशित कर दिया। उस मशाल ने अपनी आग को बने हुए तेल के नाले में फैला दिया; केंद्रीय मैदान का बाहरी घेरा आग से प्रज्वलित हो उठा। परीक्षा के लिए आग का घेरा तैयार हो चुका था।

झूलेश्वर ने शिव की ओर मुड़कर कहा, 'प्रभु, द्वंद्व युद्ध प्रारंभ करने की अनुमति चाहता हूं।'

शिव ने आत्मविश्वासपूर्ण मुस्कान के साथ सती को देखा। उसके बाद क्रीडांगन की ओर लोगों को संबोधित करते हुए तेज स्वर में घोषणा की, 'अग्निदेव की शुद्ध करने वाली अग्नि में सत्य की हमेशा विजय होगी!'

तारक और सती ने तुरंत ही अपने-अपने चाकू निकाल लिए। तारक ने अपना चाकू अपने सामने एक पारंपरिक योद्धा के समान पकड़ा हुआ था। उसने वह रणनीति अपनाई हुई थी जो उसकी शक्ति थी। सामने की ओर चाकू रहने का अर्थ था कि सती जैसे ही उसके समीप आती है, वह उस पर वार कर सकता था। वह अधिक हिल-डुल नहीं रहा था और सती को अपने सामने चाल करने दे रहा था।

दूसरी ओर सती भिड़ंत के सभी ज्ञात नियमों के विपरीत अपना चाकू पीछे की ओर पकड़े हुई थी। अपने प्रतिद्वंद्वी से एक सुरक्षित दूरी रखते हुए वह चाकू को लगातार एक हाथ से दूसरे हाथ में अदल-बदल रही थी। उसका इरादा तारक को चकरा देने का था कि आक्रमण की दिशा क्या होगी उसे पता न चल सके। दूसरी ओर तारक सती की चाल को एक बाज की भांति देख रहा था। उसने सती के दाहिने हाथ को झुकते हुए देखा। चाकू अब उसके दाहिने हाथ में था।

अचानक ही सती उछलकर बाईं ओर चली गई। तारक स्थिर रहा। वह जानता था कि दाहिने हाथ में चाकू होते हुए बाईं ओर उछलना केवल एक पैंतरा भर था। उसे दाहिने आना ही होगा यदि उसे अपने चाकू से वार करना था। और वही हुआ, सती अचानक ही तेजी से दाहिनी ओर आई और उसने अपने हाथ को चाकू मारने की स्थिति में ऊपर उठाया। तारक इसके लिए पहले से ही तैयार था। उसने जल्दी से बाएं हाथ में चाकू बदला और बहुत ही क्रूरतापूर्वक उसने चाकू को हवा में लहराते हुए वार किया, जिसके कारण सती के ऊपरी धड़ पर घाव लग गया। वह इतना गहरा घाव नहीं था, किंतु ऐसा प्रतीत हुआ कि वह पीड़ादायक था। दर्शक दीर्घा से एक सामूहिक आह निकल पड़ी।

सती पीछे हट गई और उसने स्वयं को संतुलित कर इधर-उधर घूमना प्रारंभ कर दिया। वह चाकू को अपने पीछे ले गई और उसे दोनों हाथों में लगातार बदलने लगी। तारक ने अपनी तीखी दृष्टि उस पर रखी हुई थी। चाकू उसके बाएं हाथ में था। तारक ने अनुमान लगा लिया था कि वह दहिनी ओर जाएगी, जो उसने किया भी। वह स्थिर रहा। वह प्रतीक्षा कर रहा था कि सती कब बाईं ओर जाकर वार करती है। उसने ऐसा ही किया और उछलकर बाईं

ओर उसने वार किया। तारक पहले से ही तैयार था और उसने इतनी फुर्ती से अपना हाथ चलाया कि सती का हाथ हवा में रह गया। और उसने अपने दाहिने हाथ को भयंकर तीव्रता से लहराते हुए चाकू से वार किया और सती के बाएं कंधे पर एक गहरा घाव लगा गया। सती पीछे हट गई और भीड़ भय से कराह उठी। कुछ लोगों ने अपनी आंखें मूंद लीं। वे अब और देखने की हिम्मत नहीं जुटा पा रहे थे। अधिकतर लोग उग्रता से पूजा-अर्चना कर रहे थे। यदि यही करना ही था तो उसे सरलता से किया जाना चाहिए और इस प्रकार धीमे पीड़ादायक तरीके से नहीं।

'वे क्या कर रही हैं?' घबराए हुए बृहस्पति ने शिव को फुसफुसा कर पूछा, 'वे क्यों असावधानी से आक्रमण कर रही हैं?'

शिव ने मुड़कर बृहस्पति की ओर देखा और पर्वतेश्वर का चेहरा भी। पर्वतेश्वर के चेहरे पर आश्चर्य था, फिर भी प्रशंसा भरी मुस्कान थी। वह बृहस्पति की तरह अनजान न होकर समझ रहा था कि वहां क्या हो रहा था। द्वंद्व युद्ध की ओर दृष्टि घुमाते हुए शिव ने धीमे स्वर में कहा, 'वे जाल बिछा रही हैं।'

मैदान के मध्य में सती अभी भी चाकू को बाएं से दाएं और दाएं से बाएं हाथ में लगातार बदलती जा रही थी। उसने दाहिनी ओर से बाईं ओर एक बनावटी चाल की, किंतु इस बार उसने चाकू को हाथ में बदला नहीं। दाहिने हाथ को ढीला और आराम से रखते हुए उसने अपने बाएं हाथ से हरकत की।

तारक सती को सावधानीपूर्वक देख रहा था। वह इस आत्मविश्वास से भरा हुआ था कि वह धीरे-धीरे उसके रक्त को बहाकर उसे मृत्यु की गोद में सुला देगा। उसने समझा कि चाकू उसके बाएं हाथ में था। उसने उसके दाहिनी ओर जाने की प्रतीक्षा की, उसके बाद बायीं, जो उसने बहुत ही तेजी से मुड़कर किया। उसके बाएं हाथ के आक्रमण की अपेक्षा में तारक ने दाहिने हाथ में चाकू को हवा में लहराते हुए वार किया। सती बड़ी सफाई से नृत्य की मुद्रा के साथ पीछे हट गई। इससे पहले कि आश्चर्य से भरा तारक कुछ प्रतिक्रिया कर पाता सती उछलकर दाहिनी ओर गई और उसने

अपने दाहिने हाथ को निर्दयता से तारक के सीने की ओर चला दिया। चाकू तारक के फेफड़े तक घुस गया। उस घातक वार ने तारक को अस्थिर कर दिया। उसके मुंह से रक्त पिचकारी की भांति फूट पड़ा। उसने चाकू गिरा दिया और लड़खड़ाता हुआ पीछे हटा। सती ने निर्दयतापूर्वक दबाव बनाए रखा और चाकू को और अंदर चाकू की मूठ तक घोंपती चली गई।

तारक लड़खड़ाकर और पीछे गया और भूमि पर धड़ाम से गिर गया। उसके शरीर में कोई हरकत नहीं थी। समूचा क्रीड़ांगन स्तब्ध रह गया। सती के मुख पर देवी माता के क्रोध के भाव थे। पच्चासी वर्षों से दबा हुआ क्रोध उस समय उसके मुख पर उभरकर आ चुका था। उसने चाकू को घुमाते हुए बाहर निकाल लिया ताकि घाव अत्यधिक घातक हो जाए। तारक के मुंह से रक्त की धार बह निकली। सती ने अपने दोनों हाथों से चाकू को उठाया। उसे बस इतना ही करना था कि चाकू को तारक के हृदय में भोंक देना था और उसकी आत्मा उसके शरीर को छोड़कर निकल जाती। तभी अचानक उसके मुख का भाव पुनः प्रशांत हो गया। लगभग वैसे ही जैसे किसी ने उसके शरीर से सारी ऋणात्मक ऊर्जा को सोख लिया हो। वह मुड़ी। बुराइयों के विनाशक शिव सिंहासन पर बैठे हुए एक मधुर मुस्कान से उसे देख रहे थे।

उसके बाद उसने तारक को देखा और धीमे से कहा, 'मैं तुम्हें क्षमा करती हूं।'

पूरा का पूरा क्रीडांगन खुशी में झूम उठा। यदि वरुणदेव ने भी इस द्वंद्व युद्ध की पटकथा लिखी होती तो वह भी इतना आदर्श नहीं होता। इसमें वह सभी कुछ था जो एक सूर्यवंशी को प्रिय था। जब दबाव में हो तो हठ के साथ प्रतिरोध करना और विजय के बाद विशाल हृदयता।

सती ने अपना चाकू उठाया और चिल्लाकर कहा, 'जय श्री राम।'

समस्त क्रीड़ांगन ने एक स्वर में दुहराया, 'जय श्री राम।'

सती शिव की ओर मुड़ी और उसने एक बार और गर्जना की, 'जय श्री राम।'

'जय...,' शिव के शब्द उसके गले में ही अटक गए।

*यदि उनकी जय-जयकार वह पूरी नहीं कर सका था तो भी प्रभु इस एक बार अनुचित नहीं मानेंगे।*

शिव ने सती से दृष्टि हटाकर दूर देखा। वह नहीं चाहता था कि जिसे वह प्रेम करता था वह उसके आंसू देखे। क्षण भर में ही अपने ऊपर नियंत्रण करके उसने एक दीप्तिमान मुस्कान से सती की ओर देखा। सती निरंतर शिव को घूरती जा रही थी। जो भावनाएं उसके भीतर अब तक बहुत लंबे समय से सुसुप्त थीं वे शिव की उस प्रशंसा भरी दृष्टि को देखकर बाहर निकल आई थीं।

जब वह उन्हें सहन न कर सकी तो उसने अपनी आंखें बंद कर लीं।

अध्याय - 16

# सूर्य एवं पृथ्वी

करचप में उस रात बिना किसी तैयारी के ही एक समारोह का आयोजन किया गया। उनकी राजकुमारी सुरक्षित थी। असह्य तारक पराजित हुआ था। करचप में बहुत से लोगों का यहां तक मानना था कि यदि उसकी अपनी माता भी वहां होती तो उस कठोर उपदेशक से घृणा करती। उस उदार नगर में उसके समर्थक न के बराबर थे। किंतु द्वंद्व युद्ध के कुछ नियम होते थे। इसलिए जब सती ने तारक को क्षमा कर दिया तो तत्काल ही पराचिकित्सकों ने भागकर उसे उठाया और उसे अस्पताल लेकर गए। शल्य चिकित्सकों ने उसके प्राण बचाने के लिए छह घंटों की कड़ी मेहनत की। लोगों को निराश करते हुए उन्होंने उसके प्राण बचा लिए थे।

'क्या आपने सूर्य एवं पृथ्वी की कविता के बारे में सुना है?' सती ने शिव से पूछा।

वे राज्यपाल के आलीशान महल में छज्जे पर खड़े थे, जबकि नीचे एक कोलाहलपूर्ण दावत चल रही थी।

'नहीं,' एक सम्मोहक मुस्कान के साथ सती के निकट आते हुए शिव ने कहा, 'लेकिन अवश्य सुनना पसंद करूंगा।'

'प्रकट रूप से ऐसा माना जाता है कि पृथ्वी कभी-कभी सूर्य के समीप आने की संभावना के बारे में सोचती है,' सती ने कहा, 'किंतु वह ऐसा नहीं कर सकती है। यह बहुत मौलिक है क्योंकि सूर्य की चमक इतनी तीव्र है कि यदि वह उसे अपने समीप लाती है तो वह विनाश कर देगी।'

*अब यह क्या कहना चाह रही है?*

'मैं नहीं मानता,' शिव ने कहा, 'मेरा मानना है कि सूर्य तभी जलता है जबकि पृथ्वी उसके समीप रहती है। यदि पृथ्वी नहीं होती तो सूर्य के अस्तित्व में रहने का कोई कारण भी नहीं होता।'

'सूर्य केवल पृथ्वी के लिए अस्तित्व में नहीं है। वह सौर मंडल में प्रत्येक ग्रह के लिए अस्तित्व में है।'

'क्या यह सूर्य का चयन नहीं है कि वह किसके लिए अस्तित्व में रहना चयनित करता है?'

'नहीं,' सती ने शिव की ओर विषादग्रस्त होकर देखते हुए कहा, 'जिस क्षण वह सूर्य बन गया, उसका जीवन वृत्त बहुत ऊंचा हो गया। वह अपने लिए अस्तित्व में नहीं होता है। वह वृहत्तर अच्छाइयों के लिए सबके लिए अस्तित्व में होता है। उसकी ज्योति सौर मंडल के जीवन का आधार है। और यदि पृथ्वी को थोड़ा भी अपने उत्तरदायित्व का भान है तो उसे इस संतुलन को नष्ट करने के लिए कुछ भी प्रयास नहीं करना चाहिए।'

'तो फिर वह सूर्य क्या करे?' शिव ने पूछा। उसकी पीड़ा और क्रोध उसके मुख से झलक रहा था, 'वह अपने समस्त जीवन का अपव्यय जलते हुए कर दे? एक दूरी से पृथ्वी को मात्र देखते हुए?'

'पृथ्वी कहीं नहीं जा रही है। सूर्य और पृथ्वी तब भी एक गर्मजोशी भरी मित्रता का आदान-प्रदान कर सकते हैं। किंतु उससे अधिक कुछ भी नियमों के विरुद्ध है। यह अन्य लोगों की रुचियों के विरुद्ध है।'

शिव ने गुस्से से सती से मुख मोड़ लिया। उसने पवित्र झील से सांत्वना पाने के लिए उत्तर दिशा में देखा। उसे अपने अंदर शून्यता का अनुभव हो रहा था। उसने आकाश की ओर ऊपर देखा, देवताओं की ओर जिन पर उसका विश्वास नहीं था।

*लानत है!*

उसने अपने शक्तिशाली मुक्के से छज्जे की रक्षा के घेरे पर जोर से प्रहार किया, जिससे कुछ ईंटें जगह से उखड़ गईं और वहां से तेजी से निकल

गया।

— ⅄◎ՄՙՓ⊗ —

नगर की दीवारों के बाहर जंगल में कुछ सैनिक प्रतीक्षा में लेटे हुए थे। उससे थोड़ी दूरी पर दो फणदार व्यक्ति एक पत्थर पर बैठे हुए थे। उस पलटन का अधिपति उन दोनों की बगल में सावधान की मुद्रा में अकड़ा हुआ सा खड़ा था। वह इस बात पर विश्वास नहीं कर पा रहा था कि वह रानी के निकट खड़ा था। इस सौभाग्य से वह अत्यंत प्रसन्न था।

उन फणदार व्यक्तियों में से एक ने अपना हाथ उठाकर अधिपति को समीप आने का संकेत किया। उस फणदार व्यक्ति की कलाई पर चमड़े का कड़ा था जिस पर सर्पाकार ओऽम बना हुआ था, 'विश्वद्युम्न क्या तुम निश्चित हो कि यही वह जगह है, जहां हम उससे मिलने वाले हैं? वह लगभग एक घंटे विलंब से है।'

'हां, स्वामी,' विश्वद्युम्न ने थोड़ा घबराकर कहा, 'यह वही जगह है, जहां उसने कहा था कि वह आएगा।'

दूसरा फणदार व्यक्ति मुड़ा और एक प्रभावशाली स्वर बोला, स्वर जनाना था। ऐसा स्वर जिसका बिना किसी प्रश्न के पालन किया जाता था, 'वह व्यक्ति नागाओं की रानी से प्रतीक्षा करवाता है!' दूसरे फणदार व्यक्ति की ओर मुड़कर उसने कहना जारी रखा, 'मेरा विश्वास है कि तुमने इस पर विस्तार से कार्य किया होगा। मैं आशा करती हूं कि इस घृणित क्षेत्र में मेरा आना बेकार नहीं जाएगा।'

दूसरे फणदार व्यक्ति ने अपने मांसल हाथों की मुद्रा से रानी को धैर्य रखने का इशारा करते हुए कहा, 'मुझ पर विश्वास करें, महारानी। यह व्यक्ति सूर्यवंशियों को एक ऐसा झटका देने में महत्वपूर्ण है कि वे उससे फिर कभी नहीं उबर पाएंगे।'

'पता चला है कि राजकुमारी और एक व्यक्ति के मध्य कल नगर में एक अग्नि परीक्षा युद्ध हुआ था,' विश्वद्युम्न ने रानी को प्रभावित करने के लिए अचानक यह बात छेड़ दी, ताकि उन्हें लगे कि उसकी स्थानीय समाचारों पर तीक्ष्ण दृष्टि रहती है, 'मेरे पास उसकी पक्की जानकारी तो नहीं है। मैं इतनी

ही आशा कर सकता हूं कि उसमें हमारा व्यक्ति शामिल न हो।'

रानी फुर्ती से दूसरे फणदार व्यक्ति की ओर मुड़ी। फिर विश्वद्युम्न की ओर मुड़ी और बोली, 'कृपया दूसरे सैनिकों के साथ प्रतीक्षा करें।'

विश्वद्युम्न ने महसूस कर लिया था कि उसने ऐसा कुछ कह दिया था जो उसे नहीं कहना चाहिए था और इससे पहले कि उसके स्वामी की गुस्सैल आंखें उसे फटकार लगाएं, वह तेजी से वहां से चला गया। इसी कारण से प्रशिक्षण शिविर में सिखाया जाता था कि एक अच्छा सिपाही तब तक मुंह नहीं खोलता है, जब तक कि उससे कुछ पूछा नहीं जाए।

'वह यहां है?' रानी ने अपने गुस्से को छुपाए बिना पूछा।

दूसरे फणदार व्यक्ति ने सहमति में सिर हिलाया।

'मुझे याद है कि मैंने तुमसे इस बारे में भूल जाने को कहा था,' रानी ने कड़ाई से कहा, 'इस तलाश से कुछ भी हासिल होने वाला नहीं है। क्या तुम्हें ऐसा लगता है कि तुम्हारे द्वारा किए गए मंदार पर्वत पर उस मूर्खता भरे आक्रमण से उन्हें संदेह हुआ होगा कि उनके मध्य में हमारा गुप्तचर है?'

उस व्यक्ति ने क्षमा याचना से उसकी ओर देखा।

'क्या तुम उसके लिए यहां आए थे?'

'नहीं, महारानी,' उस फणदार व्यक्ति ने गंभीर एवं आदरपूर्ण स्वर में कहा, 'यह वह जगह है, जहां उसने हमें मिलने के लिए बुलाया था।'

रानी ने हाथ आगे बढ़ाकर उस व्यक्ति के कंधे पर थपकी दी, 'ध्यान केंद्रित करो, मेरे बच्चे,' रानी ने कोमलता से कहा, 'यदि हम इसमें सफल हो जाते हैं तो यह हमारी सबसे बड़ी विजय होगी। जैसाकि तुमने अभी कहा था कि हम उन्हें इतना बड़ा झटका देंगे कि उनके लिए उससे उबरना बहुत कठिन हो जाएगा।'

उस व्यक्ति ने सहमति में सिर हिलाया।

'और फिर भी,' रानी ने अपने हाथ खींचकर अपने लबादे के आश्रय में रखते हुए कहना जारी रखा, 'तुम्हारी उसमें तल्लीनता तुम्हारे निर्णयों को

असामान्य बना देती है। क्या तुम जानते हो कि उसने एक स्पष्ट संदेश भेजा है कि उसे स्पर्श नहीं किया जा सकता है? अन्यथा सौदा रद्द कर दिया जाएगा।'

फणदार व्यक्ति ने रानी को आश्चर्य से देखा, 'आपको कैसे...'

'मैं नागाओं की रानी हूं, मेरे बच्चे,' उसने बीच में ही टोक दिया, 'मेरी शतरंज पर एक से अधिक प्यादे हैं।'

फणदार व्यक्ति मंदार पर्वत पर अपने खराब प्रदर्शन पर रानी को शर्मिंदा होने वाली दृष्टि से देखता रहा। रानी के अगले शब्दों ने उसकी शर्मिंदगी और बढ़ा दी, 'तुम आश्चर्यजनक रूप से गलतियां कर रहे हो, मेरे बच्चे। तुममें सबसे महान नागा बनने की योग्यता है। इसका अपव्यय मत करो।'

'जी हां, महारानी।'

रानी थोड़ी निश्चिंत सी प्रतीत हुई, 'मेरा विचार है कि अब हम यहां अकेले हैं,' रानी ने कहा, 'तुम मुझे मौसी बुला सकते हो, वैसे भी मैं तुम्हारी मां की बहन हूं।'

'निस्संदेह आप हैं,' उस फणदार व्यक्ति ने कहा तो मुस्कान उसकी आंखों तक पहुंच चुकी थी, 'आप जो भी कहें, मौसी।'

— 𓀀𓂀𓊽𓏤𓇳 —

अग्नि परीक्षा की घटना हुए दो सप्ताह बीत चुके थे। सती पर्याप्त रूप से इतनी भली-चंगी हो गई थी कि वह काफिले के साथ अगले गंतव्य के लिए चल सकती थी। शिव, पर्वतेश्वर और बृहस्पति शिव के साथ उसके कमरे में बैठे हुए थे।

'तो हम सब सहमत हैं,' पर्वतेश्वर ने कहा, 'एक सप्ताह के अंदर मैं हमारी यात्रा की सारी व्यवस्थाएं कर लूंगा। उस समय तक सती पूरी तरह से ठीक हो चुकी होगी।'

'हां। मेरे विचार से यह योजना उचित है,' शिव ने सहमति दी।

'पर्वतेश्वर, मैं अब और आगे नहीं आऊंगा,' बृहस्पति ने कहा।

'क्यों?' पर्वतेश्वर ने पूछा।

'ऐसा है कि जो नए रसायन आने वाले थे वे आ गए हैं। मै सोच रहा था कि इन सामानों के साथ मैं मंदार पर्वत लौट जाऊं और जितना शीघ्र हो सके प्रयोग प्रारंभ कर दूं। यदि हम इस प्रयोग में सफल रहे तो सोमरस बनाने में जल की आवश्यकता में अत्यधिक कमी आ सकती है।'

शिव ने एक दुखी मुस्कान के साथ कहा, 'आपकी बड़ी याद आएगी, मित्र।'

'और मुझे आपकी,' बृहस्पति ने कहा, 'किंतु मैं देश छोड़कर नहीं जा रहा हूं। जब आप यात्रा पूर्ण कर लें तो मंदार पर्वत पर आइए। मैं आपको वहां जंगली वनों में लेकर जाऊंगा। आपको बहुत अच्छा लगेगा।'

'हां,' शिव ने बनावटी हंसी के साथ कहा, 'संभवतः आप अपनी कुछ वैज्ञानिक दक्षता का प्रकटन करेंगे और इस नीले गले के लिए कोई विश्वसनीय लगने वाला कारण खोज लेंगे!'

शिव और बृहस्पति दोनों ही ठहाका मारकर हंस पड़े। पर्वतेश्वर उनके इस परिहास को समझ न सका। वह केवल उन्हें देखता रहा।

'बस एक बात है, बृहस्पति,' पर्वतेश्वर ने कहा, 'मैं राजशाही यात्रा से अपने सैनिकों की संख्या कम नहीं कर सकता। मैं राज्यपाल से बात करूंगा कि वे आपकी वापसी यात्रा के लिए कुछ सैनिकों का प्रबंध कर दें।'

'धन्यवाद, पर्वतेश्वर। किंतु मुझे विश्वास है कि मैं सुरक्षित रहूंगा। एक आतंकी मुझमें क्यों अपनी रुचि दिखलाएगा?'

'कल ही एक और आतंकी आक्रमण मोहन जोदारो से लगभग पचास किलोमीटर दूर हुआ है,' पर्वतेश्वर ने कहा, 'पूरा का पूरा मंदिर नष्ट कर दिया गया है और सारे ब्राह्मणों की हत्या कर दी गई है।'

'एक और,' शिव ने क्रोधित होकर कहा, 'यह इस महीने में तीसरा आक्रमण है।'

'हां,' पर्वतेश्वर ने कहा, 'वे साहसी होते जा रहे हैं। और पूर्व की भांति वे वहां से भाग निकले जब तक कि सहायता पहुंच पाती और उनसे सामना

हो पाता।'

शिव ने अपनी मुट्ठियां भींच लीं। उसे कोई उपाय नहीं सूझ रहा था कि वह आतंकी आक्रमणों से कैसे निपटे। उनके लिए कोई तैयारी करना भी कठिन था क्योंकि यह भी पता नहीं होता था कि वे कहां आक्रमण करने वाले थे। क्या चंद्रवंशियों के साम्राज्य स्वद्वीप पर आक्रमण करना ही यह सब रोकने का एकमात्र उपाय था? शिव के अंतर्मन में उठ रही हलचल को महसूस कर बृहस्पति चुप रह गया। वह जानता था कि इसका कोई सरल उत्तर नहीं था।

शिव को देखते हुए पर्वतेश्वर ने कहा, 'मैं अपने लोगों को यात्रा की तैयारी का आदेश अभी दे दूंगा। उसके बाद मैं आपसे रात्रिभोज पर मिलूंगा। मेरे विचार से सती भी हमारे साथ शामिल हो सकती है। मैं नंदी और वीरभद्र के लिए संदेशा भिजवा दूंगा कि वे भी हमारे साथ शामिल हो सकते हैं। मैं जानता हूं कि आपको उनका संग पसंद है।'

पर्वतेश्वर के अलाक्षणिक व्यवहार एवं सोच पर शिव ने आश्चर्य से देखा, 'धन्यवाद पर्वतेश्वर। यह आपने बड़ा अच्छा किया। लेकिन मुझे पता चला है कि कृत्तिका, नंदी और वीरभद्र आज रात बांसुरी वादन का आनंद लेने जा रहे हैं। उस पागल वीरभद्र ने तो कुछ गहने भी खरीद लिए हैं ताकि नंदी के साथ वह देसी गंवार न दिखे।'

पर्वतेश्वर मधुरता से मुस्कुराया।

'लेकिन मेरे लिए आपके साथ भोजन करना प्रसन्नता की बात होगी,' शिव ने कहा।

'धन्यवाद,' पर्वतेश्वर ने उठते हुए कहा। कुछ कदम चलने के बाद वह रुका और पीछे मुड़ा। अपनी हिचकिचाहट पर विजय पाकर उसने धीमे से कहा, 'शिव!'

'हां?' शिव उठ खड़ा हुआ।

'मैंने आपसे पहले यह नहीं बताया,' पर्वतेश्वर असुविधा से बोल रहा था, 'किंतु मैं आपको अग्नि परीक्षा में सती की सहायता करने के लिए

धन्यवाद ज्ञापित करना चाहता हूं। आपकी जो स्पष्ट सोच थी, उसी के कारण उसकी विजय हुई।'

'नहीं, नहीं,' शिव ने कहा, 'यह तो उसकी दक्षता थी।'

'निस्संदेह वह थी,' पर्वतेश्वर ने कहा, 'किंतु आपने उसे आत्मविश्वास और रणनीति प्रदान की ताकि वह अपनी दक्षता प्रदर्शित कर सके। यदि इस विश्व में कोई ऐसा व्यक्ति है जिसे मैं कर्तव्यों से अधिक भावनाओं के साथ देखता हूं तो वह सती है। मैं आपको उसकी सहायता करने के लिए धन्यवाद ज्ञापित करना चाहता हूं।'

'आपका स्वागत है,' शिव मुस्कुराया। वह बातचीत को और अधिक लंबा नहीं खींचकर पर्वतेश्वर को और अधिक शर्मिंदा नहीं करना चाहता था।

पर्वतेश्वर मुस्कुराया और उसने हाथ जोड़कर नमस्ते किया। यद्यपि वह देशव्यापी 'नीलकंठ रूपी ज्वर' से पीड़ित नहीं था, तथापि वह धीरे-धीरे शिव का आदर करने लगा था। पर्वतेश्वर से सम्मान अर्जित करना एक बड़ी यात्रा थी जिसे शिव ने मात्र प्रारंभ ही किया था। सेनानायक पीछे मुड़ा और कमरे से बाहर निकल गया।

'यह बुरा आदमी नहीं है,' बृहस्पति ने पर्वतेश्वर के चले जाने के बाद कहा, 'वह थोड़ा चिड़चिड़ाता अवश्य है, किंतु वह सबसे ईमानदार सूर्यवंशियों में से एक है। वह प्रभु श्री राम का एक सच्चा अनुयायी है। मेरी आशा है कि उसकी कुछ गुस्से वाली बातें जो वह आपको कह जाता है, वे आपको अधिक दुखी नहीं करती होंगी।'

'नहीं मुझे बुरा नहीं लगता है,' शिव ने कहा, 'असल में मैं पर्वतेश्वर को बहुत श्रेष्ठ मानता हूं। वह एक ऐसा व्यक्ति है जिससे सम्मान अर्जित करना मेरा सौभाग्य होगा।'

शिव की विशालहृदयता के एक और उदाहरण को देखकर बृहस्पति मुस्कुराया। वह आगे झुका और बोला, 'आप एक अच्छे व्यक्ति हैं, शिव।'

शिव ने मुस्कुराहट के साथ उसे ।

'जो आपने पिछली बार मुझसे पूछा था, उसका उत्तर मैंने नहीं दिया

था, शिव,' बृहस्पति ने कहना जारी रखा, 'सचाई यही है कि मैं नीलकंठ की पौराणिक गाथा में विश्वास नहीं करता हूं। मैं अभी भी नहीं करता हूं।'

शिव ने और चौड़ी मुस्कान के साथ देखा।

'किंतु मैं आपमें विश्वास करता हूं। यदि कोई एक ऐसा व्यक्ति है जो इस भूमि से ऋणात्मक ऊर्जा को सोखकर नष्ट कर सकता है, तो वो आप ही हो सकते हैं। और मैं हरसंभव आपकी सहायता के लिए कुछ भी करूंगा। चाहे वह जिस किसी भी रूप में हो और मेरे करने लायक हो।'

'आप मेरे ऐसे भाई हैं, जो मेरे पास कभी नहीं थे। आपकी उपस्थिति ही मेरी सारी आवश्यकताओं की पूर्ति कर देगी।'

यह कहते हुए शिव ने अपने मित्र को आलिंगनबद्ध कर लिया। अपने अंतर्मन में एक पुनर्जाग्रत ऊर्जा के संचार को महसूस करते हुए बृहस्पति ने भी शिव को गर्मजोशी से जकड़ लिया। उसने मन ही मन सौगंध ली कि वह अपने ध्येय से कभी भी नहीं हटेगा। चाहे कुछ भी हो जाए। यह मात्र मेलूहा के लिए नहीं था। यह शिव के लिए भी था। उसके मित्र के लिए।

— ༑◎ᵘ⳨⊛ —

सती की अग्नि परीक्षा के तीन सप्ताह बाद करचप से काफिला निकला। वही सात बग्घियां एक पंक्ति में एक साथ यात्रा कर रही थीं। इस बार पांच नहीं छह बग्घियां दिखावटी थीं। शिव सती के साथ तीसरी बग्घी में था और पर्वतेश्वर एवं आयुर्वती भी उसी में थे। यह पहली बार था जब पर्वतेश्वर शिव के साथ एक ही बग्घी में यात्रा कर रहा था। कृत्तिका बग्घी में यात्रा करने से मुकर गई थी और उसने स्वेच्छा से यह कहते हुए अश्वारोहण करने का निर्णय लिया था कि बग्घी में नहीं जाना चाहती थी क्योंकि वह ग्रामीण क्षेत्रों की प्राकृतिक सुंदरता नहीं देख पा रही थी। वीरभद्र को नंदी की पलटन में उसके साथ अश्वारोहण करने में अपार खुशी हो रही थी।

उनको करचप से निकलकर यात्रा करते हुए अभी कुछ ही दिन हुए थे कि जब उनके काफिले को रुक जाना पड़ा क्योंकि एक बड़ा काफिला

विपरीत दिशा से बड़ी शीघ्रता से चला आ रहा था। पर्वतेश्वर जानकारी लेने के लिए बग्घी से बाहर निकला। सेनापति व्रक उसके पास आया और उसने पर्वतेश्वर को सैनिक अभिवादन किया।

'क्या बात है?'

'स्वामी, ये लोग कूंज गांव के शरणार्थी हैं,' व्रक ने कहा, 'ये लोग एक आतंकी आक्रमण से बचकर निकल रहे हैं।'

'बचकर निकल रहे हैं!' चकित पर्वतेश्वर ने पूछा, 'तुम यह कहना चाहते हो कि आक्रमण अभी चल रहा है?'

'ऐसा ही प्रतीत होता है, स्वामी,' व्रक ने कहा। उसका चेहरा गुस्से से लाल था।

'लानत है!' पर्वतेश्वर स्वयं पर झुंझलाया। ना ही मेलूहा को और ना ही उसे ऐसा अवसर प्राप्त हुआ था कि जब एक हजार पांच सौ सैनिक उपलब्ध थे और आतंकी आक्रमण चल रहा था। उसके बाद भी पर्वतेश्वर के हाथ बंधे हुए थे। नीलकंठ एवं राजकुमारी की सुरक्षा के सिवाय उसे किसी अन्य लक्ष्य को साधने की अनुमति नहीं थी।

'यह क्या मूर्खता है?' उसने मन ही मन सोचकर कहा, 'मुझे दिए गए आदेश मेरे क्षत्रिय धर्म का पालन करने से रोक रहे हैं।'

'क्या बात है, पर्वतेश्वर?'

पर्वतेश्वर मुड़ा तो उसने देखा कि शिव ठीक उसके पीछे खड़ा था। इस मध्य सती और आयुर्वती भी बग्घी से उतर रहे थे। इससे पहले कि पर्वतेश्वर कुछ उत्तर दे पाता, एक भयानक शोर ने उस शांत जंगल को भेदकर रख दिया। यह वह ध्वनि थी जिसे शिव को पहचान जाना था। उस ध्वनि ने शंख ध्वनि करने वाले की मंशा को अत्यधिक बलपूर्वक स्पष्ट कर दिया था। उसने घोषणा कर दी थी कि आक्रमण का प्रारंभ हो चुका था। नागाओं का एक आक्रमण प्रारंभ हो चुका था।

अध्याय - 17

# कूंज का युद्ध

'वे लोग कहां हैं?' पर्वतेश्वर ने पूछा।

'वे लोग मेरे गांव में हैं, स्वामी,' भयभीत गांव के प्रधान ने कहा, 'यह कुछ ही दूरी पर है, कोई पांच सौ चंद्रवंशी सैनिक नागाओं के नेतृत्व में हैं। उन्होंने हमें गांव छोड़ने के लिए तीस मिनट का समय दिया था। किंतु मंदिर के ब्राह्मणों को रोक लिया गया है।'

पर्वतेश्वर ने अपने क्रोध को नियंत्रित करने के लिए अपनी मुट्ठियां भींच लीं।

'हमारे पंडित जी बहुत अच्छे व्यक्ति हैं, स्वामी,' गांव प्रधान ने कहा। उसकी आंखों से आंसू ढलक गए। व्रक ने उसे सांत्वना देने के लिए अपना हाथ उसके कंधे पर रख दिया। गांव प्रधान की मुद्रा उसे बहुत ही दयनीय बना रही थी क्योंकि वह नहीं जानता था कि गांव के पुजारी के साथ क्या अनहोनी होने वाली थी।

'हम अपने पंडित और अन्य ब्राह्मणों के साथ मिलकर लड़ाई लड़ना चाहते थे,' सुबकते हुए गांव प्रधान ने कहा, 'वे ईश्वर के आदमी हैं। अस्त्र-शस्त्र कैसे उठाया जाता है, उन्हें तो यह भी पता नहीं है। वे इस गिरोह से युद्ध कैसे कर सकते हैं?'

व्रक ने गांव प्रधान को बोलने दिया ताकि उसका क्रोध शांत हो जाए।

'किंतु पंडित जी ने हमें वहां से चले जाने का आदेश दे दिया। उन्होंने हमसे हमारी स्त्रियों और बच्चों के साथ भाग जाने के लिए कहा। उन्होंने

कहा कि वे उस भाग्य का सामना करेंगे, जो भाग्य भगवान ब्रह्मा ने उनके लिए लिखा था। किंतु यदि किसी की रक्षा हो सकती है तो उनकी रक्षा होनी चाहिए।'

पर्वतेश्वर का नाखून उसकी त्वचा में अंदर तक घुस गया। चंद्रवंशियों के इस प्रकार निहत्थों पर आक्रमण करने और क्षत्रियों से आमना-सामना न करने की बात सुनकर उसका चेहरा बदरंग हो उठा था। वह अपने भाग्य पर कुपित हो रहा था कि वह एक ऐसी परिस्थिति में था कि कोई कार्यवाही नहीं कर सकता था। उसके मन का एक हिस्सा कहता था कि वह आदेशों को भूल जाए। किंतु वह इस बात से बंधा हुआ था कि नियम की अवहेलना न करे।

'ऐसे पागलपन को रोकना होगा!'

पर्वतेश्वर ने सिर घुमाकर देखा कि यह ध्वनि किधर से आई थी, जो उसकी सोच के मध्य में गुंजायमान हो गई थी। शिव के मुख के भाव ने उसे सकते में ला दिया था। नीलकंठ के मुख पर अत्यधिक क्रोध की ऐसी ज्वाला धधक रही थी कि एकबारगी देवगण भी सकते में आकर कांप जाएं।

'हम लोग अच्छे लोग हैं,' शिव ने क्रोध में कहा, 'हम भयभीत मुर्गियों की तरह नहीं हैं जो मुड़कर भाग जाएं! उन आतंकियों को अपने प्राण बचाने के लिए भागना होगा। उन्हें सूर्यवंशियों के प्रचंड क्रोध को महसूस करवाना होगा!'

गांव प्रधान के पीछे खड़ा एक ग्रामवासी बोला, 'किंतु वे त्रासदकारी हैं! हम उन्हें पराजित नहीं कर सकते। पंडित जी को यह पता था। इसी कारण से उन्होंने हमें वहां निकल जाने का आदेश दिया था।'

'लेकिन हमारे पास डेढ़ सहस्र सैनिक हैं,' शिव ने इस कायरतापूर्ण प्रदर्शन पर झुंझलाहट के साथ कहा, 'और साथ में आप लोग पांच सौ और हैं। हम उनसे एक से चार की संख्या में अधिक हैं। हम उन्हें मिट्टी में मिला सकते हैं। हम उन्हें ऐसा सबक सिखाएंगे कि वे हमेशा याद रखेंगे।'

गांव प्रधान ने तर्क दिया, 'किंतु उनके पास नागा लोग हैं! वे अमानवीय रक्त पिपासु हत्यारे हैं! ऐसी बुराइयों के विरुद्ध हमारी क्या हस्ती

हो सकती है?'

शिव की सहज बुद्धि ने उसे अनुभव कराया कि अंधविश्वास का सामना आस्था से ही किया जा सकता है। वह बग्घी की सीढ़ी पर चढ़ गया ताकि थोड़ा ऊंचाई प्राप्त कर सके। गांव वाले उसे घूरकर देख रहे थे। उसने अपना गुलूबंद उतार दिया और एक ओर फेंक दिया। अब उसकी आवश्यकता नहीं रह गई थी।

'मैं नीलकंठ हूं!'

सभी सैनिकों ने बुराइयों के विनाशक को मंत्रमुग्ध होकर देखा। वे लोग इस बात पर अत्यंत प्रसन्न थे कि उन्होंने अपने प्रारब्ध को सचाई से ग्रहण कर लिया था। गांव वालों को नीलकंठ के आगमन का संज्ञान नहीं था। वे अपनी आंखों के सामने पौराणिक कथन को सच होते देख स्तब्ध रह गए थे।

'मैं इन संत्रासियों से युद्ध करने जा रहा हूं,' शिव ने गर्जना की, 'मैं उन्हें दिखाने जा रहा हूं कि हम अब उनसे भयभीत नहीं हैं। जो पीड़ा हमें हो रही है, उसी पीड़ा को मैं उन्हें महसूस करवाने जा रहा हूं। मैं उन्हें यह बताने जा रहा हूं कि वे जो चाहें कर सकते हैं, कर लें, लेकिन मेलूहा को रौंदा नहीं जा सकता है।'

वे लोग जो शिव के सामने खड़े थे, उनकी रीढ़ की हड्डियों को सीधी कर देने वाली और उनकी आत्माओं को प्रेरित कर देने वाली विशुद्ध ऊर्जा उनमें संचरित हो गई।

'कौन लोग मेरे साथ आ रहे हैं?'

'मैं आ रहा हूं,' पर्वतेश्वर धधक उठा था। उसे महसूस हो रहा था कि शिव की उद्घोषणा से उस पर लगे प्रतिबंध से मुक्ति मिल गई थी।

'मैं भी,' सती ने कहा और उसके साथ नंदी, वीरभद्र और ब्रक ने स्वर मिलाया।

'मैं भी,' वहां खड़े प्रत्येक व्यक्ति का स्वर गूंजा।

अचानक ही भयभीत ग्रामीण सचाई की सेना में बदल गए। सैनिकों ने अपनी तलवारें निकाल लीं। ग्रामीणों ने अपने-अपने हथियार पकड़ लिए

जो भी उन्हें मिल सका।

'कूंज की ओर कूच करो,' शिव ने एक अश्व पर चढ़कर चिल्लाकर कहा और अपने घोड़े को एड़ लगाकर सबसे आगे सरपट भगा दिया।

पर्वतेश्वर और सती ने शीघ्रता से गाड़ी से घोड़े खोले और शिव के पीछे सरपट दौड़ा दिए। सूर्यवंशियों ने आक्रमण करने के उद्देश्य से जोर से हल्ला करते हुए दौड़ लगा दी। उस हल्ले की ध्वनि किसी भी नागा शंख की ध्वनि से अत्यधिक गर्जना वाली थी। जब वे कूंज में आंधी की तरह पहुंचे तो जिस आतंक का उन्हें अंदेशा था, वही हुआ था। चंद्रवंशियों ने गांव पर ध्यान केंद्रित न कर उनके आदरणीय मंदिर को निशाना बनाया था ताकि सूर्यवंशियों को अधिक से अधिक घाव लगा सकें। अंग-भंग किए हुए ब्राह्मणों के शरीर मंदिर के आसपास बिखरे पड़े थे। उन्हें एक साथ इकट्ठा कर उनकी हत्या कर दी गई थी। मंदिर को विनष्ट करके उसमें आग लगा दी गई थी। इस दर्दनाक आक्रमण ने सूर्यवंशियों के क्रोध को और बढ़ा दिया। उन्होंने पागल सांढ़ की भांति आक्रमण कर दिया। चंद्रवंशियों के पास कोई अवसर नहीं था। वे संख्या में कम तो थे ही, पूरी तरह से आच्छादित भी थे। फिर उन्हें इस प्रकार के अचानक पलट वार की आशा भी नहीं थी। वे शीघ्र ही पराजित हो गए। कुछ चंद्रवंशी मैदान छोड़कर भागने लगे तो नागाओं ने उन्हें इकट्ठा कर पुनः संघर्ष करने पर विवश कर दिया। विपरीत परिस्थितियों को अपनी ओर करते हुए वे असंभावित साहस के साथ सूर्यवंशियों पर टूट पड़े।

पर्वतेश्वर ऐसे लड़ रहा था कि जैसे उसमें दैवीय शक्ति हो। शिव ने सेनानायक को कभी युद्ध करते नहीं देखा था। वह उसकी दक्षता एवं वीरता को देखकर दंग रह गया था। शिव के समान पर्वतेश्वर भी इस बात को समझता था कि नागाओं को हराना ही उनकी विजय की महत्ता थी। जब तक वे जीवित थे, सूर्यवंशी भयभीत महसूस करते रहेंगे और चंद्रवंशी इससे प्रेरित होते रहेंगे। उसने एक नागा पर सनकी आक्रामकता से धावा बोल दिया।

नागा ने दक्षता से पर्वतेश्वर के वार को अपनी ढाल से बचा लिया।

अपनी तलवार को नीचे ले जाकर उसने पर्वतेश्वर के खुले कंधे पर वार करने का प्रयास किया। वह इस बात को नहीं जानता था कि पर्वतेश्वर ने अपना बायां भाग जान-बूझकर खुला छोड़ा था। बगल में झूलते हुए पर्वतेश्वर ने वार को बचाते हुए अपनी ढाल से एक चाकू निकाला जो उसकी ढाल में संलग्न था। उसने नागा के दाहिने खुले कंधे पर निशाना लगाकर फेंका। उसकी चीख ने पर्वतेश्वर को बता दिया था कि चाकू काफी गहरा धंस चुका था।

वह नागा क्रोध में गुर्राया। किंतु पर्वतेश्वर की चकित कर देने वाली प्रशंसा के लिए, उसने अपनी तलवार वाले हाथ को लहराया, जिसमें चाकू घोंपा हुआ था और संघर्ष करने लगा। पर्वतेश्वर ने अपनी ढाल नीची करके उस नागा के अपेक्षाकृत कमजोर वार को रोक दिया। उसने अपनी तलवार को घोंपने की स्थिति में किया, किंतु उस नागा ने बहुत तेजी से उसे लक्ष्यच्युत कर दिया। दिशा परिर्वतन करके पर्वतेश्वर ने अपनी ढाल से तेजी से उसके कंधे पर लगे चाकू पर मारा। वह चाकू उस नागा के कंधे की हड्डी को तोड़ता हुआ अंदर घुस गया। वह नागा पीड़ा में गुर्राया और लड़खड़ाया। यही आमंत्रण पर्वतेश्वर को चाहिए था। उसने अपनी तलवार को ऊपर से भोंकने की स्थिति में लाकर उसने नागा के हृदय में भोंक दिया। पर्वतेश्वर के इस प्राणघातक वार से वह नागा जड़ हो गया। पर्वतेश्वर ने तलवार को और गहरा घुसाकर उसके प्राण हर लिए। वह नागा बिना किसी हरकत के पीछे धड़ाम से गिर गया।

पर्वतेश्वर भी नागाओं के चेहरे को देखने का एक मेलूहावासी की तरह ही इच्छुक था। उसने नीचे झुककर नागा के नकाब को हटाया तो सामने एक भयभीत कर देने वाला चेहरा था। उस नागा की नाक मात्र हड्डी की बनी थी और वह बढ़कर पक्षी की चोंच की तरह की थी। उसके कान बहुत विशाल थे, जबकि उसका मुंह अत्यधिक छोटा था। वह मानवरूपी गिद्ध जैसा प्रतीत हो रहा था। पर्वतेश्वर ने शीघ्रता से वह कहा जो प्रत्येक सूर्यवंशी अपने योग्य प्रतिद्वंद्वी को पराजित करने पर बोलता है, 'हे वीर योद्धा, उस जगत की तुम्हारी यात्रा सकुशल हो।'

एक कम हुआ था और चार का काम तमाम करना था, पर्वतेश्वर ने

उठते हुए सोचा कि तभी उसने गलती सुधारी, नहीं दो कम और तीन अभी बाकी हैं। उसने देखा कि शिव ने उससे कुछ ही दूरी पर एक विशालकाय नागा को नष्ट कर दिया था। शिव एवं पर्वतेश्वर दोनों ने एक-दूसरे को देखा और सिर हिलाकर सहमत हुए। शिव ने पर्वतेश्वर को उसके पीछे की ओर इशारा किया। पर्वतेश्वर ने पीछे मुड़कर देखा तो एक अति क्रूर नागा अकेले ही पांच सूर्यवंशियों से युद्ध कर रहा था। वह शिव की ओर मुड़ा और उसने सिर हिलाकर संकेत दिया। उसके बाद पर्वतेश्वर उस चयन किए हुए नागा की ओर बढ़ गया और उसी समय शिव भी एक दूसरे नागा की ओर बढ़ गया था।

शिव उस संघर्ष के मैदान में फुर्ती से उस नागा की ओर बढ़ा जिसने उसी समय एक सूर्यवंशी सैनिक को मारकर गिरा दिया था। वह अपनी ढाल को सामने रखते हुए उसके निकट पहुंचा ताकि नागा के तलवार के वार से बचा जा सके। इस बात को ध्यान में रखते हुए उसने एक ऊंची छलांग लगाई। उस नागा ने अपनी ढाल को ऊपर उठा लिया ताकि वह शिव के वार से बच सके, उसने सोचा था कि पारंपरिक शैली में उतनी ऊंचाई से उस पर तलवार नीचे लाते हुए शिव उस पर वार करेगा। लेकिन शिव ने उसे पूरी तरह से चकित करते हुए उसकी ढाल को पूरे बल से तलवार से धक्का मारकर एक ओर हटाते हुए उस तलवार को एक ओर से क्षैतिज लहर के साथ चलाया और उस नागा के हाथ पर गहरा घाव लगा दिया। वह नागा पीड़ा में गुर्राया और पीछे हट गया। उसने अपनी ढाल को सीधा किया और पुनः उसे ऊंचा उठाया। उसने महसूस कर लिया था कि शिव उस पहले के सूर्यवंशी की तुलना में बहुत ही दुर्जेय प्रतिद्वंद्वी होने वाला था।

चूंकि शिव उस निडर नागा से बड़ी कठोरता से तल्लीन होकर युद्ध कर रहा था, अतः उसने कुछ दूरी पर खड़े एक दूसरे नागा को नहीं देखा था। वह नागा इस बात को देख रहा था कि उसके आक्रमण को धीरे-धीरे दबाया जा रहा था। बस मात्र कुछ समय की बात थी कि नागाओं और चंद्रवंशियों को मैदान छोड़कर भागना पड़ सकता था। उस नागा को नागाओं के इस पहले असफल आक्रमण के अपयश का सामना करना पड़ सकता था। और वह देख रहा था कि वह शिव था जिसने प्रति-आक्रमण का नेतृत्व किया था। भविष्य

के ऐसे लक्ष्यों की सफलता के लिए ऐसे आदमी को नष्ट करना आवश्यक था। उस नागा ने अपने धनुष को सामने निकाल लिया।

इस मध्य शिव ने किसी भी संकट से अनजान उस दूसरे नागा के पेट में अपनी तलवार थोड़ी घुसेड़ दी थी। वह नागा शिव को अपनी ढाल से दबाता हुआ और पीछे हटता हुआ कठोरता से युद्ध कर रहा था। उसने तलवार को नीचे लाते हुए लहराकर शिव को चोट लगाने का प्रयास किया किंतु उसका प्रयास विफल रहा क्योंकि शिव की ढाल पहले से ही तैयार थी। वह अपनी तलवार को लगातार और गहरा दबाते हुए नागा के वारों से आड़ करता जा रहा था। कुछ समय के बाद उस नागा की आत्मा ने आत्मसमर्पण कर दिया। वह पीछे खिसक गया और उसके शरीर से रक्त का बहाव तेज हो गया। वह गिर गया। शिव ने उस गिरे हुए नागा को विस्मय से देखा।

*ये लोग दुष्ट अवश्य हैं, किंतु निडर सैनिक हैं।*

शिव ने बाईं ओर मुड़कर देखा तो पर्वतेश्वर ने भी उस नागा को मारकर गिरा दिया था, जिससे वह भिड़ा था। वह घूमकर अंतिम नागा को ढूंढ़ने का प्रयास कर रहा था। तभी उसे उस व्यक्ति की शोर मचाने वाली आवाज सुनाई दी, जिसे वह समस्त कारणों से परे प्रेम करता था।

'शि ऽ ऽ व।'

वह दाहिनी ओर मुड़ा तो उसने देखा कि सती तेजी से उसकी ओर भागती चली आ रही थी। उसने उसके पीछे देखा कि कहीं कोई उसका पीछा तो नहीं कर रहा था। वहां कोई नहीं था। उसने त्योरी चढ़ाई। इससे पहले कि वह कुछ प्रतिक्रिया दिखा पाता, सती ने आगे की ओर छलांग लगा दी। उसकी छलांक का समय अत्यंत ही सटीक था।

कुछ दूरी पर खड़े उस नागा ने अग्निबाण चला दिया था। यह नागाओं का एक प्रसिद्ध विषयुक्त बाण था। उस बाण के अग्रभाग पर लगा हुआ विष पीड़ित के शरीर को अंदर से जला देता था और जिसे वह बाण लगता था वह धीरे-धीरे एक पीड़ादायक मृत्यु की ओर अग्रसर हो जाता था और उसकी आत्मा पर कई जन्मों तक एक घाव छोड़ जाता था। बाण को शिव

के कंठ की ओर सीधा चलाया गया था। बाण अपने मृत्यु कारक लक्ष्य की ओर अमोघ रूप से निकल पड़ा था। हालांकि उस नागा ने इस संभावना का आंकलन नहीं किया था कि उसके मार्ग में अवरोध भी आ सकता था।

सती ने अपने शरीर को हवा के मध्य में ही मरोड़ लिया जैसे ही उसने शिव के सामने छलांग लगाई। वह बाण सती के सीने में क्रूर बल के साथ प्रवेश कर गया, जिससे उसका शरीर हवा में पीछे की ओर उछल गया। वह झूलती हुई और अचल होकर शिव के बाईं ओर गिर पड़ी। शिव ने स्तब्ध होकर सती के औंधे पड़े हुए शरीर को देखा। उसका हृदय विदीर्ण हो गया।

बुराइयों के विनाशक ने प्रचंड क्रोध में गर्जना की। उसने उस नागा की ओर धावा बोलने के लिए उस पागल हाथी की तरह दौड़ लगाई जो बस पागल होने की कगार पर था। उसकी तलवार उठी हुई थी। वह नागा नीलकंठ के उस रौद्र स्वरूप से कुछ क्षण के लिए तो बिल्कुल ही हिल गया था। किंतु उसने शीघ्र ही आपने आपको संयत कर लिया। उसने अपने तरकश से फुर्ती से एक और बाण निकाला और उसे धनुष पर लगाकर चला दिया। शिव ने अपनी तलवार चलाकर उसे एक ओर कर दिया। नागा उस समय भयभीत हो गया जब उसने देखा कि शिव की गति में कोई अंतर नहीं पड़ा था और वह उसी तीव्र गति से उसकी ओर भागता चला रहा था। उसने दूसरा बाण निकाला और चला दिया। शिव ने तलवार भांजते हुए उस बाण को भी एक ओर कर दिया और अपनी गति को और बढ़ा दी। वह नागा अभी तीसरे बाण तक पहुंचना ही चाहता था कि उसे देरी हो चुकी थी। उस समय तक शिव उस नागा के समीप आ चुका था। उसने एक भयंकर गर्जना के साथ हवा में छलांग लगाई और बड़ी तीव्रता से तलवार लहराई। उसकी तलवार के चलने के साथ ही एक ही वार में उस नागा का सिर धड़ से अलग हो गया। उसका अचेत शरीर धड़ाम से गिरा और उसका सिर अत्यधिक तीव्र गति से हवा में उड़कर दूर जा गिरा, जबकि अब भी उसका हृदय उसके शरीर को रक्त प्रदान कर ही रहा था, जिस कारण वह रक्त उसके कटे धड़ से पिचकारी के समान बाहर निकल पड़ा था।

नीलकंठ के प्रतिहिंसा की प्यास बुझी नहीं थी। चीखते हुए शिव झुका और उस नागा के मृत शरीर को काटता चला गया जब तक कि उसके

छोटे-छोटे टुकड़े नहीं हो गए। शिव के इस प्रचंड क्रोधित मन के अंदर कोई कारण या संवेदनशीलता प्रवेश नहीं कर सकती थी, सिवाय एक मधुर, मंदस्वरीय, घायल स्वर के जो उसके सिवा उस युद्ध के मैदान में किसी द्वारा सुनने योग्य भी नहीं था।

'शिव...'

वह पीछे मुड़ा तो उसने देखा कि सती कुछ दूरी पर लेटी हुई थी, उसका सिर थोड़ा-सा उठा हुआ था।

'सती!'

वह तेजी से सती की ओर भागा, चिल्लाते हुए, 'पर्वतेश्वर! आयुर्वती को बुलाओ! सती गिर गई है!'

आयुर्वती ने सती को घायल होते देख लिया था। चंद्रवंशी शीघ्रता से पीछे भाग रहे थे। आयुर्वती सती की ओर दौड़ी। शिव की बात सुनकर पर्वतेश्वर भी उसकी ओर भागा। शिव सबसे पहले उसके पास पहुंचा। वह अचल थी, किंतु जीवित थी। वह बहुत तेजी से सांस ले रही थी क्योंकि बाण ने उसके बाएं फेफड़े को भेद दिया था। उसके शरीर के अंदर ही अंदर तेजी से रक्त बह रहा था। वह बोल नहीं पा रही थी क्योंकि आघात के बल के कारण उसके मुंह से रक्त बह चला था। वह बोल नहीं पा रही थी, किंतु शिव को घूरती जा रही थी। उसके मुख पर एक विचित्र मुस्कान थी, अत्यंत ही निर्मल। वह बार-बार मुंह खोल रही थी कि जैसे कुछ बोलना चाह रही हो। शिव उसे अपनी बांहों में भर लेना चाहता था किंतु उसने अपने हाथों को एक-दूसरे से जकड़े रखा। वह बहुत कठिनाई से अपने आंसू रोकने का प्रयास कर रहा था।

'हे भगवान ब्रह्मा!' सती के पास पहुंचने पर और उस बाण को पहचानने के बाद आयुर्वती रो पड़ी, 'मस्त्रक! ध्रुविनी! रोगी को उठाने वाला चौखटा ले आओ।'

पर्वतेश्वर, आयुर्वती, मस्त्रक और ध्रुविनी ने सती को उठाकर गांव के एक घर तक पहुंचा दिया। शिव उनके पीछे-पीछे चल रहा था। आयुर्वती के अन्य सहायक इससे पूर्व ही उस झोपड़ी को साफ कर शल्यकर्म के

उपकरणों को लगा चुके थे।

'बाहर ही प्रतीक्षा करें, प्रभु,' आयुर्वती ने अपना हाथ उठाकर शिव से कहा।

शिव आयुर्वती के साथ झोपड़ी में जाना चाहता था, किंतु पर्वतेश्वर ने उसके कंधे का स्पर्श करके उसे बाहर ही रोक दिया, 'आयुर्वती विश्व की सबसे अच्छे वैद्यों में से एक है, शिव। उसे अपना काम करने दीजिए।'

शिव ने मुड़कर पर्वतेश्वर को देखा, जो अपनी भावनाओं को नियंत्रित करने का प्रशंसा भरा प्रयास कर रहा था। किंतु उसकी आंखों की एक झलक मात्र से ही शिव को पता लग चुका था कि पर्वतेश्वर सती के लिए उतना ही डरा हुआ था, जितना कि वह स्वयं। संभवतः उससे भी अधिक जितना कि वह इससे पूर्व अग्नि परीक्षा से डरा हुआ था। अचानक ही उसके मन में एक सोच उभरी। वह मुड़ा और तेजी से सबसे निकट के नागा के शरीर के पास गया। शीघ्रता से झुकते हुए उसने उसकी दाहिनी कलाई को देखा। वहां कुछ नहीं पाकर वह दूसरे नागा के शरीर की ओर चला गया।

इस मध्य पर्वतेश्वर ने अपने व्याकुल मन को संयत किया तो उसे याद आया कि उसके कई महत्वपूर्ण कार्य करने थे। उसने व्रक को बुलाया और आदेश दिया, 'युद्धबंदियों को पहरे में रखो। वैद्यों को बुलाओ और चंद्रवंशियो समेत सभी घायलों का उपचार करवाओ।'

'घायल चंद्रवंशियों ने पहले ही विष पान कर लिया है, स्वामी,' व्रक ने कहा, 'आप तो जानते ही हैं कि वे कभी जीवित पकड़ में नहीं आना चाहते हैं।'

पर्वतेश्वर ने विध्वंसकारी दृष्टि से व्रक को देखा जैसे कह रहा हो कि वह अनावश्यक विवरण सुनने में रुचि नहीं रखता था और व्रक को शीघ्र अपना काम प्रारंभ कर देना चाहिए।

'जी हां, स्वामी,' व्रक ने पर्वतेश्वर के मूक आदेश को समझकर कहा।

'किसी अचानक आक्रमण की दशा से निपटने के लिए एक बाहरी घेरे की व्यवस्था करो,' पर्वतेश्वर ने कहना जारी रखा। उसकी चेतनता उसके पीछे के घर में सती की हालत में उलझ गई, 'और...'

व्रक ने पर्वतेश्वर की ओर देखा। उसे अपने स्वामी की हिचकिचाहट पर आश्चर्य हुआ। उसने अपने स्वामी को इससे पूर्व कभी भी हिचकिचाते हुए नहीं देखा था। व्रक की सहज बुद्धि ने उसे चुप ही रखा। उसने अपने स्वामी के कथन को पूरा करने की प्रतीक्षा की।

'और...' पर्वतेश्वर ने कहना जारी रखा, 'मंदिर में कुछ संदेशवाहक कबूतर जीवित होंगे। एक लाल रंग का पत्र देवगिरि को भेजो। सम्राट को। उन्हें बताओ कि राजकुमारी सती गंभीर रूप से घायल है।'

व्रक ने अविश्वास से उन्हें देखा। उसे सती के बारे में कुछ भी पता नहीं था। किंतु उसने बुद्धिमत्ता दिखाई और कुछ बोला नहीं।

'सम्राट से बताना है कि...,' पर्वतेश्वर ने कहना जारी रखा, 'कि उसे अग्निबाण लग गया है।'

'हे भगवान इंद्र!' अपने सदमे के संत्रास को नियंत्रित न कर पाने के कारण व्रक ने बिना कुछ समझे बक दिया।

'अभी जाकर यह काम करो, सेनापति!' पर्वतेश्वर ने गुर्राहट भरे स्वर में कहा।

'जी हां, प्रभु,' व्रक ने एक दुर्बल अभिवादन कर कहा।

शिव ने इस मध्य चार नागाओं के हाथों के परीक्षण कर लिए थे। उनमें से किसी ने भी चमड़े का बना हुआ कड़ा नहीं पहना था, जिस पर सर्पों वाला ओऽम बना हुआ हो, जिसे शिव पहचानना चाहता था। वह अंतिम नागा के पास पहुंचा। उसी के पास जिसने सती पर बाण चलाया था और जिसे शिव ने काटकर मार दिया था। उसके दाहिने हाथ को ढूंढ़ने से पहले उसने उसके धड़ को घृणा से एक ठोकर मारी। उसे वह शरीर का टुकड़ा ढूंढ़ने में कुछ समय लगा। उसे पाकर उसने उसके बचे-खुचे लबादे को उठाकर कलाई का परीक्षण किया। कोई चमड़े का कड़ा नहीं था। यह वह नहीं था।

शिव झोपड़ी के पास वापस आया तो उसने देखा कि पर्वतेश्वर एक तिपाई पर बाहर बैठा हुआ था। कृत्तिका अनियंत्रित रूप से सुबकती हुई झोपड़ी के प्रवेश द्वार की बगल में खड़ी थी। वीरभद्र उसे धीरे से पकड़े हुए सांत्वना दे रहा था। मनोविक्षिप्त-सा नंदी वीरभद्र की बगल में भावहीन मुद्रा

में स्तब्ध खड़ा था। पर्वतेश्वर ने सिर उठाकर शिव को एक दुर्बल मुस्कान के साथ देखा और अपनी बगल में रखी हुई तिपाई की ओर बैठने के लिए संकेत किया। वह बहुत वीरता से अपने भाव छिपाने का प्रयास कर रहा था। शिव धीरे से बैठ गया और उसने दूर शून्य में घूरा। वह आयुर्वती के बाहर आने की प्रतीक्षा कर रहा था।

— ⅄ⵔ⅂⇑⊗ —

'हमने बाण को बाहर निकाल दिया है, प्रभु,' आयुर्वती ने कहा।

शिव एवं पर्वतेश्वर झोपड़ी के अंदर खड़े होकर अचेत सती को निहार रहे थे। किसी अन्य को अंदर आने की अनुमति नहीं थी। आयुर्वती ने स्पष्ट रूप से कहा था कि सती को किसी प्रकार के संक्रमण के जोखिम को बढ़ने नहीं देना था। और आयुर्वती जैसी प्रभावशाली वैद्य से किसी की तर्क करने की हिम्मत नहीं हो सकती थी। मस्त्रक और ध्रुविनी को पहले से ही अन्य वैद्यों की सहायता करने के लिए बाहर भेज दिया गया था, जो अन्य घायल सूर्यवंशी सैनिकों के उपचार कर रहे थे।

शिव बिस्तर के दाहिनी ओर मुड़ा तो उसने देखा कि एक लहूलुहान चिमटा पड़ा हुआ था जिसका सती की आंतों को फैलाकर बाण बाहर निकालने के लिए प्रयोग किया था। वह चिमटा अब दुबारा कभी भी प्रयोग में नहीं लाया जाएगा। वह अग्निबाण के विष से संक्रमित हो चुका था। कितनी भी गर्मी या रसायन के प्रयोग से उस उपकरण को विसंक्रमित या सुरक्षित नहीं बनाया जा सकता था। उस चिमटे के बगल में वह दुर्व्यवहारी बाण नीम की पत्तियों में लिपटा हुआ रखा हुआ था, जहां वह एक पूरे दिन के लिए रहने वाला था। उसके बाद उसे एक सूखी कब्र में बहुत गहरा गाड़ देना था ताकि यह सुनिश्चित हो सके कि वह अब कभी कोई हानि न पहुंचा सके।

शिव ने आयुर्वती को देखा। उसकी आंखें नम थीं। उसके हृदय में जो प्रश्न उठ रहे थे, वह पूछने की शक्ति उसमें नहीं रही थी।

'मैं आपसे असत्य वचन नहीं कहूंगी, प्रभु,' आयुर्वती ने असंलग्न

तरीके से कहा, जो वैद्यों को करना पड़ता है ताकि मनोघातपूर्ण परिस्थितियों में शक्ति प्राप्त कर सके, 'यह अच्छा नहीं दिख रहा है। अग्निबाण के किसी प्राणाधर अंग को भेद जाने पर आज तक के इतिहास में कोई भी जीवित नहीं बचा है। कुछ समय में ही विष के कारण अत्यधिक तीव्र ज्वर प्रारंभ हो जाएगा, जिससे एक के बाद एक अंग बेकार होते चल जाएंगे।'

शिव ने नीचे सती को देखा और उसके बाद उसने ऊपर की ओर निवेदित रूप से देखा। आयुर्वती ने अपने आंसुओं पर लगाम लगाने के लिए और अपना धैर्य यथावत बनाए रखने की कठिन कोशिश की। वह नियंत्रित नहीं हो सकती थी। अगले कुछ घंटों में उसे कई लोगों के प्राण बचाने थे। वह स्वयं को दुर्बल होने नहीं देना चाहती थी।

'मुझे क्षमा करें, प्रभु,' आयुर्वती ने कहा, 'किंतु इसका कोई उपचार नहीं है। हम मात्र ऐसी औषधियां दे सकते हैं जिससे वे अपने प्राणांत सरलता से कर सके।'

शिव ने क्रोधित दृष्टि से आयुर्वती को घूरा और गंभीर स्वर कहा, 'हम आशा नहीं छोड़ रहे हैं। क्या यह आपको स्पष्ट है?'

आयुर्वती ने नीचे भूमि को देखा। वह शिव से आंखें नहीं मिला पा रही थी।

'यदि उसके ज्वर को नियंत्रण में रखा जाए तो उसके अंग क्षतिग्रस्त नहीं होंगे, यह सही है न?' शिव ने पूछा। उसे आशा की एक किरण टिमटिमाती दिख रही थी।

आयुर्वती ने ऊपर सिर उठाकर शिव को देखा और कहा, 'जी हां, प्रभु। किंतु यह अंतिम समाधान नहीं है। अग्निबाण से हुए ज्वर को आने से केवल कुछ समय तक रोका जा सकता है, किंतु हमेशा के लिए नहीं। यदि हम प्रयास करेंगे और ज्वर को नियंत्रित करेंगे तो जब औषधियां रोक दी जाएंगी तब वह ज्वर और भी तीव्र एवं प्रचंड रूप से वापस आएगा।'

'तो फिर हम ज्वर को हमेशा के लिए नियंत्रण में रखेंगे!' शिव रो पड़ा था, 'यदि आवश्यकता पड़ी तो मैं जीवन भर उसकी बगल में बैठूंगा। ज्वर नहीं बढ़ेगा।'

शिव को आयुर्वती कुछ कहना चाहती थी, किंतु उसने सोचा नहीं यह उपयुक्त समय नहीं था और वह चुप रह गई। वह शिव के पास कुछ घंटों के बाद पुनः आएगी। वह जानती थी कि सती को बचाया नहीं जा सकता था। यह असंभव था। कीमती समय इस व्यर्थ के वाद-विवाद में नष्ट हो रहा था। यह समय दूसरे कई लोगों की जीवन-रक्षा में लगाया जा सकता था।

'ठीक है, प्रभु,' आयुर्वती ने सती को औषधि देते हुए कहा, जो उसके ज्वर को नियंत्रित रख सकता था, 'यह उनके ज्वर को कुछ घंटों तक नियंत्रित रखेगा।'

उसके बाद उसने पर्वतेश्वर की ओर एक क्षण के लिए देखा जो पीछे खड़ा हुआ था। पर्वतेश्वर जानता था कि ज्वर को नियन्त्रित रखने का अर्थ था कि सती की यातना को और अधिक देर तक खींचना। किंतु उसे भी शिव के समान ही आशा की एक छोटी-सी किरण टिमटिमाती दिखाई दे रही थी।

शिव की ओर मुड़ते हुए आयुर्वती ने कहा, 'प्रभु, आप भी घायल हैं। मुझे मरहम पट्टी लगाने दीजिए और मैं चली जाऊंगी।'

'मैं ठीक हूं,' शिव ने एक पल के लिए भी सती पर से अपनी दृष्टि हटाए बिना कहा।

'नहीं, आप ठीक नहीं हैं, प्रभु,' आयुर्वती ने दृढ़ता से कहा, 'आपके घाव गहरे हैं। यदि उनमें कोई संक्रमण हो जाता है वह प्राणहारक बन सकता है।'

शिव ने उत्तर नहीं दिया। वह सती को यथावत निहारता रहा और अपने हाथ की मुद्रा से मानने से मना कर दिया।

'शिव!' आयुर्वती चिल्ला पड़ी। शिव ने उसकी ओर देखा तो वह बोली, 'आप सती की सहायता नहीं कर सकते यदि आप स्वयं ही अस्वस्थ हो जाएंगे।'

उस कठोर वचन का इच्छित असर हुआ। हालांकि शिव अपने स्थल से हिला नहीं, किंतु उसने आयुर्वती को अपने घाव का उपचार करने दिया।

उसके बाद आयुर्वती ने पर्वतेश्वर के घावों पर मरहम-पट्टी की और झोपड़ी से बाहर निकल गई।

— ꠸⦿꠪ꠤ꠮ —

शिव ने झोपड़ी में प्रहर कंदील को देखा। जबसे आयुर्वती ने बाण बाहर निकाला था, तब से तीन घंटे का समय बीत चुका था। पर्वतेश्वर झोपड़ी से बाहर निकलकर दूसरे घायलों को देखने जा चुका था और उसे पड़ाव की व्यवस्था भी करनी थी क्योंकि काफिले को कूंज में कुछ समय और रुकना था। यह पर्वतेश्वर का तरीका था। यदि वह किसी घृणित परिस्थिति का सामना कर रहा होता था, जिसमें वह कुछ भी नहीं कर सकता था तो वह क्लेश से लड़खड़ाता नहीं था। वह स्वयं को काम में लगा लेता था ताकि उसे संकट के बारे में सोचना न पड़े।

शिव अलग था। बहुत वर्षों पहले उसने प्रतिज्ञा ली थी कि कठिन परिस्थितियों से वह कभी भी नहीं भागेगा। यहां तक कि जब वह कुछ भी नहीं कर सकने की स्थिति में हो, तब भी। वह सती की बगल से एक क्षण के लिए भी हटा नहीं था। वह धैर्य के साथ उसके बिस्तर के बगल में बैठा हुआ था। उसके ठीक हो जाने की प्रतीक्षा कर रहा था। वह आशा कर रहा था कि वह ठीक हो जाएगी। उसके ठीक हो जाने के लिए वह प्रार्थना कर रहा था।

'शिव...' एक बहुत कम ध्वनि ने शांत वातावरण का मौन तोड़ा।

शिव ने सती के मुख की ओर देखा। उसकी आंखें थोड़ी खुली थीं। उसके हाथ अदृश्यता में इधर-उधर चले। उसने अपनी कुर्सी उसके निकट खिसका ली, किंतु सावधानी से ताकि स्पर्श न हो।

'मुझे क्षमा कर दो,' शिव रो पड़ा, 'मुझे तुम लोगों को इस लड़ाई में नहीं लाना चाहिए था।'

'नहीं, नहीं,' सती बड़बड़ाई, 'आपने सही काम किया था। किसी न किसी को यह निर्णय लेना ही था। आप मेलूहा में हमारा नेतृत्व करने के लिए और बुराइयों के नाश के लिए आए हैं। आपने अपना कर्तव्य

निभाया है।'

शिव लगातार सती को अपनी पीड़ा पर काबू पाते हुए निहारता जा रहा था। सती ने अपनी आंखों को थोड़ा चौड़ा किया। वह चाहती थी कि जितना संभव हो सके वह शिव को दृष्टि भर कर देख ले क्योंकि उसे प्रतीत हो गया था अब उसका अंतिम समय बहुत निकट आ चुका था। आत्मा की अभिलाषाओं का अंतिम विनाशक मृत्यु है। अजीब बात यह है कि ऐसे विचारों के समय यह विनष्टीकरण आत्मा की प्रत्येक अधिकारहीनता को चुनौती देने और स्वयं के भाव प्रकट करने का साहस प्रदान करता है। अपने लंबे समय से अस्वीकृत सपनों के प्रकटन की भी चुनौती देता है।

'अब मेरा समय हो चला है, शिव,' सती ने धीमे स्वर में कहा, 'किंतु इससे पहले कि मैं सदा के लिए चली जाऊं, मैं आपसे कहना चाहती हूं कि पिछले कुछ महीने मेरे लिए सबसे अधिक खुशी के बीते हैं।'

शिव अपनी नम आंखों के साथ सती को निरंतर देख रहा था। भावनाओं के सैलाब उसके हृदय में किलोल कर रहे थे। और फिर उसके हाथों ने स्वयं ही जीवन धारण कर लिया और सती की ओर बढ़ चले। किंतु फिर समय रहते ही उसने रोक लिया।

'काश, आप मेरे जीवन में पहले आए होते,' सती ने वह रहस्य बाहर निकलने दिया, जिसे वह स्वयं मानने को तैयार नहीं होती थी, 'मेरा जीवन ही पूरी तरह से भिन्न होता।'

शिव की आंखें लगातार हठ करके अपनी निराशा के बांध तोड़कर फट पड़ने को तैयार थीं, जिसे वह कठिनता से नियंत्रित करने का प्रयास कर रहा था।

'काश मैंने आपसे पहले ही कह दिया होता,' सती बड़बड़ाई, 'क्योंकि यह जो पहली बार कहने जा रही हूं, वह संभवतः अंतिम बार ही होगा।'

शिव ने सती को देखा। उसका स्वर गले के अंदर ही बंद हुआ पड़ा था।

सती ने शिव की आंखों में गहराई से देखते हुए अत्यधिक मंद स्वर में कहा, 'मैं आपसे प्रेम करती हूं।'

और बांध फट पड़ा। शिव के पीड़ाप्रद मुख से आंसुओं का सैलाब उमड़ आया।

'तुम ये शब्द फिर से दुहराओगी कम से कम अगले सौ वर्षों तक,' शिव ने सुबकते हुए कहा, 'तुम कहीं नहीं जा रही हो। यदि मुझे लड़ना पड़ा तो मैं मृत्यु के देवता से भी युद्ध करूंगा। तुम कहीं नहीं जा रही हो।'

सती के उदास मुख पर एक पीड़ादायक मुस्कान थी। उसने अपना हाथ शिव के हाथों में रख दिया। उसका हाथ ताप से जल रहा था। ज्वर ने अपना आक्रमण प्रारंभ कर दिया था।

अध्याय – 18

# सती और अग्निबाण

'**कु**छ भी नहीं किया जा सकता है, प्रभु,' प्रकट रूप से असुविधापूर्वक आयुर्वती ने कहा।

वह और शिव झोपड़ी के एक कोने में खड़े थे, जो सती से एक सुरक्षात्मक दूरी थी ताकि वह उनकी बातें सुन न सके। अपने आंसुओं को बाहर आने से रोकता हुआ पर्वतेश्वर उनके पीछे खड़ा था।

'ऐसा मत कहिए, आयुर्वती,' शिव ने हठ करते हुए कहा, 'आप इस भूमि की सबसे अच्छी वैद्य हैं। हमें बस इतना करना है कि ज्वर को तोड़ना है।'

'इस ज्वर को तोड़ा नहीं जा सकता है,' आयुर्वती ने कारण बताया, 'अग्निबाण के विष का कोई उपचार नहीं है। ज्वर को नियंत्रित रखकर हम केवल सती की यातना को ही बढ़ा रहे हैं। जैसे ही औषधियां रुकेंगीं, ज्वर प्रतिशोधपूर्ण ढंग से आक्रमण करेगा।'

'जाने दीजिए, शिव,' बिस्तर से एक शक्तिहीन स्वर की भुनभुनाहट हुई। सभी लोग मुड़कर सती को देखने लगे। उसके मुख पर मुस्कान थी जो अवश्यंभावी की स्वीकृति के पश्चात ही आती है, 'मुझे कोई खेद नहीं है। मैंने आपको बता दिया है, जो मुझे बता देना चाहिए था। मैं संतुष्ट हूं। मेरा समय आ गया है।'

'अभी आस मत छोड़ो, सती,' शिव रो पड़ा, 'तुम अभी तक गई नहीं हो। हम लोग कोई न कोई रास्ता निकाल लेंगे। मैं कोई न कोई रास्ता

निकाल लूंगा। बस मुझ पर भरोसा रखो।'

सती ने आत्मसमर्पण कर दिया। उसमें शक्ति नहीं बची थी। वह यह भी जानती थी कि शिव को उसकी मृत्यु के लिए अपनी शांति भी चाहिए थी। और वह उसे तब तक नहीं मिलेगी जब तक कि उसे यह महसूस नहीं हो जाए कि उसे बचाने के लिए उसने वह सारे प्रयास कर लिए हैं, जो उसे करने चाहिए थे।

'मुझे अनुभव हो रहा है कि ताप बढ़ रहा है,' सती ने कहा, 'कृपया मुझे औषधि दीजिए।'

आयुर्वती ने असुविधाजनक रूप से सती की ओर देखा। उसका अनुभव और उसका समस्त स्वास्थ्य प्रशिक्षण उसे बता रहा था कि वह ऐसा न करे। वह जानती थी कि औषधि देकर वह सती की यातना को केवल बढ़ा ही रही थी। सती ने आयुर्वती को गहरी दृष्टि से घूरा। वह अब आत्मसमर्पण नहीं कर सकती थी। तब तो कभी भी नहीं जब शिव ने उससे कहा था कि अभी रुक जाओ।

'मुझे औषधि दीजिए, आयुर्वती जी,' सती ने दुबारा कहा, 'मुझे पता है मैं क्या कर रही हूं।'

आयुर्वती ने सती को औषधि दे दी। उसने सती की आंखों को ध्यान से देखा। वह उसकी आंखों में भय या विषाद के कुछ लक्षण देखने की आशा में थी। वहां वैसा कुछ भी नहीं था। आयुर्वती धीमे से मुस्कुराई और शिव और पर्वतेश्वर के पास वापस लौट आई।

शिव का चंचल मन विचारों से उबर नहीं पाया था। और अचानक ही उसके मन में एक विचार कौंधा। उसका मन एकबारगी आशा की किरणों से ओत-प्रोत हो गया।

'मैं जानता हूं!' शिव ने विस्मयोक्ति की, 'हम उसे सोमरस क्यों नहीं देते?'

'उसका क्या प्रभाव होगा, प्रभु,' चकित आयुर्वती ने पूछा, 'सोमरस मात्र जारणकर्त्ता पर क्रिया करता है और लोगों की आयु की वृद्धि करता है।

वह घावों पर क्रिया नहीं करता है।'

'देखिए आयुर्वती, मुझे नहीं लगता कि सोमरस के बारे में कोई सभी कुछ समझता है। मुझे पता है कि यह आपको भी पता है। आप जो नहीं जानती हैं, वह यह कि सोमरस ने मेरे शीतदंश वाले अंगूठे को पूरी तरह से उपचारित कर दिया था, जिसके साथ मैं जीवन भर रहता आया था। उसने मेरे जड़ से उखड़े कंधे को भी अच्छा कर दिया था।'

'क्या!' प्रकट रूप से चकित पर्वतेश्वर ने कहा, 'यह संभव नहीं है। सोमरस शारीरिक अयोग्यता का उपचार नहीं करता है।'

'मेरे साथ इसने ऐसा किया है।'

'किंतु यह इसलिए भी हो सकता है कि आप विशेष हैं, प्रभु,' आयुर्वती ने कहा, 'आप नीलकंठ हैं।'

'मैं आसमान से नहीं टपका हूं आयुर्वती। मेरा शरीर उतना ही मानवीय है, जितना सती का। उतना ही जितना कि आपका। हमें प्रयास करना चाहिए!'

पर्वतेश्वर को इससे अधिक प्रमाण की आवश्यकता नहीं थी। वह तेजी से बाहर निकला तो देखा कि व्रक तिपाई बैठा हुआ था। व्रक तत्काल खड़ा हो गया और अपने सेनानायक का अभिवादन किया।

'व्रक,' पर्वतेश्वर ने कहा, 'मंदिर में अब भी सोमरस का चूर्ण हो सकता है। यह यहां का प्रमुख वितरण केंद्र था। मुझे वह चूर्ण चाहिए। अभी इसी समय।'

'आपके पास वह दस मिनट में होगा, प्रभु,' व्रक ने कहा और अपने पहरेदारों के साथ मंदिर की दिशा में दौड़ पड़ा।

— ⚹⓪Ⲩ⇧⊛ —

'अब हमें प्रतीक्षा करने के अलावा कुछ नहीं करना है, प्रभु,' सती के सो जाने के बाद आयुर्वती ने कहा। सोमरस उसे दे दिया गया था, सामान्य से अधिक शक्तिशाली औषध मात्रा में। आयुर्वती ने पर्वतेश्वर से कहा, 'पर्वतेश्वर आप थक गए हैं। अपने घावों को ठीक होने दीजिए। कृपया

जाकर सो जाइए।'

'मुझे नींद की आवश्यकता नहीं है,' पर्वतेश्वर ने हठपूर्वक कहा, 'मैं अपने पहरेदारों के साथ घेरे की सुरक्षा के लिए जागता हूं। आप चंद्रवंशियों का विश्वास नहीं कर सकते। वे रात्रि में प्रति-आक्रमण भी कर सकते हैं।'

निराश आयुर्वती ने पर्वतेश्वर को देखा। उसका मानना सही था कि क्षत्रियों का दुस्साहस उन्हें असंभव रोगी बनाता था।

'क्या आप सोएंगे, प्रभु,' आयुर्वती ने शिव की ओर मुड़ते हुए कहा इस आशा में कि संभवतः वे उसकी बात सुनेंगे, 'आप अब कुछ भी नहीं कर सकते। हमें केवल प्रतीक्षा करनी है। और आपको आराम की आवश्यकता है।'

शिव ने मात्र सिर हिलाया। जंगली अश्व भी उसे सती से विलग नहीं कर सकते थे।

'हम एक बिस्तर की व्यवस्था यहीं इस झोपड़ी में कर सकते हैं,' आयुर्वती ने कहना जारी रखा, 'यदि आप चाहें तो यहीं सो सकते हैं ताकि आप सती पर दृष्टि रख सकें।'

'धन्यवाद, लेकिन मैं सोने नहीं जा रहा हूं,' कुछ क्षण के लिए आयुर्वती को देखने के बाद सती की ओर मुड़कर शिव ने कहा, 'मैं यहीं हूं। आप जाकर सो जाइए। यदि इसकी स्थिति में कोई परिर्वतन आता है तो मैं आपको बुला लूंगा।'

आयुर्वती ने ध्यान से शिव को देखा और उसके बाद धीमे स्वर में कहा, 'जैसी आपकी इच्छा, प्रभु।'

थकी हुई आयुर्वती अपने झोपड़ी की ओर चल पड़ी। उसे आराम की आवश्यकता थी क्योंकि अगला दिन बहुत व्यस्त रहने वाला था। उसे सभी घायलों के घावों का परीक्षण करना था ताकि यह सुनिश्चित हो कि उनके घाव सही तरीके से भर रहे हैं। पहले चौबीस घंटे संकट भरे थे। उसके स्वास्थ्य दल को छोटे-छोटे दलों में विभक्त कर दिया गया था ताकि वे अलग-अलग स्थलों में रात्रि भर किसी भी आपातस्थिति का सामना करने के लिए तैयार रहे सकें।

'मैं सैनिकों के साथ रहूंगा, शिव,' पर्वतेश्वर ने कहा, 'नंदी और वीरभद्र मेरे कुछ निजी पहरेदारों के साथ पहरे पर हैं।'

शिव जानता था कि वास्तव में पर्वतेश्वर क्या कहना चाहता था।

'जैसे ही कोई परिवर्तन होता है, मैं आपको बुला लूंगा, पर्वतेश्वर,' शिव ने सेनानायक की ओर ऊपर देखते हुए कहा।

पर्वतेश्वर ने दुर्बल मुस्कान के साथ शिव को सहमति में सिर हिलाया। इससे पहले की उसकी भावनाओं के बांध टूटकर उसे अनजानी परिस्थिति में ला खड़ा करे, वह तेजी से बाहर निकल गया।

— ☥ ⑩ ⛎ ♃ ⊕ —

पर्वतेश्वर चुप्पी साधे बैठा हुआ था। उसके सैनिक एक निश्चित दूरी बनाकर बैठे हुए थे। वे जानते थे कि कब उनके स्वामी एकांत चाहते थे। पर्वतेश्वर सती की सोच में गुम हो चुका था। उसके जैसे व्यक्तित्व को ईश्वर द्वारा इतनी यातनाएं क्यों दी जा रही हैं? उसे सती की बचपन की याद हो आई। उसे वह दिन याद आया जब उसने निर्णय लिया था कि यह वह बच्ची थी, जिसे अपनी ईश्वर पुत्री के रूप में मानने में उसे गर्व होगा।

वह दुर्भाग्यशाली दिन, जब पहली बार और मात्र एक बार, उसे अपनी प्रतिज्ञा पर खेद हुआ कि वह अपनी संतति नहीं होने देगा। कौन ऐसा मूर्ख पिता होगा, जो सती जैसी संतान की इच्छा नहीं करेगा?

सौ वर्षों से अधिक समय पहले की बात है। वह एक सुस्त मध्याह्न का समय था। सती गुरुकुल से अभी-अभी आई ही थी। एक बहुत ही छोटी सोलह वर्ष की आयु की थी। चुस्ती-फुर्ती से भरपूर और प्रभु श्री राम की शिक्षा में अत्यंत विश्वासी। उस समय प्रभु ब्रह्मनायक मेलूहा पर राज्य किया करते थे। उनके पुत्र राजकुमार दक्ष एक पारिवारिक व्यक्ति होने पर संतुष्ट थे, जो अपनी पत्नी और पुत्री के साथ अधिकतर समय व्यतीत किया करते थे। वे क्षत्रियों के योद्धाओं के तरीकों की ओर तनिक भी रुचि लेने वाले नहीं थे। और न ही उन्होंने कभी अपने पिता के उत्तराधिकारी बनने का कोई

संकेत ही दिया था।

उस दिन देवगिरि से कुछ दूरी पर सरस्वती नदी के तट पर दक्ष एवं उनका परिवार एक पारिवारिक जलसे के लिए इकट्ठा हुए थे। पर्वतेश्वर को उस समय दक्ष के अंगरक्षक के रूप में अपना कर्तव्य अच्छी तरह से ज्ञात था। वह राजकुमार के समीप बैठा हुआ था, इतना समीप कि उनकी सुरक्षा कर सके और इतनी दूर कि वह राजकुमार एवं उनकी अर्द्धांगिनी को एकांतता प्रदान कर सके। सती वन में थोड़ी दूर भ्रमण करती हुई चली गई थी, नदी के तट के समीप जहां से वह दिखाई देती रहे।

अचानक उस चुप्पी में सती की चीख गूंज गई। दक्ष, वीरिनी और पर्वतेश्वर ने चौंककर देखा। वे शीघ्रता से तट के किनारे भागे तो देखा कि नदी की मोड़ पर सती आवेशपूर्णता से जंगली कुत्तों से संघर्ष कर रही थी। वह एक अत्यधिक ही गंभीर रूप से घायल एक अनजान श्वेतवर्णीय स्त्री पर आक्रमण करने से उन्हें रोक रही थी। उस दूरी से भी देखा जा सकता था कि वह जाति चिह्न विहीन स्त्री एक नई अप्रवासी महिला थी, जिसे संभवतः यह पता नहीं था कि जंगली जानवरों से अपनी सुरक्षा के लिए बिना तलवार लिए नदी के तट की ओर नहीं जाना चाहिए। अवश्य उन जंगली कुत्तों ने उस स्त्री पर आक्रमण किया होगा। वह कुत्तों का दल बहुत बड़ा था, जो एक गर्जना करने वाले सिंह को भी पराजित कर सकते थे।

'सती!' दक्ष आपद संकेत देखकर चीखा।

तलवार निकालकर वह अपनी पुत्री को बचाने के लिए नदी की ओर दौड़ पड़े। पर्वतेश्वर दक्ष के पीछे दौड़ पड़ा। उसकी तलवार युद्धशैली में आगे की ओर तनी हुई थी। कुछ ही क्षणों में वे उस लड़ाई में शामिल हो गए थे। पर्वतेश्वर ने आक्रामकता से उन पर आक्रमण कर दिया और आसानी से कइयों को काटकर रख दिया था। इस अचानक आई सहायता के कारण सती पुनः एक नए जोश के साथ चार कुत्तों से लड़ने लग गई जो एक साथ उस पर आक्रमण कर बैठे थे। सैन्य दक्षता न होने पर भी दक्ष ने आक्रामकता से संघर्ष किया था क्योंकि संतान की रक्षा के लिए पिता में अपने आप एक शक्ति आ जाती है। किंतु जानवर इस बात को तुरंत ही समझ गए कि दक्ष

सभी मानवीय शत्रुओं में सबसे दुर्बल थे। छह कुत्ते एक साथ उन पर झपट पड़े।

दक्ष ने तलवार से एक क्रूर चुभाने वाला प्रहार उस कुत्ते पर किया जो सबसे आगे था। यहीं चूक हो गई। हालांकि दक्ष ने कुत्ते को मारकर गिरा दिया, किंतु उनको तलवार उस मृत जानवर के शरीर में गहरे धंसकर अटक गई। यही छोटा-सा अवसर वे दूसरे कुत्ते चाहते थे। एक कुत्ते ने बगल से निर्दयतापूर्वक आक्रमण किया और अपने जबड़े में दक्ष के दाएं हाथ के अगले भाग को पकड़ लिया। दक्ष पीड़ा में तीव्रता से चीख पड़े किंतु उन्होंने तलवार नहीं छोड़ी और अपने हाथ को छुड़ाने का भरसक यत्न करने लगे। एक अन्य कुत्ते ने दक्ष की बाईं पांव को काट खाया। उसके पांव का कुछ मांस तक उसके जबड़े में निकल आया था। राजकुमार को संकट में देखकर पर्वतेश्वर क्रोध में चिल्लाया और उसने तलवार लहराकर उस कुत्ते के शरीर के दो टुकड़े कर दिए जिसने दक्ष के हाथ को अपने जबड़े में दबाया हुआ था। उसी के साथ उसने लगभग उसी चलन को पूरा करते हुए तलवार लहराई और एक और कुत्ते को वहीं ढेर कर दिया जो सामने से दक्ष की ओर झपटा था। तब तक सती भी दक्ष की बाईं ओर उनकी सुरक्षा के लिए पहुंच चुकी थी। अपनी संख्या तेजी से घटते देख वे कुत्ते चिल्लाते हुए पीछे हटकर भाग खड़े हुए।

'दक्ष!' वीरिनी ने कहा जैसे ही वह अपने गिरते हुए पति को सहारा देने दौड़ी थी। उनके कई घावों से तेजी से रक्त बह रहा था, विशेषकर पांव से। कुत्ते ने अवश्य उनकी किसी प्रमुख नस को काट खाया था। पर्वतेश्वर ने तुरंत ही अपना आपातकालीन शंख बजा दिया। पारगमन गृह पर उसकी यह ध्वनि पहुंच गई। सैनिक एवं स्वास्थ्य दल कुछ ही मिनटों में उनके पास होगा। पर्वतेश्वर ने अपना अंगवस्त्रम् दक्ष की जांघ पर कसकर बांध दिया ताकि रक्त का बहना कुछ कम हो सके। उसके बाद उसने उस घायल स्त्री को राजशाही दल के समीप रख दिया।

'पिताश्री, क्या आप ठीक हैं?' अपने पिता का हाथ अपने हाथ में रखकर सती ने धीमे से पूछा।

'मुझे छोड़ो, सती!' दक्ष ने चिल्लाकर कहा, 'तुम क्या सोचती हो, तुम क्या कर रही थी?'

हमेशा ही लाड़-प्यार करने वाले अपने पिता की उस हिंसक प्रतिक्रिया को देखकर सती चुप रह गई।

'किसने तुमको नायक बनने के लिए कहा था?' दक्ष ने गुस्से में कुलबुलाते हुए डांटा, 'यदि तुमको कुछ हो जाता तो? मैं क्या करता? मैं कहां जाता? और तुमने किसके लिए अपने प्राण संकट में डाले थे? उस स्त्री के जीवन की रक्षा से क्या अंतर पड़ जाएगा?'

उस डांट-डपट से विक्षिप्त होकर सती निरंतर नीचे की ओर देख रही थी। वह प्रशसा की आशा कर रही थी। पारगमन गृह के सैनिक एवं स्वास्थ्य कार्यकर्त्ता तब तक वहां पहुंच चुके थे। उन्होंने तत्काल ही प्रभावी ढंग से दक्ष के बहते हुए रक्त पर नियंत्रण पा लिया। पर्वतेश्वर एवं सती के हल्के-फुल्के घावों को मरहम-पट्टी लगाकर वे दक्ष को रोगी ले जाने वाली पालकी में रखकर चल पड़े। उनके घावों को राजसी वैद्य को देखना आवश्यक था।

जब सती ने देखा कि उसके पिता को ले जाया जा रहा था तो वह जड़वत खड़ी रह गई थी, यह सोचते हुए कि उसके कृत्य ने कितनी हानि पहुंचा दी थी। वह संकट में पड़ी एक स्त्रो की रक्षा करने का प्रयास कर रही थी। क्या यह प्रभु श्री राम की प्राथमिक शिक्षा नहीं थी कि सबल का कर्तव्य है कि वह निर्बल की रक्षा करे? तभी उसे अपने कंधे पर एक कोमल स्पर्श का अनुभव हुआ। वह मुड़ी तो सामने पर्वतेश्वर थे, उसके पिता के संजीदा अंगरक्षक। आश्चर्यजनक रूप से उनके मुख पर कभी-कभी आने वाली एक मधुर मुस्कान थी।

'मुझे तुम पर गर्व है, मेरी बच्ची,' पर्वतेश्वर ने धीमे स्वर में कहा, 'तुम प्रभु श्री राम की सच्ची शिष्या हो।'

सती की आंखों से सहसा अश्रुधारा बह निकली थी। उसने तुरंत ही दूसरी ओर देखा था। स्वयं पर नियंत्रण करने में थोड़ा समय लेते हुए उसने सिर उठाकर एक थकी हुई मुस्कान के साथ उस व्यक्ति को देखा जिसे वह पितृतुल्य पुकारते हुए पलने और बढ़ने वाली थी। उसने कोमलता से

सहमति में सिर हिलाया था।

एक झटके के साथ वह वर्तमान में आ गया जब पर्वतेश्वर ने एक पक्षी का स्वर सुना। उसने घेरे के चारों ओर दृष्टि दौड़ाई। उसकी आंखें इस पुरातन याद से भीगी हुई थीं।

उसने अपने दोनों हाथ जोड़कर प्रार्थना की मुद्रा में फुसफुसा कर कहा, 'वह आपकी सच्ची शिष्या है, प्रभु श्री राम। उसकी रक्षा करें।'

— 𑀦𑀁𑀝𑀧𑀓 —

शिव को समय का कुछ पता नहीं था। जब बहुत लोगों के जीवन पर संकट के बादल मंडरा रहे थे तो स्पष्ट था कि तब एक छोटे से कार्य प्रहर कंदील को सही समय के लिए तैयार करने के लिए किसी को भी नियुक्त नहीं किया गया था। खिड़की से बाहर देखने पर वह देख पा रहा था कि प्रातःकाल आने का पूर्व संकेत हो चुका था। शिव के घाव जल रहे थे, उसे आराम की आवश्यकता थी। किंतु वह आसानी से आत्मसमर्पण करने वाला नहीं था। वह सती के बिस्तर की बगल में शांति से बैठा हुआ था। वह किसी भी प्रकार की ध्वनि नहीं होने देना चाहता था जो सती के विश्राम में कोई विघ्न डाले। सती ने उसका हाथ कसकर पकड़ा हुआ था। उसके अत्यधिक ज्वर भरे बदन से निकलती जलन के ताप के बाद भी शिव ने अपना हाथ हटाया नहीं था। उस अत्यधिक ताप के कारण उसकी हथेली पसीने से तर थी।

उसने प्रेमपूर्वक सती को देखा और अत्यंत ही दबे स्वर में फुसफुसा कर कहा, 'या तो तुम मेरे साथ रहो या फिर मैं तुम्हारे साथ ही इस दुनिया को छोड़ दूंगा। यह विकल्प अब तुम्हारा है।'

तभी अचानक ही उसने थोड़ा-सा झटका अनुभव किया। उसने नीचे देखा तो सती का हाथ थोड़ा खिसका, जिसके कारण उनके जुड़े हुए हाथों के मध्य से पसीना नीचे बह निकला था। यह कहना असंभव था कि पसीना कहां से आया था।

*यह सती का है या मेरा?*

शिव ने तत्काल ही अपने दूसरे हाथ से सती के माथे को स्पर्श किया।

वह अब और अधिक ताप से जल रहा था। किंतु उसकी कनपटी पर पसीने की छोटी-छोटी मणियों जैसी बूंदें आनी प्रारंभ हो गई थीं। शिव के मन में प्रसन्नता की एक बौछार ने उसके सिर से पांव तक एक सिहरन सी ला दी।

— ᚦ◎Ʊᚦ⊕ —

'भगवान ब्रह्मदेव की कृपा से,' आयुर्वती ने विस्मय के साथ धीमे स्वर में कहा, 'मैंने अपने जीवन में इस प्रकार की घटना कभी नहीं देखी है।'

वह सती के बिस्तर की बगल में खड़ी थी। अभी तक सोई हुई सती पसीने से तर होती जा रही थी। उसके कपड़े और बिस्तर गीले हो चुके थे। पर्वतेश्वर उसकी बगल में खड़ा था। उसका मुख आशा की चमक लिए हुए था।

'अग्निबाण का ज्वर कभी नहीं टूटता है,' स्तब्ध आयुर्वती ने कहना जारी रखा, 'यह चमत्कार है।'

शिव ने सिर उठाकर ऊपर देखा। उसका चेहरा प्रसन्नता से ऐसा दमक रहा था जैसे कि वह अपने अस्तित्व में होने के कारण से उबर चुका था। 'पवित्र झील सोमरस पर कृपा रखे।'

पर्वतेश्वर ने देखा कि सती का हाथ शिव के हाथ में जकड़ा हुआ था किंतु उसने कुछ कहा नहीं। उस क्षण के आनंद ने अंततः उसे उसकी सहज प्रतिक्रिया वाले मन को रोकने में सफलता पाई, जो उसे उस भूमि के नियमों के अनुसार अस्वीकार तथ्य पर उबलने पर विवश कर देता था।

'प्रभु,' आयुर्वती ने मधुरता से कहा, 'हमें इन्हें शीघ्रता से स्नान करवाना होगा। स्वेद को आवश्यक रूप से हटाना होगा। हालांकि यह देखते हुए कि उनके घाव में पानी न जाए मेरी परिचारिकाओं को यह काम करना होगा।'

शिव ने सिर उठाकर आयुर्वती को देखा और सिर हिलाया। वह कुछ भी समझा नहीं। उसे समझने की आवश्यकता भी नहीं थी। आयुर्वती एक निपुण वैद्य थी।

'हां तो प्रभु,' आयुर्वती ने कहा, 'इसका अर्थ है कि आपको कमरे से

बाहर जाना पड़ेगा।'

'निस्संदेह,' शिव ने कहा।

जैसे ही वह खड़ा होकर जाने को हुआ तो आयुर्वती ने कहा, 'प्रभु, आपके हाथों को भी अच्छी तरह से धोने की आवश्यकता होगी।'

शिव ने नीचे सती के पसीने को देखा। उसके बाद उसने आयुर्वती को देखा और सहमति में सिर हिलाकर कहा, 'मैं अभी तत्काल ऐसा ही करूंगा।'

'यह चमत्कार है, सती। अग्निबाण से आज तक कोई भी नहीं बच पाया है!' आयुर्वती ने दीप्तिमान मुख से कहा, 'मैं सच कहूंगी। मैंने तो आशा छोड़ ही दी थी। यह तो प्रभु की आस्था थी जिसने आपको जीवित रखा।'

सती नए धोये हुए कपड़े को पहने बिस्तर पर लेटी हुई थी। उसके चेहरे पर चिर-परिचित मुस्कान थी। एक नया बिस्तर लगाया गया था, जिसमें धुली हुई एवं विसंक्रमित चादरें बिछी थीं। सोमरस द्वारा उत्सर्जित सभी प्रकार के विषैले स्वेदों के अंश तक मिटा दिए गए थे।

'अरे, नहीं,' संकोच से भरे शिव ने कहा, 'मैंने कुछ नहीं किया। यह तो सती की लड़ने की क्षमता ने उसे बचा लिया है।'

'नहीं, शिव। यह आप थे। मैं नहीं,' सती ने शिव के हाथ को यथावत पकड़े हुए कहा। अब उसकी पकड़ में कोई संकोच नहीं था, 'आपने मेरी कई बार और कई स्तर पर रक्षा की है। मैं नहीं जानती कि मैं आपके इन ऋणों को चुकाने का प्रारंभ भी कर पाऊंगी या नहीं।'

'यह दुबारा न कहकर कि तुम्हें कुछ चुकाना भी है।'

सती की मुस्कान और खिल उठी और उसने शिव की हथेली को और कसकर पकड़ लिया। पर्वतेश्वर ने उन दोनों को निराश होकर देखा। अब वह उनके इस प्रकार खुले प्रेम प्रसंग के प्रदर्शन को देखकर अप्रसन्न था।

'ठीक है, फिर,' आयुर्वती ने अपने हाथों से ताली बजाकर कहा जैसे

कि उस कथांश के समाप्त होने का संकेत दे रही हो, 'वैसे तो मेरी इच्छा है कि आप लोगों के मध्य बैठकर ढेर सारी बातें करूं, किंतु मुझे बहुत काम करने हैं।'

'क्या काम?' शिव ने ठिठोली करते हुए कहा, 'आप एक अद्भुत वैद्य हैं। आपके पास असाधारण सहायक दल हैं। मुझे पता है कि प्रत्येक घायल व्यक्ति को बचाया जा चुका है। अब इसके बाद आपके लिए और कुछ काम नहीं बचता है।'

'कार्य हैं, प्रभु,' आयुर्वती ने एक मुस्कान के साथ कहा, 'मुझे इसे भी आंकड़ों में भरना है कि कैसे सोमरस अग्निबाण का उपचार कर सकता है। देवगिरि पहुंचने पर मैं स्वास्थ्य परिषद में इसके बारे में प्रस्तुतिकरण दूंगी। यह एक बड़ा समाचार है। हमें सोमरस के उपचार करने वाले गुणों पर शोध करना चाहिए। बहुत सारे काम हैं जो मुझे करने हैं!'

शिव प्रेमपूर्वक आयुर्वती को देखकर मुस्कुराया।

सती ने धीमे स्वर में कहा, 'धन्यवाद आयुर्वती जी। सहस्रों लोगों की तरह मेरा जीवन आप पर उधार रहा।'

'आपको कुछ करने की आवश्यकता नहीं है, सती। मैंने मात्र अपना कर्तव्य निभाया है।'

उसके बाद आयुर्वती ने झुककर औपचारिक रूप से नमस्ते किया और कमरे से बाहर चली गई।

'ऐसा है कि मुझे...' पर्वतेश्वर अजनबी ढंग से बड़बड़ाया और कमरे से बाहर चला गया।

पर्वतेश्वर को यह देखकर आश्चर्य हुआ कि आयुर्वती बाहर उसकी प्रतीक्षा कर रही थी। वह पहरेदारों से एक सुरक्षित दूरी पर खड़ी हुई थी। वह जो भी बात करना चाहती थी, वह नहीं चाहती थी कि कोई और सुन सके।

'क्या बात है, आयुर्वती?' पर्वतेश्वर ने पूछा।

'मैं जानती हूं, आपको क्या चिंता सता रही है, पर्वतेश्वर,' आयुर्वती

ने कहा।

'तो फिर आप कैसे सहन कर सकती हैं और देख सकती हैं? मैं नहीं मानता कि यह सही है। मैं जानता हूं कि कुछ भी कहने के लिए यह उचित समय नहीं है, किंतु जब उपयुक्त समय होगा मैं इस विषय को अवश्य उठाऊंगा।'

'नहीं, आपको ऐसा नहीं करना चाहिए।'

'आप ऐसा कैसे कह सकती हैं?' पर्वतेश्वर ने ऐसे पूछा जैसे उसे गहरा सदमा लगा हो, 'आप एक ऐसे परिवार से आती हैं जहां विद्रोह के समय एक भी स्वधर्म त्यागी ब्राह्मण नहीं था। प्रभु श्री राम ने बल देकर कहा था कि नियम का पालन कड़ाई से करना चाहिए। उन्होंने बार-बार यह प्रदर्शन किया था कि वे भी नियमों से परे नहीं थे। शिव एक अच्छे व्यक्ति हैं। किंतु वे नियम से परे नहीं हो सकते हैं। असल में कोई भी नियमों से परे नहीं हो सकता है। अन्यथा हमारा समाज ही नष्ट हो जाएगा। आपको तो सबसे पहले यह जानना चाहिए।'

'मैं मात्र यह जानती हूं,' आयुर्वती ने दृढ़ निश्चयी होकर कहा, 'यदि नीलकंठ इसे उचित समझते हैं तो यह उचित है।'

पर्वतेश्वर ने आयुर्वती को ऐसे देखा जैसे उसे पहचानता नहीं हो। जिस स्त्री ने आज तक समस्त नियमों का अनुसरण बिना किसी अपवाद के किया था, यह वह स्त्री नहीं हो सकती थी। पर्वतेश्वर शिव का आदर करने लगा था। किंतु वह आदर संदेह रहित आस्था में नहीं परिवर्तित हो सका था। वह इस बात पर विश्वास नहीं करता था कि शिव वह व्यक्ति था, जो प्रभु श्री राम के अधूरे कार्यों को पूरा करेगा। पर्वतेश्वर की दृष्टि में मात्र प्रभु श्री राम ही उस असीम आज्ञा पालनता के अधिकारी थे। और कोई नहीं।

'वैसे भी,' आयुर्वती ने कहा, 'मुझे जाना है। मुझे एक सिद्धांत के बारे में चिंतन करना है।'

— 𑀓𑀠𑀝𑀢𑀰 —

'वास्तव में?' शिव ने पूछा, 'मेलूहा में यह आवश्यक नहीं है कि सम्राट का

सबसे बड़ा बेटा ही उसका उत्तराधिकारी बनेगा?'

'हां,' सती ने उत्तर दिया।

शिव और सती ने पिछले सप्ताह कई घंटे महत्वपूर्ण एवं सांसारिक विषयों के बारे में बातचीत करने में बिताए थे। सती स्वस्थ तो हो रही थी, किंतु अभी भी बिस्तर से उठ नहीं पाई थी। राजसी काफिले ने कूंज में ही पड़ाव डाल दिया था, जब तक कि सभी घायल चलने की अवस्था तक भले-चंगे न हो जाएं। लोथल की यात्रा रद्द कर दी गई थी। शिव और पर्वतेश्वर ने निर्णय लिया था कि जैसे ही सभी घायल अच्छे हो जाएं तो अच्छा यही रहेगा कि अब वे देवगिरि वापस लौट चलें।

सती ने हल्के से करवट बदली ताकि उसकी पीठ में होती पीड़ा को थोड़ा आराम मिल सके, किंतु उसने शिव के हाथ को यथावत पकड़े रखा था। शिव झुका और उसने सती के मुख पर आए बालों के एक गुच्छे को हटा दिया। वह प्रेमपूर्वक मुस्कुराई और उसने कहना जारी रखा, 'ऐसा है कि लगभग दो सौ पचास साल पहले तक मेलूहा में राजाओं की संतान उनकी पैदाइश नहीं होती थी, बल्कि मयका व्यवस्था से आते थे। अतः उस समय उनकी सबसे बड़ी संतान के बारे में जानने का प्रश्न ही नहीं उठता था। हम मात्र इतना जानते थे कि वह उनका पहला दत्तक पुत्र था।'

'बात बिल्कुल सही है।'

'किंतु इसके अतिरिक्त, यह भी आवश्यक नहीं था कि प्रथम दत्तक पुत्र ही उत्तराधिकारी बनेगा। स्थिरता एवं शांति के लिए यह एक और निमय था जो प्रभु श्री राम ने स्थापित किया थी। आप देख सकते हैं कि पुराने युग में कई राजशाही परिवार हुआ करते थे, जो छोटे-छोटे राज्यों पर शासन किया करते थे।'

'ठीक है,' शिव सती की बात पर जितना ध्यान दे रहा था, उतना ही उसके गालों में पड़ रहे सम्मोहित कर देने वाले गड्ढे पर भी दे रहा था, 'ये राजा संभवतः हमेशा ही युद्धरत रहा करते होंगे ताकि कोई एक सम्राट बन जाए चाहे वह कितने ही कम समय के लिए क्यों न हो।'

'स्पष्टतः,' सती प्रभु श्री राम के पूर्व राजाओं की मूर्खता पर सिर हिलाते हुए मुस्कुराकर बोली।

'वैसे, यह लगभग हर जगह ही था,' शिव ने अपने देश में होने वाले निरंतर युद्धों को याद करते हुए कहा।

'राजाओं के मध्य आधिपत्य के लिए किए गए युद्धों ने अनेक अनावश्यक और व्यर्थ के युद्ध करवाए, जिनमें आम नागरिकों को सबसे अधिक कष्ट उठाना पड़ा था,' सती ने कहना जारी रखा था, 'प्रभु श्री राम ने अनुभव किया कि राजाओं के अहं की तुष्टि के लिए आम नागरिकों का कष्ट झेलना अनावश्यक और मूर्खतापूर्ण था। उन्होंने एक व्यवस्था बनाई जिसमें एक राज्य सभा अर्थात शासन करने वाली परिषद बनाई गई। उसमें ब्राह्मणों एवं क्षत्रियों के कुछ विशेष पदों के लोग शामिल किए गए। जब भी किसी सम्राट का निधन होता था अथवा वे संन्यास ग्रहण करते थे तो यह परिषद क्षत्रियों में से किसी एक को सम्राट चयनित करती थी, जो सेनापति या उससे उच्च पदस्थ हो। इस निर्णय का विरोध नहीं किया जा सकता था और भंग भी नहीं किया जा सकता था।'

'मैंने पहले भी कहा था और मैं पुनः कह रहा हूं,' शिव ने बड़ी मुस्कान के साथ कहा, 'प्रभु श्री राम अत्यधिक प्रतिभाशाली थे।'

'हां, वे अवश्य थे,' सती ने उत्साहपूर्वक कहा, 'जय श्री राम।'

'जय श्री राम,' शिव ने दोहराया, 'लेकिन यह बताओ कि तुम्हारे पिता ब्रह्मनायक के बाद कैसे सम्राट बने। महाराज तो पूर्व सम्राट के सबसे बड़े पुत्र हैं?'

'वे चयनित हुए थे, उसी प्रकार जैसे मेलूहा में अन्य सम्राट चुने जाते हैं। वास्तव में देखा जाए तो मेलूहा के इतिहास में यह पहली बार हुआ था, जब शासन करने वाले सम्राट के पुत्र को सम्राट चयनित किया गया था।'

'हुं ऽ म। लेकिन तुम्हारे दादा जी ने तुम्हारे पिता जी को चयनित होने में सहायता की थी?'

'मैं इस बारे में निश्चित रूप से नहीं बता सकती। मैं जानती हूं कि मेरे दादा जी मेरे पिता को सम्राट बनते देखना पसंद करते थे। किंतु मैं यह

भी जानती हूं कि वे एक महान व्यक्ति थे, जो मेलूहा के नियमों का पालन करते थे और उन्होंने खुले रूप में ऐसा नहीं किया होगा। एक महान ऋषि भृगु हुआ करते थे जो साम्राज्य में हर जगह सम्माननीय हैं, उन्होंने मेरे पिता के चयन में बहुत सहायता की थी।'

कोमलता से अपने हाथ सती के मुख पर फेरते हुए शिव मुस्कुराया। सती ने आंखें बंद कर ली। उसके शरीर में उस स्पर्श से आनंदप्रदायक संवेदना उभरी। उसका हाथ सती के मुख से उतरकर उसके बदन से उतरता हुआ पुनः सती के हाथ पर आकर थम गया। उसने सती के हाथों को हल्के से दबाया।

दक्ष एवं ऋषि भृगु के संबंधों के बारे में शिव और प्रश्न पूछने ही वाला था कि तभी अचानक द्वार खुला। अत्यधिक थके-मांदे दक्ष ने प्रवेश किया। उसके पीछे वीरिनी और कनखला थे। शिव ने तत्क्षण ही अपने हाथ को खींच लिया, इससे पहले कि दक्ष देख पाता कि वह कहां रखा हुआ था। किंतु दक्ष ने हाथ को खिसकते देख लिया था।

'पिताश्री!' आश्चर्यचकित सती चिल्लाई।

'सती, मेरी बच्ची,' सती के बिस्तर पर झुकते हुए दक्ष ने एक गहरी सांस छोड़ी। वीरिनी दक्ष के पास में झुकी और उसने भी प्रेमपूर्वक अपनी पुत्री के मुख पर हाथ फेरा। वह रो रही थी। कनखला द्वार पर ही रह गई थी। उसने शिव को एक औपचारिक नमस्ते किया। शिव ने उसके नमस्ते का उत्तर एक दीप्तिमान मुस्कान के साथ दिया। पर्वतेश्वर एवं आयुर्वती कनखला के साथ खड़े होकर प्रतीक्षा कर रहे थे। वे राजशाही परिवार को उनके निजी क्षणों में एकांत प्रदान करना चाहते थे। नंदी, वीरभद्र और कृत्तिका उनके पीछे खड़े थे। एक सहायक राजशाही दंपत्ति के लिए दो कुर्सियां ले आया। उसने उन्हें बिस्तर के बगल में लगाया और तत्क्षण ही बाहर चला गया।

दक्ष, वीरिनी और कनखला दो हजार सैनिकों के साथ उसी समय देवगिरि से निकल पड़े थे, जैसे ही उन्हें यह समाचार प्राप्त हुआ कि सती घायलावस्था में थी। उन्होंने सरस्वती नदी को पार कर दिन-रात लगातार चलते हुए कूंज की यात्रा की थी।

'मैं ठीक हूं, पिताश्री,' सती ने अपनी माता के हाथ को नम्रता से पकड़कर कहा। अपनी माता की ओर मुड़कर उसने कहना जारी रखा, 'सच में कहती हूं, मां। मैं बहुत अच्छा महसूस कर रही हूं। मुझे एक सप्ताह और समय दीजिए और मैं आपके लिए नृत्य का प्रदर्शन करूंगी।'

शिव सती की बात सुनकर मुस्कुराया। दक्ष एवं वीरिनी की एक दुर्बल हंसी फूट पड़ी।

अपने पिता की ओर देखते हुए सती ने कहा, 'मुझे क्षमा करें पिताश्री, मैंने आपके लिए बहुत विपत्ति खड़ी कर दी है। मैं जानती हूं कि कई महत्वपूर्ण काम पड़े हैं और आपको यहां आना पड़ा।'

'विपत्ति?' दक्ष ने पूछा, 'मेरी बच्ची, तुम मेरा जीवन हो। तुम मेरी खुशी का स्रोत हो। और इस समय तुम कल्पना भी नहीं कर सकती कि मुझे तुम पर कितना गर्व है।'

वीरिनी ने झुककर सती के ललाट को चूम लिया।

'मुझे आप सब पर गर्व है,' दक्ष ने मुड़कर पर्वतेश्वर एवं आयुर्वती की ओर देखते हुए कहना जारी रखा, 'गर्व इस बात पर कि आप लोगों ने प्रभु का साथ उस कार्य में दिया, जो हमें करना ही था। हमने वास्तव में एक त्रासद आक्रमण को पराजित किया है! आप इसकी कल्पना भी नहीं कर सकते कि इस घटना ने समस्त साम्राज्य में कितनी उत्तेजना भर दी है।'

दक्ष आराम पहुंचाने वाले ढंग से सती के हाथों पर थपकी देते हुए और शिव की ओर मुड़कर बोला, 'धन्यवाद, प्रभु। हमारे लिए संघर्ष करने का बहुत-बहुत धन्यवाद। हमें अब पता है कि हमने सही व्यक्ति पर आस्था की है।'

शिव कुछ बोल नहीं पाया। वह असहजता में मुस्कुराया और दक्ष की आस्था को मानते हुए सहमति में सिर हिलाया तथा शिष्टतापूर्वक नमस्ते किया।

आयुर्वती की ओर मुड़ते हुए दक्ष ने पूछा, 'अब यह कैसी है? मुझे बताया गया है कि वह अब पूर्णतः स्वस्थ हो जाने वाली है।'

'जी हां, महाराज,' आयुर्वती ने कहा, 'एक सप्ताह के अंदर ये चलने

लगेंगी । और तीन सप्ताह में इस घाव की याद के नाम पर मात्र निशान रह जाएगा ।'

'आप न केवल इस युग की सबसे अच्छी वैद्य हैं,' दक्ष ने गर्व के साथ कहा, 'बल्कि, वास्तव में आप अब तक की सबसे अच्छी वैद्य हैं ।'

'नहीं, नहीं, महाराज,' आयुर्वती ने लगभग एक छोटी चीख के साथ कहा । उसने अपने दोनों हाथों से अपने कानों को छुआ, जैसे वह इस प्रशंसा की अधिकारिणी न होने पर बुरी शक्तियों से बचने का प्रयास कर रही हो, 'बहुत से वैद्य मुझसे बहुत बेहतर हैं । किंतु इस प्रकरण में यह चमत्कार प्रभु नीलकंठ का था, मेरा नहीं ।'

प्रकट रूप से असहज शिव की ओर क्षण भर देखते हुए, वह दक्ष की ओर मुड़ी और कहना जारी रखा, 'मुझे तो लगा था कि हम इन्हें खो चुके थे । जब हमने अग्निबाण बाहर निकाला तो इन्हें अत्यधिक भयावह तीव्र ज्वर हो गया था । आप तो जानते ही हैं कि अग्निबाण के ज्वर का कोई उपचार नहीं है, महाराज । किंतु प्रभु ने आस छोड़ने से इंकार कर दिया । यह इन्हीं का विचार था कि इन्हें सोमरस दिया जाए ।'

दक्ष ने कृतज्ञता भरी मुस्कान से साथ शिव की ओर मुड़कर कहा, 'मुझे आपको एक और बात के लिए धन्यवाद करना है, प्रभु । मेरी पुत्री मेरी आत्मा का एक अंग है । मैं उसके बिना जी नहीं सकता था ।'

'अरे, नहीं-नहीं, मैंने कुछ नहीं किया है,' शिव ने संकोच से कहा, 'यह तो आयुर्वती थीं, जिन्होंने उसका उपचार किया ।'

'यह और कुछ नहीं, आपका बड़प्पन बोल रहा है, प्रभु,' दक्ष ने कहा, 'आप सच में नीलकंठ के लायक हैं । असल में आप महादेव के लायक हैं ।'

हक्का-बक्का हुए शिव ने दक्ष को देखा तो उसका भाव सच में गंभीर था । वह जानता था कि इसके पूर्व महादेव अर्थात देवों के देव कौन थे । वह कभी इस बात को नहीं मान नहीं पाया था कि वह भगवान रुद्र के साथ तुलना करने के योग्य था । उसके कर्म उसे इसकी अर्हता नहीं देते थे ।

'नहीं, महाराज । आप मेरे लिए बहुत ही ऊंचा बोल बोल रहे हैं । मैं

महादेव नहीं हूं।'

'आप ही महादेव हैं, प्रभु,' कनखला और आयुर्वती ने लगभग एक साथ ही कहा। पर्वतेश्वर देखता रहा था, वह चुप था।

चूंकि शिव स्वयं को महादेव कहलवाना पसंद नहीं कर रहा था, इसलिए इस विषय को और आगे न बढ़ाते हुए दक्ष सती की ओर मुड़कर बोला, 'यह मुझे समझ में नहीं आ रहा है कि तुमने प्रभु के सामने बाण का वार सहने के लिए छलांग क्यों लगाई। तुम्हें तो पौराणिक गाथाओं पर विश्वास नहीं था। तुम्हें नीलकंठ में आस्था कभी नहीं थी, जितनी मुझे है। तब तुमने प्रभु के लिए अपने जीवन को जोखिम में क्यों डाला?'

सती ने कुछ नहीं कहा। उसने असुविधा से नीचे की ओर देखा। वह असहज एवं असुगम महसूस कर रही थी। दक्ष ने मुड़कर शिव को देखा तो शिव के मुख पर भी सती के समान ही मुंह चुराने वाले भाव दिख रहे थे। वीरिनी ने अपने पति को लालसा से देखा। वह अपने पति की प्रतीक्षा कर रही थी कि वे खड़े हों और शिव से बात करें। दक्ष अचानक ही खड़ा हो गया और बिस्तर के दूसरी ओर शिव की ओर औपचारिक नमस्ते की मुद्रा में हाथ जोड़कर गया। चकित शिव ने उठकर अपने सिर को थोड़ा झुकाकर दक्ष के नमस्ते का उसी प्रकार औपचारिक रूप से हाथ जोड़कर उत्तर दिया।

'प्रभु, संभवतः यह पहली बार हुआ है, जब मेरी पुत्री की जिह्वा मेरे समक्ष हिली नहीं है,' दक्ष ने कहा, 'और मैं इतने समय में आपको भी समझ चुका हूं। आप हमेशा दूसरों को कुछ देंगे, किंतु अपने लिए कुछ मांगेंगे नहीं। इसलिए यहां मैं अपनी ओर से ही प्रारंभ करूंगा।'

शिव अपनी त्योरी चढ़ाकर दक्ष की ओर गहरी दृष्टि से देखा।

'मैं आपसे झूठ नहीं बोलूंगा, प्रभु,' दक्ष ने कहना जारी रखा, 'नियम के अनुसार मेरी पुत्री विकर्म है क्योंकि उसने एक मृत शिशु को जन्म दिया था। यह उतना गंभीर अपराध नहीं है। यह उस बालक के पिता के पूर्व जन्म के कर्मों के कारण भी हो सकता है। किंतु हमारे साम्राज्य का नियम यह है कि माता-पिता दोनों को ही दोषी माना जाए। मेरी प्रिय पुत्री को इस नियम के अनुसार ही विकर्म की श्रेणी में रख दिया गया

था।'

शिव ने दक्ष की ओर देखा, किंतु उसके मुख का भाव स्पष्ट बता रहा था कि वह सोचता था कि विकर्म नियम अनुचित था।

'ऐसा माना जाता है कि विकर्म व्यक्ति बुरे भाग्य के वाहक होते हैं,' दक्ष ने कहना जारी रखा, 'इसलिए यदि वह विवाह करती है तो वह अपने बुरे भाग्य से अपने पति को आच्छादित करेगी और संभव है, अपनी संतति को भी।'

वीरिनी ने अपने पति को अगम्य ढंग से देखा।

'मैं अपनी पुत्री को जानता हूं, प्रभु,' दक्ष ने कहना जारी रखा, 'मैंने उसे कभी भी कोई भी गलती करते नहीं देखा है। यहां तक कि वह किसी के बारे में गलत सोच भी नहीं सकती है। वह एक बहुत अच्छी स्त्री है। मेरे विचार में जो नियम इसकी भर्त्सना करता है, वह अनुचित है। किंतु मैं मात्र सम्राट हूं। मैं नियम को बदल नहीं सकता।'

पर्वतेश्वर ने क्रोध में आंखें तरेर कर दक्ष को देखा। वह दुखी था कि उसने एक ऐसे सम्राट के साथ काम किया, जो विधि को इतनी निकृष्टता से देखता था।

'यह मेरे हृदय को कुचलकर रख देता है कि मैं अपनी पुत्री को एक खुशी का जीवन नहीं दे सकता, जिसकी वह पात्र है,' दक्ष ने सुबकते हुए कहा, 'उसके जैसी भली आत्मा वाली के साथ होने वाले प्रतिदिन के अपमान से मैं उसकी रक्षा नहीं कर सकता। मैं क्या कर सकता हूं, मात्र आपसे सहायता की उम्मीद रख सकता हूं।'

सती ने अपने पिता को प्रेम भरी आंखों से देखा।

'आप नीलकंठ हैं,' दक्ष ने कहना जारी रखा, 'असल में आप उससे अधिक ही हैं। गैं सचगुच में विश्वास करता हूं कि आप महादेव हैं। यह अलग बात है कि आप यह कहलाना पसंद नहीं करते हैं। आप नियमों से परे हैं। आप नियम में परिवर्तन कर सकते हैं, यदि आप चाहें तो। आप उसका अधिरोहण कर सकते हैं।'

व्याकुल पर्वतेश्वर ने दक्ष को क्रुद्ध दृष्टि से देखा। कैसे एक सम्राट

नियमों के प्रति इतना उपेक्षापूर्ण हो सकता था? उसके बाद उसकी आंखें शिव पर जा टिकीं। उसका हृदय और गहराई में डूब गया।

शिव दक्ष को स्पष्ट हर्ष के साथ देख रहा था। उसने सोचा था कि उसे सती के लिए सम्राट को मनाना पड़ेगा। किंतु यहां तो मामला ही उल्टा था, बस कुछ ही क्षण में सम्राट सती का हाथ उसके हाथ में देने को तैयार होने वाले थे।

समस्त भावनाएं शिव के बदन में एक लहर की भांति दौड़ पड़ी थीं। उसके मुख पर भावविभोर कर देने वाली प्रसन्नता झलक रही थी। उसने बोलने का प्रयास किया, किंतु उसका गला भरा हुआ था। वह नीचे झुका, उसने सती का हाथ बहुत ही कोमलता से अपने हाथ में उठा लिया, उसे अपने होंठों तक लाकर उसे अत्यंत ही प्रेमपूर्वक चूम लिया। उसने दक्ष को देखा और अत्यंत ही धीमे स्वर में कहा, 'मैं इसे अपने से दूर नहीं होने दूंगा। कभी भी नहीं।'

पूरी तरह भौंचक्की हुई सती ने गहराई से शिव को देखा। पिछले सप्ताह उसने प्रेम करने का दुस्साहस किया था, लेकिन उसने कभी भी आशा रखने का दुस्साहस नहीं किया था। और आज उसका कभी न पूरा होने वाला सपना पूरा होने वाला था। वह उनकी पत्नी बनने वाली थी।

अत्यधिक प्रसन्न दक्ष ने शिव को कसकर आलिंगनबद्ध कर लिया और धीमे स्वर में बोला, 'प्रभु!'

वीरिनी अनियंत्रित ढंग से सुबक रही थी। सती के साथ उसके समस्त जीवन में किए गए अन्याय को सही कर दिया गया था। उसने दक्ष की ओर देखा, जैसे वह उसे क्षमा कर देने के लिए इच्छुक थी। आयुर्वती और कनखला ने कमरे में प्रवेश किया और सम्राट, महारानी, शिव और सती को बधाई दी। नंदी, कृत्तिका और वीरभद्र ने सुना तो वे खुशी से उछल पड़े थे। पर्वतेश्वर अपनी जगह पर जड़वत खड़ा था। वह प्रभु श्री राम के तरीकों के इस अनादर से क्षुब्ध था।

अंततः शिव ने स्वयं पर नियंत्रण पा लिया। अच्छी तरह से सती का हाथ थामकर उसने दक्ष की ओर देखा और कहा, 'लेकिन, महाराज, मेरी एक शर्त है।'

'जी हां, प्रभु।'

'विकर्म नियम...'

'इसमें परिवर्तन की आवश्यकता नहीं है, प्रभु,' दक्ष ने कहा, 'यदि आप मेरी पुत्री से विवाह का निर्णय लेते हैं तो नियम आपको रोक नहीं सकता है।'

'फिर भी,' शिव ने कहा, 'इस विधि को बदलने की आवश्यकता है।'

'निस्संदेह, इसकी आवश्यकता है, प्रभु,' दीप्तिमान दक्ष ने कहा। कनखला की ओर मुड़कर उसने कहना जारी रखा, 'यह बताते हुए कि अब से कोई राजशाही स्त्री जो मृत शिशु को जन्म देती है, वह विकर्म की श्रेणी में नहीं रखी जाएगी। यह घोषणा तैयार कीजिए जो नीलकंठ द्वारा हस्ताक्षरित होगी।'

'नहीं, महाराज,' शिव ने टोककर कहा, 'मेरा यह मतलब नहीं था। मैं चाहता हूं कि समस्त विकर्म विधि को ही समाप्त कर दिया जाना चाहिए। अबसे कोई भी विकर्म नहीं होगा। बुरा भाग्य किसी पर भी आघात कर सकता है। इसके लिए उसके पूर्व जन्म को दोषी ठहराना मूर्खता है।'

पर्वतेश्वर ने शिव को आश्चर्य से देखा। यद्यपि वह प्रभु श्री राम की विधियों में एक अल्प विराम का परिवर्तन भी पसंद नहीं करता था, फिर भी प्रभु श्री राम के मौलिक सिद्धांत का शिव द्वारा पालन करने को उसने प्रशंसनीय माना, विधि सब पर लागू होनी चाहिए, समान रूप से एवं उचित रूप से, बिना अपवाद के।

हालांकि दक्ष ने शिव को सदमे से घूरा। यह असंभावित था। अन्य मेलूहावासियों की भांति वह भी विकर्म को लेकर अंधविश्वासी था। उसकी अप्रसन्नता विकर्म विधि को लेकर नहीं थी, बल्कि मात्र इसलिए थी कि उसकी पुत्री को उस श्रेणी में रखा गया था। किंतु वह शीघ्र ही संभल गया और बोला, 'निस्संदेह प्रभु। घोषणा में कहा जाएगा कि समस्त विकर्म विधि को समाप्त किया जाता है। एक बार जब आप उस पर हस्ताक्षर कर देंगे तो वह विधि बन जाएगा।'

'मेरी पुत्री के खुशी के दिन फिर से आने वाले हैं,' दक्ष ने अत्यंत

प्रफुल्लित होते हुए कहा और कनखला की ओर मुड़कर बोला, 'जब हम देवगिरि पहुंचें तो मैं वहां एक भव्य आयोजन करना चाहता हूं। ऐसा विवाह जैसाकि समस्त विश्व ने इससे पहले कभी नहीं देखा होगा। आज तक का सबसे सुंदर विवाह। इस साम्राज्य के सबसे अच्छे आयोजकों को बुलवाइए। खर्च में कोई कमी मत छोड़िए।'

दक्ष ने शिव की ओर उनकी सहमति की आशा में देखा। शिव ने सती की ओर उसकी प्रसन्नता भरी मुस्कान एवं उसके गालों में पड़े छोटे-छोटे अति सुंदर गड्ढों की प्रशंसा करते हुए देखा। उसके बाद वह दक्ष की ओर मुड़कर बोला, 'मैं केवल इतना ही चाहता हूं महाराज, कि मैं सती से विवाह करना चाहता हूं। मैं इसी में खुश हूं कि यदि आप सभी लोग, बृहस्पति और मेरे गुणवाले लोग वहां उपस्थित रहते हैं, तो मुझे इससे कोई अंतर नहीं पड़ता कि वह एक साधारण समारोह हो अथवा अत्यंत भव्य।'

'अति सुंदर।' दक्ष अत्यंत प्रफुल्लित था।

अध्याय - 19

# प्रेम संपादित हुआ

तीन सप्ताह के बाद जब राजशाही काफिला देवगिरि पहुंचा तो वहां उत्सव का वातावरण दिखाई दे रहा था। कनखला पहले ही पहुंच चुकी थी और उसने यह सुनिश्चित कर दिया था कि उस सहस्राब्धि के सबसे अधिक प्रतीक्षारत विवाह की समस्त तैयारियां कर ली जाएं। उसकी व्यवस्थाएं, हर बार की भांति इस बार भी त्रुटिहीन थीं।

विभिन्न प्रकार के वैवाहिक अनुष्ठान एवं समारोह सात दिनों तक चलने वाले थे और प्रत्येक दिन प्रचुर मात्रा में अनेक प्रकार के आयोजनों की व्यवस्थाएं कर दी गई थीं। सामान्यतः सूर्यवंशियों के संयमी मानकों के विपरीत नगर को अतिव्ययी ढंग से सजाया गया था। उनके संयमी भूरे बाहरी आवरणों पर उत्सव का चटक रंग चढ़ा हुआ था। सड़कों पर नीले रंग के नए खपरैल लगा दिए गए थे। इस धूमधाम की दावत में नगर के सभी भोजनालयों में प्रशासन की ओर सहायता प्राप्त निःशुल्क भोजन की व्यवस्था की गई थी। साम्राज्य के पैसे से सभी मकानों को इस प्रकार रंगा गया था, जैसे एक दिन पहले ही नगर की स्थापना हुई हो।

बड़ी शीघ्रता से सरस्वती नदी के दूर वाले छोर से एक बड़ी नहर खोदी गई थी, जहां से नदी की एक धारा को मोड़ दिया गया था। जैसे ही पानी उस नहर में प्रवेश कर रहा था तो वहां पर विशालकाय छननी लगाई गई थी, जिसमें लाल रंग मिला हुआ था और जहां से उस नहर का पानी वापस नदी में मिल रहा था, तो वहां पर भी एक छननी लगाई गई थी ताकि स्वच्छ

पानी नदी में पुनः प्रवेश कर सके। उस नहर को एक विशालकाय स्वस्तिक का आकार दिया गया था, जो एक प्राचीन प्रतीक चिह्न था, जिसका शाब्दिक अर्थ होता था, जो शुभ से संबंधित हो, एक सुखद भाग्य। उन तीन वेदिकाओं से कोई भी मेलूहावासी पवित्र सरस्वती के प्रवाह से निर्मित, सूर्यवंशी राजशाही लाल रंग से सज्जित उस विशालकाय आदरपूर्ण स्वस्तिक को सम्मानपूर्वक देख सकता था। तीनों वेदिकाओं के लिए सुरक्षा के दृष्टिकोण से कलदार पुलों पर बनाए गए कुछ कटीले खंभों को हटा दिया गया था। राजधानी में आने वाले सभी अतिथियों के स्वागत करने के लिए उनके स्थान पर वहां अत्यधिक विशाल रंगोलियां बनाई गई थीं, जो मीलों दूर से दिखाई दे रही थीं। कनखला सभी कटीले खंभों को हटाना चाहती थी, किंतु पर्वतेश्वर ने सुरक्षा कारणों से ऐसा नहीं करने दिया था।

समस्त साम्राज्य से कुलीन परिवारों को इन उत्सवों में प्रतिभाग करने के लिए आमंत्रित किया गया था। इस अति महत्वपूर्ण अवसर पर राज्यपाल से लेकर वैज्ञानिक तक, सेनापतियों से लेकर कलाकारों तक और यहां तक कि संन्यासियों के भी सभी उच्च पदस्थ लोगों ने देवगिरि आगमन किया था। मेसोपोटामिया और मिश्र जैसे प्रमुख देशों के राजदूतों को मेलूहा की राजधानी में आने का आपवादिक अवसर प्रदान किया गया था। राजदूतों को जो यह विशेष सम्मान दिया गया था, उसे झूलेश्वर ने बड़ी चतुरता से भविष्य में होने वाले अतिरिक्त व्यापार के लिए भुना लिया था। बृहस्पति मंदार पर्वत से बड़ी ठाट-बाट से अपने संगी-साथियों के साथ आया हुआ था। मंदार पर्वत पर मात्र ढांचानुमा अरिष्टनेमी सैनिकों के दल को उसकी सुरक्षा के लिए शेष छोड़ा गया था। यह इतिहास में पहली बार हुआ था, जब मंदार पर्वत पर सात दिनों तक कोई शोध कार्यक्रम नहीं होने वाला था।

पहले दिन दो पूजाएं इंद्र देव एवं अग्नि देव हेतु आयोजित की गईं। वे भारतवर्ष के लोगों के लिए प्रमुख भगवान थे और किसी भी आयोजन से पूर्व उनके आशीर्वाद प्राप्त किए जाते थे। और ऐसा आयोजन जो सहस्राब्दि का विवाह हो तो ऐसे महत्वपूर्ण क्षणों में उनकी स्वीकृति आवश्यक थी। हालांकि वह विशेष पूजा उनके योद्धा बन जाने के कारण आयोजित की गई थी। दक्ष ने एक सुवक्ता की भांति इसके कारणों के विवरण दिए।

मेलूहावासी नीलकंठ एवं राजकुमारी के विवाह का केवल उत्सव ही नहीं मना रहे थे, बल्कि वे उन तुच्छ त्रासदकारियों की कूंज में पराजय का भी उत्सव मना रहे थे। उसके अनुसार कूंज की गूंज स्वद्वीप वासियों के हृदयों में गहराई से गुंजायमान होगी। सूर्यवंशियों का प्रतिशोध प्रारंभ हो चुका था!

उस पूजा के बाद शिव एवं सती के विवाह का औपचारिक अनुष्ठान हुआ। यद्यपि अभी अनुष्ठान एवं समारोह चल ही रहे थे, लेकिन शिव ने अपनी जान छुड़ाई और सती को साथ लेकर वहां से निकल आया था।

'पवित्र झील की सौगंध!' शिव ने अपने निजी कमरे के द्वार को बंद करते हुए आश्चर्य में कहा, 'यह तो अभी पहला दिन है! क्या प्रत्येक दिन इतना ही लंबा होने वाला है?'

'ऐसा नहीं प्रतीत होता है कि इससे आपको कोई अंतर पड़ने वाला है! आपकी जब इच्छा हुई आप वहां से निकल गए!' सती ने छेड़खानी करते हुए कहा।

'मुझे उन समारोहों से कुछ भी लेना-देना नहीं है!' अपनी रस्म वाली पगड़ी को निकालकर एक ओर फेंकते हुए शिव ने गुर्राकर कहा। भारी सांसें लेते हुए, उसकी ओर बढ़ते हुए उसने सती को उग्रता से घूरा।

'हां, निस्संदेह,' एक नाटकीय मुद्रा के साथ सती ने उपहास किया, 'नीलकंठ को यह निर्णय लेने का अधिकार है कि क्या सही है और क्या सही नहीं है। नीलकंठ जो चाहते हैं, वह कर सकते हैं।'

'हां, वह कर सकता है!'

सती ने शरारत भरी ठिठोली की और भागकर बिस्तर की दूसरी ओर चली गई। अपने अंगवस्त्रम् फेंकते हुए शिव उसे पकड़ने के लिए तेजी से उसकी ओर लपटा।

'हां, वह कर सकता...'

— 𑀲𑀝𑀉𑀟𑀢𑀖 —

'याद रखना मैंने तुम्हें क्या कहने के लिए कहा था,' नंदी ने फुसफुसा कर

वीरभद्र को कहा, 'चिंता मत करो। प्रभु अवश्य अनुमति देंगे।'

'क्या...' सती द्वारा उठाए जाने पर नींद से बोझिल आंखों वाले शिव ने पछा।

'उठिए, शिव,' सती ने कोमलता से धीमे स्वर में कहा। उसकी लटें शिव के चेहरे पर गिरी हुई थीं, जो उसके गालों से छेड़खानी कर रहे थे। 'सावधानी से' सती ने धीमे से कहा, क्योंकि शिव ने ललक के साथ सती को देखा, 'नंदी, कृत्तिका और वीरभद्र बाहर प्रतीक्षा कर रहे हैं। वे कुछ महत्वपूर्ण बात बताना चाहते हैं।'

'हुं ऽ म,' शिव गुर्राया और द्वार के पास चलकर गया। उसने तीखी दृष्टि से उन तीनों को देखा और पूछा, 'क्या है नंदी? क्या कोई ऐसी सुंदर वस्तु तुम्हारे जीवन में नहीं है, जिसे तुम मुझे परेशान करने के बजाय इस समय परेशान कर सको?'

'आपके जैसा कोई नहीं है, प्रभु,' नंदी ने बहुत नीचे झुकते हुए शालीन नमस्ते के साथ कहा।

'नंदी अब तुम यह मूर्खता बंद कर दो, वरना जीवन भर कुंवारे ही रह जाओगे!' शिव ने शरारत की।

सभी लोग ठहाका मारकर हंस पड़े, लेकिन कृत्तिका अपने काम के बारे में चिंतित रही।

'वैसे, तुम लोग क्या बात करना चाहते हो?' शिव ने पूछा। नंदी ने वीरभद्र को जोर से कुहनी मारी। शिव वीरभद्र की ओर मुड़ा और उसे प्रश्नसूचक दृष्टि से देखा।

'भद्र, कब से तुम्हें मुझसे बात करने के लिए इतने लोगों की सहायता की आवश्यकता पड़ने लगी?' शिव ने पूछा।

'शिव...' वीरभद्र घबराहट में भुनभुनाया।

'हां?'

'ऐसा है...'

'यह ऐसा क्या है?'

'असल में, देखिए...'

'मैं देख रहा हूं, भद्र।'

'शिव, वह पहले से ही घबराया हुआ है, उसे और मत सताइए,' सती ने कहा। उसके बाद वीरभद्र की ओर मुड़कर उसने कहना जारी रखा, 'वीरभद्र, निडर होकर कहो। तुमने कुछ गलत नहीं किया है।'

'शिव,' वीरभद्र भीरुता से फुसफुसाया। उसके गाल चुकंदर की तरह लाल थे, 'मुझे अनुमति चाहिए।'

'अनुमति दी जाती है,' शिव को अब तक हंसी आ चुकी थी, 'तुम्हें जिसके लिए भी चाहिए।'

'असल में, मैं सोच रहा हूं कि विवाह कर लूं।'

'अति उत्तम विचार है!' शिव ने कहा, 'बस तुम्हें अब यह करना है कि किसी एक अंधी स्त्री को तुमसे विवाह करने के लिए मनाना है।'

'असल में, मैंने पहले से ही एक स्त्री ढूंढ़ ली है,' वीरभद्र ने हिम्मत जुटाकर कहा इससे पहले की उसकी हिम्मत पस्त हो जाए, 'और वो अंधी नहीं है...'

'अंधी नहीं है?' शिव की भौंहें शरारतपूर्ण तरीके से गोलाई में उठीं, जैसे उसे विश्वास ही न हुआ हो, 'तब वह अवश्य ही एक मूर्ख स्त्री है, जो अपने अगले सात जन्मों के लिए एक ऐसे व्यक्ति के साथ बंधना चाहती जो किसी दूसरे व्यक्ति से अपना विवाह नियत करवाना चाहता है।'

वीरभद्र ने टकटकी लगाकर शर्मिंदगी, पश्चाताप एवं न समझ पाने वाले भावों से एक बड़े ही विचित्र ढंग से शिव को देखा।

'मैंने तुम्हें पहले भी कहा था भद्र,' शिव ने कहा, 'हमारे कबीले में बहुत सारी रस्म हैं, जिन्हें मैं पसंद नहीं करता हूं। उनमें से जो पहली है, वह यह है कि कबीले के मुखिया को अपने कबीलेवालों के लिए दुल्हन अनुमोदित करनी होती है। तुम्हें याद नहीं है, हम बचपन में इस मूर्खता भरी परंपरा का कितना मजाक उड़ाया करते थे?'

वीरभद्र ने शिव को एक बार पुनः देखा और उसने पुनः अपना सिर

नीचे झुका लिया जैसे वह अभी भी निश्चिंत नहीं था।

'अरे भाई, भगवान के लिए अब तो समझ जाओ। यदि तुम उसके साथ खुश हो तो मैं तुम्हारे लिए खुश हूं,' शिव ने उत्तेजित होकर कहा, 'तुम्हें मेरी अनुमति है।'

वीरभद्र ने आश्चर्यजनक रूप से भाव-विभोर होकर उसे देखा और नंदी ने उसे फिर कुहनी मारी। कृत्तिका ने वीरभद्र को देखा। उसने एक बहुत ही गहरी सांस छोड़ी जैसे बहुत बड़ी कठिनाई से निकल आई हो। वह सती की ओर मुड़ी और उसने मन ही मन कहा, 'धन्यवाद।'

शिव कृत्तिका की ओर चलकर गया और उसने गर्मजोशी से उसे आलिंगनबद्ध कर लिया। चकित कृत्तिका एक क्षण के लिए पीछे हटी, फिर नीलकंठ की गर्मजोशी ने उसके सूर्यवंशी आरक्षण पर विजय प्राप्त कर ली। उसने शिव को कसकर पकड़ लिया।

'कबीले में स्वागत है,' शिव ने फुसफुसा कर कहा, 'हम लोग काफी पागल किस्म के लोग हैं, लेकिन दिल से हम अच्छे लोग हैं!'

'लेकिन आपको पता कैसे लगा,' वीरभद्र बोला, 'मैंने आपसे पहले कभी नहीं बताया कि मैं इससे प्यार करता हूं।'

'मैं अंधा नहीं हूं, भद्र,' शिव मुस्कुराया।

'धन्यवाद,' कृत्तिका ने शिव से कहा, 'मुझे स्वीकार करने के लिए धन्यवाद।'

शिव पीछे हटा और बोला, 'धन्यवाद नहीं। मुझे हमेशा से भद्र की चिंता थी। वह एक अच्छा भरोसेमंद व्यक्ति है लेकिन स्त्रियों के विषय में थोड़ा सरल मन का है। मैं चिंतित था कि उसका वैवाहिक जीवन पता नहीं किस प्रकार का होगा। लेकिन अब चिंता करने की कोई आवश्यकता नहीं है।'

'वैसे, मैं भी आपसे कुछ कहना चाहती हूं,' कृत्तिका ने कहा, 'मैंने कभी भी नीलकंठ की पौराणिक कथा में विश्वास नहीं किया था। किंतु आपने जो कुछ भी देवी सती के लिए किया है, यदि वही आप मेलूहा के लिए भी कर सकते हैं तो आप अवश्य ही महादेव कहलाने के पात्र हैं।'

'मैं स्वयं को महादेव कहलवाना नहीं चाहता, कृत्तिका। तुम जानती हो कि मैं मेलूहा से उतना ही प्रेम करता हूं, जितना सती से। मैं वह सब करूंगा जो भी मुझसे संभव हो सकेगा।' भद्र की ओर मुड़कर शिव ने आज्ञा दी, 'अबे उल्लू के पट्ठे, इधर आ।'

वीरभद्र आगे आया और उसने अनुराग सहित शिव को अलिंगनबद्ध किया और फुसफुसाया, 'धन्यवाद, शिव।'

'मूर्खता मत करो। धन्यवाद की कोई आवश्यकता नहीं है!' शिव ने मुस्कान के साथ कहा।

वीरभद्र की मुस्कान और चौड़ी हो गई।

'और सुनो!' शिव ने बनावटी गुस्से में कहा, 'जब हम अगला चिलम एक साथ पिएंगे तब तुम्हें उत्तर देना होगा कि कैसे तुमने एक स्त्री से प्यार करने का दुस्साहस इतने समय तक किया और अपने सबसे अच्छे मित्र से बताया तक नहीं!'

सभी लोग ठहाका मारकर हंस पड़े।

'क्या एक अच्छे गांजे की खेप इसकी भरपाई कर लेगी?' वीरभद्र ने मुस्कुराकर कहा।

'हां ठीक है, मैं सोचूंगा।'

'क्या वे थकी हुई सी नहीं लगती हैं?' आयुर्वती ने चिंतित रूप से सती की ओर देखते हुए कहा।

सती अभी-अभी एक पूजा की वेदिका से उठी थी क्योंकि उसे एवं उसकी माता जी को इस विशेष अनुष्ठान से मुक्ति दे दी गई थी। यह मात्र वर एवं श्वसुर के लिए थी। पंडित पूजा की तैयारी कर रहे थे, जो कुछ ही क्षणों में प्रारंभ होने वाली थी।

'बात सही है, देखा नहीं आपने आज लगभग छह दिनों से लगातार समारोह एवं पूजा हो रहे हैं,' कनखला ने कहा, 'यद्यपि रस्म है जिसे एक

राजशाही विवाह के लिए संपन्न करना ही पड़ता है, फिर भी मैं समझ सकती हूं कि इसमें थकान तो होगी ही।'

'अरे नहीं, नहीं, मैं यह नहीं कहूंगा कि इसका छह दिन की पूजा से कोई संबंध है,' बृहस्पति ने कहा।

'नहीं?' कनखला ने पूछा।

'नहीं,' बृहस्पति ने शरारती ढंग से उत्तर दिया, 'मेरे विचार से इसका गहरा संबंध पांच रातों से है।'

'क्या?' आयुर्वती ने चिल्लाकर कहा। जब उसे बृहस्पति के शब्दों का अर्थ प्रकट हुआ तो उसके बाद उसके मुख पर एक गहरी लालिमा दौड़ पड़ी थी।

पर्वतेश्वर जो कनखला के पास में ही बैठा था, उसने बृहस्पति को इस प्रकार की अनुपयुक्त टिप्पणी करने के लिए क्रोध से घूरा। जब स्त्रियां खिलखिलाकर हंस पड़ीं तो बृहस्पति ने ठहाका लगया। एक सहायक पंडित ने चिढ़कर मुड़ करके उन्हें देखा। लेकिन जब उसने बैठे हुए ब्राह्मणों की वरिष्ठता देखी तो अपनी खिजलाहट को पी गया और अपनी तैयारी में जुट गया।

हालांकि पर्वतेश्वर को ऐसा कोई अनुताप नहीं था, 'मुझे विश्वास नहीं हो रहा है कि इस तरह की बातचीत मुझे सहन करनी पड़ रही है।' वह उठकर उस जमाव के सबसे पीछे चला गया।

इसने कनखला और आयुर्वती को भी हंसने पर विवश कर दिया। उसी समय एक वरिष्ठ पंडित ने मुड़कर संकेत दिया कि अनुष्ठान प्रारंभ होने ही वाला था, जिसके कारण वे तुरंत ही चुप हो गए।

पंडित ने श्लोकों के आह्वान का पुनः आरंभ किया। शिव एवं दक्ष दोनों ही आनुष्ठानिक घी को 'स्वाहा' का उच्चारण करते हुए समय-समय पर पवित्र अग्नि में डालते जा रहे थे।

दो स्वाहा के मध्य में शिव और दक्ष के लिए पर्याप्त समय होता था कि वे एक-दूसरे से हल्के स्वर में बातचीत कर सकें। वे सती के बारे में बातें कर रहे थे। और मात्र सती के बारे में ही। किसी भी एक निष्पक्ष

पर्यवेक्षक को यह निर्णय लेना बहुत कठिन था कि आखिर उन दोनों में से कौन राजकुमारी को अधिक प्रेम करता था। पंडित ने श्लोकों के पाठ के मध्य में थोड़ा समय लिया तो यह शिव और दक्ष के लिए संकेत था कि वे स्वाहा के उच्चारण के साथ ही पवित्र अग्नि में घी को डालें। थोड़ा-सा घी दक्ष के हाथ के ऊपर गिर गया। शिव एक अंगोछा खींचकर उसे ज्यों ही पोंछने लगा तो उसकी दृष्टि दक्ष के हाथ में बंधे चयनित जाति-चिह्न वाले बाजूबंद पर पड़ी। उस पर बने पशु को देखकर शिव भौंचक्का रह गया, लेकिन उसकी सहज बुद्धि ने उसे कुछ भी कहने से रोक दिया। इस मध्य दक्ष ने भी मुड़कर शिव के इस अवलोकन को देख लिया था।

'यह मेरी पसंद नहीं थी। मेरे पिता ने मेरे लिए चयन किया था,' दक्ष ने एक स्नेही मुस्कान के साथ कहा, जब वह अपने हाथ से घी साफ कर रहा था। उसके स्वर में तनिक भी उलझन नहीं थी। यदि कोई बहुत ही समीपता से देखता तो वह उसकी आंखों में तनिक अवज्ञा का भाव अवश्य देख सकता था।

'नहीं, नहीं, महाराज,' शिव ने शर्मिंदा होते हुए बुदबुदा कर कहा, 'मेरे देखने का यह अर्थ नहीं था। मेरी क्षमा याचना स्वीकार करें।'

'आप क्यों क्षमाप्रार्थी हों, प्रभु?' दक्ष ने कहा, 'यह मेरा चयनित जाति-वर्ग है। यह हाथ में पहना जाता है ताकि सभी लोग देख सकें और मुझे वर्गीकृत कर सकें।'

'लेकिन आप अपने चयनित जाति-वर्ग से कहीं अधिक श्रेष्ठ हैं, महाराज,' शिव ने नम्रता से कहा, 'आप उससे बहुत अधिक महान हैं, जो यह बाजूबंद प्रतिरूपण कर रहा है।'

'हां,' दक्ष मुस्कुराया, 'मैंने सचमुच ही उन वृद्ध को दिखा दिया है, है न? नीलकंठ ने उनके शासन काल में प्रकट होना नहीं चुना। वे मेरे शासन काल में आए। त्रासदकारी उनके शासन काल में पराजित नहीं हुए। वे मेरे शासन काल में पराजित हुए। और चंद्रवंशियों में सुधार उनके शासन काल में नहीं हुए। वे मेरे शासन काल में सुधरेंगे।'

शिव सावधानीपूर्वक मुस्कुराया। इस बातचीत के संबंध में किसी वस्तु

ने उसे टीस दी थी। उसने एक बार पुनः दक्ष के हाथ में उस बाजूबंद को देखा। उसमें बना चिह्न एक सादगीपूर्ण बकरी को प्रतिबिंबित कर रहा था, जो क्षत्रियों में सबसे नीची श्रेणी का चयनित जाति-वर्ग था। असल में कुछ लोग इस बकरी के चयनित जाति-वर्ग को इतना निकृष्ट मानते थे कि उसे धारण करने वाले को पूर्ण क्षत्रिय भी नहीं मानते थे। पंडित के मौखिक संकेत को सुनकर शिव पुनः पवित्र अग्नि की ओर मुड़ गया। कलछी से और घी लेकर उसने अग्नि में डालते हुए उच्चारण किया, 'स्वाहा।'

— 🜁◎ᚢ♀⊕ —

संध्या के समय अपने निजी कमरे में एकांत में शिव ने सती से सम्राट ब्रह्मनायक एवं उनके पुत्र दक्ष के मध्य संबंधों के बारे में पूछने का विचार किया था। किंतु न जाने किस कारण से उसे ऐसा प्रतीत हुआ कि जब वह यह प्रश्न पूछे तो उसे सावधान रहना होगा। विशेषकर शब्दों के चयन में।

'सम्राट ब्रह्मनायक एवं तुम्हारे पिता के मध्य किस प्रकार के संबंध थे?' शिव ने पूछा।

सती ने शिव के लहराते हुए केशों से खेलना बंद कर दिया। उसने एक गहरी सांस ली और बहुत ही धीमे स्वर में कहा, 'कभी-कभार वह तनावपूर्ण होता था। इन दोनों के चरित्रों में अत्यधिक भिन्नता थी। किंतु ऋषि भृगु...'

इस वार्तालाप में विघ्न पड़ गया क्योंकि द्वार को किसी ने खटखटाया।

'क्या है?' शिव गुर्राया।

'प्रभु,' द्वारपाल तमन ने घबराहट के साथ घोषणा की, 'प्रमुख वैज्ञानिक बृहस्पति जी आए हैं और वे आपसे मिलना चाहते हैं। वे हठ कर रहे हैं कि उन्हें आज की रात्रि ही आपसे मिलना है।'

शिव को बृहस्पति से मिलना और बातचीत करना बहुत पसंद था। लेकिन द्वारपाल को उत्तर देने के पहले उसने सती की ओर अपनी भौंहों को उठाकर देखा। सती मुस्कुराई और उसने सहमति में सिर हिलाया। उसे शिव

के बृहस्पति से संबंध की महत्ता का भान था।

'बृहस्पति जी को आने दो, तमन।'

'जैसी प्रभु की आज्ञा।'

'मित्र,' बृहस्पति ने कहा, 'इतनी रात्रि में आपको कष्ट देने के लिए क्षमाप्रार्थी हूं।'

'आपको मुझसे क्षमा मांगने की कोई आवश्यकता नहीं है, मित्र।' शिव ने उत्तर दिया।

'नमस्ते, बृहस्पति जी,' सती ने प्रमुख वैज्ञानिक के चरण-स्पर्श करने के लिए झुककर कहा।

'अखंड सौभाग्यवती भव,' बृहस्पति ने सती को पारंपरिक ढंग से आशीर्वाद देते हुए कहा, जिसका अर्थ होता है कि उसके पति हमेशा जीवित रहें और उसके पास रहें।

'अच्छा तो,' शिव ने बृहस्पति से पूछा, 'ऐसी कौन-सी इतनी महत्वपूर्ण बात है, जिसने इतनी रात गए आपको अपने बिस्तर से उठाकर यहां आने पर विवश कर दिया है?'

'असल में, बात ये है कि मुझे इससे पूर्व आपसे बातचीत करने का अवसर ही नहीं मिल पाया।'

'मैं जानता हूं,' शिव ने सती की ओर मुस्कुराकर देखते हुए कहा, 'हमारे दिन एक अनुष्ठान से दूसरे अनुष्ठान में ही कट रहे थे।'

'मैं जानता हूं,' बृहस्पति ने सहमति में सिर हिलाते हुए कहा, 'हम सूर्यवंशी अनुष्ठानों को बहुत पसंद करते हैं। किंतु हर हालत में मैं आपसे व्यक्तिगत रूप में मिलकर बातें करना चाहता था क्योंकि कल प्रातः ही मुझे मंदार पर्वत के लिए प्रस्थान करना है।'

'क्या?' शिव ने आश्चर्यचकित होकर पूछा, 'आप इन छह दिनों तक जीवित रह गए हैं, तो एक और दिन भी जीवित रह सकते हैं?'

'मैं जानता हूं,' बृहस्पति ने आंखों में सिलवट डालकर क्षमा मांगने वाले भाव से कहा, 'मुझे यहां रहना बहुत अच्छा लगता, किंतु एक प्रयोग

की तिथि पूर्व से ही तय है। महीनों से तैयारियां चल रही हैं। मेसोपेटामिया से प्राप्त पदार्थ तैयार कर लिया गया है। हम सोमरस की स्थिरता का परीक्षण कम जल के साथ करना चाहते हैं। मुझे जाना होगा ताकि मैं यह सुनिश्चित कर सकूं कि प्रयोग समय से प्रारंभ हो सके। मेरे अन्य वैज्ञानिक यहीं रहेंगे जो आपके साथ होंगे।'

'ठीक है,' शिव ने व्यंग्यपूर्ण वाणी में कहा, 'मुझे इस जगत में हर वस्तु के लिए उनके हमेशा दिए जाने वाले सिद्धांतों से बहुत प्यार है।'

बृहस्पति हंसा और बोला, 'मुझे सचमुच ही जाना पड़ेगा, शिव। किंतु इसके लिए मुझे बहुत खेद है।'

'खेद करने की कोई आवश्यकता नहीं है, मित्र,' शिव ने मुस्कुराते हुए कहा, 'जीवन बहुत लंबा है और मंदार पर्वत का मार्ग बहुत छोटा। आप मुझसे इतनी आसानी से छुटकारा नहीं पा सकते हैं।'

बृहस्पति मुस्कुराया। उसकी आंखों में उस व्यक्ति के लिए प्रेम उमड़ रहा था, जिसे वह अपना भ्राता समझने लगा। वह आगे बढ़ा और उसने शिव को कसकर बांहों में भर लिया। शिव को थोड़ा आश्चर्य भी हुआ, क्योंकि यह वह था जो बृहस्पति को आलिंगनबद्ध किया करता था और बृहस्पति मात्र उसका प्रत्युत्तर दिया करते थे, वो भी अनिश्चितता से।

'मेरे भ्राता,' बृहस्पति ने धीमे स्वर में फुसफुसा कर कहा।

'मेरे भ्राता,' शिव ने भी धीमे स्वर में बुदबुदाकर कहा।

थोड़ा पीछे हटकर लेकिन शिव का हाथ अब भी थामे हुए बृहस्पति ने कहा, 'मैं आपके लिए कहीं भी जाऊंगा। यहां तक कि पाताल लोक भी, यदि आपके लिए सहायक हुआ तो।'

'मैं आपको वहां कभी नहीं ले जाऊंगा, मित्र,' शिव ने हल्की मुस्कान के साथ उत्तर दिया। वह सोच रहा था कि वह स्वयं भी कभी वहां की यात्रा का इच्छुक नहीं था, जो असुरों का निवास था, पाताल लोक।

बृहस्पति ने शिव की ओर गर्मजोशी से देखा और मुस्कुराकर कहा, 'मैं शीघ्र ही आपसे मिलने की आशा करता हूं, शिव।'

'आप इस पर शर्त लगा सकते हैं।'

फिर सती की ओर मुड़कर बृहस्पति ने कहा, 'अपना ध्यान रखना, पुत्री। अंततः मुझे यह देखकर प्रसन्नता हो रही है कि जिस जीवन की आप अधिकारिणी थीं, वह आपको प्राप्त हुआ है।'

'धन्यवाद, बृहस्पति जी।'

अध्याय - 20

# मंदार पर आक्रमण

'आप कैसे हैं, मित्र?'

'यह क्या हो रहा है? मैं यहां क्या रहा हूं?' भौंचक्के हुए शिव ने पूछा।

उसने स्वयं को मेरु के ब्रह्मा मंदिर में बैठा हुआ पाया। उसके सामने वह पंडित बैठा हुआ था, जिससे वह कई महीनों पहले तब मिला था, जब वह पहली बार उस मंदिर में गया था।

'आपने मुझे यहां बुलाया है,' पंडित ने मुस्कुराते हुए कहा।

'लेकिन मैं यहां कब और कैसे आया?' यह सुनकर शिव पूरी तरह से हक्का-बक्का रह गया था।

'जैसे ही आपको नींद आई,' पंडित ने उत्तर दिया, 'यह एक सपना है।'

'मैं अवश्य ही शापित होऊंगा, लानत है!'

'आप इतनी अभद्र बातें क्यों करते हैं?' पंडित ने त्योरी चढ़ाकर पूछा।

'मैं तभी अभद्र बोलता है, जब परिस्थितियां वैसी होती हैं,' शिव ने बनावटी हंसी से कहा, 'अभद्र बातें करने में गलत ही क्या है?'

'मेरे विचार से, यह अनुचित व्यवहार का प्रदर्शन है। संभवतः यह बताता है कि आपके चरित्र में कहीं कोई कमी है।'

'मेरे विचार से यह इसके विपरीत अद्‌भुत चरित्र को दर्शाता है। यह दर्शाता है कि आपमें अपने मन की बात कहने की शक्ति एवं निष्ठा है।'

पंडित ने सिर हिलाते हुए ठहाका लगाया।

'चाहे जो भी हो,' शिव ने कहना जारी रखा, 'चूंकि आप यहां हैं, आप यह क्यों नहीं बताते कि आप लोगों को क्या पुकारा जाता है? मुझे यह वचन दिया गया था कि जब कभी अगली बार मैं आप दोनों में से किसी से भी मिलूंगा तो मुझे बताया जाएगा।'

'किंतु आप हममें से किसी एक से नहीं मिले हैं। यह एक सपना है। मैं आपको केवल वही बता सकता हूं, जो आप पहले से जानते हैं,' पंडित ने रहस्यात्मक ढंग से मुस्कुराते हुए कहा, 'या फिर कुछ ऐसा जो आपके संचेतन में पूर्व से ही अस्तित्व में है, जिसे आपने जानने की अब तक इच्छा नहीं की है।'

'तो यह इसके लिए है! आप मेरी उस बात को जानने में सहायता करने को बैठे हैं, जो मुझे पहले से ही पता है!'

'हां,' पंडित ने कहा। उसकी मुस्कुराहट और गूढ़ होती चली गई।

'ठीक है, तो यह बताइए कि हम यहां क्या बात करने के लिए जुटे हैं?'

'उस पत्ते के रंग के लिए,' पंडित का मुख दमक उठा। उसने भड़कीले ढंग से नक्काशीदार खंभों के पार उस मंदिर उन अनेक वृक्षों की ओर संकेत किया।

'उस पत्ते का रंग?'

'हां।'

पूरी तरह से भृकुटि चढ़ाकर शिव ने गहरी सांस लेते हुए कहा, 'पवित्र झील की कृपा से मुझे तनिक यह बताइए कि उस पत्ते का रंग इतना महत्वपूर्ण क्यों है?'

'कई बार ज्ञान पाने के लिए एक अच्छी वार्तालाप की यात्रा उसे और अधिक संतोषप्रद बना देती है,' पंडित ने कहा, 'और इससे भी महत्वपूर्ण बात यह है कि यह ज्ञान के प्रसंग को अधिक सरलता से समझने में सहायक भी होती है।'

'ज्ञान का प्रसंग?'

'हां। सभी ज्ञान का एक प्रसंग होता है। जब तक कि आप उसके प्रसंग को नहीं जानेंगे, आप संभवतः उसका आशय नहीं समझ पाएंगे।'

'और मैं उस पत्ते के रंग के बारे में बात कर वह सब कुछ जान जाऊंगा, जो मुझे जानना चाहिए?'

'अवश्य।'

'तो फिर पवित्र झील की सौगंध,' शिव ने कराह कर कहा, 'उस पत्ते के बारे में ही बातें करते हैं।'

'बिल्कुल ठीक है,' पंडित हंसा, 'बताइए। उस पत्ते का रंग क्या है?'

'रंग? उसका रंग हरा है।'

'क्या है?'

'क्या नहीं है?'

'आप क्यों सोचते हैं कि वह आपको हरा प्रतीत होता है?'

'क्योंकि,' शिव को हंसी आ गई, 'वह हरा है।'

'नहीं। मैं वह पूछने का प्रयास नहीं कर रहा था। बृहस्पति के वैज्ञानिकों से आपकी इस बारे में बातचीत हुई थी कि आंखें कैसे देखती हैं। क्या आपसे नहीं हुई थीं?'

'ओह, वह। हां हुई थी,' शिव ने अपने ललाट पर हल्की थपकी देते हुए कहा, 'उस वस्तु पर प्रकाश की किरणें गिरती हैं। और जब वह वस्तु से परावर्तित होकर आपकी आंखों में पड़ती हैं तो आप उसे देखते हैं।'

'यथार्थतः! और आपकी बातचीत एक और वैज्ञानिक से हुई थी कि सामान्य श्वेत सूर्य की किरणें किनसे बनी हैं?'

'हां, मैंने की थी। श्वेत किरणें कुछ नहीं बल्कि सात रंगों का संगम है। इसी कारण से इंद्रधनुष सात रंगों का बना होता है, क्योंकि वह तब बनता है जब वर्षा की बूंदें सूर्य की किरणों को छिंतरा देती हैं।'

'बिल्कुल सही! अब आप इन दो सिद्धांतों को एक साथ ध्यान में

रखकर मेरे प्रश्न का उत्तर दीजिए। आपको वह पत्ता हरा क्यों प्रतीत होता है?'

शिव ने त्योरी चढ़ाई ज्यों ही उसके मन ने इस प्रश्न का उत्तर पा लिया, 'श्वेत सूर्य की किरण पत्ती पर गिरती है। पत्ती का प्राकृतिक गुण ऐसा होता है कि वह बैंगनी, नीले, आसमानी, पीले, नारंगी और लाल रंगों को सोख लेता है। वह हरे रंग को नहीं सोखता है, उसके बाद वह मेरी आंखों में परावर्तित होता है। इसलिए मैं पत्ते को हरा देखता हूं।'

'यथार्थतः!' पंडित का मुख दमक उठा, 'तो उस पत्ते का रंग उस पत्ते के ही दृष्टिकोण से सोचिए। वह किन रंगों को सोखता है और किन रंगों को अस्वीकार करता है। क्या वह हरा रंग है? या फिर जगत का वह प्रत्येक रंग, सिवाय हरे के?'

इस सादगी से तर्क की प्रस्तुति को देखकर शिव हक्का-बक्का रह गया।

'कई सचाइयां हैं। कई वर्णन हैं, जो प्रत्यक्ष प्रतीत होते हैं,' पंडित ने कहना जारी रखा, 'जो एक प्रसंग में अचल सत्य प्रतीत होता है, वही दूसरे प्रसंग में ठीक उसके विपरीत प्रतीत हो सकता है। जिस प्रसंग या दृष्टिकोण से आप देख रहे हैं, वह उस प्रकार के विचार का गठन करता है जिस विशेष सच को आप देखते हैं।'

शिव धीरे से उस पत्ते की ओर मुड़ा। उसका तेजस्वी हरा रंग सुहावनी सूर्य की किरणों में चमक रहा था।

'क्या आपकी आंखें एक अन्य सचाई को देखने में सक्षम हैं?' पंडित ने पूछा।

शिव निरंतर पत्ते को घूर रहा था कि सहसा उसने अपना स्वरूप रूपांतरित करना प्रारंभ कर दिया। ऐसा प्रतीत हो रहा था कि पत्ते का रंग गहरे हरे रंग से विलीन होता हुआ हल्के हरे रंग में और लगातार हल्के रंग में पिघलता जा रहा था। धीरे-धीरे उसने स्वयं को भूरे रंग के एक भेद में रूपांतरित कर लिया। भौंचक्के हुए शिव ने उसे उसी प्रकार देखना जारी रखा तो वह भूरा रंग भी पिघलने लगा और तब तक रंगहीन होता गया जब तक कि वह पारदर्शी नहीं हो गया। अब उसका मात्र ढांचे का आकार ही किसी

तरह से दिख पा रहा था। ऐसा प्रतीत हो रहा था कि श्वेत एवं काले दो रंगों की अनेक वक्र रेखाएं उस पत्ते के ढांचे से अंदर-बाहर हो रही थीं। लगभग ऐसा प्रतीत हो रहा था कि वह पत्ता और कुछ नहीं मात्र एक वाहक था, जिसे काली एवं श्वेत वक्र रेखाएं अपनी सनातन यात्रा के मार्ग में एक अस्थाई पड़ाव के रूप में प्रयुक्त कर रही थीं।

शिव को यह एहसास होने में थोड़ा समय लगा कि उस पत्ते के आसपास के पत्ते भी ढांचों में रूपांतरित हो गए थे। ज्यों ही शिव ने ध्यान देकर देखा तो समस्त वृक्ष एक ढांचे में रूपांतरित हो चुका था और काली एवं श्वेत वक्र रेखाएं उसमें से तैरते हुए अंदर और बाहर अत्यधिक सरलता एवं सुगमता से आ-जा रही थीं। उसने उस विराट दृश्य को पूरी तरह से अपने अंदर समाहित करने की दृष्टि से अपना सिर मोड़ा। पेड़ पर बैठी गिलहारी से लेकर मंदिर के खंभों तक सभी पदार्थ अपने स्वयं के ढांचे में रूपांतरित हो चुके थे। वही काली एवं श्वेत वक्र रेखाएं उनमें से होकर अंदर-बाहर कर रही थीं।

इसकी व्याख्या पूछने की इच्छा से वह पंडित की ओर मुड़ा तो भौंचक्का रह गया क्योंकि वह पंडित भी अपने पूर्व स्वरूप के ढांचे में रूपांतरित हो चुका था। श्वेत रंग की वक्र रेखाएं अत्यधिक प्रबलता से बाहर की ओर निकल रही थीं। विचित्र बात यह थी कि उनमें काली रेखाएं नहीं थीं।

'अरे यह क्या...'

शिव के शब्द मुंह में ही रह गए क्योंकि पंडित का ढांचा उसकी ओर संकेत कर रहा था, 'आप स्वयं को देखिए, कर्मसाथी।' पंडित ने सुझाव दिया।

शिव ने स्वयं को देखा, 'मैं अवश्य शापित होऊंगा!'

उसका अपना शरीर भी पूर्णतः पारदर्शी होकर ढांचे में रूपांतरित हो चुका था। काली वक्र रेखाओं की प्रचंड धारा अत्यधिक तीव्र गति से उसमें समाहित हो रही थीं। उसने उन रेखाओं को बहुत ध्यान से देखा तो उसने देखा कि वे रेखाएं नहीं थीं। असल में वे बहुत छोटी-छोटी तरंगें थीं जो अत्यधिक काले रंग की थीं। वे तरंगें इतनी छोटी-छोटी थीं कि थोड़ी-सी दूरी

से भी रेखाओं की भांति प्रतीत हो रही थीं। शिव के ढांचे वाले शरीर के निकट श्वेत तरंगों की कोई झलक भी नहीं थी, 'ये क्या हो रहा है?'

'श्वेत तरंगें धनात्मक ऊर्जाएं हैं और काली ऋणात्मक,' पंडित के ढांचे ने कहा, 'ये दोनों ही महत्वपूर्ण हैं और उनमें संतुलन आवश्यक है। यदि वे इस संतुलन से निकल आए तो प्रलय हो जाएगा।'

शिव ने हैरानी से पंडित की ओर देखा, 'तो फिर कोई धनात्मक ऊर्जा मेरे आसपास क्यों नहीं है? और आपके आसपास ऋणात्मक ऊर्जा?'

'क्योंकि हम एक-दूसरे को संतुलित करते हैं। विष्णु की भूमिका धनात्मक ऊर्जा को संचारित करना है,' पंडित ने कहा। श्वेत रेखाएं जो धारा प्रवाह ढंग से निकल रही थीं, उसके बोलते समय थोड़ी लहरा रही थीं, 'और महादेव की भूमिका ऋणात्मक को सोख लेने की है। अनुसंधान कीजिए। ऋणात्मक ऊर्जा के लिए अनुसंधान कीजिए और आप महादेव के प्रारब्ध को संपूर्ण करेंगे।'

'लेकिन मैं महादेव नहीं हूं। अब तक के किए गए मेरे कर्म मुझे इस उपाधि के योग्य नहीं बनाते हैं।'

'यह उस प्रकार कार्य नहीं करता, मित्र। कुछ कर्म करने के बाद ही आप यह उपाधि प्राप्त नहीं करते हैं। क्योंकि आप अपना कर्म करते हैं और मात्र उसके बाद ही जब आप इस पर विश्वास करते हैं कि आप महादेव हैं। अन्य क्या सोचते हैं, इससे कोई अंतर नहीं पड़ता। असल में यह आपके विश्वास के संबंध में है। आप विश्वास करेंगे कि आप ही महादेव हैं, तो आप महादेव बन जाएंगे।'

शिव की भृकुटि तन गई।

'विश्वास कीजिए!' पंडित ने पुनः कहा।

ध ऽ ड़ा ऽ म! उस वातावरण में एक धमाके की प्रतिध्वनि गुंजायमान हुई। शिव ने क्षितिज की ओर अपनी आंखें मोड़ीं।

'यह विस्फोट जैसा प्रतीत होता है,' पंडित के ढांचे ने फुसफुसा कर कहा।

दूर से सती का आग्रही स्वर सुनाई पड़ा, 'शि ऽ ऽ व।'

ध ऽ ड़ा ऽ म! एक और विस्फोट।

'शि ऽ ऽ व।'

'ऐसा प्रतीत होता है कि आपकी पत्नी को आपकी आवश्यकता है, मित्र।'

शिव ने अचंभे से पंडित के उस ढांचे को देखा। वह निश्चय नहीं कर पा रहा था कि स्वर कहां से आ रहा था।

'संभवतः आपको जाग जाना चाहिए,' पंडित के उस अदृश्य स्वर ने कहा।

'शि ऽ ऽ व।'

नींद से बोझिल आंखों वाले शिव ने देखा कि सती चिंतित होकर उसे घूर रही थी। उस पर अभी भी उस अनोखे ढंग से विचित्र स्वप्न की अवस्था से धुंधलका छाया हुआ था, जिसे वह अभी-अभी झटककर बाहर आया था।

'शिव।'

'ध ऽ ड़ा ऽ म!'

'यह क्या था?' शिव चिल्लाया। अब वह सचेत था।

'कोई दैवी अस्त्रों के प्रयोग कर रहा है।'

'क्या? ये दैवी अस्त्र क्या हैं?'

पूरी तरह से भौंचक्की हुई सती ने उत्तेजना से कहा, 'दैवीय आयु! किंतु भगवान रुद्र ने सभी दैवी अस्त्रों को नष्ट कर दिया था! अब वह किसी के पास नहीं है!'

शिव अब पूरी तरह से चौकन्ना हो चुका था। उसकी युद्ध की सहज बुद्धि ने उसे संकेत दे दिया था, 'सती तैयार हो जाओ। अपने कवच पहनो। अपने अस्त्र-शस्त्र बांध लो।'

सती ने फुर्ती से प्रत्युत्तर दिया। शिव ने अपना कवच पहना और अपनी ढाल को उस पर लटका लिया। उसके बाद उसने अपनी तलवार को कमर में खोंस लिया। उसने तरकश पहनकर अपना धनुष उठा लिया। उसने

देखा कि सती तैयार हो चुकी थी तो उसने द्वार को धक्का मारकर खोल दिया। तमन और उसके आठ पहरेदार तलवार निकालकर किसी भी आक्रमण से अपने नीलकंठ की सुरक्षा हेतु तैयार थे।'

'प्रभु, आप अंदर ही प्रतीक्षा करें,' तमन ने कहा, 'हम आक्रमणकारियों को यहीं रोक लेंगे।'

शिव ने तमन को तीखी दृष्टि से घूरा। तमन की उचित मंशा वाले शब्दों को सुनकर उसकी त्योरियां चढ़ गईं। तमन तत्काल ही एक ओर हो गया, 'मुझे क्षमा करें, प्रभु। हम आपके पीछे हैं।'

इससे पहले कि शिव कुछ प्रतिक्रिया दिखा पाता, उन्हें कदमों की आहट सुनाई दी जो गलियारे से उनकी ओर ही तीव्र गति से आ रही थी। शिव ने अपनी तलवार निकाल ली। उसने अपने कानों पर दबाव डालकर संकट का आंकलन किया।

*चार पैरों की आहट। राजशाही गलियारे के आक्रमण में मात्र दो व्यक्ति! इसका कोई मतलब नहीं बनता था।*

एक जोड़ी पैरों की आहट थोड़ा घसीटने वाली थी। त्रासदकारी अवश्य ही बड़े आकार वाला व्यक्ति था जो अपनी अत्यधिक संकल्प-शक्ति का प्रयोग कर अपने पैरों को उससे भी अधिक तीव्रता से चला रहा था, जितना कि उसका आकार उसे चलने नहीं दे रहा था।

'तलवारें नीची कर लो, सैनिको,' अचानक शिव ने कहा, 'वे मित्र हैं।'

नंदी और वीरभद्र अपनी तलवारें लिए हुए एक कोने से तेजी से दौड़ते हुए चले आ रहे थे।

'क्या आप ठीक हैं, प्रभु,' नंदी ने प्रशंसापूर्ण ढंग से बिना हांफते हुए पूछा।

'हां, हम सभी सुरक्षित हैं। क्या तुम लोगों ने किसी आक्रमण का सामना किया?'

'नहीं,' वीरभद्र ने आंखें तरेर कर उत्तर दिया, 'ये आखिर हो क्या रहा है?'

'मैं नहीं जानता,' शिव ने कहा, 'लेकिन हम पता अवश्य करेंगे।'

'कृत्तिका कहां है?' सती ने पूछा।

'अपने कमरे में सुरक्षित है,' वीरभद्र ने उत्तर दिया, 'उसके साथ पांच सैनिक हैं। कमरा अंदर से बाधित है।'

शिव की ओर मुड़ने से पहले सती ने सिर हिलाकर सहमति प्रकट की, 'अब क्या करना है?'

'मैं पहले सम्राट का कमरा देखना चाहता हूं। सभी लोग दो की कतार में हो जाएं। अपनी ढालें ऊपर उठाकर स्वयं को आड़ में रखो। सती मेरे बगल में। नंदी मध्य में। तमन, वीरभद्र सबसे पीछे। कोई रौशनी मत करो। हम रास्ता जानते हैं। हमारे शत्रु नहीं।'

वह पलटन अत्यधिक गति एवं गोपनीयता से इस बात का ध्यान रखते हुए चलने लगी कि शत्रुओं से सहसा आक्रमण हो सकता था। शिव ने जो सुना था, वह उससे परेशान था। या फिर उससे जो उसने सुना नहीं था। बारम्बार के विस्फोट के अलावा महल से कोई और ध्वनि नहीं सुनाई दे रही थी। कोई चीख नहीं कोई आतंक नहीं। कोई भयभीत होते हुए पैरों की आहट नहीं। इस्पात की कोई टकराहट नहीं। कुछ नहीं। या तो त्रासदकारियों ने अभी तक अपना आक्रमण प्रारंभ नहीं किया था। या फिर शिव को देरी हो गई थी और आक्रमण समाप्त हो चुका था। जब तीसरा विकल्प उनके मन में आया तो शिव की त्योरियां चढ़ गईं। संभव है कि महल में कोई त्रासदकारी ही न हो। संभव है कि जो सती ने बताया था, त्रासदकारी कहीं दूर से दैवी अस्त्रों से आक्रमण कर रहे हों।

शिव की पलटन दक्ष के कमरे के पास पहुंची तो देखा कि उसके पहरेदार तनाव की मुद्रा में युद्ध के लिए तैयार खड़े थे।

'सम्राट कहां हैं?' शिव ने पूछा।

'वे भीतर हैं, प्रभु,' राजशाही पहरे के अधिपति ने नीलकंठ के आकार को पहचान कर कहा, 'वे लोग कहां हैं, प्रभु। हम लोग प्रथम विस्फोट के बाद से ही उनके आक्रमण की प्रतीक्षा कर रहे हैं।'

'मुझे नहीं पता, अधिपति,' शिव ने उत्तर दिया, 'यहीं स्थिर बने रहिए और द्वार को बाधित रखिए। तमन तुम अपने आदमियों के साथ इनकी

सहायता करो। और चौकन्ने रहो।'

शिव ने सम्राट के कमरे का द्वार खोला, 'महाराज?'

'प्रभु? क्या सती सुरक्षित है?' दक्ष ने पूछा।

'हां, वह सुरक्षित है, महाराज,' ज्यों ही शिव ने कहा, 'और महारानी?'

'थोड़ी घबराई हुई हैं, किंतु डरी नहीं हैं।'

'वह क्या था?'

'मैं नहीं जानता,' दक्ष ने उत्तर दिया, 'मेरा सुझाव है कि आप एवं सती तब तक यहीं रहें, जब तक कि यह पता नहीं लग जाता कि क्या हो रहा है।'

'संभवतः यह आपके लिए अच्छा रहेगा कि आप यहीं रहें। हम आपके ऊपर किसी भी प्रकार की आने वाली हानि का जोखिम नहीं उठा सकते हैं। मैं बाहर जाकर पर्वतेश्वर की सहायता करता हूं। यदि त्रासदकारियों का आक्रमण चल रहा है तो हमें पूरी शक्ति की आवश्यकता होगी।'

'आपको जाने की आवश्यकता नहीं है, प्रभु। यह देवगिरि है। हमारे सैनिक उन सबको मार गिराएंगे, जिन्होंने राजधानी पर आक्रमण करने की मूर्खता की है।'

इससे पूर्व कि शिव प्रतिक्रिया दे पाता, द्वार पर एक तीव्र आग्रही खटखटाहट हुई।

'महाराज? प्रवेश करने की अनुमति चाहता हूं।'

*'पर्वतेश्वर!'* दक्ष ने सोचा, *'ऐसे समय में भी नयाचार का पालन कर रहा है!'*

'आ जाइए!' गड़गड़ाहट भरे स्वर में दक्ष ने कहा। ज्यों ही पर्वतेश्वर ने प्रवेश किया दक्ष ने विस्फोटक तरीके से कहा, 'इंद्रदेव के नाम पर यह बताओ सेनानायक कि यह कैसे हो सकता है? देवगिरि पर आक्रमण? वे कैसे ऐसा दुस्साहस कर सकते हैं?'

'महाराज,' शिव ने महाराज को रोकते हुए कहा। अब तक सती, नंदी और वीरभद्र भी कमरे में आ चुके थे। वह पर्वतेश्वर का अपमान उन सबके समक्ष नहीं होने दे सकता था, विशेषकर सती के सामने, 'पहले हमें पता

करना चाहिए कि हो क्या रहा है?'

'आक्रमण देवगिरि पर नहीं हुआ है, महाराज,' पर्वतेश्वर ने तीक्ष्ण दृष्टि से देखते हुए कहा। सम्राट के साथ उसका धैर्य भी टूटने की कगार पर था, 'मेरे प्रहरियों ने मंदार पर्वत की ओर से अत्यधिक धुएं के गुबार उठते देखे हैं। मेरा मानना है कि उस पर आक्रमण हुआ है। मैंने पहले ही मेरे सैनिक दस्ते को एवं उपस्थित अरिष्टनेमियों को तैयार होने का आदेश दे दिया है। हम एक घंटे में निकल जाएंगे। मुझे यहां से प्रस्थान करने की अनुमति प्रदान करें।'

'ये विस्फोट मंदार पर हुए थे, पितृतुल्य,' सती ने अविश्वास से पूछा, 'वे कितने शक्तिशाली होंगे, जो देवगिरि में सुने जा सके।'

पर्वतेश्वर ने उदासी से सती को देखा। उसकी चुप्पी उसके अत्यधिक भय को दर्शा रही थी। वह दक्ष की ओर मुड़ा, 'महाराज?'

दक्ष हक्का-बक्का होकर चुप रह गया था। या फिर उसके चेहरे पर अत्यधिक चढ़ा हुआ क्रोध था। पर्वतेश्वर उस धीमी रौशनी में तय नहीं पा रहा था।

'प्रहरियो, मशाल जलाओ!' पर्वतेश्वर ने आज्ञा दी, 'देवगिरि पर कोई आक्रमण नहीं हुआ है।'

ज्यों ही मशाल ने अपनी चमक फैलाई, पर्वतेश्वर ने पुनः कहा, 'क्या आपकी अनुमति है, महाराज?'

दक्ष ने सहमति में सिर हिलाया।

पर्वतेश्वर ने सदमे में लग रहे शिव को देखकर पूछा, 'क्या बात है, शिव?'

'बृहस्पति कल ही मंदार की ओर प्रस्थान कर गए थे।'

'क्या?' चौंकते हुए पर्वतेश्वर ने कहा, जिसने कल के उत्सवों में प्रमुख वैज्ञानिक की अनुपस्थिति पर ध्यान नहीं दिया था, 'हे अग्निदेव!'

शिव धीरे से सती की ओर मुड़ा। उसकी उपस्थिति से उसने शक्ति ग्रहण की।

'मैं उन्हें ढूंढ़ निकालूंगा, शिव,' पर्वतेश्वर ने सांत्वना दी, 'मुझे पूरा विश्वास है कि वे जीवित हैं। मैं उन्हें ढूंढ़ निकालूंगा।'

'मैं आपके साथ आ रहा हूं।' शिव ने कहा।

'और मैं भी,' सती ने कहा।

'क्या?' दक्ष ने पूछा। प्रकाश उसके संतप्त भाव को उजागर कर रहा था, 'आप दोनों को जाने की आवश्यकता नहीं है।'

शिव ने त्योरी चढ़ाकर दक्ष की ओर मुड़ते हुए कहा, 'मुझे क्षमा करें, महाराज, लेकिन मुझे जाना ही होगा। बृहस्पति को मेरी आवश्यकता है।'

ज्यों ही पर्वतेश्वर और शिव राजशाही कक्ष से निकलने को हुए तो सती अपने पिता के पांव छूने को झुकी। दक्ष इतना स्तब्ध था कि वह आशीर्वाद देने की स्थिति में भी नहीं था और सती अपने पति से बहुत पीछे रहना नहीं चाहती थी। वह शीघ्र ही मुड़ी और उसने आपनी माता जी के पांव छुए।

'आयुष्मान भव,' वीरिनी ने कहा।

'सती ने इस असंगत आशीर्वाद पर त्योरी चढ़ाई, 'ईश्वर तुम्हें लंबी आयु प्रदान करे'। वह युद्ध करने जा रही थी। वह विजय चाहती थी, न कि लंबी आयु! लेकिन तर्क करने का समय नहीं था। सती मुड़ी और तीव्रता से शिव के पीछे दौड़ पड़ी। नंदी एवं वीरभद्र उसके पीछे समीप ही थे।

अध्याय - 21

# युद्ध की तैयारी

प्रथम विस्फोट के एक घंटे के भीतर विस्फोटकों की ध्वनि समाप्त हो गई थी। इस घटना को अभी बहुत समय नहीं बीता था कि शिव, पर्वतेश्वर, सती, नंदी और वीरभद्र एक हजार पांच सौ अश्वारोही सेनादल के साथ मंदार पर्वत के मार्ग पर निकल चुके थे। बृहस्पति के वैज्ञानिक भी उस सेनादल के साथ अश्वों पर अपने नेता के जीवन की चिंता के साथ सवार थे। वे तेजी से चले जा रहे थे और उन्हें आशा थी कि वे उस पर्वत की यात्रा आठ घंटे से कम समय में तय कर लेंगे। वह द्वितीय प्रहर का अंतिम समय था, जब सूर्य सीधे सिर पर चमक रहा था। उनका सेनादल सड़क के अंतिम मोड़ से मुड़ गया था, जहां वन क्षेत्र समाप्त हो चुका था और पर्वत दिखाई देने लगा था।

ज्यों ही उनकी दृष्टि उस पर्वत पड़ी जो साम्राज्य का हृदय था तो उसे देखकर एक अति क्रुद्ध पुकार उठी। मंदार को निर्दयतापूर्वक नष्ट कर दिया गया था। पर्वत के मध्य में एक विशालकाय ज्वालामुखी दिखाई दे रहा था। वह इस प्रकार प्रतीत हो रहा था कि जैसे एक अत्यंत विशालकाय असुर ने अपने वृहद हाथों से पर्वत के प्रमुख भाग को कलछी डालकर बाहर की ओर निकाल दिया था। विज्ञान का अत्यधिक विशाल भवन विध्वंस हो चुका था और उसके अवशेष नीचे के मैदानों में बिखरे पड़े थे। वह विशालकाय मथानी अब भी मंथन कर रहा था, उसकी भयानक ध्वनि उस डरावने दृश्य को और भी विकराल बना रहा था।

'बृहस्पति,' शिव ने गर्जना करते हुए अपने घोड़े को ऐड़ लगाकर तेजी

से पर्वत के मार्ग पर दौड़ा दिया था, जहां आश्चर्यजनक रूप से वह मार्ग अभी भी उसी प्रकार पक्का खड़ा था।

'प्रतीक्षा करें, शिव,' पर्वतेश्वर ने पुकारा, 'यह उनकी चाल भी हो सकती है।'

किसी भी जोखिम से अनजान शिव ने घोड़े को उस पथ पर पर्वत के उजड़े हुए हृदय के मध्य सरपट दौड़ा दिया। पर्वतेश्वर एवं सती के नेतृत्व में वह सेनादल नीलकंठ के साथ होने के लिए तेजी से दौड़ पड़ा। वे ऊपर पहुंचे तो एक भयानक दृश्य उनके सामने था। उस भवन के कुछ हिस्से नींव पर टूटकर झूल रहे थे, कुछ हिस्से अभी भी दहक रहे थे, उस बारम्बार के विस्फोटों द्वारा जगह-जगह से कटे हुए, आसानी से न पहचाने योग्य एवं झुलसे हुए शरीर के टुकड़े हर जगह-जगह बिखरे हुए थे। यहां तक कि मृतकों को भी पहचानना असंभव था।

शिव लड़खड़ाकर घोड़े से उतर गया। उसके चेहरे पर आशा की किरण नहीं बची थी। ऐसे प्राणघातक आक्रमण में शायद ही कोई बचा होगा, 'बृहस्पति...'

'कैसे इन त्रासदकारियों को दैवी अस्त्र प्राप्त हुए?' उत्तेजित पर्वतेश्वर ने कहा। उसके अंदर प्रतिशोध की ज्वाला धधक रही थी।

सैनिकों को आदेश दिया गया कि शरीर के समस्त टुकड़ों को इकट्ठा करें और एक पृथक चिता जलाकर उन मृत आत्माओं की दूसरी यात्रा में सहायता करने के लिए उनकी अंत्येष्ठि कर दें। जो मारे गए थे उनकी सूची बनाई जा रही थी। उस सूची में पहला नाम था मेलूहा के प्रमुख वैज्ञानिक सूर्यवंशी ब्राह्मण, राजहंस जाति-वर्ग चयनित बृहस्पति का। अन्य नामों में अधिकतर अरिष्टनेमियों के नाम थे, जिन्हें मदार की सुरक्षा का भार सौंपा गया था। एक ढाढस वाली बात यह थी कि मृतकों की संख्या बहुत कम थी क्योंकि अधिकतर मंदार निवासी नीलकंठ के विवाह के उत्सव में प्रतिभाग करने के लिए देवगिरि में उपस्थित थे। उस सूची को कश्मीर के

संन्यासियों को भेजा जा रहा था, जिनकी आध्यात्मिक बलों की शक्तियां सर्वोत्तम मानी जाती थीं। यदि उन संन्यासियों को इस मृत आत्माओं के लिए पूजा करने के लिए मनाया जाता था तो यह आशा की जा सकती थी कि इस जन्म की भयानक मृत्यु उनके अगले जन्मों को दूषित नहीं करेगी।

'यह सोमरस भी हो सकता है, सेनानायक,' एक अन्य विश्वसनीय लगने वाला कारण देते हुए बृहस्पति के सहायकों के प्रमुख वैज्ञानिक पाणिनी ने कहा।

शिव ने पाणिनी के शब्दों को सुनकर ऊपर की ओर देखा।

'यह सोमरस ने किया, कैसे?' अविश्वास के साथ सती ने पूछा।

'उत्पादन के समय सोमरस बहुत ही अस्थिर होता है,' पाणिनी ने कहना जारी रखा, 'उसे सरस्वती के जल के प्रचुर मात्रा में प्रयोग से स्थिर रखा जाता है। हमारी परियोजनाओं में एक प्रमुख परियोजना यह थी कि हमें यह पता लगाना था कि क्या हम आवश्यकता से कम जल का प्रयोग कर उसे स्थिर रख सकते हैं अथवा नहीं। वर्तमान में प्रयोग में लाने वाले जल की मात्रा से बहुत ही कम मात्रा में।'

शिव को याद आया कि बृहस्पति इस तरह की बातें कह रहा था। वह झुककर पाणिनी को ध्यान से सुनने लगा।

'यह एक स्वप्न सदृश परियोजना थी, उन्हीं...' पाणिनी को वाक्य पूरा करने में कठिनाई हो गई। इस युग के महानतम वैज्ञानिक और मंदार पर्वत पर समस्त ज्ञानी लोगों के लिए पितृतुल्य बृहस्पति नहीं रहे, यह सोच पाणिनी के लिए असह्य थी। अंदर की अत्यधिक पीड़ा के कारण उसका गला उसके बोल को बाहर निकालने में असफल हो रहा था। उसने बोलना बंद कर दिया, अपनी आंखें बंद कर दी ताकि वह भयानक क्षण निकल जाए। अपने ऊपर नियंत्रण की एक झलक पाकर उसने कहना प्रारंभ किया, 'वह बृहस्पति जी की एक स्वप्न सदृश परियोजना थी। वे वापस आ गए थे ताकि आज से प्रारंभ होने वाले शोध की समस्त तैयारी पूरी की जा सके। वे नहीं चाहते थे कि हम अंतिम दिन के उत्सव को न देख सकें, अतः वे अकेले ही आ गए थे।'

पर्वतेश्वर स्तब्ध रहा गया, 'आपके कहने का अर्थ है कि यह एक दुर्घटना हो सकती है।'

'हां,' पाणिनी ने उत्तर दिया, 'हम सबको पता था कि यह परीक्षण जोखिम भरा था। संभवतः इसी कारण बृहस्पति जी ने इसे अकेले ही प्रारंभ करने का निर्णय लिया होगा।'

इस असंभावित सूचना को सुनकर समस्त कक्ष ही खामोश हो गया। पाणिनी अपने निजी नर्क में चला गया। इन सदमा प्रदायक घटनाओं से स्तब्ध पर्वतेश्वर की दृष्टि दूर शून्य में चली गई। सती ने शिव का हाथ थामे हुए उसे घूरकर गहरी चिंता से देखा कि वे अपने मित्र की मृत्यु पर किस प्रकार महसूस कर रहे थे। और संभव है कि वह मात्र एक अर्थहीन दुर्घटना हो।

— ᛐⵙᚮᛏ⧽⊕ —

प्रथम प्रहर के प्रथम घंटे में बहुत समय बीत चुका था। यह निर्णय लिया गया कि सेनादल उस ध्वस्त पर्वत के नीचे एक पड़ाव स्थापित करेंगे। वे दूसरे दिन वहां से तभी प्रस्थान करेंगे जब मृत आत्माओं के लिए सभी अनुष्ठान पूरे कर लिए जाएंगे। दो सवारों को मंदार के समाचार के साथ देवगिरि भेजा जा चुका था। पर्वतेश्वर एवं सती एक पर्वत के किनारे बैठकर धीमे स्वर में बातचीत कर रहे थे। पर्वत की तलहटी में ब्राह्मण वैज्ञानिकों के संस्कृत श्लोकों के पाठ की भुनभुनाहट ऊपर की ओर प्रवाहित होकर अतींद्रिय मनोभावों के वातावरण उपस्थित कर रहा था। नंदी एवं वीरभद्र थोड़ी दूरी पर सावधान की मुद्रा में खड़े होकर अपने सेनानायक एवं सती को देख रहे थे।

शिव विचारों में डूबा हुआ मंदार के अवशेषों के मध्य घूम रहा था। बृहस्पति के पहचान योग्य किसी भाग को न पाकर उसके हृदय में टीस उठ रही थी। मंदार में सभी लोग न पहचाने जाने की स्थिति तक नष्ट किए जा चुके थे। वह अधीरता से अपने मित्र का कोई संकेत पाना चाहता था। कुछ ऐसी वस्तु जिसे वह हमेशा अपने पास रख सके। ऐसा

कुछ जिससे वह लिपट सके। कुछ ऐसा जो वर्षों तक उसकी पीड़ा में रहने वाली उसकी संतप्त आत्मा को सांत्वना दे सके। वह घोंघे की चाल से चल रहा था। उसकी आंखें भूमि का सूक्ष्म परीक्षण कर रही थीं। वे अचानक ही एक वस्तु पर आकर ठहर गईं, जिसे वह भली-भांति पहचानता था।

वह धीरे से नीचे उसे उठाने के लिए झुका। वह चमड़े का कड़ा था, उसके किनारे झुलसे हुए थे, उसके पीछे का खोसने वाला हिस्सा जला हुआ था। उस भयानक विस्फोट के ताप ने उसके अधिकतर स्थलों को जलाकर भूरे से काला कर दिया था। हालांकि उसके केंद्र में कढ़ाई की हुई बनावट आश्चर्यजनक ढंग से दाग रहित थी। शिव ने उसे अपनी आंखों के समीप लाकर देखा।

अस्त होते सूर्य की रक्तिम किरणों ने उस ओऽम के प्रतीक चिह्न में चमक भर दी। उस ओऽम के ऊपर एवं नीचे के दो वक्र भागों के मिलन स्थल पर दो सर्पों के मुख जुड़े हुए थे। तीसरा वक्र पूर्व की ओर निकलकर अंत में सर्प के मुख से समाप्त हो रहा था और उसकी द्विशाखित जिह्वा डराने जैसी बाहर निकली हुई थीं।

*यह वही था! उसने बृहस्पति की हत्या की!*

शिव ने तेजी से इधर-उधर दृष्टि घुमाई। अब वह क्रम वीक्षण कर रहा था, उसका उद्देश्य था कि वह उस कड़े के मालिक को अथवा उसके शरीर के किसी अंग को खोज ले। लेकिन वहां ऐसा कुछ भी नहीं था। शिव मन ही मन चीत्कार कर उठा। उसकी यह चीत्कार केवल उसे और बृहस्पति की घायल आत्मा को ही सुनाई देने वाली थी। उसने उस कड़े को अपने हाथों में कसकर जकड़ लिया। अब तक सुलग रही उसके अंगार ने उसकी हथेली को लगभग जला दिया। उसने तब भी उसे छोड़ा नहीं, बल्कि उस पर और मजबूत पकड़ बना ली और फिर उसने प्रतिशोध की एक भयानक शपथ

ली। उसने सौगंध ली कि वह उस नागा की ऐसी हत्या करेगा, जो उसके आने वाले सात जन्मों तक उसका चिह्न रहेगा। वह नागा और उसकी समस्त सेना को पूर्णतः विनष्ट कर दिया जाएगा। छोटे-छोटे टुकड़ों में काटकर।

'शिव! शिव!' निरंतर आने वाली इस पुकार ने उसे खींचकर वर्तमान के सच में लाकर खड़ा कर दिया।

सती उसके सामने प्रेम से उसके हाथ स्पर्श करती हुई खड़ी थी। पर्वतेश्वर उसके पास परेशान-सा खड़ा था। नंदी और वीरभद्र उसकी दूसरी ओर खड़े थे।

'इसे छोड़ दीजिए, शिव,' सती ने कहा।

शिव उसे निरंतर देख रहा था, अवाक्।

'इसे छोड़ दीजिए, शिव,' सती ने कोमलता से दुहराया, 'यह आपके हाथ को झुलसा रहा है।'

शिव ने अपनी हथेली खोल दी। नंदी ने तत्काल झुककर उनके हाथ से कड़े को ले लिया। और तत्क्षण ही उसने गहरी पीड़ा में चिल्लाकर उस कड़े को नीचे गिरा दिया क्योंकि उसने उसके हाथ को जला दिया था।

*प्रभु ने इसे कैसे इतनी देर से पकड़ा हुआ था?*

शिव तत्काल ही झुका और उसने कंगन उठा लिया। इस बार सावधानी से। उसकी उंगलियां कम झुलसे हुए उस हिस्से को पकड़े हुई थीं, जिस हिस्से में ओऽम का प्रतीक चिह्न बना हुआ था। वह पर्वतेश्वर की ओर मुड़ा और उसने कहा, 'यह दुर्घटना नहीं थी।'

'क्या?' चौंकते हुए पर्वतेश्वर ने पूछा।

'क्या आपको पूरा विश्वास है?' सती ने पूछा।

शिव ने सती की ओर देखा और उस कड़े को उठा दिया। सर्पों वाला ओऽम स्पष्ट दिखाई दे रहा था। सती ने एक गहरी सांस छोड़ी। पर्वतेश्वर, नंदी और वीरभद्र तत्काल ही उस कड़े को देखने के लिए समीप चले गए।

'नागा...,' नंदी फुसफुसाया।

'वही कमीना जिसने मेरु में सती पर आक्रमण किया था,' शिव ने

गुर्राकर कहा, 'वही नागा जिसने मंदार पर्वत से वापस जाते समय हम लोगों पर हमला किया था। यह वही कमीना है, कुतिया का पिल्ला।'

'उसे इसकी कीमत चुकानी पड़ेगी, शिव,' वीरभद्र ने कहा।

पर्वतेश्वर की ओर मुड़कर शिव ने कहा, 'हम आज रात ही देवगिरि लौट चलेंगे। हम युद्ध की घोषणा करते हैं।'

पर्वतेश्वर ने सहमति में सिर हिलाया।

— ૐ◎ᵾ⌘⊛ —

मेलूहा का युद्ध परिषद शांति से बैठा हुआ था। वे मंदार में शहीद होने वालों के सम्मान में पांच मिनट का मौन धारण कर रहे थे। पर्वतेश्वर और उसके पच्चीस सेनापति सम्राट दक्ष की दाहिनी ओर बैठे हुए थे। दक्ष के बाईं ओर नीलकंठ, कनखला के नेतृत्व में प्रशासनिक ब्राह्मण एवं पंद्रह प्रांतों के राज्यपाल बैठे हुए थे।

'परिषद का निर्णय दिया जा चुका है,' दक्ष ने कार्यवाही प्रारंभ करते हुए कहा, 'प्रश्न यह है कि हम कब आक्रमण करें?'

'अधिक से अधिक हमें एक महीने का समय लगेगा जब हम युद्ध के लिए प्रयाण करेंगे, महाराज,' पर्वतेश्वर ने कहा, 'आप तो जानते ही हैं कि मेलूहा एवं स्वद्वीप के मध्य कोई सड़क मार्ग नहीं है। हमारी सेना को सघन एवं अभेद्य जगलों से होकर गुजरना होगा। इस प्रकार यदि हम एक महीने में भी प्रयाण करते हैं तो स्वद्वीप में हम तीन महीने से पहले नहीं पहुंच सकते। इसलिए समय ही इसका सार है।'

'तो फिर तैयारी प्रारंभ कर दी जाए।'

'महाराज,' कनखला ने क्षत्रियों के युद्ध की पुकार में ब्राह्मणों के तर्क के स्वर को जोड़ते हुए कहा, 'क्या मैं दूसरा उपाय सुझा सकती हूं?'

'दूसरा उपाय?' चकित दक्ष ने पूछा।

'कृपया, मुझे गलत मत समझिए,' कनखला ने कहा, 'मैं मंदार की घटना पर सम्पूर्ण साम्राज्य के क्रोध को समझती हूं। किंतु हम अपराधकर्ताओं

से प्रतिशोध लेना चाहते हैं, न कि समस्त स्वद्वीप वासियों से। क्या हम इसका प्रयास कर सकते हैं कि इससे पहले कि युद्ध की तलवार उठे, पहले हमारा काम छुरी से चल जाए?'

'जिस मार्ग का आप सुझाव दे रहीं हैं, वह कायरों वाला है, कनखला,' पर्वतेश्वर ने कहा।

'नहीं पर्वतेश्वर, मैं ऐसा कुछ सुझाव नहीं दे रही कि हम कायरों की भांति बैठे रहें और कुछ न करें,' कनखला ने विनम्रता से कहा, 'मैं ऐसे उपाय का सुझाव दे रही हूं जिससे संभव है कि हम अपने सैनिकों के एवं अन्य निर्दोषों के लहू बहाए बिना ही अपना प्रतिशोध पूरा कर सकते हैं।'

'मेरे सैनिक साम्राज्य के लिए रक्त बहाने को तैयार हैं, प्रधानमंत्री महोदया।'

'मैं जानती हूं कि वे तैयार हैं,' कनखला ने संयम रखते हुए कहा, 'और मैं यह भी जानती हूं कि आप भी मेलूहा के लिए अपना रक्त बहाने को तैयार बैठे हैं। परंतु मेरे कहने का अर्थ यह है कि हम सम्राट दिलीप के पास अपना दूत भेज सकते हैं, इस अनुरोध के साथ कि वे अपराधियों को हमारे सुपुर्द कर दें जिन्होंने इस आक्रमण का अपराध किया है। हम यह चेतावनी भी दे सकते हैं कि यदि वे ऐसा नहीं करते हैं तो हम अपनी पूरी शक्ति के साथ आक्रमण कर देंगे।'

उसकी आंखें अधीरता में तरेर रही थीं, पर्वतेश्वर ने कहा, 'उससे अनुरोध करें? और वह क्यों सुनेगा? दशकों से स्वद्वीप वासी अपनी अधम गतिविधियां करके हमसे बचते रहे हैं क्योंकि उन्हें लगता है कि हम में युद्ध करने की औकात नहीं है। और यदि हम मंदार पर्वत जैसे उपद्रवी कार्य के बाद भी इस 'छोटी छुरी वाली युक्ति' की बात करेंगे तो उन्हें पूरा विश्वास हो जाएगा कि वे कभी भी हम पर आक्रमण कर सकते हैं और हम उनका प्रत्युत्तर नहीं देंगे।'

'मैं इससे असहमत हूं, पर्वतेश्वर,' कनखला ने कहा, 'उन्होंने त्रासदकारियों से आक्रमण कराए क्योंकि वे डरते हैं। इस बात से डरते हैं कि वे हमसे आमना-सामना कर मुकाबला नहीं कर सकते हैं। वे डरते हैं

कि वे हमारी श्रेष्ठतर तकनीक एवं युद्ध के उपकरणों से हमसे जीत नहीं सकते हैं। मैं केवल उस विचार से सहमत होकर कह रही हूं, जो प्रभु शिव ने तब कहा था जब वे यहां आए थे। उनसे लड़ने से पूर्व क्या हम उनसे बातचीत नहीं कर सकते हैं? यह एक ऐसा अवसर है जिससे संभव है कि वे इस बात को स्वीकार कर लें कि उनके समाज में कुछ ऐसे वर्ग हैं जो त्रासदी फैलाते रहते हैं। यदि वे उन्हें हमारे सुपुर्द कर देते हैं, तो हम एक साथ अस्तित्व में रहने के उपाय भी ढूंढ़ सकते हैं।'

'मैं नहीं मानता कि शिव अब उस तरह सोचते हैं,' पर्वतेश्वर ने नीलकंठ की ओर इशारा करते हुए कहा, 'वे भी प्रतिशोध लेना चाहते हैं।'

शिव चुप बैठा हुआ था। उसका मुख भाव विहीन था। केवल उसकी आंखों में एक अजीब चमक थी, जो उसके अंदर छुपे गुस्से को दिखा रही थी।

'प्रभु,' कनखला ने अपने हाथ जोड़कर नमस्ते करते हुए शिव की ओर देखकर कहा, 'मुझे आशा है कि कम से कम आप मेरी बात अवश्य समझेंगे जो मैं कह रही हूं। यहां तक कि यदि बृहस्पति भी होते तो यही चाहते कि जब तक यह संभव है तब तक हिंसा से दूर ही रहा जाए।'

जिस प्रकार प्रचंड अग्नि पर मूसलाधर वर्षा का असर होता है, ठीक उसी प्रकार इस अंतिम वाक्य ने शिव पर असर किया था। वह कनखला की ओर मुड़ा और उसने उसकी आंखों में गहराई से देखा। उसके बाद उसने दक्ष की ओर मुड़कर कहा, 'महाराज, संभवतः जो कनखला कह रही हैं, वह सही है। संभवतः हम उन्हें प्रायश्चित करने का अवसर देने के लिए एक दूत को स्वद्वीप भेज सकते हैं। यदि हम निर्दोषों की हत्या से बच सकते हैं तो इससे मात्र हमारा ही भला होगा। हालांकि मेरा सुझाव है कि इसके बाद भी हम युद्ध की तैयारी प्रारंभ अवश्य कर दें। असल में हमें इस संभावना के लिए तैयार रहना चाहिए कि यदि चंद्रवंशी हमारे प्रस्ताव को अस्वीकार करते हैं तो हम पूर्व से ही तैयार रहें।'

'महादेव ने वचन बोल दिए हैं,' दक्ष ने कहा, 'मैं प्रस्तावित करता हूं कि यही युद्ध परिषद का निर्णय है। जो इसके पक्ष में हैं, वे अपने हाथ ऊपर

करें।'

उस कक्ष में सारे हाथ ऊपर उठ गए। सांचा बना दिया गया था। शांति का एक प्रयास किया जाएगा। यदि वह सफल नहीं होता है, तो मेलूहावासी युद्ध छेड़ देंगे।

— ⚹◎Ʊ⏚⊕ —

'मैं एक बार पुनः असफल रहा, भद्र,' शिव रो पड़ा था, 'जिसको आवश्यकता हो मैं उसकी सुरक्षा नहीं कर सकता।'

शिव अपने महल के आंगन के निजी क्षेत्र में वीरभद्र के पास बैठा हुआ था। अत्यधिक चिंतित सती ने वीरभद्र को आमंत्रित किया था ताकि शोक संतप्त शिव को वापस वर्तमान की सचाई में लाया जा सके। शिव ने एक आवरण ओढ़ लिया था। वे बोल नहीं रहे थे। रो नहीं रहे थे। सती ने आशा की थी कि जहां वह असफल रही, वहां उनके बचपन के मित्र सफल हो सकते थे।

'आप स्वयं को दोष कैसे दे सकते हैं, शिव?' वीरभद्र ने चिलम अपने मित्र को देते हुए पूछा, 'यह आपका दोष कैसे हो सकता है?'

शिव ने चिलम उठा लिया और एक गहरा कश लिया। गांजा उसके शरीर में अंदर फैल गया, लेकिन उसने कुछ सहायता नहीं की। पीड़ा कुछ अधिक ही मर्मस्पर्शी थी। शिव ने अरुचि से नथुने फुलाकर चिलम को एक ओर फेंक दिया। ज्यों ही उसकी आंखों में आंसुओं की बाढ़ आई तो उसने आसमान की ओर देखा और सौगंध ली, 'मैं आपके लिए प्रतिशोध लूंगा, मेरे भाई। चाहे वह मेरा अंतिम कार्य ही क्यों न हो। चाहे मुझे बचे हुए जीवन का हर क्षण इसमें बिताना पड़े। चाहे मुझे बार-बार इस जगत में आना पड़े। मैं आपके लिए प्रतिशोध लूंगा!'

चिंतित मुख से वीरभद्र ने सती की ओर मुड़कर देखा जो कुछ दूरी पर बैठी हुई थी। सती उठकर खड़ी हो गई और उनकी ओर चलने लगी। वह शिव के पास आई और उनकी संतप्त आत्मा को सांत्वना देने के उद्देश्य से अपने थके हुए सिर को उनके वक्षस्थल पर रखकर उससे लिपट गई। सती

को तब आश्चर्य हुआ जब शिव ने पूर्व की भांति अपनी बांहें उठाकर उसे जकड़ा नहीं। वह बिना हिले-डुले बैठे रहे। रुक-रुककर गहरी सांसे लेते रहे।

— ⸱ 𐃀 𝕀 ⚭ ⊛ —

'प्रभु,' चकित व्रक ने सावधान होते हुए पुकार कर कहा। वैसा ही चौबीस अन्य सेनापतियों ने भी किया। सम्मान देने के लिए क्योंकि युद्ध की रणनीति बनाने वाले कक्ष में नीलकंठ के आगमन की घोषणा हो चुकी थी।

पर्वतेश्वर धीरे से उठ खड़ा हुआ। वह बहुत ही सहानुभूतिपूर्वक बोला क्योंकि उसे पता था कि शिव अभी भी बृहस्पति की उस भयानक हत्या की पीड़ा का अनुभव कर रहा था, 'आप कैसे हैं, शिव?'

'मैं ठीक हूं, धन्यवाद।'

'हम लोग युद्ध की रणनीति पर विचार-विमर्श कर रहे थे।'

'मैं जानता हूं,' शिव ने कहा, 'मैं सोच रहा था कि मैं भी इसमें शामिल हो जाऊं।'

'निस्संदेह,' पर्वतेश्वर ने अपनी कुर्सी को एक ओर करते हुए कहा।

'सबसे महत्वपूर्ण समस्या जो हमारे सामने है,' पर्वतेश्वर ने शिव को उस समय तक की गई योजना के बारे में बताने का प्रयास करते हुए कहा, 'वह है मेलूहा एवं स्वद्वीप के मध्य परिवहन संपर्क।'

'कोई संपर्क नहीं है, क्या यह सही है?'

'बिल्कुल सही है,' पर्वतेश्वर ने उत्तर दिया, 'चंद्रवंशियों ने सौ वर्ष पहले हमारे हाथों पराजित होने के बाद यह 'अंग-भंग करने की रणनीति' अपनाई थी। उन्होंने मेलूहा एवं स्वद्वीप के मध्य अस्तित्व में रही समस्त आधारभूत संरचनाओं को नष्ट कर दिया था। उन्होंने अपने सीमांत के नगरों की जनसंख्या भी कम कर दी और उन्हें अंदर की ओर बसा दिया था। कोई ऐसी नदी नहीं है जो हमारे क्षेत्र से उनके क्षेत्र तक जाती है। संक्षेप में हम यह कह सकते हैं कि हमारे पास वर्तमान में ऐसा कोई तरीका नहीं बचा है, जिससे कि हम अपने विशालकाय, श्रेष्ठतर तकनीकी

वाले युद्ध के यंत्रों को स्वद्वीप की सीमाओं तक लेकर जा सकते हैं।'

'यही उनका उद्देश्य भी रहा होगा,' शिव ने कहा, 'आपकी श्रेष्ठता आपकी तकनीक है। उनकी श्रेष्ठता उनकी संख्या है। उन्होंने आपकी शक्ति को निष्फल कर दिया है।'

'यथार्थतः। और यदि हमारे युद्ध के यंत्र इस योजना से निकाल दिए जाते हैं तो हमारे एक लाख सैनिक उनके दस लाख सैनिकों से जलाप्लावित हो जाते हैं।'

'उनके पास दस लाख की जनसंख्या वाली सेना है?' शिव ने उत्सुकता से पूछा।

'जी हां, प्रभु,' ब्रक ने कहा, 'हम पूरी तरह से निश्चित नहीं हैं, किंतु यह हमारा अनुमान है। हालांकि हमारा यह भी अनुमान है कि नियमित सेना लगभग एक लाख की ही होगी। शेष अंशकालिक, अनियमित सैनिक होंगे। जैसे कि छोटे व्यापारी, कारीगर, कृषक और ऐसे अन्य लोग जिनका अधिक प्रभाव न हो। जिन्हें जबरन भर्ती किया गया है और तोप के गोलों के लिए चारे की तरह प्रयोग में लाया जाता है।'

'यह तो घृणास्पद है,' पर्वतेश्वर ने कहा, 'क्षत्रियों के कार्यों के लिए शूद्रों एवं वैश्यों की जान जोखिम में डालना, अत्यंत ही घृणास्पद है। असल में उनके क्षत्रियों का कोई मान नहीं है।'

शिव ने पर्वतेश्वर की ओर देखा और सहमति में सिर हिलाते हुए पूछा, 'क्या हम अपने यंत्रों के पुर्जे खोलकर स्वद्वीप की सीमा में ले जाकर पुनः एकत्रित नहीं कर सकते हैं।'

'हां, हम कर सकते हैं,' पर्वतेश्वर ने कहा, 'किंतु यह तकनीकी रूप से मात्र कुछ यंत्रों के साथ ही हो सकता है। हमारे जो सबसे विध्वंसक यंत्र हैं, जिनसे हम उन पर भारी पड़ते हैं, हमारी लंबी दूरी तक मार करने वाले शिला प्रक्षेपक यंत्र को कारखाने से बाहर एकत्रित नहीं किया जा सकता है।'

'लंबी दूरी तक मार करने वाले शिला प्रक्षेपक यंत्र?'

'हां,' पर्वतेश्वर ने उत्तर दिया, 'यह विशालकाय पत्थरों एवं दहकते हुए

आग के गोलों को एक किलोमीटर की दूरी तक फेंक सकता है। यदि इसका प्रयोग प्रभावी ढंग से किया जाता है तो यह दुश्मन की सेना को अत्यधिक दुर्बल एवं लगभग नष्ट कर देती है ताकि उसके बाद अश्वारोही एवं पैदल सेना अपना काम सफलतापूर्वक कर सकें। देखा जाए तो पूर्व में जो काम हाथी करते थे, यह लगभग उसी प्रकार का काम करता है।'

'तो फिर हम भी हाथी का प्रयोग क्यों नहीं कर सकते?'

'उनके स्वभाव के बारे में पूर्व में अनुमान लगाना कठिन होता है। चाहे आप उन्हें कितना भी प्रशिक्षण दें, युद्ध की उस विभीषिका के दौरान सेना अक्सर उन पर से अपना नियंत्रण खो बैठती है। असल में पिछले युद्ध में स्वद्वीप वासियों को उनके हाथियों ने ही संहार की ओर अग्रसर कर दिया था।'

'क्या सचमुच में?' शिव ने पूछा।

'हां,' पर्वतेश्वर ने उत्तर दिया, 'महावत के ऊपर गोलीबारी एवं युद्ध के नगाड़ों से अत्यधिक शोर मचाने की हमारी योजना काम कर गई थी। चंद्रवंशियों के हाथी घबरा गए और वे विध्वंस करते हुए विशेषकर अंशकालिक सैनिकों की पंक्तियों को तोड़ते हुए उनकी ही सेना में घुस पड़े थे। उसके बाद बस आक्रमण कर उन्हें समाप्त कर देना ही शेष बचा था।'

'तो फिर हाथी नहीं।'

'सर्वथा नहीं,' पर्वतेश्वर ने कहा।

'तब इसका अर्थ यह हुआ कि हमें अपने साथ कुछ ऐसा लेकर जाना होगा और जो उनके अंशकालिक सैनिकों को पूरी तरह से नरम कर सके ताकि संख्या की ज्येष्ठता को निष्फल किया जा सके।'

पर्वतेश्वर ने सहमत होकर सिर हिलाया। शिव ने खिड़की से बाहर दूर अपनी दृष्टि दौड़ाई, जहां प्रातःकालीन रूखी हवा पत्तों में फड़फड़ाहट उत्पन्न कर रही थी। वे पत्ते हरे थे। शिव ने गहरी दृष्टि से उन्हें घूरा। वे हरे ही रहे।

'मैं समझ गया,' शिव ने अचानक ही पर्वतेश्वर की ओर देखकर कहा। उसका चेहरा नए विचार से दीप्तिमान हो उठा था, 'हम लोग बाणों का

प्रयोग क्यों नहीं करते?'

'बाण?' चकित होकर पर्वतेश्वर ने पूछा।

धनुर्विद्या अधिकतर कुलीन क्षत्रियों के मध्य द्वंद्व युद्ध करने वाली युद्ध कला थी। हालांकि अब यह मात्र कुलीन क्षत्रियों के लिए एक प्रदर्शन की कला बनकर रह गई थी क्योंकि एक-दूसरे से द्वंद्व युद्ध मात्र समान चयनित जाति-वर्ग के क्षत्रियों में ही हो सकता था। धनुर्धर को अपनी असाधारण दक्षता के कारण अत्यधिक सम्मान प्राप्त था किंतु वे युद्ध में निर्णायक नहीं थे। एक समय था, जब धनुष एवं बाण जनसंहार के अस्त्र के रूप में युद्ध की रणनीति में महत्वपूर्ण होते थे। वह समय दैवी अस्त्रों का था। अधिकतर ऐसे अस्त्र सामान्यतः बाणों द्वारा छोड़े जाते थे। फिर कई हजारों साल पहले भगवान रुद्र ने दैवी अस्त्रों पर प्रतिबंध लगा दिया तो बड़े स्तर के युद्धों में तीरंदाजी दलों की प्रभाविता अत्यधिक कम हो गई।

'यह उनकी संख्यात्मक श्रेष्ठता को कैसे कम कर सकता है, प्रभु,' व्रक ने कहा, 'यहां तक कि सबसे दक्ष धनुषधारी को भी कम से कम पांच सेकेंड लक्ष्य साधने, बाण को चलाने और शत्रु को मारने में लग जाता है। हमारे पास मात्र एक सौ ऐसे क्षत्रिय हैं जो स्वर्ण स्तर के धनुर्धर हैं। शेष बाण चला तो सकते हैं, किंतु उन पर विश्वास नहीं किया जा सकता है। इस प्रकार हम एक मिनट में एक हजार दो सौ शत्रुओं से अधिक को नहीं मार सकते। यह चंद्रवंशियों के विरुद्ध युद्ध में अवश्य ही पर्याप्त नहीं हो सकता है।'

'मैं बाणों को एक के सामने एक के चलाकर युद्ध करने की बात नहीं कर रहा,' शिव ने कहा, 'मैं कह रहा हूं कि इनका प्रयोग शत्रुओं को नरम करने में जनसंहार के अस्त्र के रूप में किया जा सकता है।'

अपने सुनने वालों के ना समझ पाने वाले भावों पर बिना ध्यान दिए ही शिव कहना जारी रखा, 'मुझे इसकी व्याख्या करने दीजिए। मान लीजिए हम निचले चयनित जाति-वर्ग के क्षत्रियों के धनुषधारियों का एक दल तैयार करते हैं।'

'किंतु, उनके लक्ष्य अच्छे नहीं होंगे,' व्रक ने कहा।

'इससे कोई अंतर नहीं पड़ता है। मान लीजिए कि हमारे पास पांच

हजार ऐसे धनुषधारी हैं। मान लीजिए कि हम उन्हें इस प्रकार प्रशिक्षित करते हैं कि वे मात्र मार कर सकने वाली दूरी सही कर लेते हैं। मान लीजिए कि उनका काम चंद्रवंशियों की सेना की ओर बिना लक्ष्य के बाण छोड़ने मात्र का है। यदि उन्हें लक्ष्य साधने की आवश्यकता नहीं है, तो वे और भी अधिक गति से बाण छोड़ने में सक्षम हो जाएंगे। संभवतः प्रत्येक एक-दो सेकेंड में एक बाण।'

पर्वतेश्वर ने अपनी आंखें संकुचित कर लीं क्योंकि इस विचार की महत्ता का अनुमान उसे हो गया था। बाकी के सेनापति अभी भी अपने विचारों को समझ की स्थिति में लाने के प्रयास में थे।

'इस बारे में सोचिए,' शिव ने कहा, 'प्रत्येक दो सेकेंड में चंद्रवंशियों के ऊपर पांच हजार बाणों की वृष्टि होगी। मान लीजिए हम यह आक्रमण दस मिनट तक निरंतर करते रहते हैं। लगभग निरंतर बाणों की इस एक वृष्टि को। इन बाणों का प्रभाव भी लगभग वही होगा जैसा पिछले युद्ध में हाथियों का हुआ था।'

'अति उत्तम!' व्रक उत्तेजना से उछल पड़ा।

'और संभवतः,' पर्वतेश्वर ने कहा, 'यदि लक्ष्य से कोई अंतर नहीं पड़ता है तो हम उन्हें इस प्रकार प्रशिक्षित कर सकते हैं कि वे पीठ के बल लेटकर पांवों पर धनुष रख सकते हैं और उसकी डोरी को अपनी गर्दन तक खींचकर उसे छोड़ सकते हैं। जब तक कि उनके पांव उस दिशा में होंगे, यह काम करेगा।'

'अति उत्तम,' शिव ने उत्तेज़ना से कहा, 'क्योंकि तब धनुष बड़े आकार के हो सकते हैं और हम लंबी दूरी तक मार कर सकते हैं।'

'और बाण बड़े और मोटे हो सकते हैं, लगभग भाले की तरह,' पर्वतेश्वर ने कहना जारी रखा, 'इतने शक्तिशाली कि चमड़े और लकड़ी से बनी ढालों को भी छेद कर सकें। मात्र वही सैनिक इससे सुरक्षित रह सकेंगे जो उनकी नियमित सेना के सैनिक होंगे और जिनके पास लोहे की ढालें होंगी।'

'क्या अब हमारे पास उनका उत्तर है?' शिव ने पूछा।

'हां, अब उत्तर है,' पर्वतेश्वर ने एक मुस्कान के साथ कहा। वह व्रक

की ओर मुड़ा, 'इस दल की स्थापना करो। मुझ दो सप्ताह के अंदर पांच हजार ऐसे सैनिंक चाहिए।'

'यह दल तैयार रहेगा, प्रभु,' व्रक ने कहा।

— ⅄ ◎ ⩍ ⇑ ⊛ —

'आप क्या बात करना चाहते हैं, शिव?' पर्वतेश्वर ने धातु विज्ञान के कारखाने में प्रवेश करते हुए पूछा। शिव के अनुरोध के अनुसार उसके साथ व्रक एवं प्रसनजित भी थे। व्रक बड़े अनमने ढंग से धनुषधारी दल को छोड़कर आया था, जिसे वह पिछले एक सप्ताह से प्रशिक्षण दे रहा था। हालांकि वह नीलकंठ के एक और अति सुंदर विचार को सुनने का उत्सुक था। उसे निराशा नहीं हुई।

'मैं सोच रहा था,' शिव ने कहा, 'हमें अभी भी दीवारों को ध्वस्त कर सकने वाले उस यंत्र के समान ही कोई एक यंत्र चाहिए, जो उनकी सेना के केंद्र को तोड़ सके। वह केंद्र जहां उनके सेनानायक अपने नियमित सैनिकों को रखेंगे। जब तक वे होते हैं, हमारी विजय निश्चित नहीं कही जा सकती है।'

'बिल्कुल सही,' पर्वतेश्वर ने कहा, 'और हमें इस बात को मान कर चलना होगा कि ये सैनिक इतने अनुशासित होंगे कि वे अपनी बनावट से विलग नहीं होंगे चाहे बाणों की कितनी भी वर्षा हो जाए।'

'बिल्कुल सही,' शिव ने कहा, 'और हम उस ध्वस्त करने वाले यंत्र को नहीं ले जा सकते।'

'नहीं, हम नहीं ले जा सकते, प्रभु,' व्रक ने कहा।

'यदि हम ऐसी दीवार को ध्वस्त करने वाले मानवीय यंत्र का निर्माण करें तो कैसा रहेगा?'

'बताइए,' पर्वतेश्वर अब धीरे-धीरे ध्यान से बात सुनने लगा था।

'मान लीजिए हम हर ओर से बीस आदमियों की संख्या वाली एक वर्गाकार संरचना बनाएं,' शिव ने कहा, 'मान लीजिए कि इनमें से प्रत्येक

व्यक्ति अपनी ढाल से अपने शरीर के बाएं आधे हिस्से की आड़ लें और आधे हिस्से से अपनी बाईं ओर खड़े सैनिक को दाहिने हिस्से से आड़ प्रदान करें।'

'यह उन्हें ढालों के मध्य से भाले को आगे की ओर चलाने में सहायता करेगा,' पर्वतेश्वर ने कहा।

'बिल्कुल सही,' शिव ने कहा, 'और पीछे के सैनिक अपनी ढालों को ढक्कन की तरह प्रयोग कर अपनी आड़ के साथ-साथ अपने सामने के सैनिक को भी आड़ प्रदान करेंगे। यह बनावट एक कछुए की तरह की होगी। किसी आक्रमण से बचाव करने के साथ-साथ वे ढालें कछुए की कवच की भांति ही अभेद्य हो जाएंगीं, किंतु हमारे भाले शत्रुओं को भेदने के लिए उपयोगी होंगे।'

'और हम अपने सबसे अधिक शक्तिशाली एवं अनुभवी सैनिकों को सामने रखेंगे ताकि हमारे कछुए का नेतृत्व सुदृढ़ रहे,' प्रसनजित ने कहा।

'नहीं,' पर्वतेश्वर ने कहा, 'सबसे अनुभवी सैनिकों को पीछे और बगल में रखना होगा ताकि नवयुवा सैनिक यदि घबरा जाते हैं तो भी हमारा यह वर्ग किसी भी हालत में टूटकर बिखरे नहीं। यह पूरी की पूरी बनावट तभी प्रभावी होगी जब पूरा का पूरा दल हमेशा एकजुट रहता है।'

'बिल्कुल सही,' शिव ने पर्वतेश्वर की इस परख पर मुस्कान के साथ कहा, 'और यदि वे एक सामान्य भाले के स्थान पर इसे लेकर चलें तो?'

शिव ने एक अस्त्र ऊपर उठाकर दिखाया जिसकी रूपरेखा उसने बनाई थी और सेना के धातु विज्ञान कारखाने के दल ने जिसे तैयार किया था। पर्वतेश्वर उसकी साधारण झलक पर ही आश्चर्य में पड़ गया। उसका आकार भाले की तरह का ही था। किंतु उसके मुख को चौड़ा कर दिया गया था। उस चौड़े मुख से दो और भाले उसकी बाईं और दाईं ओर जोड़ दिए गए थे। शत्रु पर इससे वार करने का अर्थ था कि एक शत्रु पर एक साथ तीन भालों से वार करना।

'यह तो अत्यंत ही सुंदर है, शिव,' पर्वतेश्वर ने आश्चर्य से कहा, 'आप इसे क्या पुकारते हैं?'

'मैं इसे त्रिशूल कहता हूं।'

'प्रसनजित,' पर्वतेश्वर ने कहा, 'तुम इस सैन्यदल को स्थापित करने के प्रभारी हो। मैं चाहता हूं जब हम प्रयाण करें तब तक कछुआ संरचना वाले कम से कम पांच दल तैयार हो जाने चाहिएं। मैं इसके लिए तुम्हें दो हजार सैनिक प्रदान करता हूं।'

'यह काम हो जाएगा, सेनानायक,' प्रसनजित ने सैनिक अभिवादन के साथ कहा।

पर्वतेश्वर ने शिव को आदर से टकटकी लगाकर देखा। वह सोच रहा था कि शिव की राय वास्तव में अद्भुत थी। और इस तथ्य के बावजूद कि वह व्यक्तिगत पीड़ा में था, ऐसे विचारों के साथ कार्य करना सचमुच ही प्रशंसनीय था।

अन्य लोग जो शिव के बारे में ऐसा कहते हैं, संभवतः वे सही हों। संभवतः यही वह व्यक्ति प्रभु श्री राम के अधूरे कार्यों को पूरा करेगा। पर्वतेश्वर ने आशा की कि शिव उसे गलत सिद्ध नहीं करेगा।

— ᚾ◎Ꝅᚦ⊕ —

शिव राजशाही सभाकक्ष में दक्ष एवं पर्वतेश्वर के साथ बैठा हुआ था। दो प्रसिद्ध अरिष्टनेमी सेनापति विद्युन्माली एवं मायाश्रेनिक कुछ दूरी पर बैठे हुए थे। एक मांसल एवं कभी गर्वीला होने वाला व्यक्ति शिव के समक्ष खड़ा था। उसके हाथ जुड़े हुए थे। वह आग्रह कर रहा था।

'मुझे एक अवसर दीजिए, प्रभु,' द्रपकु ने कहा, 'यदि नियमों में परिवर्तन कर दिया गया है, तो हम युद्ध क्यों नहीं कर सकते?'

द्रपकु वही व्यक्ति था, जिसके अंधे पिता ने कोटद्वार में शिव को आशीर्वाद दिया था। जब एक बीमारी ने उसके पिता को अंधा कर दिया था और उसकी पत्नी और होने वाले बच्चे के प्राण हरण कर लिए थे, उससे पहले वह मेलूहा की सेना में सेनापति था। उसे अपने पिता के साथ ही विकर्म घोषित कर दिया गया था।

'पहली बात, तुम्हारे पिता कैसे हैं?' शिव ने पूछा।

'वे अच्छे हैं, प्रभु। यदि मैं इस धर्मयुद्ध में आपका सहयोग नहीं कर पाऊंगा तो मेरे पिता मेरा परित्याग कर देंगे।'

शिव नम्रता से मुस्कुराया। वह भी विश्वास करने लगा था कि यह धर्मयुद्ध ही था, एक पवित्र युद्ध, 'लेकिन द्रपकु, यदि तुम्हें कुछ हो जाता है तो उनकी देखभाल कौन करेगा?'

'मेलूहा उनकी देखभाल करेगा, प्रभु। किंतु यदि मैं आपके साथ युद्ध पर नहीं जाता हूं तो वे प्रतिदिन हजार बार मरेंगे। मैं किस प्रकार का पुत्र कहलाऊंगा यदि मैं अपने पिता के सम्मान में युद्ध भी नहीं कर सकता? मेरे साम्राज्य के सम्मान में?'

ऐसा प्रतीत हो रहा था कि शिव अभी भी पूरी तरह से निश्चिंत नहीं था। वह इस वार्तालाप से दूसरों की असुविधा को महसूस कर रहा था। उसने देख लिया था कि विकर्म विधि समाप्त हो जाने के बाद भी जब द्रपकु ने प्रवेश किया था तो किसी ने भी उसे स्पर्श नहीं किया था।

'प्रभु, चंद्रवंशियों की संख्या हमसे बहुत ही अधिक है,' द्रपकु ने कहना जारी रखा, 'हमारे पास जितने भी प्रशिक्षित योद्धा हैं, उनकी हमें आवश्यकता है। कम से कम पांच हजार ऐसे सैनिक हैं, जो युद्ध नहीं कर सकते क्योंकि उन्हें विकर्म घोषित किया जा चुका है। मैं उन सबको इकट्ठा कर सकता हूं। हम लोग अपने साम्राज्य के लिए मरने को इच्छुक एवं अधीर हैं।'

'मैं नहीं चाहता कि तुम मेलूहा के लिए मृत्यु को प्राप्त हो, हे वीर द्रपकु,' शिव ने कहा।

द्रपकु का चेहरा तत्काल ही उतर गया। उसने सोचा कि वह कोटद्वार अपने घर वापस जाने ही वाला था।

'हालांकि,' शिव ने कहना जारी रखा, 'मुझे यह अच्छा लगेगा यदि तुम मेलूहा के लिए मारे जाते हो।'

द्रपकु ने सिर उठाकर देखा।

'अपने सैन्यदल की स्थापना करो,' शिव ने कहा। दक्ष की ओर मुड़कर

उसने कहना जारी रखा, 'हम इसे विकर्म सैन्यदल पुकारेंगे।'

— ⵊ⵿⚙Ⴎⴹ⊕ —

'हमारी सेना में विकर्म कैसे हो सकते हैं? यह बहुत ही बेहूदी बात होगी!' विद्युन्माली ने क्रोध में घूरा।

विद्युन्माली एवं मायाश्रेनिक अपने निजी व्यायामशाला में धनुष विद्या का नियमित अभ्यास करने के लिए जुटे हुए थे।

'विद्यु...,' मायाश्रेनिक ने उसे प्रेम से शांत रहने के लिए कहना चाहा।

'मुझे "विद्यु" मत कहो, माया। तुम जानते हो कि यह गलत है।'

सामान्यतः शांत चित्त वाले मायाश्रेनिक ने सिर हिलाकर सहमति प्रकट की और अपने क्रोधी मित्र की कुंठा को बाहर निकलने दिया।

'यदि मैं युद्ध में मारा जाता हूं तो मैं अपने पूर्वजों का सामना कैसे करूंगा?' विद्युन्माली ने पूछा, 'मैं उन्हें क्या उत्तर दे पाऊंगा, यदि वे पूछते हैं कि मैंने कैसे उन लोगों को युद्ध करने दिया जो क्षत्रिय नहीं थे, जबकि युद्ध करना मात्र क्षत्रियों का धर्म है? दुर्बलों की सुरक्षा करना हमारा कर्तव्य है। हमें दुर्बलों को हमारे लिए युद्ध करने नहीं देना चाहिए।'

'विद्यु, मैं नहीं मानता कि द्रपकु दुर्बल है। क्या तुम पिछले चंद्रवंशी युद्ध में उसकी वीरता को भूल चुके हो?'

'वह विकर्म है! यह उसे दुर्बल बना देता है!'

'प्रभु शिव ने आज्ञा दे दी है कि अब कोई भी विकर्म नहीं रह गया है।'

'मुझे नहीं लगता कि नीलकंठ सही में असत्य से सत्य को जानते हैं!'

'विद्यु ऽ ऽ !' मायाश्रेनिक चिल्ला पड़ा।

विद्युन्माली इस अचानक के प्रकोप पर सहम गया।

'यदि नीलकंठ कहते हैं कि यह उचित है,' मायाश्रेनिक ने कहना जारी रखा।

'तो यह उचित है!'

## अध्याय - 22

# बुराइयों का साम्राज्य

'यह सैनिक बनावट है, जो मेरे विचार से युद्ध के लिए आदर्श है,' पर्वतेश्वर ने कहा।

व्रक एवं पर्वतेश्वर सेनानायक के निजी कक्ष में बैठे हुए थे। जिस बनावट की तैयारी की गई थी वह धनुष के आकार जैसी थी। एक बहुत ही वृहद अर्द्ध-वृत्तीय आकार में सैनिकों को क्रमबद्ध किया जाएगा। धीमे सैन्यदलों जैसे कछुए को इसके केंद्र में रखा जाएगा। बगल के छोरों पर द्रुतगति से चलने वाले सैन्यदलों को रखा जाएगा जैसे हल्के अस्त्रों को लेकर चलने वाली पैदल सेना। अश्वारोही दल दोनों छोरों के अंत में रहेंगे ताकि जहां भी उनकी आवश्यकता हो उनकी नियुक्ति हो सकेगी अन्यथा वे धनुष के दोनों छोरों से सुरक्षा प्रदान करते रहेंगे। धनुष की बनावट अपेक्षाकृत छोटी सेना के लिए आदर्श थी। यह शक्ति का त्याग किए बिना ही लचीलापन प्रदान करती थी।

'यह बिल्कुल ही आदर्श है, प्रभु,' व्रक ने कहा, 'इसके बारे में महादेव का क्या कहना है?'

'शिव सोचते हैं कि यह हमारी आवश्यकता के अनुरूप है।'

जब पर्वतेश्वर ने नीलकंठ को नाम से पुकारा तो व्रक को बिल्कुल भी अच्छा नहीं लगा। किंतु अपने सेनानायक को सही करने वाला वह कौन होता था?

'मैं सहमत हूं, प्रभु।'

'मैं बाएं किनारे से इसका नेतृत्व करूंगा,' पर्वतेश्वर ने कहा, 'और तुम दाहिने किनारे से। इसी कारण से मुझे तुम्हारे अभिमत की आवश्यकता है।'

'मैं, प्रभु,' अचंभे में पड़े व्रक ने पूछा, 'मैंने सोचा था कि महादेव दूसरे किनारे से नेतृत्व प्रदान करेंगे।'

'शिव? नहीं, मैं नहीं मानता वे यह युद्ध करेंगे, व्रक।'

व्रक ने आश्चर्य से ऊपर की ओर देखा, किंतु चुप रहा।

पर्वतेश्वर को ऐसा प्रतीत हुआ कि उसे इसका विवरण देने की आवश्यकता थी और इसलिए उसने कहना प्रारंभ किया, 'इसमें कोई संदेह नहीं है कि वे एक अच्छे एवं योग्य व्यक्ति हैं। किंतु उनके मन में जो सर्वोच्च इच्छा है वह है प्रतिशोध की न कि मेलूहा के लिए न्याय की। हम लोग उनके इस प्रतिशोध को पूरा करने में उनकी सहायता करेंगे जब हम उस नागा को उनके चरणों में डाल देंगे। मात्र एक नागा के लिए वे अपने जीवन का दाव इस युद्ध में नहीं लगाएंगे।'

व्रक की आंखें नीचे झुकी हुई थीं। वह नहीं चाहता था कि सेनानायक उसकी आंखों को पढ़ लें जिसमें इस बात से असहमति स्पष्ट दिख रही थी।

'सच तो यह है कि,' पर्वतेश्वर ने कहा, 'हम यह युद्ध उन पर नहीं थोप सकते क्योंकि उनका गला नीला है। मैं उनका अत्यधिक आदर करता हूं। किंतु मैं युद्ध में उनके लड़ने की आशा नहीं करता। उनके लिए ऐसा करने का क्या कारण हो सकता है?'

व्रक ने कुछ पल के लिए सिर उठाकर पर्वतेश्वर को देखा। उसने सोचा कि जो सबके लिए इतना स्पष्ट था उसे सेनानायक स्वीकार करने के लिए क्यों तैयार नहीं थे? क्या वे प्रभु श्री राम में इतने अनुरक्त थे कि वे इस बात पर विश्वास करने को तैयार नहीं थे कि कोई अन्य मुक्तिदाता धरती पर आ पहुंचे थे? क्या वे सचमुच में ही इस बात को मानते हैं कि प्रभु श्री राम केवल एक ही हो सकते थे? क्या प्रभु श्री राम ने स्वयं नहीं कहा कि उनका स्थान कोई अन्य ले सकता है और मात्र धर्म ही एक ऐसा है, जिसका स्थान कोई अन्य नहीं ले सकता?

'इतना ही नहीं,' पर्वतेश्वर ने कहना जारी रखा, 'वे अब विवाहित हैं।

स्पष्ट है कि वे प्रेमासक्त हैं। वे इस बात का जोखिम नहीं ले सकते कि सती पुनः शोक संतप्त हो। उन्हें ऐसा करना भी नहीं चाहिए? उनसे इस प्रकार की मांग करना हमारे लिए अनुचित है।'

व्रक ने सोचा, हालांकि बोलने की उसकी हिम्मत नहीं थी। *'महादेव हमारे लिए युद्ध करेंगे, सेनानायक। वे हमारी रक्षा के लिए युद्ध करेंगे। क्यों? क्योंकि महादेव यही करते हैं।'*

व्रक इस बात को नहीं जान रहा था कि पर्वतेश्वर अपने मन में भी इसी प्रकार के सोच की आशा कर रहा था। उसकी भी यही इच्छा थी कि शिव स्वयं महादेव बनकर चंद्रवंशियों पर विजय प्राप्त करने में उनका नेतृत्व करेंगे। हालांकि पर्वतेश्वर ने अपने जीवन के लंबे अनुभवों से जान लिया था कि कई लोगों ने प्रभु श्री राम के स्तर को छूने का प्रयास किया था किंतु कोई भी अब तक सफल नहीं हो पाया था। और अंततः उसका भ्रम टूट ही गया था। इसी प्रकार वह शिव से भी एक अन्य आशा के भंग होने की आशा में ही था। वह इस स्थिति में नहीं रहना चाहता था कि यदि शिव ने चंद्रवंशियों से युद्ध करने से मना कर दिया तो उसके पास कोई आपात योजना न हो।

— ☥◎⛎♀✴ —

युद्ध परिषद शांति से बैठा हुआ था जब दक्ष उस पत्र को पढ़ रहा था जो स्वद्वीप से आया था, सम्राट दिलीप के दरबार से। दक्ष की प्रतिक्रिया ने सब को पहले ही बता दिया था कि उस पत्र में क्या लिखा होना चाहिए था। दक्ष ने अपनी आंखें बंद कर लीं, उसका मुख क्रोध से बिगड़ गया था, उसकी मुट्ठी भिंची हुई थी। उसने वह पत्र कनखला को दिया और व्यंग्यात्मक मुस्कान के साथ कहा, 'पढ़िए। इतने तेज स्वर में पढ़िए कि पूरा विश्व चंद्रवंशियों की इस घृणा से बीमार हो जाए।'

कनखला ने पत्र लेने पहले अपनी भौंहों को तिरछा किया और वह पत्र लेकर तीव्र स्वर में पढ़ने लगी, 'सम्राट दक्ष, सूर्यवंशी राजा, मेलूहा के रक्षक। कृपया मंदार पर्वत पर कायरतापूर्ण आक्रमण पर मेरी संवेदनाएं स्वीकार

कीजिए। शांतिप्रिय ब्राह्मणों पर इस प्रकार के संवेदना विहीन आक्रमण करने की कड़े से कड़े शब्दों में निंदा की जानी चाहिए। हम इस बात पर सदमे में हैं कि भारतवर्ष का कोई निवासी इस निचले स्तर का कार्य करेगा। इसी कारण, आश्चर्य एवं दुख के साथ मैं यह आपका पत्र पढ़ रहा हूं। मैं आपको भरोसा दिलाना चाहता हूं कि मेरा अथवा मेरे नियंत्रण में किसी का इस कपटपूर्ण आक्रमण से कोई लेना-देना नहीं है। इसलिए मुझे आपको खेद के साथ सूचित करना पड़ रहा है कि कोई ऐसा व्यक्ति नहीं है, जिसे हम आपके सुपुर्द कर सकते हैं। मुझे आशा है कि आप इस पत्र की निष्कपटता को समझेंगे और कोई निर्णय उतावलेपन में नहीं लेंगे जिसका परिणाम आपके लिए खेदजनक होगा। मैं भरोसा दिलाना चाहता हूं कि इस उपद्रव की विवेचना में हम हमारे साम्राज्य का पूरा समर्थन देंगे। कृपया हमें अवश्य बताइए कि हम किस प्रकार इन अपराधियों को न्याय दिलाने में आपकी सहायता कर सकते हैं।'

कनखला ने स्वयं को नियंत्रित करने के लिए एक गहरी सांस ली। विशिष्ट रूप से चंद्रवंशियों के इस दोपुंही बात पर क्रोध उसके चेहरे को धो दे रहा था जो उसके पूर्व के कथन पर खेद प्रकट कर रहा था।

'यह सम्राट दिलीप द्वारा व्यक्तिगत रूप से हस्ताक्षर किया है,' कनखला ने पत्र के पाठ को पूरा करते हुए कहा।

'सम्राट दिलीप नहीं,' क्रुद्ध दक्ष गुर्राया, 'बुराइयों के साम्राज्य का त्रासदकारी दिलीप!'

'युद्ध!' परिषद से एकीकृत स्वर गुंजायमान हुआ।

दक्ष ने भृकुटि तने हुए शिव को देखा जिसने सहमति में अतिसूक्ष्मता से सिर हिलाया।

'युद्ध ही है!' दक्ष ने गर्जना की, 'हम दो सप्ताह में प्रयाण करेंगे।'

— ᛣ☉ᚢᚨ⊕ —

वह कड़ा जीवित हो उठा था। वह शिव को बौना बनाकर फूलकर एक बहुत बड़े आकार का बन चुका था। उसके किनारे अत्यधिक विशाल ज्वालाओं में निगले जा चुके थे। वे विशालकाय सर्प जिसने ओऽम को स्वरूप प्रदान

किया हुआ था वे एक दूसरे से पृथक होकर सरकते हुए शिव की ओर बढ़ चले थे। जो मध्य में था उसने अपने बाएं वाले सर्प को सिर हिलाकर फुफकार कर कहा, 'इसने तुम्हारे भाई को निगल लिया और यह दूसरा बहुत शीघ्र ही तुम्हारी पत्नी को निगलेगा।'

बाएं और दाएं वाले सर्पों ने भयावह तरीके से फुफकार लगाई।

शिव ने मध्य वाले सर्प की ओर उंगली दिखाते हुए कहा, 'यदि तुमने उसके बाल को भी स्पर्श करने की हिम्मत की तो मैं तुम्हारी आत्मा को चीरकर बाहर...'

'लेकिन मैं...,' शिव की चेतावनी को माने बिना ही सर्प ने कहना जारी रखा, 'मैं तो स्वयं की रक्षा कर रहा हूं। मैं अपनी रक्षा तुम्हारे लिए कर रहा हूं।'

शिव ने एक असहाय निर्बल क्रोध के साथ उसको देखा।

'मैं तुम्हें निगल जाऊंगा,' उस सर्प ने अपना मुंह खोलकर उसे पूरा का पूरा निगल जाने के लिए तैयार होते हुए कहा।

शिव की आंखें अचानक ही खुल गईं। वह पसीने से तर था। उसने अपने आसपास देखा। उसे कुछ स्पष्ट दिखाई नहीं दे रहा था। कुछ अधिक ही अंधकार था। उसने सती को ढूंढ़ना चाहा यह देखने के लिए वह सुरक्षित है अथवा नहीं। वह वहां नहीं थी। वह अत्यंत ही त्वरित गति से उठ बैठा। उसका हृदय सर्द था। उसने लगभग यह सोच लिया था कि वह सर्प उसके स्वप्न से निकलकर यथार्थ में रूपांतरित हो चुका था।

'शिव,' उसकी ओर देखते हुए सती ने कहा।

वह बिस्तर के एक किनारे पर बैठी हुई थी। जिस छोटे सैनिक तंबू में वे सो रहे थे, उसमें कुर्सियों का आराम संभव नहीं था। यह तंबू पिछले एक महीने से उनका भ्रमणकारी घर बना हुआ था क्योंकि मेलूहा की सेना स्वद्वीप के लिए प्रयाण पर थी।

'क्या बात है, सती?' शिव ने पूछा। उसकी आंखें उस धीमी रौशनी में व्यवस्थित होने के प्रयत्न में थीं। उसने उस अपराधी कड़े को अपने छोटे थैले में सरका दिया जिसे वह हाथ में कसकर पकड़े हुए था।

*मैंने इसे कब बाहर निकाला?*

'शिव,' सती ने कहा। पिछले दो सप्ताह से वह इसके बारे में बातें करना चाह रही थी। जब उसे उस समाचार की पुष्टि हुई थी, लेकिन उसे वे अवसर के क्षण नहीं मिल पाए थे। उसने हमेशा अपने आपको यह कहकर मना लिया था कि यह उतना महत्वपूर्ण समाचार नहीं था कि जिसे कहकर वह अपने पति अनावश्यक परेशान करे, विशेषकर जब वे अपने जीवन के सबसे बुरे समय का सामना कर रहे थे। किंतु अब बहुत देर हो चुकी थी। उन्हें यह समाचार उसी से मिलना चाहिए न कि किसी और से। ऐसे समाचार सैनिक खेमों में अधिक समय तक छुपे नहीं रह सकते थे।

'मुझे आपसे कुछ कहना है।'

'हां,' शिव ने कहा, यद्यपि उसका स्वप्न अभी भी उसे खटक रहा था, 'क्या बात है?'

'मुझे नहीं लगता कि मैं युद्ध में लड़ाई कर पाऊंगी।'

'क्या? क्यों?' विस्मित शिव ने पूछा। वह जानता था कि सती के शब्दकोश में कायरता नामक शब्द नहीं था। फिर वह ऐसा क्यों कह रही थी? और अभी क्यों, जब सेना पिछले एक महीने से बढ़ती हुई मेलूहा एवं स्वद्वीप को अलग करने वाले सघन वन में पहुंच गई थी? वे पहले से ही शत्रु के क्षेत्र में थे। अब वापस लौटना संभव नहीं था।

'सती यह तुम्हारे जैसा व्यवहार नहीं है।'

'ऊं ऽ ऽ शिव,' शर्मिंदा होती हुई सती ने कहा। ऐसे संभाषण अति संकोची सूर्यवंशियों के लिए हमेशा से कठिन रहे हैं।

'मेरे पास इसका कारण है।'

'कारण?' शिव ने पूछा, 'क्या...'

जैसे बिजली की कड़क से सामने सब कुछ स्पष्ट हो जाता है, ठीक उसी प्रकार अचानक ही शिव को इसका कारण में समझ आया।

'हे भगवान! क्या तुम सच कह रही हो?'

'हां,' सती ने शर्म से लाल होते हुए कहा।

'पवित्र झील के नाम पर बताओ! क्या मैं पिता बनने वाला हूं?'

शिव के मुख पर उस असीम आनंद को देखकर सती को एक दोषपूर्ण टीस हुई कि उसने उन्हें पहले क्यों नहीं बताया।

'अरे वाह!' शिव ने चिल्लाकर सती को बांहों में भरकर गोल-गोल घुमा दिया, 'बहुत लंबे समय के बाद मैंने इतना सुंदर समाचार सुना है।'

सती मधुरता से मुस्कुराई और उसने शिव के थके हुए, लेकिन ताकतवर कंधे पर अपना सिर रख दिया।

'हम लोग अपनी पुत्री का नाम उस स्त्री के नाम पर रखेंगे, जिसने तुम्हें दो महीने तक अपने जीवन से भी अधिक संभालकर रखा, जब मैं तुम्हारे किसी काम का नहीं था,' शिव ने कहा, 'हम उसका नाम रखेंगे कृत्तिका।'

सती ने आश्चर्य से उसे देखा। उसे यह विश्वास नहीं था कि वह उन्हें इससे भी अधिक प्रेम कर सकती थी। लेकिन ऐसा ही हुआ था। वह मुस्कुराई।

'आप जानते हैं कि वह पुत्र भी हो सकता है।'

'ना,' शिव मुस्कुराया, 'वह पुत्री ही होगी। और मैं उसकी सारी आदतें बिगाड़ दूंगा।'

सती दिल खोलकर हंसी। शिव ने भी उसका उतना ही साथ दिया। पिछले दो महीनों में यह पहली प्रफुल्लित कर देने वाली हंसी थी। उसने सती को आलिंगनबद्ध कर लिया। उसे लगा कि उसके शरीर से ऋणात्मक ऊर्जाएं निकलती चली जा रही हो।

'मैं तुमसे बहुत प्रेम करता हूं, सती।'

'मैं भी उतना ही प्रेम करती हूं।' सती ने हल्के स्वर में कहा।

— ⁂ —

शिव उस तंबू का आवरण हटाकर बाहर निकला, जिसमें सती को आरामपूर्वक रखा गया था। कृत्तिका और आयुर्वती उसके साथ थे। परिचारक वर्ग उसकी

प्रत्येक आवश्यकता का ध्यान रख रहे थे। शिव अपने अजन्मे शिशु के स्वास्थ्य के बारे में कुछ अधिक ही चिंतित था। पिछले दो महीने से स्वद्वीप की ओर प्रयाण करते समय वह सती के अच्छे स्वास्थ्य के बारे में आयुर्वती से लगातार पूछताछ करता रहा था।

सूर्यवंशी बड़ी वीरतापूर्वक लगभग तीन महीने से चल रहे थे। उनका मार्ग आशा से अधिक चुनौती भरा था। उस जंगल ने अपना मौलिक एवं प्राकृतिक वास भयानक तीव्रता से वापस पा लिया था। हर मोड़ पर सेना को जंगली पशुओं एवं बीमारियों के आक्रमणों का सामना करना पड़ा था। अब तक दो हजार सैनिकों की हानि हो चुकी थी। और उनमें से एक भी शत्रुओं के हाथों नहीं हुई थी। कई सप्ताहों तक शस्त्रों के प्रहार एवं प्रयाण के पश्चात अंततः सूर्यवंशी सेना को उनके मार्गदर्शकों ने चंद्रवंशी सेना के समक्ष ला खड़ा कर दिया था।

चंद्रवंशी सेना एक व्यापक मैदानी भाग पर डेरा डाले हुए थी, जिसका नाम था धर्मखेत। उनका चुनाव चालाकी भरा था। एक अत्यधिक बड़े एवं सुव्यवस्थित मैदान के कारण उन्हें अपनी दस लाख की संख्या वाली ताकतवर सेना के लिए प्रत्येक युक्ति लगाने का अवसर मिल रहा था। उनकी संख्यावाचक श्रेष्ठता की इस युद्ध में अहं भूमिका रहेगी। सूर्यवंशियों की सेना ने कुछ दूरी पर प्रतीक्षा करने की सोची ताकि चंद्रवंशियों की सेना का धैर्य टूटे और वे प्रतिकूल एवं अलाभकारी क्षेत्र में उन पर आक्रमण कर दें। किंतु चंद्रवंशियों ने ऐसा कुछ नहीं किया और वे वहीं अडिग रहे। अंततः सूर्यवंशियों ने एक आसानी से रक्षा योग्य घाटी की ओर प्रस्थान कर लिया, जो धर्मखेत के बहुत निकट थी।

शिव ने ऊपर खुले आसमान की ओर देखा। एक बाज राजशाही खेमे के ऊपर चक्कर लगाता हुआ उड़ रहा था, जबकि पांच कबूतर नीचे बिना डरे हुए उड़ रहे थे। यह एक विचित्र संकेत था। यदि उसके गुण कबीले का ओझा वहां होता तो वह अवश्य कहता कि यह युद्ध करने के लिए अच्छा समय नहीं था क्योंकि कबूतरों के लिए स्पष्ट रूप से अदृष्ट अनुकूल परिस्थितियां थीं।

*इसके बारे में मत सोचो। वैसे भी ये सब बकवास की बातें हैं।*

प्रातःकालीन शुद्ध वायु को अपने अंदर गहरा खींचते हुए उसने सम्राट के तंबू की ओर दृष्टि दौड़ाई तो देखा कि नंदी उसकी ओर ही चलता हुआ आ रहा था।

'क्या बात है, नंदी?'

'मैं आपके तंबू की ओर ही आ रहा था, प्रभु। सम्राट ने आपकी उपस्थिति की इच्छा प्रकट की है। कुछ परेशान करने वाली बातों का पता चला है।'

शिव एवं नंदी दक्ष के रुचि से बनाए गए उनके नियुक्त तंबू की ओर तीव्रता से बढ़ गए। उन्होंने प्रवेश किया तो देखा कि दक्ष एवं पर्वतेश्वर एक विचार-विमर्श में तल्लीन थे। व्रक, मायाश्रेनिक और द्रपकु कुछ दूरी पर बैठे हुए थे।

'यह तो त्रासदी है,' दक्ष ने कहा।

'महाराज?' शिव ने पूछा।

'प्रभु! मुझे प्रसन्नता है कि आप यहां पधारे। हम एक पूर्ण त्रासदी का सामना कर रहे हैं।'

'ऐसे शब्दों का प्रयोग हम न ही करें तो अच्छा है, महाराज,' शिव ने कहा और पर्वतेश्वर की ओर मुड़कर पूछा, 'इसका अर्थ है कि आपका संदेह सही निकला।'

'हां,' पर्वतेश्वर ने कहा, 'हमारे गुप्तचर अभी-अभी कुछ ही मिनट पहले पहुंचे हैं। चंद्रवंशियों के युद्ध के लिए तैयार नहीं होने का कारण था। उन्होंने एक लाख सैनिकों को एक वृत्त के आकार में हमें घेरने के लिए दूसरे मार्ग से प्रस्थान करवा दिया है। वे हमारे क्षेत्र में कल तक पहुंच जाएंगे। हम लोगों दोनों ओर से घिर जाएंगे क्योंकि सामने उनकी मुख्य सेना होगी और पीछे से वे एक लाख सैनिक हम पर आक्रमण करेंगे।'

'हम दो सीमाओं पर एक साथ युद्ध नहीं कर सकते, प्रभु,' दक्ष ने कहा, 'अब हम क्या करें?'

'जो इस समाचार के साथ लौटे हैं, वे क्या वीरभद्र के गुप्तचर थे?'

शिव ने पूछा।

पर्वतेश्वर ने सिर हिलाकर सहमति प्रकट की। शिव नंदी की ओर मुड़ा जो तत्काल ही बाहर निकल गया। कुछ क्षणों के बाद ही वीरभद्र उसके सामने खड़ा था।

'चंद्रवंशियों की वह टुकड़ी किस मार्ग से आ रही है, भद्र?'

'पूर्व की खड़ी चढ़ाई वाले पर्वत की ओर से हमारी ओर। मुझे ऐसा प्रतीत होता है कि उनकी मंशा उत्तर की ओर से पचास किलोमीटर की दूरी से हमारी घाटी में प्रवेश करने की है।'

'जैसाकि पर्वतेश्वर ने निर्देश दिया था, क्या तुम अपने साथ मानचित्रकार को लेकर गए थे?'

वीरभद्र ने सहमति में सिर हिलाया। उसके बाद उसने उस कक्ष में मध्य में जाकर मानचित्र को बिछा दिया। शिव और पर्वतेश्वर उसके ऊपर झुककर उसका निरीक्षण करने लगे। अपनी उंगलियों से संकेत देते हुए वीरभद्र ने कहा, 'इस ओर से।'

शिव ने सहसा कुछ कहना प्रारंभ किया जैसे कि उसे सूर्यवंशी खेमे के सुदूर उत्तर में रक्षा योग्य स्थल उस मानचित्र पर मिल गया था। उसने पर्वतेश्वर की ओर देखा। सेनानायक को भी वही विचार उभरा था।

'कितने व्यक्ति आप सोचते हैं, पर्वतेश्वर?'

'कहना कठिन है। यह कठिन होगा। किंतु दर्रा रक्षा योग्य प्रतीत होता है। फिर भी एक अच्छी संख्या के सैनिक दल की आवश्यकता होगी। कम से कम तीस हजार।'

'लेकिन हम इतने आदमियों को छोड़ नहीं सकते। मेरा निश्चित विचार है कि चंद्रवंशियों की मुख्य सेना से दक्षिण की ओर से भी युद्ध कल ही प्रारंभ होगा। उनके लिए युद्ध करने का सबसे उपयुक्त समय वही होगा।'

पर्वतेश्वर ने कठोरता से सिर हिलाकर सहमति प्रकट की। उसने सोचा कि मेलूहावासियों को पीछे हटना होगा और किसी अन्य अनुकूल परिस्थितियों वाले स्थल की ओर जाकर लड़ना होगा।

'मैं सोचता हूं कि पांच हजार सैनिक इस काम को कर लेंगे, प्रभु।'

शिव और पर्वतेश्वर ने नहीं देखा था कि द्रपकु मेज की ओर बढ़कर आ चुका था। वह उस दर्रे का परीक्षण कर रहा था जिसे शिव ने अभी-अभी संकेत कर दिखाया था।

'इधर देखिए,' द्रपकु ने कहना जारी रखा तो शिव और पर्वतेश्वर ने गहरी दृष्टि से मानचित्र को देखा।

'आगे बढ़ता हुआ पर्वत बड़ी तीव्रता से संकुचित होता गया है, जो आर-पार पचास मीटर से अधिक नहीं होगा। इससे कोई मतलब नहीं है कि कितनी बड़ी सेना है क्योंकि प्रत्येक धावा उस दर्रे में कुछ सौ आदमियों से अधिक का नहीं किया जा सकता है।'

'लेकिन द्रपकु, एक लाख सैनिकों वाली सेना से एक आक्रमण के बाद दूसरा आक्रमण लगातार किया जा सकता है,' मायाश्रेनिक ने कहा, 'और खड़ी चढ़ाई वाली पहाड़ियों के होने से आप प्रक्षेपास्त्र का भी प्रयोग नहीं कर सकते। विजय लगभग असंभव है।'

'यह जीत के बारे में नहीं है,' द्रपकु ने कहा, 'यह तो उन्हें एक दिन तक रोके रखने की बात है ताकि हमारी मुख्य सेना युद्ध कर सके।'

'मैं इसे करना चाहता हूं,' पर्वतेश्वर ने कहा।

'नहीं, प्रभु,' व्रक ने कहा, 'आपकी आवश्यकता मुख्य आक्रमण के लिए है।'

शिव ने पर्वतेश्वर की ओर देखा।

*मुझे भी यहीं रहने की आवश्यकता है।*

'मैं भी इसे नहीं कर सकता,' अपना सिर हिलाते हुए शिव ने कहा।

पर्वतेश्वर ने शिव को देखा। उसके मुख पर मोहभंग होने वाले एक बड़े आकार वाला लेख स्पष्ट दिख रहा था। वैसे उसने आशाभंग होने की दशा के लिए स्वयं को तैयार कर लिया था फिर भी उसे आशा थी कि शिव उसे गलत सिद्ध करेगा। किंतु अब पर्वतेश्वर को यह स्पष्ट प्रतीत हो रहा था कि अवलोकन वेदिका जो दक्ष के लिए बनी थी, शिव भी उसी पर बैठकर

युद्ध होते हुए देखेगा।

'मुझे यह सम्मान दीजिए, प्रभु,' द्रपकु ने कहा।

'द्रपकु...,' मायाश्रेनिक ने हल्के स्वर में कहा। उसने वह नहीं कहा जो सभी लोग जानते थे।

मात्र पांच हजार सैनिकों के साथ चंद्रवंशी सैनिक टुकड़ी के साथ उत्तर में युद्ध करना आत्महत्या करने जैसी बात थी।

'द्रपकु,' शिव ने कहा, 'मैं नहीं जानता कि यदि...'

'मैं जानता हूं, प्रभु,' द्रपकु ने मध्य में ही टोक दिया, 'यही मेरा प्रारब्ध है। मैं उन्हें एक दिन के लिए रोक दूंगा। यदि इंद्रदेव मेरी सहायता करते हैं तो मैं दो दिन भी प्रयास कर सकता हूं। उस समय तक हमें विजय दिला दीजिए, प्रभु।'

दक्ष ने अचानक ही टोककर कहा, 'अति सुंदर। द्रपकु आप वहां प्रस्थान करने के लिए तत्काल तैयारी प्रारंभ कर दीजिए।'

द्रपकु ने बड़े जोशीले ढंग से अभिवादन किया और इससे पहले कि कोई कुछ दूसरा विचार बताता वह तेजी से बाहर निकल गया।

— ⁂ —

एक घंटे से कम समय में ही विकर्म सैन्यदल खेमा छोड़कर उत्तर दिशा की ओर प्रस्थान करने को तैयार हो चुकी थी। सूर्य आकाश में ऊपर चढ़ आया था और पूरा का पूरा खेमा जाग रहा था। वे लोग सैनिकों को अपने लक्ष्य की ओर बढ़ते देख रहे थे। सभी लोगों को पता था कि विकर्मों को घनघोर कठिनाइयों का सामना करना था। वे जानते थे कि उन सैनिकों में से किसी को भी जीवित देखना असंभव ही था। किंतु जब वे सैनिक आगे बढ़ रहे थे तो उनमें हिचकिचाहट या डर का लेशमात्र भी संकेत दिखाई नहीं दे रहा था। सारा का सारा सूर्यवंशी खेमा एक शांतिमय विस्मय में था। सभी के मन में एक ही विचार गुंजायमान हो रहा था।

*ये विकर्म इतने तेजस्वी कैसे हो सकते हैं? इन्हें तो कथित रूप से दुर्बल होना चाहिए था।*

द्रपकु सबसे आगे नेतृत्व कर रहा था। उसका सुंदर चेहरा युद्ध के रंगों से पुता हुआ था। अपने कवच के ऊपर उसने केसरिया रंग का अंगवस्त्रम् पहन रखा था। यह रंग परमात्मा का रंग था। यह रंग अंतिम यात्रा करने के लिए पहना जाता था। उसने वापस आने की आशा नहीं की थी।

वह अचानक ही रुका क्योंकि विद्युन्माली झपट्टा मारकर उसके सामने खड़ा हो गया। द्रपकु ने त्योरी चढ़ा ली। इससे पहले कि वह कोई प्रतिक्रिया दिखा पाता, विद्युन्माली ने अपना चाकू निकाल लिया। द्रपकु उसके हाथ की ओर झपटा। लेकिन विद्युन्माली उससे तेज निकला। उसने अपने अंगूठे पर चीरा लगा दिया और उसे उठाकर द्रपकु के ललाट तक ले गया। प्राचीन काल के समय रही महान भ्राता-योद्धा की परंपरा की भांति विद्युन्माली ने अपने अंगूठे का रक्त द्रपकु के ललाट पर लगा दिया, इस महत्ता को दर्शाते हुए कि उसका रक्त द्रपकु की रक्षा करेगा।

'आप मुझसे बेहतर हैं, द्रपकु,' विद्युन्माली ने धीमे स्वर में कहा।

द्रपकु चुपचाप खड़ा रह गया। वह विद्युन्माली के इस अलाक्षणिक व्यवहार पर चकित था।

अपनी मुट्ठी बंधे हाथों को ऊपर उठाकर विद्युन्माली ने गर्जना की, 'उन्हें नर्क में पहुंचा दो, विकर्म।'

'उन्हें नर्क में पहुंचा दो, विकर्म!' सूर्यवंशियों ने बार-बार दुहराते हुए आर्तनाद किया।

द्रपकु और उसके सैनिकों ने पूरे सूर्यवंशी खेमे की ओर दृष्टि घुमाकर उनके लिए उठ रहे उस सम्मान को देखा, जिससे उन्हें बहुत लंबे समय से वंचित रहना पड़ा था। बहुत ही लंबे समय से।

'उन्हें नर्क में पहुंचा दो, विकर्म!'

द्रपकु ने सहमति में सिर हिलाया और आगे बढ़ गया इससे पहले कि उसकी भावनाएं उस क्षण को नष्ट कर देतीं। उसके सैनिक पीछे थे।

'उन्हें नर्क में पहुंचा दो, विकर्म!'

— ⸻ ☉ ⸻ —

वह अलाक्षणिक तरीके से उस साल अपेक्षाकृत गर्म प्रातःकाल था।

चंद्रवंशी टुकड़ी उत्तरी दर्रे के पास पिछली रात्रि मेलूहा की सैनिक टुकड़ी को पाकर आश्चर्यचकित रह गई थी। उन्होंने तत्काल ही आक्रमण कर दिया था। मुख्य सूर्यवंशी सेना को समय प्रदान करते हुए विकर्मों ने उन्हें रात भर रोक दिया था। मुख्य युद्ध का यही दिन था। शिव तैयार था।

सती आरती की थाली से शिव की आरती उतारते हुए दीप्तिमान लग रही थी। सात बार आरती उतारने के बाद वह रुकी, उसने थोड़ा सिंदूर अपने अंगूठे में लगाया और शिव के ललाट पर उसका तिलक लगाकर कहा, 'विजयी होकर आइए या फिर कभी न आइए।'

शिव ने अपनी भौंहों को ऊपर उठाकर मुंह बनाया, 'युद्ध पर भेजने का यह कौन-सा तरीका है?'

'क्या? नहीं, यह तो...' सती बोलने में लड़खड़ा गई।

'मैं जानता हूं, जानता हूं,' सती को बांहों में लेते हुए मुस्कान के साथ शिव ने कहा, 'यह युद्ध में प्रस्थान करने से पूर्व सूर्यवंशियों का लाक्षणिक तरीका है, है न?'

सती ने शिव को देखा। उसकी आंखें नम थीं। दशकों तक सूर्यवंशी प्रशिक्षण को शिव के लिए उसका प्रेम आच्छादित कर रहा था, 'सुरक्षित और भले-चंगे वापस आइए।'

'मैं अवश्य लौट आऊंगा, प्रिये,' शिव ने धीमे स्वर में कहा, 'तुम इतनी आसानी से मुझसे छुटकारा नहीं पा सकती।'

सती की मुस्कान दुर्बल थी, 'मैं प्रतीक्षा करूंगी।'

सती अपने पांव के पंजे पर खड़ी हो गई और उसने हल्के से शिव के माथे को चूम लिया। शिव ने भी उसे चूमा और इससे पहले कि उसका हृदय उसके मन को अन्यथा सोचने पर विवश करे तेजी से मुड़ गया। तंबू के आवरण को उठाते हुए वह तंबू से बाहर निकल गया। उसने दृष्टि उठाकर आकाश की ओर देखा कि कहीं कोई पूर्व सूचना देने वाले शकुन-अपशकुन का संकेत मौजूद हो। वहां कुछ नहीं था।

सब कुछ अच्छा प्रतीत हो रहा है।

दूर से साफ-सुथरी लयबद्ध बारम्बारता से युद्ध के नगाड़े की ध्वनि के साथ-साथ संस्कृत के श्लोकों की गूंज उस रूखी ठंडी हवा में बहती जा रही थी। यह विशिष्ट सूर्यवंशी रस्म शिव को अजीब प्रतीत हुई थी। किंतु उन ब्राह्मणों में कुछ बात तो अवश्य थी क्योंकि यह एक विशेष प्रकार की पूजा थी 'इंद्रदेव एवं अग्निदेव के आह्वान के लिए'। जो भी उन नगाड़ों एवं श्लोकों को एक साथ सुन रहा था उसमें एक उत्तेजित योद्धा का उत्साह भरता जा रहा था। इनकी थाप एवं तीव्रता और शीघ्रता से बजने लगेगी जब युद्ध छिड़ चुका होगा। वह मुड़ा और दक्ष के तंबू की ओर चल पड़ा।

'प्रणाम, महाराज,' शिव ने तंबू का आवरण हटाकर प्रवेश करते हुए कहा, जहां पर्वतेश्वर युद्ध की योजना सम्राट को बता रहा था, 'नमस्ते, पर्वतेश्वर।'

पर्वतेश्वर मुस्कुराया और उसने अपने हाथ जोड़ लिए।

'द्रपकु का क्या समाचार है, पर्वतेश्वर?' शिव ने पूछा, 'जो अंतिम सूचना मैंने सुनी थी, वह तीन घंटे पहले की थी।'

'विकर्म का युद्ध चल रहा है। द्रपकु अभी भी उन्हें रोके हुए है। उसने हमें अमूल्य समय प्रदान किया है। प्रभु श्री राम उस पर कृपा करें।'

'हां,' शिव ने कहा, 'प्रभु श्री राम उस पर कृपा करें। उसे मात्र आज दिन भर उनको रोके रखना होगा।'

'प्रभु,' दक्ष ने औपचारिक नमस्ते में हाथ जोड़कर एवं सिर नीचे झुकाकर कहा, 'यह बहुत ही शुभ प्रारंभ है। हमारे लिए आज का दिन अच्छा रहेगा। आप इससे सहमत हैं न?'

'हां ऐसा ही प्रतीत होता है,' शिव मुस्कुराया, 'द्रपकु का समाचार स्वागत योग्य है। लेकिन यह प्रश्न चतुर्थ प्रहर में और भी समीचीन होगा, महाराज।'

'मैं निश्चित रूप से कह सकता हूं कि उत्तर यही रहेगा, प्रभु। आज के चतुर्थ प्रहर तक सम्राट दिलीप हमारे सामने खड़ा होगा, बेड़ियों में जकड़ा हुआ, न्याय की गुहार लगाता हुआ प्रतीक्षा करता हुआ।'

'सावधन रहिए, महाराज,' शिव ने एक मुस्कान के साथ कहा, 'भाग्य को परखने का प्रयत्न नहीं करना चाहिए। हमें अभी भी युद्ध जीतना है!'

'हमें किसी विपत्ति का सामना नहीं करना पड़ेगा। हमारे पास हमारे नीलकंठ हैं। हमें मात्र आक्रमण करना है। हमारी विजय निश्चित है।'

'मेरे विचार से चंद्रवंशियों को पराजित करने में नीले गले के अलावा भी हमें बहुत कुछ करना होगा, महाराज,' शिव ने और बड़ी मुस्कान के साथ कहा, 'हमें अपने शत्रु को कम नहीं आंकना चाहिए।'

'हम उन्हें कम नहीं आंक रहे हैं, प्रभु। किंतु मैं आपको कम आंकने की भी भूल नहीं कर सकता।'

शिव ने आत्मसमर्पण कर दिया। उसने कुछ समय पहले ही इस बात को जान लिया था कि दक्ष के संदेह रहित दृढ़ विश्वास के विरुद्ध तर्क को जीतना असंभव था।

'कदाचित मुझे अब चलना चाहिए, महाराज,' पर्वतेश्वर ने कहा, 'समय आ चुका है। यदि आपकी आज्ञा हो तो।'

'निस्संदेह, पर्वतेश्वर। विजयी भव,' दक्ष ने कहा। फिर शिव की ओर मुड़ते हुए उसने कहना जारी रखा, 'प्रभु, पीछे के पर्वत पर इन लोगों ने हमारे देखने के लिए एक अवलोकन वेदिका का निर्माण किया है।'

'अवलोकन वेदिका?' हैरान शिव ने पूछा।

'हां। क्यों नहीं हम लोग वहां से युद्ध का दृश्य देखते हैं? वहां से आप बेहतर स्थिति में होकर युद्ध के लिए निर्देश दे सकेंगे।'

शिव ने आश्चर्य में आंखों को संकुचित किया और कहा, 'महाराज, मेरा स्थान सैनिकों के साथ है। युद्ध के मैदान में।'

पर्वतेश्वर चलते हुए अपने मार्ग में रुक गया। स्वयं को गलत सिद्ध होता देख वह आश्चर्यचकित भी था और प्रसन्न भी।

'प्रभु, यह कसाइयों द्वारा किया जाने वाला कार्य है, नीलकंठ द्वारा नहीं,' चिंतित दक्ष ने कहा, 'आपको चंद्रवंशियों के रक्त से अपने हाथ दूषित करने की आवश्यकता नहीं है। पर्वतेश्वर उस नागा को बंदी बनाकर आपके चरणों में रख देगा। आप उससे ऐसा प्रतिशोध ले सकते हैं कि उसकी पूरी की पूरी जाति युगों-युगों तक आपके न्याय से भय खाती रहेगी।'

'यह मेरे प्रतिशोध की बारे में नहीं है, महाराज। यह मेलूहा के प्रतिशोध के बारे में है। यह सोचना मेरे लिए क्षुद्र बात होगी कि यह समस्त युद्ध मात्र मेरे लिए लड़ा जाएगा। यह युद्ध अच्छाई एवं बुराई के मध्य है। ऐसा युद्ध जिसमें एक व्यक्ति को किसी एक पक्ष के साथ होकर लड़ना होगा। धर्मयुद्ध में कोई दर्शक नहीं होता, यह एक पवित्र युद्ध है।'

पर्वतेश्वर ने शिव को गौर से देखा। उसकी आंखें प्रशंसा में खुली की खुली रह गईं। वे शब्द प्रभु श्री राम के थे, *धर्मयुद्ध में कोई दर्शक नहीं होता।*

'प्रभु, हम आपके जीवन को जोखिम में डालना सहन नहीं कर सकते,' दक्ष ने आग्रह किया, 'आप हमारे लिए बहुत महत्वपूर्ण हैं। मैं दृढ़ निश्चय से कह सकता हूं कि हम इस जोखिम के बिना ही युद्ध में विजय प्राप्त कर सकते हैं। आपकी उपस्थिति ने हमें प्रेरणा दी है। बहुत से लोग हैं, जो आपके लिए अपना रक्त बहाने के लिए तैयार हैं।'

'यदि वे मेरे लिए अपना रक्त बहाने के लिए तैयार हैं तो मुझे भी उनके लिए अपना रक्त बहाने के लिए अवश्य तैयार रहना चाहिए!'

पर्वतेश्वर का हृदय उस असीम आनंद से सराबोर हो गया जिसे एक विद्या संपन्न सूर्यवंशी अनुभव कर सकता था। ऐसे व्यक्ति को पाने का वह आनंद जिसका अनुसरण किया जा सकता था। ऐसे व्यक्ति को पाने का वह आनंद जिससे प्रेरित हुआ किया जा सकता था। ऐसे व्यक्ति को पाने का वह आनंद जो स्वयं प्रभु श्री राम के बोल बोलने का पात्र था।

चिंतित दक्ष शिव के समीप आ गया। उसने अनुभव किया कि यदि उसे नीलकंठ को इस उजड्डता से रोकना था तो उनके मन की बात उन्हें बतानी पड़ेगी। उसने धीमे से कहा, 'प्रभु, आप मेरी पुत्री के पति हैं। यदि आपको कुछ हो जाता है तो वह एक ही जीवन में दूसरी बार शोक संतप्त हो जाएगी। मैं यह उसके साथ ऐसा होने नहीं दे सकता।'

'कुछ नहीं होगा,' शिव ने धीमे से कहा, 'और सती तो सहस्र मृत्यु मर जाएगी यदि वह देखेगी कि उसका पति धर्मयुद्ध नहीं लड़ रहा है। वह मेरे लिए अपना आदर खो बैठेगी। यदि वह गर्भवती नहीं होती तो वह भी मेरे साथ कंधे से कंधा मिलाकर युद्ध करती। यह तो आप जानते ही हैं।'

दक्ष ने शिव को घूरा। वह टूटा हुआ, विपत्तिग्रस्त और शंकायुक्त प्रतीत हो रहा था।

शिव जोशीले ढंग से मुस्कुराया और बोला, 'कुछ भी नहीं होगा, महाराज।'

'और अगर कुछ हो गया तो, प्रभु?'

'तो फिर इसको याद किया जाएगा कि वह एक अच्छे कार्य के लिए हुआ था। सती को मुझ पर गर्व होगा।'

दक्ष शिव को लगातार घूरता जा रहा था। उसका मुख एक संतप्त दुख का एक छायाचित्र बन चुका था।

'मुझे क्षमा करें, महाराज, किंतु मुझे जाना ही होगा,' शिव ने एक औपचारिक नमस्ते करके कहा और मुड़कर जाने लगा।

पर्वतेश्वर ने उनका अनुसरण किया अन्यमनस्क ढंग से जैसे किसी असीम शक्ति द्वारा खिंचा चला जा रहा हो। ज्यों ही शिव तेजी से तंबू से निकलकर अपने घोड़े की ओर चल पड़ा तो उसने पर्वतेश्वर का गरज वाला स्वर सुना, 'प्रभु!'

शिव चलता रहा।

'प्रभु,' पर्वतेश्वर ने बल लगाकर आग्रही होकर पुकारा।

शिव चलते-चलते अचानक रुक गया। वह मुड़ा तो उसके चेहरे पर एक आश्चर्य मिश्रित तेवर था, 'मुझे क्षमा करें, पर्वतेश्वर। मुझे लगा कि आप महाराज को पुकार रहे थे।'

'नहीं, प्रभु,' पर्वतेश्वर ने शिव के समीप पहुंचकर कहा, 'मैं आपको ही पुकार रहा था।'

अब उसकी त्योरी और भी चढ़ गई थी, 'क्या बात है वीर सेनानायक?'

पर्वतेश्वर तन कर सैनिक की तरह सावधान की मुद्रा में खड़ा हो गया। उसने शिव से एक निश्चित दूरी बना रखी थी। वह उस पवित्र भूमि पर खड़ा नहीं हो सकता था, जिसने महादेव को पालने में झुला रखा था। जैसे कि वह आधी नींद में हो, पर्वतेश्वर ने अपनी मुट्ठी बांधकर एक लहरदार तरीके से अपने सीने से लगाया। और उसके बाद उसने मेलूहा

का औपराचिक अभिवादन किया और नीचे झुक गया। इतना नीचे जितना कि वह पहले कभी किसी जीवित व्यक्ति के सामने नहीं झुका था। इतना नीचे जितना कि वह प्रतिदिन प्रातःकालीन पूजा में प्रभु श्री राम की मूर्ति के सामने झुकता था। शिव पर्वतेश्वर को लगातार गहरी दृष्टि से देखता जा रहा था। उसके मुख पर एक अजीब आश्चर्य मिश्रित अजनबीपन था। शिव पर्वतेश्वर का बहुत आदर करता था। अतः वह उसके इस प्रकार के खुले मूर्तिकरण से असुविधाजनक महसूस कर रहा था।

उठकर किंतु सिर को अभी भी झुकाए हुए पर्वतेश्वर ने धीमे से कहा, 'आपके साथ रक्त बहाने पर मैं स्वयं को धन्य समझूंगा, प्रभु।' अपना सिर उठाकर उसने पुनः कहा, 'स्वयं को धन्य समझूंगा।'

शिव मुस्कुराया और उसने पर्वतेश्वर के हाथ पकड़ते हुए कहा, 'सच तो यह है कि यदि हमारी योजनाएं सही हैं तो मैं आशा करता हूं कि हमें बहुत अधिक रक्त बहाने की आवश्यकता नहीं पड़ने वाली है।'

अध्याय – 23

# धर्मयुद्ध, पवित्र युद्ध

सू र्यवंशी धनुष के आकार में व्यवस्थित हो चुके थे। शक्तिशाली, किंतु अत्यधिक लचीले। हाल ही में स्थापित किया गया कछुआ सैन्य दल मध्य में रखा गया था। हल्के शस्त्रों वाली पैदल सेनाओं से दोनों किनारे बनाए गए थे और अश्वारोही दल दोनों किनारों पर सीमा बने हुए थे। पिछली रात्रि बिन मौसम की बरसात के कारण रथों को छोड़ दिया गया था। पहियों के कीचड़ में फंस जाने का जोखिम वे नहीं उठा सकते थे। नए प्रशिक्षित धनुषधारियों का सैन्य दल पीछे की ओर रखा गया थ। बड़ी दक्षता से उनकी पीठ को आराम देने वाले आसन बनाए गए थे, जिसके ऊपर वे आसानी से लेटकर अपने पैरों को यांत्रिक ढंग से चलाकर अपना लक्ष्य साध सकते थे। धनुष को अपने पैरों की लंबाई तक ऊंचा किया जा सकता था और डोरी को अपनी ठुड्डी तक लाकर बहुत शक्ति से उन बाणों को चलाया जा सकता था, जो एक छोटी बरछी या भाले के समान थे। चूंकि वे सूर्यवंशी पैदल सेना के पीछे थे, इसलिए वे चंद्रवंशियों की दृष्टि से पूरी तरह से छुपे हुए थे।

एक मानकीय आक्रामक बनावट में चंद्रवंशियों ने अपनी सेना को अपनी शक्ति के अनुसार व्यवस्थित कर रखा था। उनकी विशाल पैदल सेना पांच हजार सैनिकों के दलों में बंटी हुई थी। ऐसे दल पचास थे जो एक पंक्ति में असंख्य जनसमूह की तरह प्रदर्शित हो रहे थे। जहां तक आंखें जा सकती थीं, वे इतनी दूरी तक फैले हुए थे। प्रथम पंक्ति के पीछे वैसे ही तीन और विशाल जनसमूहों की पंक्तियां थीं, जो अपना काम समाप्त करने के लिए

तैयार बैठे थे। संख्या की दृष्टि से इस प्रकार की बनावट कम सेना पर सीधा आक्रमण करने के लिए सटीक थी, जिससे आक्रमण को बहुत अधिक शक्ति एवं दृढ़ता मिलती किंतु इसके साथ ही यह बहुत ठोस बनावट थी, जिसमें लचीलापन नहीं था। दलों के मध्य थोड़ी जगह रखी गई थी ताकि यदि आवश्यकता पड़े तो अश्वारोही दल धावा बोल सकें। सूर्यवंशी बनावट को देखते हुए चंद्रवंशियों ने अपने अश्वारोही दलों को किनारों पर लगा दिया था। उनके विचार से यह उन्हें सूर्यवंशी बनावट के किनारों में जलजला लाने के लिए उपयुक्त अवसर प्रदान करेगा और उनकी पंक्ति को तोड़ देने में सफल होगा। चंद्रवंशी सेनानायक ने युद्ध के मैदान में प्राचीन युद्ध नियम-पुस्तक को मूर्तरूप दे दिया था और उसके एक-एक पृष्ठ का निष्ठापूर्वक पालन किया था। यह एक आदर्श तरीका होता यदि उनके शत्रुओं ने भी मानकीय युक्तियों का पालन किया होता। दुर्भाग्य से वह एक तिब्बतीय कबीले के मुखिया के विरुद्ध युद्ध कर रहे थे, जिसके नवप्रवर्तनों ने सूर्यवंशी आक्रमण को पूरी तरह से रूपांतरित कर दिया था।

युद्ध के मुख्य मैदान के किनारे एक छोटी पहाड़ी की ओर ज्यों ही शिव का घोड़ा पहुंचा तो ब्राह्मणों ने श्लोकों के उच्चारणों की गति बढ़ा दी जबकि युद्ध के नगाड़ों ने भी उच्च स्तर की ऊर्जा भर दी। संख्या में बहुत ही कम होने के बाद भी सूर्यवंशियों ने तनिक भी घबराहट का संकेत तक नहीं दिया था। उन्होंने अपने डर को गड्ढे में गाड़ दिया था।

प्रत्येक टुकड़ी के जत्थे ईश्वर की पुकार से युद्ध का घोषनाद करने लगे।

'इंद्र देव की जय!'

'अग्नि देव की जय!'

'जय शक्ति देवी की!'

'वरुण देव की जय!'

'जय पवन देव की!'

किंतु ये पुकार क्षणभर में ही भुला दी गई, जब सैनिकों ने देखा कि एक श्वेत अति सुंदर युद्धाश्व एक अत्यंत ही बलशाली व्यक्ति को लेकर कदम ताल करता हुआ छोटी पहाड़ी की ओर से आया था। उनके पीछे पर्वतेश्वर था और उसके पीछे नंदी एवं वीरभद्र। कानों को छेद कर देने वाली गर्जना ने आसमान को जैसे छिद्रयुक्त कर दिया हो। वह गर्जना इतनी विशाल थी कि बादलों में घर बनाने वाले देवताओं को भी बाहर निकलकर नीचे घट रही घटनाओं को देखने के लिए विवश कर दिया।

व्रक तीव्रता से शिव के पास पहुंच गया जैसे ही उसने देखा कि शिव उसकी ओर आ रहे थे। इससे पहले कि शिव उसके पास पहुंचते, पर्वतेश्वर भी तेजी से घोड़े से उतर गया और व्रक के समीप पहुंच गया।

'प्रभु, दाएं किनारे का नेतृत्व करेंगे, सेनापति,' पर्वतेश्वर ने कहा, 'मेरी आशा है कि इसमें आपको कोई आपत्ति नहीं होगी।'

'इनके नेतृत्व में युद्ध करना मेरा सौभाग्य होगा, प्रभु,' दीप्तिमान व्रक ने कहा। उसने तत्काल ही अपने मैदानी नेता की छड़ी को अपनी पकड़ से एक ओर किया, उसके बाद वह अपने घुटने पर झुका और शिव को उसे देने के लिए उसने अपने दोनों हाथ ऊंचे उठा दिए।

'आप लोगों को ऐसा करने से स्वयं को रोकना होगा,' शिव ने हंसते हुए कहा, 'आप मुझे शर्मिंदा कर रहे हैं!'

व्रक को उसके पैरों पर खड़ा करके शिव ने उसे आलिंगनबद्ध कर लिया, 'मैं आपका मित्र हूं, न कि प्रभु।'

विस्मित व्रक पीछे हट गया। उसकी आत्मा धनात्मक ऊर्जा की धाराप्रवाह धार के प्रवेश को स्वीकार करने में असमर्थ थी। उसने बुदबुदा कर कहा, 'जी हां, प्रभु।'

अपना सिर धीरे से हिलाते हुए शिव मुस्कुराया। उसने वह छड़ी शिष्टता से व्रक के हाथों से ले ली और समस्त सूर्यवंशी सेना को दिखाने के लिए ऊंची उठा दी। सभी लोगों के मुंह से एक ही स्वर गूंज उठा।

'महादेव! महादेव! महादेव!'

शिव एक ही व्रकाकार चाल में कूदकर अपने अश्व पर चढ़ गया। उस छड़ी को ऊपर उठते हुए उसने सूर्यवंशी पंक्ति के साथ-साथ एक ओर से दूसरी ओर तक घोड़े को दौड़ाया। सूर्यवंशी गर्जना तीव्र, अतितीव्र होती चली गई।

'महादेव!'

'महादेव!'

'महादेव!'

'सूर्यवंशियो!' शिव ने अपने हाथ उठाकर गर्जना की, 'मेलूहावासियो! मुझे सुनो!'

अपने अस्तित्वधारी ईश्वर की बात सुनने के लिए सेना पूरी तरह से शांत हो गई।

'महादेव कौन है?' शिव ने दहाड़ लगाई।

सभी भावविभोर होकर सुनने वालों की स्थिति में आ गए थे। वे एक-एक शब्द को ध्यान से सुन रहे थे।

'क्या वह एक उदास भरी ऊंचाई पर बैठता है और व्यर्थ में ही देखता है जबकि साधारण लोग वह करते हैं, जो उसका कार्य है? नहीं!'

कुछ सैनिक शब्द रहित प्रार्थना कर रहे थे।

'क्या वह सुस्ती से आशीर्वाद प्रदान करता है जबकि अन्य लोग सचाई के लिए युद्ध करते हैं? क्या वह उदासीनता से चुपचाप देखता रहता है और मृतकों को गिनता रहता है जबकि जीवित व्यक्ति बुराई को नष्ट करने के लिए बलिदान देता है? नहीं!'

उस समय पूर्ण शांति थी और सूर्यवंशी नीलकंठ के संदेश को अवशोषित कर रहे थे।

'कोई व्यक्ति महादेव तभी बनता है जब वह अच्छाई के लिए युद्ध करता है। एक महादेव अपने माता के गर्भ से उत्पन्न नहीं होता है। वह युद्ध के ताप से तपकर निकलता है, जब वह बुराइयों को नष्ट करने के लिए युद्ध का प्रारंभ करता है।'

सेना निस्तब्ध खड़ी थी क्योंकि वह धनात्मक ऊर्जा का अनुभव कर रही थी।

'मैं एक महादेव हूं!' शिव ने गर्जना की।

सूर्यवंशियों द्वारा एक प्रतिध्वनि करने वाला गड़गड़ाहट वाला शोर उभरा। वे *महादेव* द्वारा नेतृत्व प्रदान किए जा रहे थे। *देवों के देव।* चंद्रवंशियों के पास कोई अवसर नहीं था।

'लेकिन मैं एकमात्र नहीं हूं!'

सूर्यवंशियों पर एक चकित कर देने वाली चुप्पी छा गई। महादेव का क्या अर्थ होता था? वे एकमात्र नहीं हैं? क्या चंद्रवंशियों के पास भी ईश्वर हैं?

'मैं एकमात्र नहीं हूं! क्योंकि मैं अपने समक्ष एक लाख महादेवों को देख रहा हूं। मैं देख रहा हूं कि एक लाख व्यक्ति अच्छाइयों के पक्ष में युद्ध करने को तैयार हैं! मैं देख रहा हूं कि एक लाख व्यक्ति बुराई से लड़ने के लिए तैयार हैं! मैं देख रहा हूं कि एक लाख व्यक्ति बुराई को नष्ट करने की क्षमता रखते हैं!'

सूर्यवंशियों ने हैरानी से अपने नीलकंठ को देखा क्योंकि उनके शब्द उनके मन में घुसकर व्याप्त हो गए थे। उनकी ऐसी हिम्मत नहीं बची थी कि वे प्रश्न कर सकें, क्या हम ईश्वर हैं?

शिव के पास उत्तर था, हर एक *महादेव* है!

मेलूहावासी विस्मित से खड़े थे। प्रत्येक वह व्यक्ति जो वहां था, वह *महादेव* था?

'हर हर महादेव!' शिव ने गर्जना की।

मेलूहावासियों की दहाड़ गूंजी, *हम सभी महादेव हैं!*

विशुद्ध मौलिक ऊर्जा प्रत्येक सूर्यवंशियों की नसों में दौड़ गई। वे भगवान थे! इसका अब कोई अर्थ नहीं था कि चंद्रवंशी संख्या में एक के मुकाबले दस अधिक थे। वे भगवान थे! यदि चंद्रवंशी एक के मुकाबले सौ भी होते तो भी विजय सूर्यवंशियों की ही होनी थी। वे भगवान थे!

'हर हर महादेव!' सूर्यवंशी सेना ने पुकार लगाई।

'हर हर महादेव!' शिव ने चिल्लाकर कहा, 'हम सभी भगवान हैं! भगवान अपने लक्ष्य के कार्य पर हैं!'

अपनी तलवार बाहर निकालते हुए उसने अपने घोड़े की लगाम खींच ली। अपने दोनों पिछले पैरों पर ऊपर उठते हुए वह युद्धाश्व उग्र रूप से हिनहिनाया और बड़ी सफाई से घूमकर चंद्रवंशियों को मुखातिब हो गया। शिव ने शत्रुओं की ओर अपनी तलवार सीधी कर दिखाई और कहा, 'बुराइयों को नष्ट करने के लक्ष्य के कार्य पर!'

सूर्यवंशियों ने अपने प्रभु के कहने के बाद गर्जना की, हर हर महादेव!

विजय श्री को कोई इंकार नहीं कर सकता, हर हर महादेव!

बुराइयों की यह लंबी अवधि आज समाप्त हो जाएगी, हर हर महादेव!

जब सेना भगवान के समान गर्जना कर रही थी, जो कि वे थे ही तो शिव ने अपने अश्व को एड़ लगाकर पर्वतेश्वर की ओर रुख किया जो नंदी, वीरभद्र और व्रक से घिरा हुआ था।

'अच्छा भाषण था,' वीरभद्र ने हल्की मुस्कान के साथ कहा।

शिव ने कनखी मारी। उसके बाद उसने अपने अश्व को पर्वतेश्वर की ओर मोड़ा और कहा, 'सेनानायक, मेरे विचार से अब हम अपनी वर्षा प्रारंभ कर सकते हैं।'

'जैसी प्रभु की आज्ञा,' पर्वतेश्वर ने सिर हिलाकर सहमति प्रकट की। उसके बाद उसने अपने अश्व को मोड़कर ध्वजवाहक को आज्ञा दी, 'धनुर्धर।'

ध्वज वाहक ने संकेतात्मक ध्वज को ऊंचा उठाया। वह लाल रंग का था, जिस पर काले रंग से उग्र रूप से बिजली कड़कने वाला चिह्न बना हुआ था। सभी ध्वज वाहकों द्वारा सभी पंक्तियों में आदेश को दुहराया गया। सूर्यवंशी पैदल सेना अपने घुटनों के बल झुक गई। शिव, पर्वतेश्वर, व्रक, नंदी और

वीरभद्र तेजी से अपने अश्वों से उतर गए और उन्हें खींचकर उनके घुटनों पर बैठा दिया। और बाण संहारक की भांति उड़ने प्रारंभ हो गए।

धनुषधारियों को अर्द्ध वृत्ताकर बनावट में रखा गया था ताकि वे अधिक से अधिक चंद्रवंशी सेना को लक्ष्य बना सकें। जैसे ही आसमान बाणों के आवरण में छुप गया तो पांच हजार धनुर्धरों ने चंद्रवंशियों के ऊपर मृत्यु की वर्षा कर दी। अभागे स्वद्वीप वासी अपनी कसी हुई बनावट के कारण एक आसान लक्ष्य बनते चले गए। अनियमित चंद्रवंशी सैनिकों के चमड़े और लकड़ी की बनी ढालों को लगभग भालों के समान तीव्र बाणों ने छलनी करके रख दिया। मात्र नियमित सेना ही लोहे की ढाल लेकर खड़ी थी। बाणों द्वारा इस प्रकार का निर्दयी नरसंहार जो प्रथम असंख्य जनसमूह के दलों पर हुआ था तो कुछ ही मिनटों में उनकी पंक्तियां टूटनी प्रारंभ हो गईं। प्रथम सेना के दलों में मरने वालों एवं घायलों की संख्या इतनी विकराल थी कि वे अपने स्थान पर अडिग नहीं रह सके। नियमित सेना पीछे की ओर भागने लगी, जिसने वहां अफरा-तफरी मचा दी। पीछे वाले दलों की पंक्तियों में घबराहट और अस्त-व्यस्तता छा गई।

पर्वतेश्वर ने शिव की ओर मुड़कर कहा, 'हमें मारक दूरी को बढ़ाने की आवश्यकता प्रतीत होती है, प्रभु।'

शिव ने उत्तर में अपना सिर हिलाकर सहमति प्रकट की। पर्वतेश्वर ने सिर हिलाकर अपने ध्वज वाहकों को संकेत दिया, जिन्होंने संदेश का प्रसारण आगे कर दिया। धनुर्धरों ने कुछ क्षण के लिए बाणों को चलाना बंद कर दिया। पहियों को दाहिनी ओर घुमाकर उन्होंने अपने पैरों वाले धनुष के आश्रय को ऊंचा कर दिया। और लंबी दूरी की मारक क्षेत्र तक बाणों को पहुंचाने के लिए उन्होंने स्वयं को व्यवस्थित कर बाणों को प्रत्यंचा पर चढ़ा लिया। और उसके बाद बाणों को आसमान में उड़ा दिया। बाणों ने अब चंद्रवंशियों की दूसरी पंक्ति की सेना दलों को लक्ष्य बना लिया था। प्रथम पंक्ति द्वारा पीछे की ओर भागते रहने के कारण और दूसरी पंक्ति के दलों पर बाणों की वर्षा ने दूसरी पंक्ति के दलों को

चुड़ैल की भांति डरा दिया।

इस मध्य शिव ने देखा कि चंद्रवंशी अश्वारोही दल आक्रमण करने वाली स्थिति में आ चुका था। वह पर्वतेश्वर की ओर मुड़ा और उसने कहा, 'सेनानायक, उनकी अश्ववाहिनी आगे बढ़ रही है। वे हमें तितर-बितर करके धनुर्धरों पर आक्रमण करने का प्रयास करेंगे। हमारी अश्व वाहिनी को उन्हें मैदान के मध्य में ही रोक देना होगा।'

'जैसी प्रभु की आज्ञा,' पर्वतेश्वर ने कहा, 'मैंने चंद्रवंशियों की इस चाल का अनुमान पूर्व में ही लगा लिया था। इसी कारण मैंने दोनों किनारों पर मायाश्रेनिक एवं विद्युन्माली के नेतृत्व में अरिष्टनेमी के दो अश्वारोही दलों को पहले से ही नियुक्त कर दिया था।'

'बहुत अच्छे, सेनानायक! लेकिन हमारे अश्वारोही दलों को बहुत अधिक आगे नहीं निकलना है, अन्यथा हमारे ही बाण उन्हें घायल कर सकते हैं और उन्हें पीछे भी नहीं भागना है। उन्हें मध्य में एक स्थान पर डटे रहना है, कम से कम अभी और पांच मिनटों तक।'

'मैं आपसे सहमत हूं। हमारे धनुर्धरों को इतने और समय की आवश्यकता प्रतीत होती है।'

पर्वतेश्वर ने मुड़कर अपने ध्वज वाहक को एक विस्तृत निर्देश दिया। दो संदेश वाहक बाएं और दाएं की ओर तीव्र गति से अपने अश्वों पर सरपट दौड़ पड़े। कुछ ही क्षणों में पूर्वी एवं पश्चिमी अरिष्टनेमी अश्वारोही दल मायाश्रेनिक एवं विद्युन्माली के नेतृत्व में चंद्रवंशियों प्रति-आक्रमण को रोकने के लिए बिजली की कड़क की तेज गति से गर्जना करते हुए आगे बढ़ गए।

इस मध्य चंद्रवंशियों की दूसरी पंक्ति के दलों में गड़बड़ी और भी बढ़ चुकी थी क्योंकि निर्दयी और क्रूर बाणों की बौछार उन्हें चूर-चूर कर रही थी। सूर्यवंशी धनुर्धर अपने थकते हुए अंगों या रक्तसिक्त हाथों की ओर ध्यान दिए बिना बहादुरी से बिना किसी प्रकार की दया दिखाते हुए निरंतर बाणों की वर्षा करते जा रहे थे। दूसरी पंक्ति भी टूटने लगी क्योंकि वे इस निष्ठुर संहार से बचने का प्रयत्न करने लगे थे।

'और लंबी दूरी की मारक क्षमता, प्रभु,' पर्वतेश्वर ने शिव की ओर देखकर कहा, जैसे वह उनकी मूक भाषा समझ चुका हो। शिव ने सहमति में सिर हिलाया।

इस मध्य युद्धभूमि के पूर्वी एवं पश्चिमी हिस्सों में सूर्यवंशी एवं चंद्रवंशी अश्वारोही दलों के मध्य घमासान युद्ध छिड़ा हुआ था। चंद्रवंशियों को पता था कि उन्हें लड़कर आगे निकलना था। यदि धनुर्धरों का यह आक्रमण कुछ देर और चलता रहा तो युद्ध में उनकी पराजय लगभग निश्चित ही थी। वे अत्यधिक क्रोध की उन्मत्तता से संघर्ष कर रहे थे, जैसे घायल शेर हों। तलवारें मांस एवं हड्डियों को काट रही थीं। भाले, बल्लम, कवचों को छिद्रयुक्त बना रहे थे। सैनिक अपने कटे हुए अंगों के बावजूद युद्धरत थे। जिनके सवार अब उन पर नहीं थे, ऐसे अश्व अब आक्रमण पर उतर आए थे क्योंकि उनकी जान पर बन आई थी। चंद्रवंशी अपनी पूरी ताकत लगाकर उस पंक्ति को तोड़ना चाहते थे, जो धनुर्धरों को सुरक्षा प्रदान किए हुए थी। किंतु दुर्भाग्य से वे सूर्यवंशियों के दो सबसे भीषण सेनापतियों के विरुद्ध युद्ध कर रहे थे। मायाश्रेनिक एवं विद्युन्माली ने अत्यधिक उग्रता से युद्ध किया और उस विशाल चंद्रवंशियों के अश्वारोही दलों को एक कदम भी आगे बढ़ने नहीं दिया था।

इस मध्य धनुर्धरों ने चंद्रवंशियों की तीसरी पंक्ति के दलों पर भीषण आक्रमण कर दिया था। उनकी सेना के दल तीव्र गति से मृत्यु को प्राप्त हो रहे थे या फिर उन्हें तेजी से बड़ी संख्या में त्याग कर रहे थे। कुछ लोग हालांकि अभी भी अत्यंत कठोरता और वीरता से डटे हुए थे। जब उनकी ढालें इतनी शक्तिशाली नहीं रह गई थीं कि वे बाणों को रोक सकें तो उन्होंने मृत सैनिकों के शरीरों को ढाल बनाना प्रारंभ कर दिया था। लेकिन वे पंक्ति में डटे रहे थे।

'क्या अब हम इस बंद करके आक्रमण कर दें, प्रभु?' पर्वतेश्वर ने पूछा।

'नहीं। मैं चाहता हूं कि उनकी तीसरी पंक्ति के दलों का भी विध्वंस हो जाए। इसे अभी कुछ और मिनटों तक चलने दीजिए।'

'जैसी प्रभु की आज्ञा। हम आधे धनुर्धरों को और भी अधिक दूरी तक मारक क्षमता करने को कह देते हैं। हम चौथी पंक्ति के दलों में दुर्बल भागों को भी नष्ट कर सकते हैं। यदि उनकी भी पंक्ति में भगदड़ मचती है तो समझिए कि उनके वक्षस्थल में घबराहट की लहर फैल जाएगी।'

'आप बिल्कुल सही हैं, पर्वतेश्वर। ऐसा ही करते हैं।'

इस मध्य पश्चिमी सीमा पर चंद्रवंशियों ने अपने आशाहीन आक्रमण का अनुभव कर लिया था और वे पीछे हट गए थे। कुछ अरिष्टनेमी अश्वारोही उनके पीछे भागने के प्रयत्न में थे कि विद्युन्माली ने उन्हें रोक दिया। जब चंद्रवंशी पीछे हटते गए तो विद्युन्माली ने अपनी टुकड़ी को वहीं जमे रहने का आदेश दिया। इस अनुमान में कि चंद्रवंशी कहीं पुनः प्रति-आक्रमण न कर बैठें। जब उसने देखा कि शत्रु अपनी पंक्ति में जाकर पुनः मिल गए तो विद्युन्माली ने अपनी टुकड़ी को धनुष के किनारे वाले स्थान पर पुनः लाकर खड़ा कर दिया।

चंद्रवंशी जो मायाश्रेनिक का सामना कर रहे थे, वे थोड़ा कठिन तत्व के बने हुए थे। अत्यधिक हानि पहुंचने के बाद भी वे कठोरता से संघर्ष कर रहे थे और पीछे हटने से इंकार कर रहे थे। मायाश्रेनिक एवं उसके दल ने शत्रुओं को रोकने के लिए घमासान युद्ध किया था। अचानक ही बाणों की वर्षा रुक गई। धनुर्धरों को रुक जाने का संकेत दिया जा चुका था। अब जबकि उनका लक्ष्य बिना उनके हस्तक्षेप के ही पूरा हो चुका था तो चंद्रवंशी सेनापति ने अपने अश्वारोही दल को पीछे हट जाने का आदेश दे दिया। उधर मायाश्रेनिक ने भी अपने दल को पीछे हटाकर पुनः अपने मौलिक स्थान पर लाकर खड़ा कर दिया था क्योंकि उसे महसूस हो गया था कि युद्ध का मुख्य आक्रमण अब कुछ ही क्षणों में प्रारंभ होने वाला था।

'सेनानायक, क्या हम प्रारंभ कर सकते हैं?' शिव ने बाएं भाग की ओर सिर हिलाकर पूछा।

'जैसी प्रभु की इच्छा,' पर्वतेश्वर ने उत्तर दिया।

ज्यों ही पर्वतेश्वर अपने अश्व पर सवार होने को हुआ तो शिव ने पुकारा, 'पर्वतेश्वर?'

'जी, प्रभु।'

'चंद्रवंशियों की अंतिम पंक्ति तक घुड़दौड़ की प्रतियोगिता हो जाए!'

पर्वतेश्वर ने आश्चर्य से अपनी भौंहे उठाईं। उसने एक बड़ी मुस्कान के साथ कहा, 'मैं ज़ीत जाऊंगा, प्रभु।'

'चलिए देखते हैं,' शिव मुस्कुराया। उसकी आंखें ठिठोली करने वाली मुद्रा में संकुचित हो गईं।

पर्वतेश्वर अत्यधिक फुर्ती से अपने अश्व पर सवार हुआ और बाईं ओर नेतृत्व करने के लिए चल पड़ा। शिव अपने अनुगामियों ब्रक, नंदी एवं वीरभद्र के साथ दाईं ओर चल पड़ा। प्रसनजित ने अपने कछुए वाले दलों को मध्य में तैयारी की अवस्था में रख दिया।

'मेलूहा वासियों!' शिव ने गर्जना करते हुए कहा, 'वे आपके सामने लेटे पड़े हैं! वध की प्रतीक्षा में! यह आज ही समाप्त होगा! बुराइयों का आज ही सर्वनाश होगा!'

'हर हर महादेव!' ज्यों ही शंख ध्वनि ने सूर्यवंशी आक्रमण की घोषणा की तो सैनिकों ने अपने तीव्र स्वरों को गुंजायमान कर दिया।

कानफोड़ू शोर मचाते हुए पैदल सेना ने चंद्रवंशियों की ओर आक्रमण करने के लिए दौड़ लगा दी। कछुआ टुकड़ियां धीमी अवश्य थीं लेकिन वे हठी तरीके से चंद्रवंशियों की सेना के केंद्र की ओर आगे बढ़ रही थीं। धनुषाकार बनावट में उनके किनारे केंद्र की अपेक्षा अधिक तेजी से आगे बढ़ रहे थे। अश्वारोही दल किनारों से प्रवेश कर रहा था, अपने पैदल सैनिकों को शत्रु के आक्रमण से सुरक्षा देते हुए। इस मध्य तीसरी एवं चौथी पंक्तियों के बचे हुए साहसी चंद्रवंशी सैनिक तेजी से एक पंक्ति बनाने के प्रयत्न में जुटे थे, ताकि सूर्यवंशियों के घातक आक्रमण का सामना कर सकें। लेकिन अनगनित मृतकों के शरीरों के युद्ध के मैदान में होने के कारण वे पारंपरिक चतुरंग बनावट में नहीं आ पा रहे थे जो उन्हें क्षैतिज चलन की अनुमति प्रदान कर पाता। और इससे पहले कि सूर्यवंशी सेना उन पर आक्रमण करती वे एक पतली पंक्ति में एक साथ भीड़ की तरह

इकट्ठे ही हो पाए थे।

सूर्यवंशियों के लिए वह युद्ध ठीक उसी प्रकार चल रहा था, जैसी उनकी योजना बनी थी। जब वे चंद्रवंशी पंक्ति तक पहुंचे तो वे एक कसी हुई वक्राकार पंक्ति के रूप में प्रशिक्षित एवं विद्वेषपूर्ण सैनिकों से युक्त थे और उनके किनारों पर हल्की पैदल सेना अपने किनारे वाली सेना से धीमे होकर पीछे थी क्योंकि कछुए के दलों की गति धीमी थी। अबाध रूप से चलने वाली कछुआ टुकड़ियों ने चंद्रवंशियों के मध्य हिस्से को छिन्न-भिन्न कर दिया। चंद्रवंशियों के सबसे अच्छे खड्गधारियों से उनकी ढालें रक्षा कर रही थीं, जबकि उनके त्रिशूल स्वद्वीप वासियों को चीरते हुए आगे बढ़ रहे थे। चंद्रवंशियों के पास मात्र दो विकल्प थे। या तो त्रिशूल से मृत्यु स्वीकार करें या फिर बाहर की ओर भागें जहां सूर्यवंशियों द्वारा उन पर भयंकर आक्रमण उनकी संख्या को निरंतर कम करता जा रहा था। उस निर्मम आक्रमण के कारण चंद्रवंशियों की सेना का मध्य भाग बिखर गया और सूर्यवंशियों ने उनके किनारों को ध्वस्त कर दिया था।

शिव अत्यधिक उग्र रूप से अपने भाग का नेतृत्व कर रहा था। वह अपने सामने आने वाले सभी चंद्रवंशियों को पूरी तरह से नष्ट कर रहा था। उसे तब आश्चर्य हुआ जब उसने देखा कि शत्रुओं की पंक्ति क्षीण होने लग गई थी। उसने अपने सैनिकों को अपने से आगे बढ़कर आक्रमण करने दिया और स्वयं को ऊंचा उठाकर आसपास हर ओर दृष्टि दौड़ाई ताकि जान सके कि कहां क्या हो रहा था। वह यह देखकर स्तब्ध रह गया कि चंद्रवंशी पंक्ति जो उसका विरोध कर रही थी, वह मध्य भाग की ओर अग्रसर थी। वे लोग कछुआ टुकड़ियों के एकमात्र खुली हुई उनकी दाहिनी ओर से उन पर आक्रमण कर रहे थे। चंद्रवंशी सेना में कोई अपनी बुद्धि का प्रयोग कर रहा था। यदि एक भी कछुआ बनावट टूटती है तो चंद्रवंशी मध्य में पुनः एक कसावट भरा झुंड बनाकर एक पंक्ति बना सकते थे और सूर्यवंशियों पर विध्वंसकारी प्रलय ला सकते थे।

'मेलूहावासियो,' शिव ने गर्जना की, 'मेरे पीछे आओ।'

शिव के ध्वज वाहक ने अपनी झंडी ऊंची कर दी। सैनिकों ने शिव का अनुसरण किया। नीलकंठ ने उन चंद्रवंशियों के ऊपर बगल से धावा

बोल दिया जो कछुआ टुकड़ियों पर बगल से आक्रमण कर रहे थे। एक ओर से त्रिशूल एवं दूसरी ओर से शिव के आक्रमण ने चंद्रवंशियों के साहस को अंततः तोड़कर रख दिया।

जो कुछ समय पूर्व एक विशालकाय चंद्रवंशी सेना थी वह अब कहीं-कहीं पर एकाध व्यक्तियों द्वारा दुस्साहसपूर्ण लड़ाई में परिवर्तित हो चुकी थी। शिव एवं पर्वतेश्वर द्वारा अपने-अपने हिस्सों का नेतृत्व अत्यंत ही वीरता और सक्षमता से किया गया था ताकि अवशेष कार्य भी पूरी तरह से समाप्त हो सके। यह एक पूर्ण विजय थी। चंद्रवंशी सेना को घोर पराजय का सामना करना पड़ा था।

अध्याय – 24

# विलक्षण प्रकटीकरण

स ती अपने तंबू से तेजी से बाहर आ गई। उसके पीछे कृत्तिका और आयुर्वती थी।

'थोड़ा धीरे चलिए सती,' आयुर्वती ने दौड़कर चलते हुए उसके पास पहुंचते हुए कहा, 'इस प्रकार की आपकी स्थिति में...'

सती ने खीस के साथ आयुर्वती को देखा, लेकिन उसने अपनी चाल कम नहीं की। वह तेजी से राजशाही तंबू की ओर बढ़ती चली जा रही थी, वहां शिव एवं पर्वतेश्वर विजय की घोषणा के बाद पहुंच चुके थे। उसे यह सूचना मिली थी। नंदी एवं वीरभद्र प्रवेश पर पहरे पर खड़े थे। उन्होंने एक ओर हटकर सती को अंदर जाने दिया, लेकिन आयुर्वती और कृत्तिका को नहीं।

'मुझे क्षमा करें, देवी आयुर्वती,' नंदी ने क्षमा याचना वाले स्वर में कहा। उसका सिर नीचे झुका हुआ था, 'मुझे यह कड़ा निर्देश दिया गया है कि किसी को भी अंदर प्रवेश न करने दिया जाए।'

'क्यों?' आश्चर्यचकित आयुर्वती ने पूछा।

'मैं नहीं जानता, देवी। मुझे क्षमा करें।'

'कोई बात नहीं,' आयुर्वती ने कहा, 'आप तो केवल अपना कर्तव्य कर रहे हैं।'

वीरभद्र ने कृत्तिका की ओर देखकर कहा, 'मुझे क्षमा कर दो प्रिये।'

'कृपा कर सार्वजनिक रूप से मुझे यह संबोधन न करें,' शर्माते हुए कृत्तिका ने कहा।

सती ने आवरण को एक ओर हटाकर उस तंबू में प्रवेश किया।

'मैं नहीं जानता, प्रभु,' पर्वतेश्वर ने कहा, 'यह बात समझ में नहीं आ रही है।'

सती चकित थी कि पर्वतेश्वर शिव को 'प्रभु' कहकर संबोधित कर रहे थे। किंतु शिव को सुरक्षित देखने की खुशी ने उसकी इस सोच को एक ओर कर दिया, 'शिव!'

'सती!' शिव उसकी ओर मुड़ते हुए बुदबुदाया।

सती जड़वत हो गई क्योंकि जब उन्होंने सती को देखा तो वे मुस्कुराए नहीं थे। उनके मुख पर विजयी मुस्कान नहीं थी। उन्होंने अपने घावों पर मरहम-पट्टी भी नहीं करवा रखी थी।

'क्या बात है?' सती ने पूछा।

शिव ने सती को गहरी दृष्टि से देखा। उसके मुख के भावों ने सती को विचलित कर दिया। वह पर्वतेश्वर की ओर मुड़ी। उसने कुछ क्षण के लिए एक जबरन मुस्कुराने वाली मुद्रा की। इस प्रकार मुस्कान उनके मुख पर तभी आती थी जब वे किसी बुरे समाचार से उसे बचाना चाहते थे।

'क्या बात है, पितृतुल्य?'

पर्वतेश्वर ने शिव की ओर देखा, जिसने अंत में अपना मुंह खोला, 'इस युद्ध के बारे में कुछ हमें परेशान कर रहा है।'

'आपको क्या परेशान कर सकता है?' आश्चर्यचकित सती ने पूछा, 'आपने सूर्यवंशियों को अब तक की सबसे महान विजय दिलाई है। चंद्रवंशियों की यह घनघोर पराजय मेरे दादा जी द्वारा देने वाली पराजय से भी श्रेष्ठ है। आपको तो गर्व होना चाहिए।'

'मैंने चंद्रवंशियों के साथ किसी नागा को नहीं देखा,' शिव ने कहा।

'नागा लोग वहां नहीं थे,' सती ने पूछा, 'ये तो समझ के बाहर है।'

'हां,' शिव ने कहा। उसकी आंखें कुछ पूर्वाभास के संकेत दे रही थीं,

'यदि वे चंद्रवंशियों के साथ इतने हिले-मिले हुए हैं तो उन्हें युद्धभूमि में होना चाहिए था। यदि उन्हें चंद्रवंशियों द्वारा प्रयोग में लाया जा रहा था तो उनकी दक्षता युद्ध में उनके लिए और भी उपयोगी होती। लेकिन वे कहां थे?'

'हो सकता है कि उनके मध्य दरार हो गई हो,' सती ने कहा।

'मैं ऐसा नहीं मानता,' पर्वतेश्वर ने कहा, 'यह युद्ध ही उन दोनों के मंदार पर्वत पर संयुक्त आक्रमण के कारण हुआ था! क्यों वे लोग यहां नहीं होते?'

'शिव, मुझे पूरा विश्वास है कि आप जान जाएंगे,' सती ने कहा, 'आप अपने आपको इतना दुखी मत होने दीजिए।'

'तुम समझती नहीं हो, सती,' शिव ने चिल्लाकर कहा, 'मैं नहीं जान सकता! इसी कारण से तो चिंतित हूं।'

सती चौंककर पीछे हट गई। उनकी इस असामान्य उग्रता से वह विस्मित रह गई। वे तो ऐसे न थे। इस मध्य शिव को अनुभव हो चुका था कि उसने क्या कर दिया था। उसने तुरंत ही अपने रक्त से सने हाथ से सती का हाथ थामकर कहा, 'मुझ क्षमा कर दो सती। असल में ऐसा है कि...'

उनकी बातचीत में विघ्न उत्पन्न हो गया क्योंकि दक्ष अपने सहायकों के साथ आवरण उठाकर एक अद्भुत अकड़ के साथ तंबू में प्रवेश कर चुका था।

'प्रभु!' दक्ष की आंखों से आंसू निकल आए जैसे ही उसने शिव को कसकर गले लगाया।

शिव के मुंह से पीड़ा के कारण हल्की सिसकारी निकल गई। उसके घाव पीड़ा दे रहे थे। दक्ष ने तत्काल उन्हें छोड़कर एक कदम पीछे ले लिया।

'मुझे क्षमा करें, प्रभु,' दक्ष ने कहा। अपने सहायक की ओर मुड़कर दक्ष ने कहा, 'आयुर्वती बाहर क्यों हैं? उन्हें अंदर बुलाओ। उन्हें प्रभु के घावों पर मरहम-पट्टी लगाने दो।'

'नहीं, रुको,' शिव ने उस सहायक को कहा, 'मैंने ही कहा था कि

कोई मुझे तंग न करे। बाद में भी घावों का उपचार किया जा सकता है।' शिव ने दक्ष की ओर मुड़कर कहा, 'महाराज, मुझे आपसे कुछ बात करनी है...'

'प्रभु, यदि आज्ञा दें तो पहले मैं कुछ कहना चाहता हूं,' दक्ष ने उस बालक की तरह उत्साहित होकर कहा जिसे अभी-अभी बहुत समय से नहीं दी गई मिठाई मिल गई हो, 'आपने जो मेरे लिए किया है, जो मेलूहा के लिए किया है, उसके लिए मैं आपको धन्यवाद ज्ञापित करना चाहता था। हमने वह किया है जो मेरे पिता भी नहीं कर सके थे। यह एक पूर्ण विजय है।'

इससे पहले कि दक्ष उनका ध्यान अपनी ओर पुनः खींच पाता, शिव एवं पर्वतेश्वर ने कुछ पल के लिए एक-दूसरे को देखा।

'जब हम यहां बात कर रहें हैं तो सम्राट दिलीप को यहां लाया जा रहा है,' दक्ष ने कहा।

'क्या?' पर्वतेश्वर ने आश्चर्य से पूछा, 'किंतु हमने तो अभी कुछ समय पहले ही सैनिकों को उनके खेमे में भेजा था। वे इतनी शीघ्रता से उसे बंदी नहीं बना पाए होंगे।'

'नहीं, पर्वतेश्वर,' दक्ष ने कहा, 'मैंने अपने निजी पहरेदारों को बहुत पहले ही भेज दिया था। अवलोकन वेदिका से हम देख सकते थे कि जब तक प्रभु और आपने तीसरा आक्रमण किया था, तब तक चंद्रवंशी पराजित हो चुके थे। एक दूरी से जो दृश्य उपस्थित होता है उसका यही लाभ होता है। जिस तरह का वह कायर है, मैं चिंतित था कि दिलीप अवश्य भाग जाएगा। इसलिए मैंने अपने निजी पहरेदारों को उसे बंदी बनाने भेज दिया था।'

'किंतु, महाराज,' पर्वतेश्वर ने कहा, 'उसे यहां लाने से पहले हमें आत्मसमर्पण की शर्तों के बारे विचार-विमर्श नहीं कर लेना चाहिए? हम क्या प्रस्ताव रखेंगे?'

'प्रस्ताव?' दक्ष ने पूछा। उसकी आंखें विजय के परम आनंद से झिलमिला रही थीं।

'सचाई से कहें तो यह देखते हुए कि उसकी कैसी घनघोर पराजय हुई है, हमें किसी प्रस्ताव की आवश्यकता ही नहीं है। उसे यहां एक सामान्य अपराधी की तरह लाया जा रहा है। हालांकि हम उसे दिखाएंगे कि मेलूहा कितना दयाशील है। हम उसे ऐसा प्रस्ताव देंगे कि उसकी अगली सात पुश्तें हमारी प्रशंसा करती रहेंगी!'

इससे पहले कि चकित शिव पूछ पाता कि दक्ष ने अपने मन में क्या सोच रखा था, राजशाही ढिंढोरा पीटने वाले ने दिलीप के उस तंबू के बाहर उपस्थिति की घोषणा कर दी। उसके साथ राज्याभिषेक हुआ उसका राजकुमार पुत्र भगीरथ भी था।

'एक मिनट, कौस्तव,' दक्ष ने कहा और वह घबराहट के मारे उस तंबू कक्ष को व्यवस्थित करने में जुट गया जैसाकि वह अपने अनुकूल चाहता था। वह एक कुर्सी पर बैठ गया जो उस तंबू कक्ष के मध्य में रखा हुआ था। दक्ष ने शिव से अनुरोध किया कि वे उसके दाहिनी ओर बैठें। जैसे ही शिव बैठ गया तो सती वहां से बाहर जाने को हुई। शिव ने हाथ बढ़ाकर उसका हाथ पकड़ लिया। वह मुड़ी और उसने शिव की आवश्यकता को समझ लिया। उसके बाद वह शिव के पीछे रखी कुर्सी पर जाकर बैठ गई।

दक्ष ने उसके बाद पुकारकर कहा, 'उसे अंदर आने दो।'

शिव बुराई के मुख को देखने के लिए व्याकुल था। नागाओं की अनुपस्थिति के बारे में संदेह होने के बावजूद वह सचमुच ही ऐसा मान रहा था कि उसने सचाई से एक न्यायसंगत युद्ध किया था। उसने सोचा कि चंद्रवंशियों के उस दुष्ट राजा के पराजित मुख को देखने पर ही पूर्ण विजय होगी।

दिलीप अंदर आया। शिव चकित होकर सीधा हो गया। जैसी उसने आशा की थी दिलीप वैसा कदापि नहीं था। वह देखने में एक वृद्ध व्यक्ति जैसा था, जो दृश्य मेलूहा में सोमरस के कारण विरला ही देखने को मिलता था। वृद्ध होने पर भी दिलीप का व्यक्तित्व सुंदर था। वह मध्यम कद का था और थोड़े मांसल शरीर के साथ उसकी त्वचा काले रंग की थी। मेलूहा वासियों के सादगी भरे पहनावे की तुलना में उसका पहनावा मौलिक रूप

से बहुत भिन्न था। एक चमकदार गुलाबी धोती, चमकदार बैंगनी रंग का अंगवस्त्रम् और प्रचुर मात्रा में स्वर्ण आभूषण उसके अधिकतर अंगों में पहने होने के कारण उसे आकर्षक बना रहे थे। उसके चेहरे से प्रतीत हो रहा था कि उसने जीवन को बहुत ही आमोद-प्रमोद में बिताया था। अतिव्ययी ढंग से रंगीन उसके मुकुट के नीचे उसके सफेद बालों के साथ-साथ बहुत अच्छी प्रकार से छंटनी की हुई दाढ़ी ने उसके चेहरे को एक पूर्णतः अशक्त सा आकार देते हुए बुद्धिजीवी व्यक्ति का आकार भी दे रखा था।

'अभिषिक्त राजकुमार भगीरथ कहां है?' दक्ष ने पूछा।

'मैंने उसे बाहर प्रतीक्षा करने के लिए कहा है क्योंकि वह थोड़ा क्रोधी स्वभाव का है,' दिलीप ने कहा। वह केवल दक्ष को देख रहा था और किसी अन्य की उपस्थिति मानने से इंकार कर रहा था।

उसने आगे कहा, 'क्या आप मेलूहावासियों में अपने अतिथि को बैठने के लिए कुर्सी देने का रस्म नहीं है?'

'आप अतिथि नहीं हैं, सम्राट दिलीप,' दक्ष ने कहा, 'आप बंदी हैं।'

'हां, हां, मुझे पता है। आप मसखरी पसंद नहीं करते क्या?' दिलीप ने व्यंग्यात्मक ढंग से कहा, 'तो फिर इस बार आप लोग हमसे क्या चाहते हैं?'

दक्ष ने दिलीप को प्रश्नसूचक दृष्टि से घूरा।

'आप लोगों ने सौ साल पहले ही यमुना का जल चोरी कर लिया है,' दिलीप ने कहना जारी रखा, 'अब और क्या चाहते हैं?'

शिव ने आश्चर्य से दक्ष की ओर मुड़कर देखा।

'हमने यमुना का जल नहीं चुराया है,' दक्ष क्रोध से चिल्लाया, 'वह हमारा था और हमने वापस ले लिया था।'

'हां जो भी हो,' दिलीप अपने हाथों को लहराकर इस बात को वहीं समाप्त करता हुआ बोला, 'इस बार आपकी क्या मांगें हैं?'

जिस प्रकार वार्तालाप चल रहा था, उस पर शिव अचंभित था। उन लोगों ने अभी-अभी इस दुष्ट व्यक्ति को पराजित किया था। उसे पश्चातापी

होना चाहिए था। लेकिन वह दूसरों को नीचा दिखाने वाला व्यवहार कर रहा था और दंभी था।

दक्ष ने दिलीप को अपनी आंखें बड़ी करके और मधुर मुस्कान के साथ देखते हुए कहा, 'मैं कुछ लेना नहीं चाहता, बल्कि आपको कुछ देना चाहता हूं।'

दिलीप ने सावधानीपूर्वक अपनी भौंहों को ऊपर उठाकर पूछा, 'मुझे कुछ देना चाहते हैं?'

'हां। मैं आपको हमारी जीवन-शैली का लाभ देना चाहते हैं।'

दिलीप लगातार संदेह भरी दृष्टि से दक्ष को घूर रहा था।

'हम आपको ऊंचा उठाकर हमारी श्रेष्ठ जीवन-शैली तक लाना चाहते हैं,' दक्ष ने कहा। उसकी आंखें अपनी ही इस उदारता से अचंभेपन में थीं। उसने कहना जारी रखा, 'हम आप में सुधार लाएंगे।'

दिलीप ने एक **खी** खी वाली हंसी से पूछा, 'हममें सुधार?'

'हां, मेरे सेनानायक पर्वतेश्वर अब आपके स्वद्वीप पर हमारे राज प्रतिनिधि के तौर पर शासन करेंगे। आप नाममात्र के सम्राट होंगे। पर्वतेश्वर यह सुनिश्चित करेंगे कि आपके भ्रष्ट लोगों को सुधारकर उन्हें मेलूहावासियों जैसे श्रेष्ठ जीवन स्तर पर लाएं। अब हम लोग भाइयों की तरह रहेंगे।'

पर्वतेश्वर ने हैरानी से दक्ष की ओर मुड़कर देखा। उसे यह आशा नहीं थी कि उसे स्वद्वीप भेजा जाएगा।

ऐसा प्रतीत हुआ कि दिलीप को अपनी हंसी रोकने में बहुत कठिनाई हो रही थी, 'क्या आप सचमुच में ही यह सोचते हैं कि आपके ये सीधे-साधे लोग स्वद्वीप पर शासन कर सकते हैं? मेरे लोग अस्थिर हैं। वे आपके उपदेशों को कभी नहीं सुनेंगे।'

'हां, वे सुनेंगे,' दक्ष ने व्यंग्योक्ति की, 'वे सब कुछ सुनेंगे, जो हम कहेंगे। क्योंकि आप नहीं जानते कि वास्तव में वह स्वर कहां से आता है।'

'क्या सचमुच में? वह कहां से आता है? मुझे प्रकाशित कीजिए।'

दक्ष ने शिव की ओर झुककर कहा, 'देखिए हमारे साथ कौन बैठते हैं।'

दिलीप दक्ष के दाहिने मुड़ा और उसने अविश्वासी होकर पूछा, 'यह कौन है? इंद्र देव के नाम पर इसमें क्या विशेष बात है?'

शिव कसमसाकर रह गया। वह अत्यधिक असुविधाजनक अनुभव कर रहा था।

दक्ष ने और अधिक ऊंचे स्वर में कहा, 'हे चंद्रवंशी राजन उनके कंठ को देखो।'

दिलीप ने पुनः उसी अहंकार से शिव की ओर देखा। अल्प मात्रा में रक्त एवं रक्तपिंडों के होने के बावजूद नीला कंठ प्रदीप्त हो रहा था। अचानक दिलीप की वह अहंकारी मुस्कान अदृश्य हो गई। वह सदमे में हुआ प्रतीत हुआ। उसने कुछ कहने का प्रयास किया लेकिन शब्द उसके मुंह से बाहर नहीं आ सके।

'हां, हे भ्रष्ट चंद्रवंशी,' दक्ष ने अवज्ञा वाले बोल में नाटकीय प्रभाव डालने के लिए अपने हाथों को लहराकर कहा, 'हमारे पास नीलकंठ हैं।'

दिलीप की आंखों में स्तब्ध-सी दृष्टि थी उस बालक के समान जिसे अभी-अभी पता चला हो जिन हाथों ने क्रूरता से उसकी पीठ में छुरा घोंपा था, वे हाथ उसके प्रिय पिताश्री का हो। बढ़ती हुई शंकाओं से शिव का हृदय अशांत था। यह बैठक इस प्रकार से होनी निर्धरित नहीं थी।

दक्ष ने अपने धमकी भरे स्वर में बोलना जारी रखा, 'नीलकंठ ने प्रतिज्ञा ली है कि वे चंद्रवंशी तरीके की दुष्ट प्रकार की जीवन-शैली का नाश करेंगे। आपको सुनना ही पड़ेगा।'

किंकर्तव्यविमूढ़ दिलीप ने शिव को गहरी दृष्टि से देखा जो सनातन तत्व सा प्रतीत हो रहा था। और अंत में उसने स्वयं को इतना संयत किया कि वह कह सके, 'आप जो कहें।'

इससे पहले कि दक्ष अपने गर्जन वाले स्वर में कुछ और कह पाता, दिलीप मुड़ा और लड़खड़ाते हुए तंबू के आवरण की ओर चल पड़ा था। बाहर

निकलने से पहले वह शिव को एक बार पुनः देखने के लिए पीछे मुड़ा। शिव उसकी अहंकार भरी गर्वीली आंखों में कुछ आंसू की बूंदें देखने को इच्छुक था।

जैसे ही दिलीप ने तंबू के बाहर अपने कदम रखे, दक्ष उठ खड़ा हुआ और उसने आगे बढ़कर शिव को गले लगा लिया। इस बार धीरे से ताकि नीलकंठ को पीड़ा न हो। फिर उसने कहा, 'प्रभु, आपने उसके मुख के भाव देखे। वे मूल्यवान थे!'

पर्वतेश्वर की ओर मुड़कर उसने कहा, 'पर्वतेश्वर, दिलीप टूटा हुआ है। आपको स्वद्वीप वासियों को नियंत्रण करने में एवं उन्हें हमारी जैसी जीवन-शैली की ओर लाने में कोई कठिनाई नहीं होगी। हम लोग इतिहास में इस कार्य के लिए जाने जाएंगे कि हमने इस विपत्ति का स्थायी समाधान किया था।'

शिव उन बातों पर ध्यान नहीं दे रहा था। उसका परेशान हृदय उचित उत्तरों की खोज कर रहा था। एक संघर्ष जो कुछ घंटों पहले तक न्यायसंगत प्रतीत हो रहा था, वह अचानक ही गलत प्रतीत हो रहा था? वह असहाय सा सती की ओर मुड़ा। सती ने धीमे से उसके कंधे को स्पर्श किया।

'आप क्या सोच रहे हैं, प्रभु,' दक्ष ने शिव के परेशानी भरी सोच में अनधिकार ही प्रवेश किया।

शिव ने मात्र अपना सिर हिलाया।

'मैंने मात्र इतना आग्रह किया है कि आप दिलीप की सवारी में अयोध्या तक जाना पसंद करेंगे अथवा नहीं?' दक्ष ने पूछा, 'आप इस सम्मान के योग्य हैं, प्रभु। आपने इस सुहावने दिन के लिए हमारा नेतृत्व किया है।'

इस समय यह वार्तालाप शिव को उतना महत्वपूर्ण नहीं प्रतीत हो रहा था। उसके पास इतनी ऊर्जा नहीं बची थी कि वह कोई उत्तर सोच सके। उसने खोये-खोये से तरीके से सिर हिलाया।

'अति सुंदर। मैं सारी व्यवस्थाएं करता हूं,' दक्ष ने कहा। अपने सहायक की ओर मुड़कर उसने कहा, 'आयुर्वती को अंदर भेजो ताकि वे प्रभु

के घावों पर मरहम-पट्टी कर सकें। इससे पहले कि दिलीप के शासन की पराजय के पश्चात कुछ गड़बड़ी फैल जाए, कल प्रातःकाल ही हमें अयोध्या पर नियंत्रण करने के लिए प्रस्थान करना होगा।'

शिव की ओर नमस्ते करने के बाद दक्ष मुड़कर जाने को हुआ तो उसने पर्वतेश्वर से पूछा, 'पर्वतेश्वर, आप नहीं चल रहे हैं?'

पर्वतेश्वर ने शिव की ओर देखा तो उसके चेहरे पर चिंता की रेखाएं उभर आईं।

'पर्वतेश्वर?' दक्ष ने दुहराया।

एक क्षण सती को देखता हुआ पर्वतेश्वर मुड़कर चला गया। सती आगे बढ़ी, शिव के चेहरे को कोमलता से थामे हुए। शिव की आंखें अत्यधिक थकान के कारण बोझिल होती जा रही थीं। उसी समय आयुर्वती ने आवरण को सावधानीपूर्वक उठाया और पूछा, 'आप कैसे हैं, प्रभु?'

शिव ने ऊपर की ओर देखा। उसकी आंखें आधी बंद हो चुकी थीं। वह एक विचित्र प्रकार की नींद में गोता लगाने की ओर अग्रसर था। अचानक वह बहुत ऊंचे स्वर में चिल्लाया, 'नंदी!'

नंदी तत्काल अंदर आ पहुंचा।

'नंदी क्या तुम एक गुलूबंद ला सकते हो?'

'गुलूबंद, प्रभु?' नंदी ने पूछा।

'हां।'

'हूं ऽ ऽ। किंतु क्यों प्रभु?'

'क्योंकि मुझे चाहिए!' शिव ऊंचे स्वर में चिल्लाया।

नंदी अपने प्रभु के इस हिंस्र प्रकार के उत्तर से स्तब्ध होकर तेजी से बाहर भागा। सती और आयुर्वती ने आश्चर्य में शिव को देखा। इससे पहले कि वे कुछ कह पाते, शिव अचानक ही गिर पड़ा। अचेत।

— ≭◎∪⅊⊛ —

वह तीव्र गति से दौड़ रहा था। वह डरावना जंगल निरंतर उसकी ओर बढ़ता हुआ समीप चला आ रहा था। वह हताशा में उस वृक्ष से दूर जाना चाहता था, इससे पहले कि उनके खूंखार पंजे उसे पकड़ लें। अचानक एक अति तीव्र आग्रही चिल्लाहट शांति को भंग कर गई।

*'सहायता! मेरी सहायता करें!'*

वह रुक गया। नहीं। वह इस बार नहीं भागेगा। वह उस राक्षस से लड़ाई करेगा। वह महादेव था। यह उसका कर्तव्य था। शिव धीरे से पीछे मुड़ा। उसकी तलवार निकली हुई थी। उसकी ढाल उसके हाथों में ऊंची उठी हुई थी।

'जय श्री श्रीराम!' वह चिल्लाया और वह उस खुले हुए भाग की ओर दौड़ पड़ा। झाड़ियों वाले कांटों ने उसके पैरों को छिल दिया था। बहते हुए रक्त और डर के बावजूद वह दौड़ता चला जा रहा था।

*मैं उसके पास समय से पहुंच जाऊंगा।*

*मैं इस बार उसे निराश नहीं करूंगा।*

*मेरा रक्त मेरे पापों को धो डालेंगे।*

उसने उस अंतिम झाड़ियों के झुरमुट से ऊपर से छलांग लगाई। कांटों ने उसके शरीर के मांस को एक लोभी की तरह काटकर रख दिया था। किंतु वह उछलकर उस खुले क्षेत्र में पहुंच गया। उसकी ढाल रक्षात्मक ढंग से सामने थी और उसकी तलवार आक्रमण के प्रतिकार के नीचे की ओर झुकी थी। किंतु किसी ने आक्रमण नहीं किया। यह तो एक विचित्र अट्टहास था जिसने उसके ध्यान केंद्रण को तोड़ डाला था। उसने अपनी ढाल को धीमे से नीचे किया। बहुत धीमे से।

'हे प्रभु!' पीड़ा में उसकी चीख निकल गई।

स्त्री भूमि पर व्यथित पड़ी हुई थी। एक छोटी सी तलवार उसके वक्षस्थल में गड़ी हुई थी। वह छोटा सा बालक उसके बगल में खड़ा था। स्तब्ध। निःशब्द। उसका हाथ मृत्यु कारित करने के संघर्ष से लहू-लुहान था। वह रोयेंदार राक्षस एक शिला के किनारे पर बैठा हुआ, उस बालक की

ओर संकेत कर रहा था। हंसता हुआ।

'नहीं!' शिव बलपूर्वक चीखा और एक झटके से उठ बैठा।

'क्या हुआ, शिव?' सती ने चिंतित होकर पूछा। झपटकर उसके हाथ को पकड़ते हुए।

शिव ने विस्मय से कक्ष में चारों ओर देखा। चिंतित पर्वतेश्वर एवं आयुर्वती भी खड़े हो गए और बोल पड़े, 'प्रभु?'

'शिव, सब कुछ ठीक है। सब कुछ ठीक है,' सती ने धीमे स्वर में बड़ी सुकुमारता से अपने हाथ शिव के मुख पर चलाते हुए कहा।

'आपको विषयुक्त कर दिया गया था, प्रभु,' आयुर्वती ने कहा, 'हमारा मानना है कि कुछ चंद्रवंशी सैनिकों के पास विषयुक्त शस्त्र रहे होंगे। इसके कारण कई अन्य लोगों पर भी इसका प्रभाव पड़ा है।'

शिव ने धीरे-धीरे जब अपना मानसिक संतुलन पाया तो वह अपने बिस्तर से उठकर खड़ा हो गया। सती ने उसकी सहायता करने का प्रयास किया, किंतु उसने स्वयं ही उठने का हठ किया। उसका गला अत्यंत ही दुखदायी रूप से शुष्क था। वह डगमगाता हुआ घड़े के पास पहुंचा। सती उसके साथ थी। उसने हाथ बढ़ाकर उसे उठाया और ढेर सारा जल अपने गले में उंढ़ेल लिया।

'ऐसा प्रतीत होता है कि मैं बहुत लंबे समय तक सोता रहा हूं,' शिव ने अंततः दूर जली हुई मशाल और अंधकारमय आसमान को देख लिया था।

'हां,' चिंतित आयुर्वती ने कहा, 'लगभग छत्तीस घंटे।'

'छत्तीस घंटे!' चकित शिव के मुख एक चीख निकल पड़ी और वह एक आरामदायक कुर्सी पर लगभग गिर सा गया। उसने एक डरावने आकार के व्यक्ति को पीछे की ओर बैठे हुए देखा। उसकी आंखें पट्टियों से बंधी हुई थीं और उसके अंगच्छेदन किया हुआ बायां हाथ रस्सी कें सहारे लटका हुआ था। ध्यान से देखने पर शिव आश्चर्य में बोल पड़ा, 'द्रपकु!'

'जी हां, प्रभु,' द्रपकु ने सैनिक अभिवादन करने के लिए उठने का प्रयास करते हुए कहा।

'हे भगवान, द्रपकु! तुम्हें देखकर बहुत ही अच्छा लग रहा है। कृपया बैठे रहो।'

'आपको देखना स्वर्गीय अनुभूति है, प्रभु।'

'तुम्हारी ओर युद्ध कैसा रहा?'

'मैंने अपने बहुत से लोगों को खो दिया, प्रभु। लगभग आधे आदमी। और यह हाथ और एक आंख,' द्रपकु ने धीमे स्वर में कहा, 'लेकिन आपकी कृपा से हम लोगों ने उन्हें तब तक रोके रखा जब तक कि मुख्य युद्ध समाप्त नहीं हो गया।'

'इसमें मेरी कोई कृपा नहीं थी, मित्र। यह तो तुम्हारा शौर्य था,' शिव ने कहा, 'मुझे तुम पर गर्व है।'

'बहुत-बहुत धन्यवाद, प्रभु।'

सती अपने पति के बालों में हाथ फेरते हुए खड़ी थी, 'क्या आप निश्चित रूप से बैठना चाहते हैं, शिव? आप कुछ देर के लिए लेट सकते हैं।'

'मैंने उस अनजानी मुद्रा में कुछ अधिक ही आराम कर लिया है, सती,' शिव ने एक दुर्बल मुस्कान के साथ कहा।

आयुर्वती ने मुस्कुराकर कहा, 'लगता है कि विष ने निश्चित रूप से आपकी दिल्लगी करने की भावना को प्रभावित नहीं किया है, प्रभु।'

'सच में? क्या ये अभी भी उतनी ही बुरी है?' शिव ने शरारत भरी मुस्कान के साथ कहा।

पर्वतेश्वर, द्रपकु एवं आयुर्वती के मुंह से हल्की हंसी फूट पड़ी। सती को हंसी नहीं आई। वह शिव को अत्यधिक ध्यानपूर्वक देख रही थी। वे कुछ अधिक ही प्रयास कर रहा थे। वे भूलने का प्रयत्न कर रहे थे। वे प्रयास कर रहे थे कि लोग उन्हें छोड़कर दूसरी वस्तुओं पर अपने ध्यान केंद्रित करें। क्या यह स्वप्न अन्य स्वप्नों की तुलना में और बुरा था?

'महाराज कहां हैं?' शिव ने पूछा।

'पिताजी आज प्रातः ही अयोध्या को प्रस्थान कर गए हैं,' सती ने कहा।

'प्रभु,' पर्वतेश्वर ने कहा, 'महाराज ने अनुभव किया कि परिस्थितियों को देखते हुए स्वद्वीप को बिना शासक के अधिक दिनों तक रखना उचित नहीं होगा। उन्होंने इसे महत्वपूर्ण समझा कि सम्राट दिलीप को बंदी बनाए हुए सूर्यवंशी सेना को समस्त साम्राज्य में भ्रमण कराना चाहिए ताकि स्वद्वीप वासियों को पता हो और वे इस नए विधान को स्वीकार कर लें।'

'तो फिर हम लोग अयोध्या नहीं जा रहे हैं?

'हम लोग जाएंगे, प्रभु,' आयुर्वती ने कहा, 'कुछ दिनों के बाद जब आप पूरी तरह से स्वस्थ एवं पूर्व की भांति शक्तिशाली हो जाएंगे।'

'लगभग बारह हजार सैनिक हमारे साथ यहीं रह गए हैं, प्रभु,' पर्वतेश्वर ने कहा, 'हम लोग अयोध्या को प्रयाण करेंगे, जब आप तैयार होंगे। महाराज ने इस बात पर बल देकर सम्राट दिलीप के परिवार के एक सदस्य को पीछे छोड़ दिया है ताकि बंदी साथ में रहने पर हमारी अपेक्षाकृत छोटे सैन्य दल पर स्वद्वीप वासी भूलकर भी आक्रमण न कर सकें।'

'तो इसका अर्थ है कि हमारे खेमे में सम्राट दिलीप के परिवार का सदस्य भी है?'

'जी हां, प्रभु,' पर्वतेश्वर ने कहा, 'उनकी पुत्री राजकुमारी आनंदमयी।'

आयुर्वती अपना सिर हिलाते हुए मुस्कुराई।

'क्या?' शिव ने चौंककर पूछा।

आयुर्वती ने पर्वतेश्वर की ओर संकोचपूर्वक देखा और उसके बाद सती की ओर बनावटी हंसी से। पर्वतेश्वर ने तीव्र आंखों से आयुर्वती को देखा।

'क्या हुआ?' शिव ने पुनः पूछा।

'इतना कुछ भी महत्वपूर्ण नहीं है, प्रभु,' पर्वतेश्वर ने विचित्र तरह संकोचपूर्णता से कहा, 'वह ऐसा है कि वह कुछ अधिक ही दमदार है।'

'तो फिर ठीक है, मैं यह सुनिश्चित करूंगा कि मैं उसके रास्ते में कभी न पड़ूं,' शिव ने मुस्कुराते हुए कहा।

'ये मार्ग सही प्रतीत होता है,' पर्वतेश्वर ने मानचित्र पर संकेत करते हुए

कहा।

पिछले पांच दिवसों में शिव एवं विषाक्त होने वाले सभी सैनिक भले-चंगे हो चुके थे। अयोध्या के लिए प्रयाण अगले दिन प्रातः का नियत किया गया था।

'मेरे विचार से आपका कहना उचित जान पड़ता है,' शिव ने कहा। उसका मन स्वद्वीप के सम्राट के साथ हुई बैठक की ओर खिंचा चला गया।

दिलीप के बारे में सोचने का कोई अर्थ नहीं है। मैं निश्चित तौर पर कह सकता हूं कि वह उस बैठक के दौरान नाटक कर रहा था। चंद्रवंशी बुरे लोग हैं। वे किसी भी प्रकार का धोखा देने में माहिर हैं। हमारा युद्ध न्यायसंगत था।

'हम लोग कल प्रातः प्रस्थान करने की योजना बना रहे हैं, प्रभु,' पर्वतेश्वर ने कहा। उसके बाद उसने सती की ओर मुड़कर कहा, 'तुम अंततः प्रभु श्री राम के जन्मस्थल को देख पाओगी, मेरी बच्ची।'

'हां, पितृतुल्य,' सती ने मुस्कुराकर कहा, 'किंतु मैं नहीं जानती कि इन लोगों ने उनके मंदिर को अच्छी तरह से रखा भी है अथवा नहीं। अपनी घृणा में उसे नष्ट न कर दिया हो।'

उनकी यह बातचीत एक अत्यंत ही उच्च स्तरीय शोरगुल से बाधित हो गई।

पर्वतेश्वर ने गुस्से से अपनी त्योरी चढ़ाकर पूछा, 'वहां बाहर क्या हो रहा है, नंदी?'

'प्रभु,' नंदी ने आवरण के दूसरी ओर से कहा, 'राजकुमारी आनंदमयी यहां हैं। उनकी कुछ मांगें हैं। किंतु हम उसे पूरा नहीं कर सकते। वे आपसे मिलने का हठ कर रही हैं।'

'राजकुमारी जी से कहो कि वे अपने तंबू में प्रतीक्षा करें,' पर्वतेश्वर ने गुर्राकर कहा, 'मैं कुछ ही मिनटों में उनसे मिलता हूं।'

'मैं प्रतीक्षा नहीं कर सकती सेनानायक!' आवरण के पीछे से एक शक्तिशाली स्त्री का स्वर उभरा।

शिव ने पर्वतेश्वर को संकेत किया कि उन्हें आने दिया जाए। पर्वतेश्वर

ने आवरण की ओर मुड़कर कहा, 'नंदी, वीरभद्र उन्हें अंदर लेकर आओ। किंतु अस्त्र-शस्त्र आदि के लिए उनका परीक्षण कर लेना।'

कुछ ही क्षणों में नंदी एवं वीरभद्र के साथ आनंदमयी ने शिव के तंबू में प्रवेश किया। उसकी उपस्थिति पर शिव की भौंहें ऊपर उठ गईं। वह अपने पिता से अधिक लंबी थी। और ध्यान भंग करने वालियों की तरह सुंदर थी। अखरोट के गहरे रंग वाला उसका स्वरूप उसके शरीर का समपूरक था जो प्रचुर मात्रा में कामुक किंतु स्वस्थ था। उसकी हिरणी जैसी आंखें कामोत्तेजक रूप में अधखुली घूरने वाली दशा में थीं जबकि उसके होंठ चिरस्थायी रूप से खीज की मुद्रा में फूले हुए थे, जो कामुक तो थे फिर भी भयभीत करने वाले थे। उसने उकसाने वाले वस्त्र पहने रखे थे। उसने धोती को संकटपूर्ण तरीके से कमर में बहुत नीचे की ओर बांधा हुआ था और जो घुटनों से कई ईंच ऊपर तक ही थी, जबकि उसे पीड़ायुक्त तरीके से अपने कमनीय नितंबों पर कसकर लपेटा हुआ था। वह लंगोट से कुछ ही लंबी थी, जो मेलूहावासी पुरुष अनुष्ठानिक स्नान के समय पर पहना करते थे। उसकी चोली कुछ-कुछ उसी प्रकार के कपड़े के टुकड़े से बनी हुई थी, जो मेलूहावासी स्त्रियों द्वारा पहनी जाती थीं, किंतु अपवादस्वरूप वह ऊपर से उसके विशाल उरोजों को आकार देते हुए अश्लील तरीके से कटी हुई थी, जो उसके उरोजों के मध्य भाग की गहराई को उदारतापूर्वक दिखा रहा था। वह अपरिपक्व वासना को बहाते हुए अपने नितंबों को एक ओर झुकाकर खड़ी हुई थी।

'आप सचमुच में यह समझते हैं कि मैं इन वस्त्रों में कोई अस्त्र-शस्त्र छुपा सकती हूं,' अपने वस्त्रों की ओर संकेत करते हुए आनंदमयी ने धावा बोला।

विस्मित नंदी एवं सती ने दृष्टि गड़ाकर उसको देखा जबकि शिव एवं वीरभद्र के मुख पर एक आश्चर्यमिश्रित मुस्कान थी। पर्वतेश्वर ने हल्का सा सिर हिलाया।

'आप कैसे हैं, पर्वतेश्वर?' आनंदमयी ने एक मोहक मुस्कान फेंकते हुए और उसे नीचे से ऊपर तक निहारते हुए कहा। उसने कामुकता से अपनी भौंहे उठाईं।

शिव ने जब पर्वतेश्वर को थोड़ा शर्माते हुए देखा तो अपनी मुस्कान रोक नहीं पाया।

'आपकी क्या अभिलाषा है, राजकुमारी?' पर्वतेश्वर ने तीखे स्वर में पूछा, 'हम लोग एक महत्वूपर्ण बैठक में हैं।'

'जिसकी मुझे अभिलाषा है, क्या आप उसे सचमुच में पूरा करेंगे, सेनानायक?' आनंदमयी ने निःश्वास छोड़ते हुए कहा।

पर्वतेश्वर शर्म से और भी लाल हो गया, 'राजकुमारी, हमारे पास निरर्थक बातों के लिए समय नहीं है।'

'हां,' आनंदमयी ने आह भरते हुए कहा, 'बहुत दुर्भाग्यपूर्ण है। तो फिर आप इस उदासीनता भरे खेमे में मेरे लिए थोड़ा दूध और गुलाब की पंखुड़ियों की व्यवस्था कर सकते हैं?'

पर्वतेश्वर ने नंदी की ओर मुड़कर आश्चर्य में देखा। नंदी ने तुरंत अपना मुंह खोला, 'प्रभु, इन्हें मात्र एक गिलास दूध की आवश्यकता नहीं है, बल्कि पचास लीटर की आवश्यकता है। आहार वितरण नियंत्रण के तहत इसकी अनुमति नहीं दी जा सकती है।'

'आप पचास लीटर दूध पीने वाली हैं?' पर्वतेश्वर चीखा। उसकी आंखें आश्चर्य में फटी रह गईं।

'वह मुझे सौंदर्य स्नान के लिए चाहिए, सेनानायक!' आनंदमयी ने क्रुद्ध दृष्टि से देखा, 'आप हम लोगों को एक लंबी यात्रा पर ले जाने वाले हैं। मैं बिना तैयारी के नहीं जा सकती।'

'मैं प्रयास करता हूं और देखता हूं कि क्या कर सकता हूं,' पर्वतेश्वर ने कहा।

'आप केवल प्रयास न करें, सेनानायक। यह आपको करना ही होगा,' आनंदमयी ने लगभग चेतावनी वाले स्वर में कहा।

शिव अब अपने पर नियंत्रण न रख सका और ठहाका मारकर हंस पड़ा।

'तुम क्या समझते हो कि तुम किस बात पर हंस रहे हो?' शिव की ओर मुड़ते हुए आनंदमयी ने गुस्से से देखा।

'आप प्रभु से मर्यादा से बात करें, राजकुमारी,' पर्वतेश्वर चिल्लाया।

'प्रभु?' आनंदमयी ने उपहास वाली हंसी के साथ कहा, 'तो यह है, जो प्रभारी है? जिसे दक्ष कथित रूप से दिखाकर इतरा रहे थे?'

वह शिव की ओर मुड़ी, 'तुमने मेरे पिता से ऐसा क्या कुछ कह दिया कि वे अब बातचीत भी नहीं कर रहे? तुम मुझे तो इतने धमकी भरे नहीं लगते हो।'

'आप जो कुछ भी बोल रही हैं, उसके बारे में सावधान रहिए, राजकुमारी,' पर्वतेश्वर ने क्रोधित होते हुए समझाया, 'आप शायद यह नहीं जानती हैं कि आप किससे बात कर रही हैं।'

शिव ने पर्वतेश्वर को अपना हाथ उठाकर शांत होने के लिए कहा। किंतु वह तो आनंदमयी थी, जिसे शांत करने की आवश्यकता थी।

'तुम चाहे जो भी हो, जब हमारे प्रभु पधारेंगे तो तुम लोग सभी चूर-चूर हो जाओगे। जब वे स्वद्वीप में उत्तराधिकारी बनकर नीचे आएंगे तो तुम जैसी बुराइयों का नाश कर देंगे।'

*क्या?*

'इन्हें अभी बाहर निकालो, नंदी,' पर्वतेश्वर ने चीखकर कहा।

'नहीं रुको,' शिव ने कहा। आनंदमयी की ओर मुड़कर उसने पूछा, 'आपके कहने का क्या अर्थ है कि *"जब वे स्वद्वीप में उत्तराधिकारी बनकर नीचे आएंगे तो हम जैसी बुराइयों का नाश कर देंगे"* ?'

'मैं तुम्हें इसका उत्तर क्यों दूं, पर्वतेश्वर के प्रभु?'

पर्वतेश्वर अत्यधिक फुर्ती से आगे बढ़ा और उसने तलवार निकालकर आनंदमयी की गर्दन के पास ले जाकर दिखाते हुए कहा, 'जब प्रभु कुछ पूछते हैं तो आप उत्तर देंगी।'

'क्या आप हमेशा इतनी ही फुर्ती दिखाते हैं?' आनंदमयी ने धृष्टतापूर्वक कहा, 'या फिर आप कभी-कभार धीमी गति से भी कुछ काम कर सकते हैं?'

अपनी तलवार अत्यधिक समीप लाते हुए पर्वतेश्वर ने कहा, 'प्रभु को

उत्तर दीजिए, राजकुमारी।'

अपना सिर हिलाते हुए आनंदमयी शिव की ओर मुड़ी, 'हम अपने प्रभु के आने की प्रतीक्षा कर रहे हैं, जो स्वद्वीप में आएंगे और वे दुष्ट सूर्यवंशियों का विनाश कर देंगे।'

शिव के सुंदर मुख पर चिंता की शक्तिशाली रेखाएं उभर गईं। उसने पूछा, 'तुम्हारे प्रभु कौन हैं?'

'मैं नहीं जानती। उन्होंने अभी तक अपना स्वरूप प्रकट नहीं किया है।'

एक अत्यंत ही गहरा अनिष्ट दर्शन शिव के हृदय में समा गया। वह अपने अगले प्रश्न से अत्यंत ही भयभीत था। लेकिन उसके अंतर्मन ने उससे कहा कि नहीं उसे पूछना ही चाहिए, 'तुम कैसे जान पाओगी कि वे ही तुम्हारे प्रभु हैं?'

'तुम इसमें इतनी रुचि क्यों रखते हो?'

'मुझे यह जानने की आवश्यकता है,' शिव ने उलझन वाले स्वर में पूछा।

आनंदमयी ने गुस्से से त्योरी चढ़ाकर शिव को देखा जैसे कि वह विक्षिप्त व्यक्ति हो और कहा, 'वे सप्त-सिंधु के नहीं होंगे। वे न तो सूर्यवंशी होंगे और न ही चंद्रवंशी। किंतु वे जब भी आएंगे, हमारे पक्ष में ही आएंगे।'

शिव ने अंतर्मन के स्वर ने उससे कहा कि अभी बात समाप्त नहीं हुई है। उसे अभी और भी कुछ कहना है। अपनी कुर्सी के हत्थे को बलपूर्वक पकड़कर उसने पूछा, 'और?'

'और,' आनंदमयी ने कहना जारी रखा, 'जब वे सोमरस का पान करेंगे तो उनका कंठ नीला हो जाएगा।'

एक सुनाई पड़ने वाली निःश्वास शिव के मुंह से निकल गई और उसका शरीर तन गया। उसे प्रतीत हो रहा था कि समस्त ब्रह्मांड घूम रहा था। इस विचित्र वार्तालाप पर आनंदमयी और भी क्रोधित हो चुकी थी।

पर्वतेश्वर ने आंखें तरेरकर डरावनी दृष्टि से आनंदमयी को घूरते हुए कहा, 'हे नारी! आप असत्य बोल रही हैं! स्वीकार कीजिए! आप असत्य वचन बोल रही हैं!'

'मैं क्यों असत्य...'

आनंदमयी बीच में ही रुक गई क्योंकि उसने शिव के गले में गुलूबंद को देख लिया था। अचानक ही उसके मुख से अहंकार का भाव अदृश्य हो गया। उसे प्रतीत हुआ कि उसके घुटने झुक से रहे थे। बड़ी दुर्बलता से उंगली उठाकर उसने पूछा, 'आपका गला ढका हुआ क्यों है?'

'इन्हें बाहर ले जाओ, नंदी,' पर्वतेश्वर ने आज्ञा दी।

'आप कौन हैं?'

नंदी एवं वीरभद्र ने आनंदमयी को बाहर खींचने का प्रयास किया। आश्चर्यजनक शक्ति के साथ वह उनसे संघर्ष करने लगी और बोली, 'अपना गला दिखाइए!'

उन्होंने उसके हाथ पकड़कर पीछे की ओर कर दिया। उसने वीरभद्र के दोनों पैरों के मध्य अपने पैर से चोट मारी तो वह अत्यधिक पीड़ा में कराह कर पीछे हट गया। फिर उसने शिव की ओर पलटकर कहा, 'आखिर आप हैं कौन?'

शिव ने नीचे मेज को घूरना प्रारंभ कर दिया था। उसके पास इतनी भी शक्ति नहीं बची थी कि वह आनंदमयी की ओर दृष्टि उठाकर भी देख सके। उसने अपनी कुर्सी के हत्थों को कसकर पकड़ा हुआ था। उसे वही एकमात्र स्थिर वस्तु प्रतीत हो रहा था क्योंकि पूरा ब्रह्मांड ही अनियंत्रित गति से उसके सामने घूमता दृष्टिगत हो रहा था।

वीरभद्र ने पुनः झपटकर उसकी बांहें पकड़ लीं और नंदी ने उसे उसके गले से पकड़ लिया तो उसने नंदी के हाथ को क्रूरतापूर्वक काट खाया। पीड़ा से छटपटाता हुए नंदी ने ज्यों ही अपना हाथ खींचा तो वह अत्यधिक ऊंचे स्वर में चिल्लाई, 'मुझे उत्तर दीजिए, भगवान के लिए! आप हैं कौन?'

शिव ने सिर उठाकर क्षण भर के लिए आनंदमयी की संतप्त आंखों को देखा। जिस पीड़ा का उसने संदेश दिया, उसने उसके हृदय पर सहस्र कोड़े बरसा दिए। व्यथा की ज्वालाओं ने उसकी अंतरात्मा को जलाकर रख दिया था।

स्तब्ध आनंदमयी अचानक ही जड़वत हो गई। उसकी आंखों की दयनीयता मेलूहा के वीरों से भी वीर योद्धा को भौंचक्का कर देती। टूटे हुए स्वर में उसने धीमे से कहा, 'आप तो कथित रूप से हमारे पक्ष में आने वाले...'

उसने नंदी एवं वीरभद्र को उसे बाहर ले जाने से नहीं रोका। पर्वतेश्वर ने अपनी आंखें नीची कर लीं। वह शिव को देखने की हिम्मत नहीं कर सकता था। वह एक आदर्श सूर्यवंशी था। जब प्रभु अपने सबसे दुर्बल क्षणों में हों तो वह उन्हें देखकर लज्जित नहीं कर सकता था। दूसरी ओर सती, उनके इस सबसे दुर्बल क्षणों में उनकी ओर न देखकर अपने पति को अकेले पीड़ित होते नहीं देख सकती थी। वह उसकी बगल में आई और उसके चेहरे को दोनों हाथों से पकड़ लिया।

शिव ने सिर ऊपर उठाकर उसकी ओर देखा। उसकी आंखों से दुख के आंसू विध्वंसक रूप से अनवरत बह निकले थे। उसने धीमे स्वर में कहा, 'मैंने यह क्या किया?'

सती ने शिव को कसकर पकड़ लिया। उसने शिव के सिर को अपने वक्षस्थल में छुपा लिया। उसकी पीड़ा को कम करने के लिए उसके पास कोई शब्द नहीं था। वह मात्र उसे पकड़कर सांत्वना दे सकती थी।

एक अत्यंत ही संतप्त धीमा स्वर उस समस्त तंबू में संताप को गुंजायमान करता हुआ आप्लावित हो उठा, 'मैंने यह क्या किया?'

अध्याय - 25

# व्यक्तियों का द्वीप

शिव की सवारी को स्वद्वीप की राजधानी अयोध्या पहुंचने में तीन सप्ताह लग गए थे। उन्होंने गंगा की धारा के साथ-साथ एक लंबे घुमावदार जर्जर मार्ग पर यात्रा की थी और उसके बाद वे नावों से पूर्व की दिशा में गए थे जहां विशाल, किंतु उमंगी नदी ने भावुकता से सरयू के जल का स्वागत किया था। उसके बाद उन्होंने सरयू पर उत्तर की दिशा में जल में यात्रा की और तब जाकर वे उस नगर में पहुंचे थे जो प्रभु श्री राम का जन्मस्थल था। यह अत्यधिक लंबा घुमावदार मार्ग था, किंतु स्वद्वीप अर्थात व्यक्तियों के द्वीप में अत्यधिक जीर्ण-शीर्ण मार्गों को देखते हुए यही सबसे शीघ्र पहुंचने वाला मार्ग था।

मेलूहावासी सैनिकों की उत्सुकता इतनी अधिक थी कि उसकी तुलना नहीं की जा सकती थी। उन्होंने प्रभु श्री राम के नगर का वर्णन मात्र पौराणिक कथाओं में ही सुना था। किसी ने भी कभी भी देखा नहीं था। अयोध्या, जिसका शाब्दिक अर्थ होता है, अजेय अथवा अभेद्य अथवा जिसे आसानी से जीता न जा सके, वह एक ऐसी भूमि थी, जहां सर्वप्रथम प्रभु श्री राम के चरण पड़े थे। उनकी आशा थी कि चंद्रवंशियों की उपस्थिति से विध्वंस होने पर भी वह नगर अत्यधिक जगमगाता हुआ होगा। उनकी आशा थी कि वह नगर व्यवस्था एवं समानता का मरुद्यान होगा इसके पश्चात भी कि चंद्रवंशियों ने उसके आसपास की भूमि को अस्त-व्यस्तता के हवाले कर दिया था। वे पूरी तरह से निराश हुए।

अयोध्या किसी भी दृष्टि से देवगिरि के समान नहीं थी। वैसे तो पहली दृष्टि में ऐसा प्रतीत हुआ कि वह नगर बहुत ही अच्छा होगा। बाहरी दीवारें मोटी थीं और आश्चर्यजनक ढंग से शक्तिशाली भी थीं। मेलूहा की दीवारों के शालीन भूरे रंग के विपरीत अयोध्या के बाह्य भाग अतिव्ययी ढंग से इस ब्रह्मांड में जितने भी रंग उपलब्ध हो सकते थे उनसे पुते हुए थे। हालांकि प्रत्येक दूसरी ईंट चंद्रवंशियों के राजशाही रंग मौलिक श्वेत रंग में रंगी हुई थी। नगर की मीनारों से गुलाबी एवं नीले रंगों वाली अनेक पताकाएं बांधकर सजाई हुई थीं। वे पताकाएं किसी विशेष उत्सव के लिए नहीं सजाई गई थीं, बल्कि नगर की शोभा बढ़ाने के लिए स्थायी तौर पर लगाई गई थीं।

साम्राज्य का मार्ग अचानक ही तीव्रता से दुर्ग की दीवारों के साथ-साथ घूमकर मुख्य प्रवेश द्वार की ओर चला गया था ताकि हाथियों एवं प्रक्षेपास्त्र आदि को चलाने वाले यंत्रों आदि को सीधे प्रवेश द्वार तक आने से रोका जा सके। मुख्य प्रवेश द्वार पर सबसे ऊपर अत्यधिक सुंदरता से विभूषित क्षैतिज रूप से एक दूज का चांद दीवार में स्थापित किया गया था। उसके नीचे चंद्रवंशियों का घोष वाक्य लिखा था, 'श्रृंगार, सौंदर्य, स्वतंत्रता।'

एक बार जब वे नगर के अंदर प्रविष्ट हुए तो अति विशुद्धता एवं सुंदर व्यवस्था को प्रेम करने वाले मेलूहावासियों को एक झटका-सा लगा। कृत्तिका ने उस नगरीय व्यवस्था को 'अत्यधिक गड़बड़ी से कार्यशील' व्यवस्था कहकर संबोधित किया। मेलूहा के नगरों के विपरीत अयोध्या का निर्माण वेदिका पर नहीं किया गया था, तो इससे स्पष्ट था कि यदि सरयू नदी भी अनिश्चित स्वभाव वाली सिंधु नदी के समान कभी भी बाढ़ग्रस्त हुई, तो नगर जलप्लावित हो जाएगा। अनेक नगरीय दीवारें जो सात संकेंद्रित वृत्तों में बनाई गई थीं, वे आश्चर्यजनक ढंग से मोटी एवं ताकतवर थीं। हालांकि सेनानायक की रणनीतिक आंखों को देखने पर यह समझने में अधिक समय नहीं लगा कि वे दीवारें सैनिक बुद्धिवालों द्वारा योजनागत नहीं थीं। असल में वे बड़े ही अस्त-व्यस्त ढंग से एक के बाद एक जोड़ी गई थीं, जब नगर ने अपना आवरण खोला था और पूर्व के घेरे से बाहर निकलकर दूर तक विस्तार कर लिया था। इसी कारण से प्रत्येक दीवार में

अनेक कमियां थीं जिनका उपयोग घेरेबंदी करने वाले शत्रु सरलता से कर सकते थे। संभवतः इसी कारण से चंद्रवंशी सुदूर जाकर किसी युद्ध भूमि में युद्ध करना पसंद करते थे न कि अपने नगर को सुरक्षित करना।

उनकी आधारभूत संरचनाएं चंद्रवंशियों की विशेष रुचियों के उदासीन कलंक के समान थे। यह वाद-विवाद करने के कार्य को न करने का बहाना हो सकता था। सड़कें और कुछ नहीं मात्र धूल से भरी पगडंडी के समान थीं। हालांकि एक उल्लेखनीय अपवाद भी था, वह था सफाई से खड़ंजे से पक्का किया हुआ राजपथ अर्थात राजशाही मार्ग, जो बाहरी दीवार से वैभवपूर्ण राजशाही महल तक सीधा बना हुआ था। स्वद्वीपवासी इस बारे में उपहास करते थे कि सड़क के मध्य में गड्ढे ढूंढ़ने के बजाय उन्हें गड्ढों में सड़क ढूंढ़ने की आदत पड़ गई थी! मेलूहावासियों की उनके अपवाद स्वरूप सुव्यवस्थित योजनागत, संकेत चिह्नों सहित, खड़ंजे से पक्के किए हुए और सूक्ष्म मानकीय विधि से बनायी गई सड़कों की तुलना में ये कहीं नहीं ठहरते थे।

समस्त नगर में इधर-उधर अतिक्रमण हुए पड़े थे। कई खुले मैदानों में बड़ी-बड़ी मलिन बस्तियों ने जन्म ले रखा था क्योंकि अवैध अप्रवासियों ने उनमें अपने तंबू लगा रखे थे। किनारों पर तंबू लगाकर अतिक्रमण करते हुए आवासहीन लोगों के तंबुओं ने संकुचित सड़कों को और भी संकुचित कर दिया था। धनी घरवालों एवं आश्रयहीन लोगों के मध्य हमेशा तनाव का वातावरण बना रहता था। सम्राट ने 1910 ईसवी पूर्व से पहले बने सभी अतिक्रमणों को वैध घोषित कर दिया था। इसका अर्थ यह था कि मलिन बस्तियों में रहने वाले लोगों को तब तक विस्थापित नहीं किया जा सकता था जब तक कि प्रशासन उनके लिए अन्य आवासों की व्यवस्था नहीं करती है। एक छोटी समस्या यह भी थी कि चंद्रवंशी प्रशासन इतने विकराल तरीके से अप्रभावी था कि पिछले बारह वर्षों में मलिन बस्ती के निवासियों के लिए एक भी आवास बनवाकर नहीं दे पाया था। अब यह वार्ता हो रही थी कि इसके लिए निर्धारित समय को कुछ और बढ़ा दिया जाए। अतिक्रमण, खराब सड़कों सहित घटिया निर्माणों ने यह प्रभाव छोड़ा कि नगर अपने अंतिम पतन की ओर अग्रसर था।

मेलूहावासी क्रोध में थे। इन लोगों ने प्रभु श्री राम के जन्मस्थल वाले नगर का क्या हाल बना दिया था? या फिर यह हमेशा से ऐसा ही था? क्या यही कारण था कि प्रभु श्री राम ने सरयू नदी को पार कर यहां से दूर सरस्वती नदी के तट पर देवगिरि में अपनी राजधानी बसाने का निर्णय लिया था?

पर फिर भी जब कुरूपता एवं उन्मत्त अव्यवस्था का प्रारंभिक सदमा धीरे-धीरे समाप्त हुआ तब मेलूहावासियों को उस निरंतर अव्यवस्थित नगर में एक विचित्र एवं असंभावित मनोहरता दिखाई देने लगी। मेलूहा के नगरों के विपरीत अयोध्या में एक भी आवास समान नहीं था। मेलूहा में तो राजमहल भी एक ही आकार-प्रकार के बनाए गए थे। यहां प्रत्येक भवन में एक अपना व्यक्तिगत आकर्षण था। स्वद्वीपवासियों ने कड़े नियमों एवं भवन नियमावली से भारमुक्त होकर भवनों के निर्माण किए थे, जो अनुराग एवं भव्यता के प्रतीक थे। कुछ निर्माण तो इतने भव्य थे कि मेलूहावासी भी यह कल्पना नहीं कर पाए कि किस दिव्य वास्तुविद की प्रतिभा वैसे निर्माण कर सकती थी। स्वद्वीपवासियों पर मेलूहावासियों की तरह कोई नियंत्रण नहीं था। सभी कुछ भड़कीले रंगों से रंगे हुए थे, नारंगी भवनों से लेकर, सुग्गापंखी रंग की छत से लेकर चमकीली गुलाबी खिड़कियों तक! नगर विषयक उच्च विचार वाले स्वद्वीपवासियों ने भव्य सार्वजनिक बागों, मंदिरों, नाट्यशालाओं एवं पुस्तकालयों के निर्माण किए थे, जिनके नामकरण उनके परिवार के सदस्यों के नाम पर थे क्योंकि उन्हें प्रशासन की ओर से कोई सहायता नहीं उपलब्ध कराई गई थी। मेलूहावासियों को वैसे तो यह विचित्र लगा कि सार्वजनिक भवनों के नाम व्यक्तिगत नहीं होने चाहिएं, किंतु वे उनके निर्माण की भव्यता से विस्मित थे। एक कंपायमान नगर जहां एक ओर उत्कृष्ट सुंदरता थी, वहीं उसके साथ-साथ अत्यंत ही डरावनी कुरूपता भी थी। ऐसी अयोध्या ने मेलूहावासियों में घृणा तो उत्पन्न की और साथ में उन्हें आकर्षित भी किया।

लोग चंद्रवंशी जीवन-शैली की अभिव्यक्ति के रूप में जीवन जी रहे थे। स्त्रियों ने अपर्याप्त कपड़े पहन रखे थे, जो निर्लज्जता एवं कामुकता के प्रति आत्मविश्वास के प्रतीक थे। पुरुष भी स्त्रियों की भांति ही सजने-धजने

एवं सुंदरता के प्रति अत्यधिक जागरूक थे, जिसे मेलूहावासी छैल-छबीला कहते थे। स्त्रियों एवं पुरुषों के मध्य जो संबंध थे, उन्हें एक लक्षण के रूप में चरमस्थिति तक डगमगाने वाली स्थितियों में देखा जा सकता था। प्रेम की पराकाष्ठा, घृणा की पराकाष्ठा के सहअस्तित्व में थी जो अत्यंत ऊंचे स्वरों में परिणत थे और जो अत्यंत ही आवेग पर आधारित थे। अयोध्या में कुछ भी छोटे स्तर पर नहीं होता था। उनके शब्दकोश में संयम शब्द ही नहीं था।

इसलिए यह कोई आश्चर्य की बात नहीं थी कि अयोध्या की भावनात्मक, अस्थिर और अनियंत्रित भीड़ दक्ष के सुधार देने की घोषित मंशा पर हंसी उड़ा रही थी। दक्ष ने उस उदास नगर में प्रवेश किया जहां उसकी प्रजा राजपथ पर दोनों ओर चुपचाप खड़ी रही और विजयी सेनाओं के स्वागत से इंकार करती रही। दक्ष जिसने आशा की थी कि अयोध्या के निवासी फूलों की वर्षा कर उसका स्वागत करेंगे क्योंकि अंततः उन्हें दुष्ट शासकों से मुक्ति मिल गई थी, किंतु उसे जो इतना सर्द स्वागत मिला इससे वह आश्चर्यचकित था। चंद्रवंशी शासकों द्वारा बलात ऐसा करवाया गया होगा, ऐसी उसकी सोच थी।

शिव, जो एक सप्ताह बाद पहुंचा था, उसे इस प्रकार की कोई भ्रांति नहीं थी। उसने एक शांतिमय स्वागत की तुलना में बहुत बुरे व्यवहार की अपेक्षा की थी। उसने आक्रमण की आशा की थी। उसने आशा की थी कि उसे अपवाद मिलेगा कि वह स्वद्वीपवासियों की ओर से खड़ा नहीं हुआ था क्योंकि वे भी नीलकंठ की पौराणिक कथा में विश्वास करते थे। उसने आशा की थी कि उसके द्वारा तथाकथित अनुचित पक्ष को चयनित करने पर उससे घृणा की जाएगी। किंतु अब उसे यह संदेह हो रहा था कि चंद्रवंशी उतने भी बुरे नहीं थे, फिर भी वह सूर्यवंशियों को अनुचित पक्ष की श्रेणी में रखने को भी तैयार नहीं था। उसके विचार से मेलूहावासी बिना किसी अपवाद के सच्चे, मर्यादित, नियमों का पालन करने वाले लोग थे जिन्हें अपरिवर्ती तरीके से विश्वास किया जा सकता था। शिव अपने कर्म एवं भविष्य के कर्तव्यों के प्रति भ्रमित था। वह बृहस्पति की तीक्ष्ण बुद्धि एवं सलाहों की कमी महसूस कर रहा था।

उसकी सोच उस पर बहुत ही भारी थी। शिव शीघ्रता से आवरण किए हुए वाहन से उतरा और चंद्रवंशी राजमहल की ओर मुड़ गया। कुछ क्षण के लिए वह चंद्रवंशी राजमहल की भव्यता को देखकर आश्चर्यचकित रह गया। किंतु शीघ्र ही उसने अपने विवेक पर काबू पाया, सती का हाथ पकड़ा और मुख्य राजमहल की वेदिका की ओर जाने वाली सौ सीढ़ियों की ओर बढ़ गया। पर्वतेश्वर धीमे से उनके पीछे हो लिया। शिव ने सती से दूर दृष्टि दौड़ाई तो उसने देखा कि आनंदमयी चुप्पी साधे हुए सीढ़ियां चढ़ रही थी। उस बैठक के बाद से वह शिव से कुछ नहीं बोली थी, जिसमें उसे संज्ञान हुआ था कि शिव कौन थे। वह उदासीन होकर, भाव शून्यता वाले मुख से सीढ़ियां चढ़ रही थी और उसकी दृष्टि अपने पिता पर गड़ी हुई थी।

'वह आदमी आखिर है कौन?' एक संदेही स्वद्वीप निवासी बढ़ई ने पूछा, जिसे राजमहल के आंगन के किनारे पर चंद्रवंशी सैनिकों द्वारा रोक दिया गया था।

'हमारे सम्राट और वह विशुद्ध पागल व्यक्ति राजशाही वेदिका पर क्यों उसके लिए प्रतीक्षा कर रहे हैं और वह भी पूरी राजसी प्रभुता के साथ?'

'विशुद्ध पागल व्यक्ति?' उसके मित्र ने पूछा।

'अरे, तुमने सुना नहीं है क्या? यह उस मूर्ख दक्ष का नया उपनाम है!'

दोनों मित्र खिलखिला कर हंस पड़े।

'शू ऽ ऽ !' उनके बगल में खड़े एक वृद्ध व्यक्ति ने चुप रहने का इशारा करते हुए कहा, 'तुम नवयुवकों में बुद्धि नहीं है क्या? अयोध्या का अपमान हो रहा है और तुम लोग आपस में मसखरी कर रहे हो।'

इस मध्य शिव राजसी वेदिका पर पहुंच चुका था। दक्ष ने नीचे झुककर नमस्ते किया तो शिव ने हल्की मुस्कान के साथ उसकी नमस्ते का उत्तर दिया। दिलीप की आंखें नम थीं। वह नीचे झुका और उसने धीमे से रुआंसे स्वर में कहा, 'मैं दुष्ट नहीं हूं, प्रभु। हम लोग दुष्ट नहीं हैं।'

'यह क्या था?' दक्ष ने पूछा। उसके कान दिलीप के स्वरों को सुनने को आतुर हो गए।

शिव का रुंध हुआ गला कुछ भी ध्वनि निकालने से इंकार कर गया। दिलीप से कुछ न सुनने की दशा में दक्ष ने अपना सिर हिलाया और धीमे स्वर में बोला, 'प्रभु, संभवतः यह सही अवसर है कि आपका परिचय अयोध्या की प्रजा से करवा दिया जाए। मुझे दृढ़ विश्वास है कि जब उन्हें पता चल जाएगा कि नीलकंठ उनकी रक्षा करने आ गए हैं तो वे अपने कर्तव्य की ओर प्रेरित हो जाएंगे।'

इससे पूर्व कि दुखमय शिव कोई उत्तर दे पाता, उसका ध्यान रखने वाली उसकी पत्नी ने कहा, 'पिताश्री, शिव थके हुए हैं। यात्रा बड़ी लंबी रही है। क्या वे थोड़ी देर विश्राम कर सकते हैं?'

'हां, निस्संदेह,' क्षमा याचना वाले स्वर में दक्ष ने धीमे से कहा। उसके बाद शिव की ओर मुड़ते हुए उसने कहा, 'मुझे क्षमा करें, प्रभु। कभी-कभी मेरा उत्साह कुछ अधिक ही हो जाता है। आप आज विश्राम क्यों नहीं कर लेते। हम आपका परिचय कल दरबार में करवा सकते हैं।'

शिव ने दिलीप की चिंताग्रस्त आंखों को देखा। उसकी पीड़ाग्रस्त दृष्टि को वह सहन नहीं पाया और उसने उससे दृष्टि हटाकर उनके दरबारियों पर डाली, जो उसके पीछे खड़े थे। मात्र एक जोड़ी आंखों में न समझ पाना नहीं दिखाई दे रहा था। शिव को उस पल यह महसूस हुआ कि दिलीप के दरबार में आनंदमयी के अलावा किसी और को उसकी पहचान के बारे में पता नहीं था। यहां तक कि दिलीप के पुत्र भगीरथ को भी नहीं। दिलीप ने इस बारे में किसी को नहीं बताया था। स्पष्ट रूप से दक्ष ने भी यही किया था। संभवतः वे चाहते थे कि शिव की उपस्थिति में ही उस भव्य प्रकटीकरण को किया जाए।

'प्रभु।'

शिव पर्वतेश्वर की ओर मुड़ा और पूछा, 'हां,' उसका स्वर अत्यधिक हल्का था कि किसी को सुनाई भी न दे सके।

'चूंकि रैतिक परेड समाप्त हो चुका है, मैं सेना को बाहर लेकर जाता हूं,' पर्वतेश्वर ने कहा, 'ये पूर्व में आई सेना की टुकड़ी के साथ नगर के बाहर रहेंगे। मैं आपकी सेवा में दो घंटे में पुनः उपस्थित हो जाऊंगा।'

शिव ने बड़े ही दुर्बलता से सिर हिलाकर सहमति प्रकट की।

— ⅄ⲰᎧᏐ⊛ —

उनके अयोध्या पहुंचे हुए कई घंटे बीत चुके थे। शिव ने एक शब्द भी किसी से नहीं कहा था। वह अपने कक्ष की खिड़की पर बाहर की ओर देखते हुए खड़ा हुआ था। बाहर मध्याह्न का सूरज अपने चमकदार वैभव में था। सती उसकी बगल में चुप बैठी हुई थी, उसका हाथ पकड़े हुए, अपनी वह समस्त ऊर्जा जिसे वह निकाल सकती थी, निकालकर शिव को दे रही थी। नगर के केंद्र से दाहिनी ओर बने एक वैभवशाली बनावट को वह निरंतर घूरता जा रहा था। उस दूरी से वह संरचना श्वेत संगमरमर की बनी हुई प्रतीत हो रही थी। एक अथाह कारण से उसको देखना उसकी आत्मा को आराम पहुंचा रहा था। उसे नगर के सबसे ऊंचे स्थान पर निर्मित किया गया था, जो एक हल्की ढाल पर बना अयोध्या के हर कोने से दिखाई देने वाला था। वह भवन इतना महत्वपूर्ण क्यों था, जिसने राजमहल के स्थान पर नगर के सबसे ऊंचे स्थल को अधिकृत किया हुआ था?

एक ऊंची एवं आग्रही खटखटाहट ने उसकी सोच को मध्य में ही भंग कर दिया।

'कौन है?' पर्वतेश्वर उस कक्ष में पीछे की ओर अपनी कुर्सी से उठकर गुर्राया।

'प्रभु,' नंदी ने उत्तर दिया, 'ये राजकुमारी आनंदमयी हैं।'

पर्वतेश्वर ने हल्की कराह भरी और शिव की ओर मुड़कर देखा। नीलकंठ ने सिर हिलाकर सहमति प्रकट की।

'उन्हें अंदर आने दो,' पर्वतेश्वर ने आदेश दिया।

आनंदमयी ने प्रवेश किया। उसकी आश्चर्यजनक मुस्कान पर्वतेश्वर की ओर थी, जिस पर पर्वतेश्वर ने संदेहात्मक रूप से आंखें तरेर कर पूछा, 'मैं आपकी क्या सहायता कर सकता हूं, महारानी जी?'

'मैंने आपसे पहले भी कहा है पर्वतेश्वर कि आप मेरी कैसे सहायता

कर सकते हैं,' आनंदमयी ने उसे चिढ़ाते हुए कहा, 'यदि आप बार-बार प्रश्न पूछने के बदले में अपने उत्तर की सुनेंगे तो निश्चय ही हमारी बात आगे बढ़ सकती है।'

पर्वतेश्वर की प्रतिक्रिया लज्जा एवं क्रोध मिश्रित थी। तीन सप्ताहों में शिव के मुख पर पहली बार एक दुर्बल मुस्कान उभरी थी। कुछ कारण से इस तथ्य ने कि आनंदमयी अपने पहले स्वरूप में वापस आ गई थी, शिव को खुशी प्रदान की थी।

आनंदमयी शिव की ओर मुड़ी और उसने पूरी तरह से झुककर अभिवादन करते हुए कहा, 'सचाई मेरे सामने आ चुकी है, प्रभु। मेरे पूर्व के चिड़चिड़ेपन के कारण मैं क्षमाप्रार्थी हूं। उस समय मैं अत्यधिक सदमे में थी। आपका सूर्यवंशियों की ओर होना इन दो व्याख्याओं में से कोई एक ही सत्य हो सकता है। या तो हम लोग बुरे हैं। या फिर आप वो नहीं हैं, जो हम लोग समझ रहे हैं कि आप है और पौराणिक कथा झूठी है। इनमें से किसी भी विवरण को स्वीकार करने से मेरी आत्मा ध्वस्त हो जाएगी।'

शिव ने आनंदमयी को ध्यानपूर्वक देखा।

'किंतु मैंने अब तक यह अनुभव कर लिया है कि,' आनंदमयी ने कहना जारी रखा, 'पौराणिक कथा झूठी नहीं है। और हम लोग बुरे नहीं हैं। यह मात्र इतना है कि आप अत्यधिक सरलमति हैं। आपको इन सूर्यवंशियों ने गुमराह कर दिया है। मैं सब सही कर दूंगी। मैं आपको हमारे मार्ग की अच्छाई दिखाऊंगी।'

'हम बुरे नहीं हैं,' आंखें तरेर कर देखते हुए पर्वतेश्वर ने कहा।

'पर्वतेश्वर,' आनंदमयी ने आह भरते हुए कहा, 'मैंने आपसे पहले भी कहा था कि आपके सुंदर मुख का उपयोग बातचीत के बदले कहीं और अधिक है। आप अपनी सांसों को अनावश्यक अपव्यय न करें।'

'अपना अक्खड़पन रहने दो, स्त्री,' पर्वतेश्वर ने चिल्लाकर कहा, 'आप सोचती हैं कि हम बुरे हैं? क्या आपने देखा है कि आप अपनी प्रजा की देखभाल किस प्रकार करते हैं? हमारी पूरी यात्रा में हमें भूखी आंखों ने घूरा

है। आपकी गड्ढे वाली सड़कों के किनारों पर अनाथ बच्चे लेटे रहते हैं। हताश वृद्ध महिलाएं इस समस्त *अजेय नगर* में दान की भिक्षा मांगती रहती हैं, जबकि स्वद्वीप के धनी लोग मेलूहा के सम्राट से भी अच्छा जीवन व्यतीत करते हैं। हमारे मेलूहा में एक आदर्श समाज है। मैं प्रभु की इस बात से सहमत हो सकता हूं कि संभवतः आप लोग उतने बुरे नहीं हैं, किंतु आप लोग निश्चित रूप से अपने लोगों की देखभाल करना नहीं जानते हैं। मेलूहा में आइए और देखिए कि एक आम नागरिक की देखभाल कैसे की जाती है। हमारे प्रशासन से आप लोगों के जीवन बेहतर हो जाएंगे।'

'बेहतर?' उत्तेजित आनंदमयी ने तर्क किया, 'हम लोग आदर्श नहीं हैं। मैं स्वीकार करती हूं। ऐसे कई चीजें हैं, जो हमारा साम्राज्य और बेहतर ढंग से कर सकता है। मैं स्वीकार करती हूं। किंतु कम से कम हम अपने लोगों को स्वतंत्रता देते हैं। उन पर हम बलात ऐसे नियम नहीं थोपते हैं, जो चंद कुलीन लोग मिलकर बनाते हैं, जिन्हें आम आदमी के जीवन का ज्ञान भी नहीं होता है।'

'उन्हें स्वतंत्रता देते हैं? क्या करने की स्वतंत्रता देते हैं? लूट, चोरी, भिक्षावृत्ति, प्राणहरण करने की?'

'मुझे अपनी संस्कृति के बारे में आपसे बहस करने की आवश्यकता नहीं है। आपका यह अदना सा मस्तिष्क हमारी जीवनशैली के लाभों को नहीं समझ पाएगा।'

'मैं समझना भी नहीं चाहता! जिस प्रकार से इस साम्राज्य का प्रबंधन किया गया है, उससे मुझे घिन्न आती है। आपके पास कोई मानक नहीं है। कोई नियंत्रण नहीं है। कोई विधि नहीं है। इसलिए इसमें आश्चर्य की बात नहीं है कि दुष्ट नहीं होते हुए भी आप लोगों ने नागाओं से समझौता करके अपने हाथ दूषित कर लिए हैं। कायर त्रासदकारियों की तरह छिपकर युद्ध करते हैं न कि वीर क्षत्रियों की तरह। हो सकता है कि आप दुष्ट न हों, किंतु आपके कर्म निश्चित रूप से हैं।'

'नागा?' ये आप क्या बकवास कर रहे हैं? आप ये समझते हैं कि हम इतने पागल हैं कि हम नागाओं से समझौता करेंगे? आप यह समझते हैं

कि हमें यह नहीं पता कि ऐसा करने से अगले सात जन्मों तक हमारी आत्माएं दूषित हो जाएंगी? और आतंकवाद? हमने आतंकवाद का कभी भी सहारा नहीं लिया है। हमने पिछले सौ वर्षों तक अपनी प्राकृतिक सहज प्रवृत्ति को दबाया ताकि आपके शापित लोगों से युद्ध न करना पड़े। इसी कारण से हम अपने सीमांत राज्यों से पीछे हट गए। हमने आपसे सभी संबंध तोड़ लिए। चूंकि आप लोगों ने हमारी यमुना को चुरा लिया तो हमने गंगा की निचली धारा से ही अपने जीवन को संचालित करना सीख लिया। मेरे पिताश्री ने आपको बताया था कि मंदार पर आक्रमण से हमारा कुछ भी लेना-देना नहीं था! किंतु आप लोगों ने हम पर विश्वास नहीं किया। और आप ऐसा करते भी क्यों? आपको तो हम पर आक्रमण करने का बहाना चाहिए था।'

'मुझसे झूठ मत बोलिए। कम से कम महादेव के सामने तो नहीं! नागाओं के साथ चंद्रवंशी त्रासदकारियों को देखा गया है।'

'मेरे पिताश्री ने आपसे कहा था कि हमारे नियंत्रण में ऐसा कोई नहीं है, जिसका मंदार पर्वत पर आक्रमण से कोई लेना-देना है। हमारा नागाओं से कुछ भी लेना-देना नहीं है। यह संभव है कि सूर्यवंशियों की तरह ही कुछ चंद्रवंशियों ने त्रासदकारियों की सहायता की हो। यदि आपने हमारे साथ मिलकर काम किया होता तो हम अपराधियों को ढूंढ़ भी सकते थे।'

'यह क्या बकवास है? कोई सूर्यवंशी उन राक्षसों से कभी भी कोई मित्रता नहीं करेगा। और जहां तक चंद्रवंशियों द्वारा उन्हें सहायता करने वाली बात है तो आप लोगों को उसका उत्तर देना होगा। स्वद्वीप आपके नियंत्रण में है।'

'यदि आपने स्वद्वीप के साथ कूटनीतिक संबंध रखे होते तो आपको यह पता होता कि हम राज्यसंघ हैं, न कि आपकी तरह एक अधिकारवादी। अयोध्या मात्र अधिपति है। स्वद्वीप के अन्य राजा युद्ध के दौरान सुरक्षा करने के लिए हमें शुल्क देते हैं। अन्यथा उन्हें अपने शासित प्रदेश को अपनी मनमर्जी से चलाने की स्वतंत्रता है।'

'यह कैसे संभव है? आप ये कह रही हैं कि स्वद्वीप के सम्राट अपने

साम्राज्य पर शासन नहीं करते हैं?'

'कृपया, शांत हो जाइए,' शिव ने उनके विवाद को समाप्त करने का अनुरोध किया। यह विवाद उसके मन में चल रहे विवाद को प्रतिबिंबित कर रहा था। वह ऐसे प्रश्नों से परेशान होना नहीं चाहता था, जिसके उत्तर उसके पास नहीं थे। कम से कम इस समय तो नहीं ही।

पर्वतेश्वर एवं आनंदमयी तत्काल मौन हो गए।

खिड़की की ओर पुनः धीमे से मुड़ते हुए शिव ने पूछा, 'वह भवन क्या है, आनंदमयी?'

'वह, प्रभु,' पहले उससे बात करने पर प्रसन्नता से मुस्कुराते हुए आनंदमयी बोली, 'वह रामजन्म भूमि मंदिर है, जो प्रभु श्री राम के जन्मस्थल पर निर्मित है।'

'आप लोगों ने प्रभु श्री राम के मंदिर का निर्माण किया है?' आश्चर्यचकित पर्वतेश्वर ने पूछा, 'किंतु वे तो सूर्यवंशी थे। आपके कट्टर शत्रु।'

'हमने उस मंदिर का निर्माण नहीं किया है,' आनंदमयी ने रोष में आंखों को ऊंचा उठाकर कहा, 'किंतु हमने उसका नवीकरण अवश्य किया है और बड़े ही प्रेमपूर्वक इसका रख-रखाव किया है। और साथ ही साथ यह भी आपसे पूछना है कि आप यह कैसे सोच सकते हैं कि प्रभु श्री राम हमारे कट्टर शत्रु थे। उन्हें भटकाकर दूसरे मार्ग का अनुसरण करवाया गया हो सकता है, किंतु उन्होंने चंद्रवंशियों के लिए बहुत से अच्छे काम किए थे। अयोध्या में उन्हें भगवान की तरह सम्मान दिया जाता है।'

पर्वतेश्वर की आंखें विस्मय से खुली की खुली रह गईं, 'किंतु उन्होंने चंद्रवंशियों के सर्वनाश करने की सौगंध ली थी।'

'यदि उन्होंने हमें नष्ट करने की प्रतिज्ञा ली होती तो आज हमारा अस्तित्व नहीं होता, है कि नहीं? उन्होंने हमें कोई हानि नहीं पहुंचाई क्योंकि उन्हें विश्वास था कि हम लोग अच्छे लोग थे। और हमारे जीवन जीने का तरीका इस जगत में अस्तित्व में रहने का पात्र है।'

पर्वतेश्वर इस तर्क से उद्विग्न हो रहा था।

'आपको पता है, प्रभु श्री राम का पूरा अनुष्ठानिक नाम क्या है?' आनंदमयी ने अपने पक्ष में बात करने के उद्देश्य से कहा।

'निस्संदेह मुझे पता है,' पर्वतेश्वर ने ताना मारते हुए कहा, 'प्रभु श्री राम, इक्ष्वाकु वंश के सूर्यवंशी क्षत्रिय। दशरथ एवं कौशल्या के पुत्र। सीता के पति-परमेश्वर। सातवें विष्णु की उपाधि से आदरणीय एवं सम्मानित।'

'बहुत अच्छे,' आनंदमयी मुस्कुराई, 'केवल एक छोटी भूल को छोड़कर। आप एक छोटा शब्द कहना भूल गए, सेनानायक। आप *चंद्र* शब्द कहना भूल गए। उनका पूरा नाम था प्रभु *राम चंद्र*।'

पर्वतेश्वर ने अपनी त्योरी चढ़ा ली।

'हां, सेनानायक,' आनंदमयी ने कहना जारी रखा, 'उनके नाम का अर्थ था *चंद्रमा का मुख*। वे चंद्रवंशी अधिक थे, जितना कि आपको पता है।'

'यह चंद्रवंशियों की लाक्षणिक दोमुंही बात है,' पर्वतेश्वर ने अपने विवेक का संचयन कर कहा, 'आप शब्दों और नामों में खो चुकी हैं न कि उनके कर्तव्यों में। प्रभु श्री राम ने कहा था कि किसी व्यक्ति की पहचान मात्र उसके कर्मों द्वारा ही होती है। यह तथ्य कि उनके नाम में चंद्र शब्द था का कोई अर्थ नहीं होता है। उनके कर्तव्य सूर्य के समान योग्य थे। वे सूर्यवंशी थे पूरी तरह से।'

'क्या ऐसा नहीं हो सकता कि वे सूर्यवंशी एवं चंद्रवंशी दोनों ही थे?'

'ये क्या बिना सिर पैर की बातें हैं? यह असंभव है। यह विरोधभासी है।'

'यह मात्र आपको असंभव प्रतीत होता है क्योंकि आपका क्षुद्र मन इसे समझ ही नहीं सकता। विरोधाभास तो प्रकृति का अंग है।'

'नहीं ऐसा नहीं है। यह असंभव है कि एक वस्तु तो सच है और उसका विरोधी झूठ नहीं है। ब्रह्मांड इसे स्वीकार नहीं कर सकता। एक म्यान में केवल एक ही तलवार रह सकती है।'

'यह तभी संभव है जब म्यान छोटी हो। आप यह कहना चाहते हैं कि प्रभु श्री राम इतने महान नहीं थे कि उनकी दो पहचान हों?'

'आप केवल शब्दों के साथ खेल रही हैं।' पर्वतेश्वर ने तीक्ष्ण दृष्टि से देखते हुए कहा।

शिव ने सुनना छोड़ दिया था। वह खिड़की ओर मुड़ चुका था। उस मंदिर की ओर। वह अपने शरीर के रोमकूपों में अनुभव कर रहा था। वह अपनी आत्मा में अनुभव कर रहा था। वह अपने अंतर्मन का हल्का, दबा हुआ स्वर सुन सकता था।

*प्रभु श्रीराम तुम्हारी सहायता करेंगे। वे तुम्हारा मार्गदर्शन करेंगे। वे तुम्हें आराम पहुंचाएंगे। उनके पास जाओ।*

— ἈⓄ᎒↑⊕ —

वह तीसरे प्रहर का तीसरा घंटा था जब शिव स्वयं ही चोरी-छुपे अयोध्या की अस्त-व्यस्त गलियों में निकल पड़ा था। वह प्रभु श्री राम से मिलने जा रहा था। सती ने साथ चलने को नहीं कहा था। वह जानती थी कि उसके पति को एकांत चाहिए था। गुलूबंद पहने हुए और सुरक्षा हेतु एक दुशाला ओढ़े हुए एक तलवार और ढाल के साथ अत्यधिक सावधानी बरतते हुए शिव मंथर गति से भ्रमण करता हुआ चंद्रवंशी राजधानी के विचित्र दृश्यों एवं गंधों को ग्रहण करता जा रहा था। किसी ने भी उसे नहीं पहचाना था। उसे इस प्रकार चलना पसंद था।

ऐसा प्रतीत हो रहा था कि अयोध्यावासी किसी भी प्रकार के आत्मनियंत्रण का हल्का सा भी संकेत दिए बिना ही अपना जीवन जी रहे थे। अत्यधिक ऊंची ध्वनि वाले भावुकतापूर्ण स्वर उसके कानों पर सर्वथा आक्रमण कर रहे थे जैसे किसी अत्यधिक तीव्र वाद्ययंत्रों का एक समूह उसकी इंद्रियों पर काबू पाने का प्रयत्न कर रहा हो। आम आदमी या तो ठहाका लगाकर हंस रहे थे जैसे कि एक बोतल मदिरा पी रही हो या फिर ऐसे लड़ाई कर रहे थे जैसे उसका संपूर्ण जीवन उसी पर निर्भर हो। शिव को चलते समय कई बार धक्का लगा क्योंकि लोग भागम-भाग में लगे हुए थे और ऊपर से अश्लीलता फेंकते हुए और अंधा कहकर संबोधित भी किए जा रहे थे। बाजार में कई उन्मादी खरीददार उत्तेजित

दुकानदारों से मोल-तोल कर रहे थे और ऐसा प्रतीत हो रहा था जैसे कि वे थोड़े से पैसे के लिए एक-दूसरे से लड़ पड़ेंगे। दुकानदार एवं खरीददार दोनों के लिए यह परेशान करने वाला मोल तोल मात्र पैसों के लिए नहीं था। वह एक अच्छे सौदे के सम्मान के लिए था।

शिव ने देखा कि बड़ी संख्या में युगल जोड़े सड़क के किनारे एक बाग में अवर्णनीय हरकतें करते हुए भीड़ लगाए हुए थे। ऐसा प्रतीत हो रहा था कि वे ढिठाई से दृश्यरतिक आंखों की अवहेलना कर रहे थे जो गलियों से उन्हें घूर रही थीं या फिर वहीं बाग में भी उपस्थित थीं। उसने यह भी देखा की वे आंखें उन्हें आलोचनात्मक ढंग से नहीं बल्कि उत्तेजना से घूर रही थीं। शिव ने मेलूहा की तुलना में एक बहुत बड़ी विषमता देखी, जो सार्वजनिक रूप से आलिंगनबद्ध भी नहीं होते थे।

शिव ने अचानक अपने पार्श्व भाग में एक स्त्रियोचित स्पर्श का अनुभव किया। वह तेजी से मुड़ा तो उसने देखा कि एक युवती उसकी ओर मुस्कुराकर देख रही थी और उसने शिव को आंख भी मारी, जैसे ही शिव की दृष्टि उस पर पड़ी। इससे पहले कि शिव कुछ प्रतिक्रिया कर पाता, उसने एक अधेड़ स्त्री को उसके पीछे चलते हुए देख लिया था। उस स्त्री को युवती की माता जी समझकर शिव ने निर्णय लिया कि उस असावधानी को लज्जित न करने के इरादे से भूल जाए। जैसे ही वह मुड़ा तो उसने पुनः अपने पार्श्व भाग पर एक हाथ का अनुभव किया। इस बार वह अत्यंत ही आग्रही एवं आक्रामक था। वह पीछे मुड़ा तो देखकर स्तब्ध रह गया कि माता जी कामुकता से उसे मुस्कुराकर देख रही थी। पूरी तरह से भौंचक्का हुआ शिव तेजी से सड़क पर भाग निकला और इससे पहले वह अपना संयम खो बैठे तेजी से मंडी से बाहर निकल गया।

वह उस उत्तुंग राम जन्मभूमि मंदिर की दिशा में बढ़ता चला गया। जैसे ही वह वहां पहुंचा तो अयोध्या की वह अपराजेय झंकार महत्वपूर्ण रूप से हल्की हो गई थी। संभवतः यह नगर का एक शांत आवासीय क्षेत्र था। उत्कृष्ट भवनों एवं छायादार मार्गों से वह क्षेत्र धनी लोगों का प्रतीत हो रहा था। दाहिने मुड़ने के बाद वह उस सड़क पर था जो उसके गंतव्य तक जाती थी। वह सड़क एक शानदार घुमाव को लेते हुए पहाड़ी की ओर घूम गई

थी। संभवतः अयोध्या में राजपथ के बाद यही एकमात्र सड़क थी जिसमें जलज गर्तिका नहीं थी। सुंदर-सुंदर गुलमोहर के वृक्ष सड़क के दोनों ओर लगे हुए थे। उन वृक्षों की गुलाबी पत्तियां थके-हारों एवं खोये हुए लोगों के लिए पथ प्रकाशित कर रही थी। पथ उनके उत्तरों की ओर नेतृत्व प्रदान कर रहे थे। प्रभु श्री राम के पथ पर।

शिव ने अपनी आंखें बंद कर लीं और एक गहरी सांस ली तो चिंता ने उसके हृदय को कुतरना प्रारंभ कर दिया। उसे क्या प्राप्त होगा? क्या उसे शांति प्राप्त होगी? क्या उसे उत्तर प्राप्त होगा? जैसी उसकी आशा थी, क्या उसे कुछ ऐसा मिलेगा कि उसने कुछ अच्छा किया था? वह अच्छा कार्य जो इस समय उसे दिखाई नहीं दे रहा था? या फिर उससे कहा जाएगा कि तुमने एक भयंकर भूल कर दी है और सहस्रों लोग अकारण ही मारे गए थे? शिव ने अपनी आंखें धीरे से खोलीं, स्वयं को कड़ा किया और धीमे-धीमे प्रभु का नाम जपते हुए धीरे-धीरे चल पड़ा।

श्री राम। श्री राम। श्री राम। श्री राम।

कुछ दूरी चढ़ने के बाद शिव का जप बाधित हो गया। एक वक्राकार मोड़ पर उसने एक झुर्रीदार वृद्ध पुरुष को देखा, उसे देखकर ऐसा प्रतीत हो रहा था कि उसने कई सप्ताह से कुछ भी भोजन नहीं किया था। उसके टखने पर एक घाव था, जिसमें आर्द्रता एवं लापरवाही के कारण मवाद भर गया था। उसने पटसन से बना हुआ बोरा पहन रखा था जो अजीब ढंग से उसकी कमर में बंधा हुआ था और सन की रस्सी के सहारे उसके कंधे से लटका हुआ, कभी भी खुल सकने की अवस्था में था। वह फुटपाथ पर बैठा हुआ स्नायु जैसे दाहिने हाथ से जूंओं के काम बाधा डालता हुआ अपना सिर बड़ी प्रबलता से खुजला रहा था। अपने बायें हाथ से बहुत ही असावधानीपूर्वक एक केले के पत्ते को संतुलित किए हुए था, जिस पर रोटी का एक टुकड़ा और दलिया पड़ा हुआ था। ऐसा दिखाई दे रहा था कि वह भोजन किसी सस्ते भोजनालय का था, जो किसी दानी या दोषी आत्मा द्वारा दान था। इस प्रकार का भोजन जो मेलूहा में किसी पशु को भी नहीं खिलाया जा सकता।

तीव्र क्रोध की लहर उसके शरीर में दौड़ पड़ी। यह वृद्ध व्यक्ति प्रभु

श्री राम के घर के द्वार पर भिक्षा मांग रहा था, नहीं पीड़ित था और ऐसा प्रतीत हो रहा था कि किसी को उसकी सुध नहीं थी। वह किस प्रकार का प्रशासन होगा, जो लोगों को इस प्रकार रखता होगा? मेलूहा में प्रशासन परिश्रम से सभी नागरिकों का लालन-पालन करता है। वहां सबके लिए पर्याप्त भोजन था। कोई बिना घर का नहीं था। प्रशासन ने वास्तव में काम किया था। अगर वह वृद्ध देवगिरि में निवास करता होता तो उसे इस प्रकार का अपमान नहीं सहना होता!

क्रोध ने धनात्मक ऊर्जा को मार्ग प्रदान कर दिया था और उसे महसूस हो चुका था कि उसने उत्तर पा लिया था। वह अब जान चुका था कि पर्वतेश्वर सही था। संभवतः चंद्रवंशी दुष्ट नहीं थे, किंतु उन्होंने एक घृणित अस्तित्व का नेतृत्व किया हुआ था। सूर्यवंशी व्यवस्था इनके जीवन को नाटकीय ढंग से बेहतर बना सकती थी। चारों ओर प्रचुरता और समृद्धि होगी जब पर्वतेश्वर चंद्रवंशियों के मरणासन्न प्रशासन को प्रखर करेगा। इस युद्ध से कुछ अच्छाई निकलकर आएगी। संभव है कि उसने इतनी भी भयंकर भूल नहीं की थी। उसने प्रभु श्री राम को धन्यवाद किया। उसने सोचा कि उसने उत्तर पा लिया था।

हालांकि उसके भाग्य ने षड्यंत्र रचकर उसे इस छोटी सी सांत्वना देने से भी इंकार कर दिया। उस वृद्ध भिखारी ने देखा कि शिव उसको घूर रहा था। शिव की सहानुभूतिशील आंखों एवं करुणामय मुस्कान ने उस भिखारी के सूखे हुए गालों में भी जीवन भर दिया और वह प्रत्युत्तर में मुस्कुराया। लेकिन उसकी मुस्कान भिक्षा के लिए भिखारी की टूटी हुई मुस्कान नहीं थी। यह एक ऐसे व्यक्ति की स्वागत करने वाली गर्मजोशी भरी मुस्कान थी जो अपने आपमें शांति में था। शिव आश्चर्यचकित रह गया।

अब वह वृद्ध व्यक्ति और भी गर्मजोशी से मुस्कुरा रहा था, जब उसने बड़े परिश्रम से अपना हाथ उठाते हुए बोला, 'क्या तुम कुछ भोजन करना पसंद करोगे, मेरे बच्चे।'

शिव स्तब्ध रह गया। अत्यंत दयनीय व्यक्ति के बारे में जो उसने सोचा था कि दया एवं कृपा के योग्य था, उसकी इस विशालहृदयता पर वह

स्वयं को बहुत छोटा अनुभव कर रहा था।

शिव को आमंत्रणपूर्ण देखकर उस वृद्ध व्यक्ति ने पुनः कहा, 'क्या तुम मेरे साथ भोजन करना पसंद करोगे, पुत्र? हम दोनों के लिए पर्याप्त है।'

पूरी तरह से अभिभूत हुए शिव के पास इतनी शक्ति नहीं बची थी कि वह कुछ बोल सके। वह भोजन किसी एक व्यक्ति के लिए भी पर्याप्त नहीं था। यह व्यक्ति क्यों यह भोजन बांटने की बात कर रहा है, जो इतना कम है? यह समझ से बाहर है।

यह सोचते हुए कि शिव को ऊंचा सुनाई देता है, उस वृद्ध व्यक्ति ने ऊंचे स्वर में कहा, 'पुत्र, मेरे साथ बैठो, भोजन करो।'

शिव को सिर हिलाने के लिए शक्ति पाने के लिए भी संघर्ष करना पड़ रहा था। उसने कहा, 'बहुत-बहुत धन्यवाद, महोदय।'

उस वृद्ध व्यक्ति का मुख उदास हो गया। उसने कहा, 'यह अच्छा भोजन है, जूठा नहीं है,' उसकी आंखें बता रही थीं कि उसके हृदय में कितनी चुभन हुई थी, 'अन्यथा मैं तुम्हें भोजन करने के लिए कहता ही नहीं।'

शिव ने तत्काल अनुभव कर लिया कि उसने उस वृद्ध व्यक्ति के स्वाभिमान को चोट पहुंचा दी थी। उसने उसके साथ एक भिखारी की तरह व्यवहार कर दिया था। उसने झेंप के साथ कहा, 'नहीं, नहीं मेरे कहने का यह अर्थ नहीं था। भोजन ठीक है। मैं तो बस...'

'तो फिर आओ, बैठो मेरे साथ, पुत्र।'

शिव ने सहमति में सिर हिलाया। वह फुटपाथ पर उस वृद्ध की बगल में बैठ गया। वह वृद्ध व्यक्ति शिव की ओर मुड़ा और उसने उन दोनों के मध्य उस केले के पत्ते को भूमि पर रख दिया। शिव ने उस रोटी और पतले दलिया को देखा, जो अब तक उसे मनुष्य के भोजन योग्य नहीं प्रतीत हो रहा था। उस व्यक्ति ने अपना सिर उठाकर शिव की ओर देखा, जिसकी आधी अंधी आंखें चमक रही थीं। उसने मुस्कान के साथ कहा, 'भोजन ग्रहण करो।'

शिव ने रोटी का एक छोटा कौर उठाया, उसे दलिया में डुबोया और निगल गया। वह कौर उसके शरीर में आसानी से उतर गया, किंतु उसकी

आत्मा पर बड़ा बोझ डाल गया। जैसे-जैसे वह वृद्ध निर्धन व्यक्ति प्रखरता से दीप्तिमान होता जा रहा था वैसे-वैसे ही लगा कि उसकी न्यायसंगतता का अस्तित्व कोई निचोड़कर बाहर निकालता जा रहा था।

'अच्छी तरह से भोजन करो, पुत्र। यदि तुम इतना कम खाओगे तो अपना यह विशाल मांसल शरीर कैसे ठीक रख पाओगे?'

थोड़ा चौंकते हुए शिव ने उस वृद्ध को क्षण के लिए देखा। उस वृद्ध व्यक्ति की सिकुड़ी हुई बांहों की परिधि शिव की कलाई से भी पतली होगी। वह वृद्ध व्यक्ति छोटे-छोटे ग्रास ले रहा था और बड़े-बड़े ग्रास शिव की ओर रख दे रहा था। जैसे ही उसका हृदय गहरे समुद्र में डूब गया और उसके आंसू छलक आए तो उसने शीघ्रता से वह अंतिम टुकड़ा भी खा लिया, जो उस वृद्ध ने दिया था। भोजन समाप्त होने में कुछ समय नहीं लगा।

*स्वतंत्रता। एक दयनीय के लिए प्रतिष्ठा की स्वतंत्ता। ऐसा कुछ जो मेलूहा व्यवस्था के प्रशासन में असंभव था।*

'तुम्हारा पेट भर गया, पुत्र?'

शिव ने सहमति में सिर हिलाया, किंतु वह अब भी उस वृद्ध व्यक्ति की आंखों में देखने की हिम्मत नहीं जुटा पा रहा था।

'बहुत अच्छा। जाओ। तुम्हें मंदिर तक की लंबी यात्रा करनी है।'

शिव ने ऊपर की ओर देखा। यह आश्चर्यजनक रूप से प्रभावशाली उदारता जो उस पर दिखाई गई थी, वह उस पर किंकर्तव्यविमूढ़ था। वह वृद्ध व्यक्ति जब स्नेह से मुस्कुराया उसके पिचके हुए गाल चौड़े होकर खुल गए। वह लगभग भुखमरी की कगार पर था और उसके बाद भी उसने लगभग सारा भोजन एक अनजान व्यक्ति को दे दिया था। शिव ने जो वह निंदा करने का अपराध किया था उसके लिए उसने अपने हृदय को कोसा। उस सोच की निंदा कि वह सचमुच ऐसे लोगों की 'रक्षा' कर सकता था। शिव ने पाया कि वह आगे की ओर झुक गया जैसे कि कोई महान शक्ति की यही इच्छा हो। उसने अपने हाथों को आगे बढ़ाकर उस वृद्ध के चरण स्पर्श कर लिए।

उस वृद्ध व्यक्ति ने अपना हाथ उठाया और शिव के सिर पर कोमलता

से स्पर्श करके आशीर्वाद दिया, 'तुम जो ढूंढ़ रहे हो, उसे प्राप्त करो, पुत्र।'

शिव उठ खड़ा हुआ। उसका हृदय अपराध बोध के आंसुओं से बोझिल था। उसका गला पश्चाताप की रुदन से अवरुद्ध था। उसकी आत्मा भारी थी और उसकी स्वधर्मिता उस वृद्ध व्यक्ति की उदारता से कुचली हुई पड़ी थी। उसने एक बड़ी भारी भूल कर दी थी। ये लोग दुष्ट कदापि नहीं थे।

अध्याय - 26

# प्रश्नों का प्रश्न

राम जन्मभूमि को जाती हुई सड़क प्रभु श्री राम के निवास तक की यात्रा कर समाप्त होने से पहले किनारों पर पर्वत की ढाल पर चिपकी हुई थी। वहां से नीचे बसे नगर का एक असाधारण दृश्य दिखाई दे रहा था। किंतु शिव ने वह नहीं देखा। न तो उसने उस विशालकाय मंदिर की शोभायमान संरचना को देखा और न उसने उसके चारों ओर भव्य भूदृश्य के निर्माण वाले उस उद्यान को ही देखा। वह मंदिर श्वेत संगमरमर से लिखी हुई, ईश्वर के वास्तुकार द्वारा रचित एक विशुद्ध कविता थी। वास्तुकार ने मंदिर की मुख्य वेदिका तक एक भव्य सीढ़ी का निर्माण किया था, जो विस्मयकारी प्रेरणाप्रद और आमंत्रित करने वाली प्रतीत हो रही थी। विशाल एवं आलंकारिक संगमरमर की शांत नीले एवं भूरे रंगों में रंगाई गई मूर्तियां उस वेदिका पर उत्कीर्ण की हुई थीं। भड़कीली, फिर भी रुचिकर नीले संगमरमर की छत को विस्तारपूर्वक नक्काशी किए खंभे थामे हुए थे। वास्तुकार को स्पष्ट रूप से पता था कि प्रभु श्री राम का सबसे पसंदीदा समय प्रातःकाल था। इसी कारण से छत पर प्रातःकाल का आसमान पुता हुआ था, जो उस छत की अनुपस्थिति में देखा जा सकता था। छत के ऊपरी भाग पर मंदिर का पर्वत लगभग सौ मीटर ऊंचाई तक खड़ा होता हुआ चला गया था, जैसे ईश्वरों को एक विशालकाय नमस्ते कर रहा हो। स्वद्वीपवासियों को यह श्रेय जाता था कि उन्होंने अपनी भड़कीली चैतन्यता उस मंदिर पर नहीं थोपी थी। उसकी संयमित सुंदरता उसी प्रकार की थी जिस प्रकार शांत प्रभु श्री राम को पसंद आता।

शिव ने इनमें से किसी पर भी ध्यान नहीं दिया था। न ही उसने आंतरिक एकांत कक्ष में जटिलता से नक्काशी की हुई मूर्तियों को ही देखा। प्रभु श्री राम की मूर्ति मध्य में अपने प्रिय पात्रों के साथ घिरी हुई थी। उनके दाहिनी ओर उनकी प्रिय भार्या सीता थीं और उनके बाईं ओर उनके प्रिय भ्राता लक्ष्मण थे। उनके चरणों में, घुटनों के बल प्रभु श्री राम के सबसे उत्सुक एवं प्रिय शिष्य *वायुपुत्र* जाति-वर्ग के, *वायुदेवता के पुत्र* हनुमान बैठे हुए थे।

शिव में इतनी शक्ति नहीं बची थी कि वह प्रभु श्री राम से आंखें मिला सके। वह उस निर्णय से डर गया था, जो उसे प्राप्त होने वाला था। वह एक खंभे के पीछे उसका सहारा लेते हुए, शोक मनाते हुए दुबककर बैठ गया। जब वह अपने अपराध बोध की प्रचंड अनुभूति को अब और नियंत्रित नहीं कर पाया तो उसने अपने आंसुओं को बहने दिया, धाराप्रवाह। शिव ने मायूसी में अपने आंसुओं को नियंत्रित करने के बहुत प्रयत्न किए किंतु वे बहते ही चले जा रहे थे, जैसे कि बांध टूट गया हो। अपने प्रायश्चित पर काबू पाने के लिए उसने अपनी गोल मुट्ठी को काट खाया। उसने अपने पांव को मोड़कर सीने से लगा लिया और अपने घुटनों पर सिर रख दिया।

अपने दुख में डूबे हुए शिव को उसके कंधे पर रखे करुणामय हाथ के स्पर्श की अनुभूति नहीं हुई। कोई प्रतिक्रिया न देखकर उस हाथ ने हल्के से दबाया। शिव ने उस हाथ के स्पर्श को पहचान लिया था, किंतु उसने अपना सिर झुकाए रखा। वह अपनी आंखों में आंसू लिए स्वयं को दुर्बल दिखाना नहीं चाहता था। आयु से वृद्ध एवं जीर्ण वह विनम्र हाथ धीरे से हटा लिया गया, जबकि उसके स्वामी ने तब तक प्रतीक्षा कि जब तक कि शिव ने स्वयं को संयमित नहीं कर लिया। जब उचित समय हुआ तो वह व्यक्ति आगे बढ़ा और उसके सामने आकर बैठ गया। उदास शिव ने उस पंडित को औपचारिकतापूर्ण नमस्ते किया जो लगभग वैसा ही दिख रहा था जिससे वह पहली बार मेरु में ब्रह्मा मंदिर में और मोहन जो दारो के मोहन मंदिर में मिला था। उसकी भी वैसी ही लंबी प्रवाहमय श्वेत दाढ़ी और घने श्वेत बाल थे। उसने भी अन्य पंडितों की तरह ही गुलाबी रंग की धोती और

अंगवस्त्रम् पहन रखे थे। उस बुद्धिजीवी मुख पर वही स्वागत करने वाली मुस्कान फैली हुई थी। एकमात्र जो अंतर था वह यह था कि इस पंडित की कमर थोड़ी अधिक मोटी थी।

'क्या यह सचमुच ही इतना बुरा है?' पंडित ने पूछा। उसकी आंखें संकुचित थीं और उसका सिर हल्का एक ओर लाक्षणिक रूप से भारतीय गुरुतापूर्ण रूप में झुका हुआ था।

शिव ने अपनी आंखें बंद कर लीं और अपने सिर को पुनः झुका लिया। पंडित ने धैर्यपूर्वक शिव के उत्तर की प्रतीक्षा की, 'आप नहीं जानते हैं कि मैंने क्या किया है!'

'मैं जानता हूं।'

शिव ने सिर उठाकर पंडित की ओर देखा। उसकी आंखों में आश्चर्य और शर्म के मिश्रित भाव थे।

'मैं जानता हूं कि आपने क्या किया है, हे नीलकंठ,' पंडित ने कहा, 'और मैं पुनः पूछता हूं, क्या यह सचमुच ही इतना बुरा है?'

'मुझे नीलकंठ मत पुकारिए,' शिव ने तीक्ष्ण दृष्टि से देखकर कहा, 'मैं इस उपाधि के लायक नहीं हूं। मेरे हाथ हजारों लोगों के रक्त से सने हुए हैं।'

'हजारों से बहुत अधिक लोग मारे गए हैं,' पंडित ने कहा, 'संभवतः लाखों, किंतु क्या आप यह सोचते हैं कि यदि आप वहां नहीं होते तो क्या वे नहीं मरते? क्या आपके हाथ सचमुच ही रक्त से सने हैं?'

'निस्संदेह वे सने हैं! यह मेरी मूर्खता थी जिसने इस युद्ध को प्रेरित किया था। मुझे कुछ भी पता नहीं था कि मैं क्या रह था। मुझ पर एक उत्तरदायित्व थोप दिया गया और मैं उसके योग्य नहीं था! जिसके परिणामस्वरूप सैंकड़ों सहस्र लोग मारे गए।'

शिव ने अपनी मुट्ठी भींची और अपने ललाट पर हल्की चोट की इस हताशा भरे प्रयास में कि वह अपने ललाट पर स्पंदनशील ताप को शांत कर सके। पंडित ने हल्के आश्चर्य में शिव की ललाट पर दोनों आंखों के मध्य में एक गहरे लाल रंग के छाले को देखा। वह बहुत ही गहरे रंग का था,

लगभग काला। पंडित ने अपने आश्चर्य पर नियंत्रण किया और मौन रहा। यह उचित समय नहीं था।

'और वह मात्र मेरे कारण,' शिव ने पीड़ा में कराहते हुए कहा। उसकी आंखें पुनः नम थीं, 'यह सब मेरा ही दोष था।'

'सैनिक क्षत्रिय होते हैं, मित्र,' पंडित ने शांतचित्त होकर कहा, 'कोई उन्हें बलात मरने के लिए नहीं कहता। वे जोखिम को जानते हुए *और* उस संभव कीर्ति के लिए जो उन्हें उसके परिणामस्वरूप मिलती है, उनके लिए ही उस पथ का चयन करते हैं। नीलकंठ ऐसा व्यक्ति नहीं होता जिस पर कोई उत्तरदायित्व उनकी इच्छा के विरुद्ध थोपा जा सके। आपने इसका *चयन* किया था। आपका इसी कारण *जन्म* हुआ था।'

शिव ने चौंकते हुए पंडित को देखा। ऐसा प्रतीत हुआ कि उसकी आंखें पूछ रही थीं, 'जन्म हुआ था?'

पंडित ने शिव की आंखों के प्रश्न को भुलाते हुए कहा, 'जो कुछ भी होता है, उसका कारण होता है। यदि आप इस प्रकार की बेचैनी के मध्य से गुजर रहे हैं तो इसके पीछे भी कोई दैवी योजना है।'

'इतनी सारी मृत्यु के लिए कौन सी दैवी योजना हो सकती है?'

'बुराइयों का सर्वनाश? क्या आप नहीं कहेंगे कि यह एक महत्वपूर्ण कारण है?'

'लेकिन मैंने बुराइयों का नाश नहीं किया!' शिव ने चिल्लाकर कहा, 'ये लोग बुरे नहीं हैं। *ये लोग अलग हैं*। अलग होना बुरा होना नहीं होता है!'

पंडित का मुख लाक्षणिक रूप से एक गूढ़ मुस्कान में परिवर्तित हो गया और उसने कहा, 'बिल्कुल सही। ये लोग बुरे नहीं हैं। ये लोग अलग हैं। आपने इसका अनुभव बहुत शीघ्रता से कर लिया है, मित्र, इससे पूर्व के महादेव से भी बहुत शीघ्र।'

शिव कुछ पल के लिए पंडित के शब्द सुनकर हैरान रह गया। उसके मुख से अनायास ही निकल पड़ा, 'प्रभु रुद्र?'

'हां! प्रभु रुद्र।'

'लेकिन उन्होंने बुराइयों का नाश किया था। उन्होंने असुरों का सर्वनाश किया था।'

'और, किसने कहा कि असुर बुरे थे?'

'मैंने पढ़ा...' शिव वाक्य के मध्य में ही रुक गया। अंततः वह समझ गया।

'हां,' पंडित मुस्कुराकर बोला, 'आपने बिल्कुल सही अनुमान लगाया। उसी तरह से जिस तरह सूर्यवंशी एवं चंद्रवंशी एक-दूसरे को देखते हैं, उसी तरह से देव एवं असुर एक-दूसरे को देखा करते थे। तो फिर यदि आप उस पुस्तक को पढ़ेंगे जो देवों ने लिखी है तो आप क्या सोचते हैं कि वे असुरों का चित्रण किस प्रकार करेंगे?'

'आपके कहने का अर्थ यह है कि वे वर्तमान के सूर्यवंशियों एवं चंद्रवंशियों के जैसे थे?'

'जितनी आप कल्पना कर सकते हैं, उससे भी अधिक। देव एवं असुर भी सूर्यवंशियों एवं चंद्रवंशियों की तरह ही दो जीवन की शक्तियों के संतुलन को प्रतिबिंबित करते हैं, एक द्वैतवाद को।'

'द्वैतवाद?'

'हां, एक द्वैतवाद जो इस ब्रह्मांड के कई दृष्टिकोणों में से एक है, पुल्लिंग एवं स्त्रीलिंग। असुर एवं सूर्यवंशी पुल्लिंग के प्रतीक हैं। देव एवं चंद्रवंशी स्त्रीलिंग के प्रतीक हैं। उनके नाम परिवर्तित हो गए हैं किंतु जीवन शक्ति जिनको वे साकार करते हैं, वे सर्वथा वही रहे हैं। वे हमेशा अस्तित्व में रहेंगे। ऐसा कोई भी उपाय नहीं है कि उनमें कोई एक नष्ट हो सके। अन्यथा ब्रह्मांड में अंतःस्फोट हो जाएगा।'

'और वे सोचते हैं कि उनका एक-दूसरे से संघर्ष अच्छाई एवं बुराई के मध्य एक शाश्वत संघर्ष है?'

'बिल्कुल सही,' पंडित के मुख पर दमक थी। ऐसी व्यथा के समय में भी शिव की तीव्र बुद्धि पर पंडित अचंभे में था और उसने कहा, 'किंतु

वे हमेशा ही लड़ते नहीं रहे हैं, ऐसा भी नहीं है। कई बार उनके मध्य लंबे समय तक परस्पर सहयोग भी रहा है। जब कभी भी संघर्ष का समय होता है तो उस समय जो भी बुरा होता है तो बहुधा एक-दूसरे को दोष देना सबसे सरल उपाय होता है। क्योंकि चंद्रवंशी सूर्यवंशियों से अलग हैं तो इसका यह अर्थ नहीं है कि वे बुरे हैं। आप क्या सोचते हैं कि नीलकंठ को बाहर वाला क्यों होना चाहिए?'

'क्योंकि वह किसी एक दृष्टिकोण का पक्षपाती नहीं होगा,' शिव ने कहा तो उसके सामने छाया हुआ आवरण हट गया।

'बिल्कुल सही! नीलकंठ को इन सबसे परे होना होगा। उसे किसी भी पक्षपात से रहित रहना होगा।'

'लेकिन मैं पक्षपात रहित नहीं था। मैं दृढ़ निश्चयी था कि चंद्रवंशी बुरे थे। संभव है कि जो आनंदमयी कहती है, वह सही है। संभव है कि मैं बहुत ही सरल हृदय हूं और आसानी से बहकाया जा सकता हूं।'

'अपने आप पर इतना कठोर मत होइए, मित्र। सभी कुछ जानकर आप आसमान से नहीं टपक सकते, नहीं न? आपको किसी एक पक्ष से प्रवेश करना था। इस समीकरण के जिस भी पक्ष से आपने प्रवेश किया, उस पक्ष के दृष्टिकोण से आपको रंगना ही था और दूसरे पक्ष को बुराई के समान देखना ही था। आपने अपनी भूल को बहुत शीघ्र ही अनुभूत कर लिया है। प्रभु रुद्र इसे तब तक अनुभूत नहीं कर सके थे, जब तक कि बहुत देर हो चुकी थी। इससे पहले कि वे इस बात को अनुभूत करते कि वे बुरे नहीं थे बल्कि मात्र अलग थे, तब तक वे असुरों का लगभग सर्वनाश कर चुके थे।'

'लगभग सर्वनाश कर चुके थे? आपके कहने का तात्पर्य यह है कि कुछ असुर अभी भी अस्तित्व में हैं।'

पंडित रहस्यमय ढंग से मुस्कुराया और बोला, 'यह संवाद किसी और समय के लिए है, मित्र। आपको इस बिंदु को समझने की आवश्यकता है कि आप वो पहले महादेव नहीं हैं जो भटकाए गए हैं। और आप अंतिम भी नहीं होंगे। कल्पना कीजिए, यदि आपको इतना अपराध बोध अनुभूत

हो रहा है तो प्रभु रुद्र के अपराध बोध की अनुभूति कैसी रही होगी?'

शिव ने मौन धारण किए रखा। उसकी आंखें झुकी हुई थीं। प्रभु रुद्र के दोष का ज्ञान उसकी उस शर्म को कम नहीं कर पाया जिसने उसकी आत्मा को व्यथित कर रखा था। उसकी सोच को पढ़ते हुए पंडित ने पुनः कहा, 'आपने उन परिस्थितियों में सर्वोत्तम निर्णय लिया था, जो आप ले सकते थे। मैं जानता हूं कि यह आपके लिए अधिक सांत्वना देने वाली बात नहीं होगी, किंतु नीलकंठ होना सरल नहीं है। आपको इस अपराध बोध के बोझ को ढोना ही पड़ेगा। मैं जानता हूं कि आप किस प्रकार के व्यक्ति हैं। आपके लिए यह बोझ बहुत भारी होगा। आपकी चुनौती यह है कि आपको अपराध बोध या पीड़ा को भुलाना होगा। आपका हृदय इतना अच्छा है कि आपके लिए यह करना कठिन होगा। व्यथा के बाद भी आपको अपने कर्म एवं कर्तव्य के प्रति सच्चा रहना होगा। यही आपके लिए चुनौती है। यही महादेव का भाग्य और कर्तव्य है।'

'लेकिन मैं किस प्रकार का महादेव हूं? मैं क्यों आवश्यक हूं? मैं कैसे बुराई का नाश करूंगा, यदि मुझे यही नहीं पता कि बुराई क्या है?'

'किसने कहा कि आपका कार्य बुराई को नष्ट करना है?'

चकित शिव ने हैरानी से पंडित को घूरा। वह शब्दों के इस खेल से घृणा करता था, जो ऐसा प्रतीत होता था ये पंडित लोग बहुत पसंद करते थे।

शिव की आंखों में क्रोध की झलक देखकर पंडित ने तुरंत ही स्पष्टीकरण दिया, 'बुराइयों के पास जो शक्ति है, वह अधिमूल्यांकित है, मित्र। उसके अस्तित्व को मिटाना कठिन नहीं है। इसके लिए इतना ही अधिक है कि कुछ अच्छे लोगों को यह निर्णय लेना है कि उनसे संघर्ष करना है। यथार्थ में हर समय जब-जब भी बुराई ने सिर उठाया है, उसका यही हाल हुआ है। उसे नष्ट कर दिया गया है।'

'तो फिर मेरी क्या आवश्यकता है?'

'आपकी आवश्यकता सबसे महत्वपूर्ण कार्य के लिए है। उस सबसे महत्वपूर्ण प्रश्न का उत्तर देने के लिए है।'

'क्या?'

'बुराई क्या है?'

'बुराई क्या है?'

'हां। मानवों के मध्य में अनेक युद्ध लड़े गए हैं,' पंडित ने कहा, 'और भविष्य में भी अनेक और युद्ध लड़े जाएंगे। यही जगत का व्यवहार है। किंतु मात्र एक महादेव ही ऐसे होते हैं, जो उन युद्धों को अच्छाई एवं बुराई के मध्य के युद्ध में परिणत करते हैं। वे एकमात्र महादेव ही हैं, जो बुराई की पहचान कर, लोगों को उसके विरुद्ध नेतृत्व प्रदान करते हैं। इससे पहले कि बुराई अपना कुरूप सिर उठाए और समस्त जीवन को नष्ट कर दे।'

'लेकिन मैं बुराई को कैसे पहचानूंगा?'

'यहां मैं आपकी सहायता नहीं कर सकता, मित्र। मैं महादेव नहीं हूं। यह एक प्रश्न है जिसका उत्तर आपको प्राप्त करना ही होगा। किंतु इतना कह सकता हूं कि आपके पास हृदय है। आपके पास मस्तिष्क है। उन्हें खुला रखिए और बुराई स्वयमेव आपके समक्ष प्रकट हो जाएगी।'

'प्रकट?'

'हां,' पंडित ने व्याख्या की, 'बुराई का आपसे संबंध है। वह आपके पास आएगी। आपको अपने मन एवं हृदय को खुला रखना होगा ताकि जब भी बुराई प्रकट हो तो आप उसे पहचान सकें। मेरे पास मात्र एक सुझाव है। बुराई की पहचान करने के प्रयास में आपको कोई शीघ्रता नहीं करनी है। उसके लिए प्रतीक्षा करनी होगी। वह आपके पास आएगी।'

शिव की त्योरी चढ़ गई। उस विचित्र वार्तालाप को आत्मसात करने के लिए उसने नीचे की ओर देखा। कोई दिशा प्राप्त करने के लिए वह प्रभु श्री राम की मूर्ति की ओर मुड़ा। उसने वहां उनकी निर्णयात्मक दृष्टि नहीं देखी, जिसकी उसने आशा की थी। इसके बदले में उसने गर्मजोशी भरी उत्साहित करने वाली एक मुस्कान देखी।

'आपकी यात्रा अभी समाप्त नहीं हुई है, मित्र। यह अधिक लंबी नहीं हुई है। यह तो अभी प्रारंभ ही हुई है। आपको निरंतर चलना पड़ेगा। अन्यथा

बुराई की विजय हो जाएगी।'

शिव की आंखें थोड़ी सूखने लग गई थीं। उसका बोझ अभी भी थोड़ा भी हल्का नहीं हुआ था, किंतु वह स्वयं में इतनी शक्ति का अनुभव अवश्य कर रहा था कि उसे ढोकर चल सके। उसे उस असीम अंत तक चलना था।

शिव ने पंडित की ओर देखा और एक दुर्बल मुस्कान के साथ पूछा, 'आप कौन हैं?'

पंडित मुस्कुराया, 'मैं जानता हूं कि इसके उत्तर का आपको वचन दिया गया था। हममें से किसी भी एक द्वारा दिया गया वचन हमारा सामूहिक वचन होता है। मैं इस वचन को तोड़ नहीं सकता।'

शिव ने उत्तर की प्रतीक्षा में पंडित को टकटकी लगाकर देखा।

'हम लोग वासुदेव हैं।'

'वासुदेव?'

'हां। प्रत्येक विष्णु ने अपने पीछे एक जाति-वर्ग को दो लक्ष्य सौंपकर छोड़ा है।'

शिव पंडित को बड़े ही ध्यानपूर्वक निरंतर देखता रहा था।

'हमारा पहला लक्ष्य है अगले महादेव की सहायता करना है, वे जब भी कभी भी आते हैं।'

'और दूसरा?'

'दूसरा लक्ष्य यह है कि जब भी कभी आवश्यकता होगी तो हममें से कोई एक अगला विष्णु बन जाएगा। सातवें विष्णु प्रभु श्री राम ने अपने विश्वासप्राप्त प्रतिनिधि प्रभु वासुदेव को यह कार्य सौंपा था। हम उनके अनुयायी हैं। हम लोग वासुदेव के जाति-वर्ग के हैं।'

इस सूचना के निहितार्थ को आत्मसात करते हुए शिव ने पंडित को गहरी दृष्टि से देखा। उसकी त्योरी चढ़ गई जब उसे इसका एक अनुपरिणाम अचानक ही सूझा, 'क्या महादेव ने भी कोई जाति-वर्ग अपने पीछे रख छोड़ा था? क्या प्रभु रुद्र ने?'

पंडित मुस्कुराया। वह शिव की तीक्ष्ण बुद्धि से प्रभावित था। मोहन जो दारो के सचिव ने सही था। *यह व्यक्ति महादेव बनने की योग्यता रखता है।*

'हां। प्रभु रुद्र ने अपने पीछे एक जाति-वर्ग को छोड़ा था। वायुपुत्र का जाति-वर्ग।'

'वायुपुत्र?' शिव ने पूछा। उसे यह नाम आश्चर्यजनक रूप से सुना हुआ लगा।

पंडित ने शिव के कंधे पर अपना हाथ रखा, 'इसे अगली बार के लिए रहने दो, मित्र। मेरे विचार से हमने आज के लिए पर्याप्त वार्तालाप कर लिए हैं। घर जाइए। आपको अपनी अच्छी पत्नी के विश्रामप्रद आलिंगन की आवश्यकता है। कल का दिन भी है। और आपका लक्ष्य तब तक प्रतीक्षा कर सकता है। अबके लिए, आप घर जाइए।'

शिव मुस्कुराया। एक गूढ़ मुस्कान। उसके अपने सरल तिब्बती चरित्र से पूर्णतः भिन्न। किंतु अब वह भारतीय बन चुका था। वह आगे की ओर झुका और पंडित के चरण स्पर्श किए। पंडित ने अपना हाथ उसे आशीष देने के लिए उसके सिर पर रखा और कोमलता से बोला, 'विजयी भव। जय गुरु विश्वामित्र। जय गुरु वशिष्ठ।'

शिव ने शिष्टता से आशीष को स्वीकार करते हुए सहमति में सिर हिलाया। वह उठा, मुड़ा और मंदिर की सीढ़ियों की ओर चल पड़ा। वेदिका के किनारे पर पहुंचकर वह पंडित को एक बार पुनः देखने के लिए पीछे मुड़ा। पंडित अपनी जंघाओं पर बैठा हुआ भक्ति भाव से अपने सिर से उस भूमि को नमन कर रहा था, जहां से अभी-अभी शिव उठकर आया था। शिव मुस्कुराया और उसने अपना सिर हल्के से हिलाया। पंडित से दृष्टि हटाकर उसने आगे की ओर प्रभु श्री राम की मूर्ति की ओर ध्यानपूर्वक टकटकी लगाकर देखा। उसने नमस्ते की मुद्रा में अपने दोनों हाथ जोड़कर आदर से प्रभु को प्रणाम किया।

*उसका बोझ हल्का नहीं हो पाया था। किंतु उसमें इतनी शक्ति थी कि वह उसे ढो सकता था।*

वह मुड़ा और सीढ़ियां उतरने लगा। नीचे पहुंचने पर वह अचंभे में रह गया जब उसने देखा कि उस प्रांगण में एक अप्सरा की मूर्ति पर झुकी हुई सती खड़ी थी। वह मुस्कुराया। इस समय पूरे जगत में ऐसा कोई नहीं था, उसके सिवा जिसे वह इस समय देखना पंसद करता।

उसकी ओर चलते हुए उसने चिढ़ाया, 'क्या तुम हमेशा ही मेरे पीछे-पीछे आओगी?'

'मैं जानती हूं कि कब आपको एकांत की आवश्यकता है,' सती ने कहा, 'और कब आपको मेरी आवश्यकता है।'

शिव अचानक ही जड़वत हो गया जब उसने देखा कि सती से कुछ ही दूरी पर एक पेड़ के पीछे एक लबादा लहरा रहा था। संध्याकाल की मंद पवन ने उस घात में बैठे व्यक्ति को दिखा दिया था। सती ने शिव की उस टकटकी लगाई दृष्टि का अनुसरण करते हुए पीछे मुड़कर देखा। वह लबादे वाला आकार होली उत्सव का नकाब पहने पेड़ के पीछे से प्रकट होकर निकल आया।

*यह वही है!*

शिव के हृदय की धड़कन तीव्र गति से चलने लगी थी। वह अभी भी सती से एक अच्छी दूरी पर था। वह नागा उसकी तुलना में सती के अधिक समीप था। वे तीनों अपने स्थान पर कुछ समय तक जमे रहे। वे परिस्थिति का आंकलन कर रहे थे। अगली चाल का मूल्यांकन कर रहे थे। वह सती थी, जिसने पहला दाव खेला। उसने फुर्ती से अलग हटकर अपनी बगल से चाकू निकाला और उस नागा की ओर फेंक दिया। वह नागा हल्का ही हिला। चाकू उसके बहुत पास से लगभग उसे छूता हुआ निकला और पूरे बल के साथ पेड़ के तने में जा लगा। वह बहुत अंदर तक तने में समा चुका था।

शिव ने धीरे से अपना हाथ तलवार की ओर बढ़ाया।

नागा पीछे मुड़कर उस चाकू तक पहुंचा, उसने चाकू उस पेड़ से बाहर निकाल लिया और विचित्र कार्य करते हुए उसने उस चाकू को अपनी कलाई में एक कपड़े के कड़े से बांध लिया। उसके बाद वह तेजी से आगे बढ़ा।

'सती!' शिव चिल्लाया। इसके साथ ही उसने अपनी तलवार निकाली और अपनी पत्नी की ओर दौड़ लगा दी। दौड़ते हुए ही उसने अपनी ढाल आगे की ओर कर ली थी।

...क्रमशः

## अनुवादक परिचय

विश्वजीत 'सपन' बहुप्रतिभा संपन्न व्यक्ति हैं। आप एक लेखक, कवि, गायक, संगीतकार, गजल गायक और अनुवादक हैं, साथ ही आप आईपीएस की नौकरी भी करते हैं।

# अमीश की अन्य किताबें

## शिव रचना त्रयी

**भारतीय प्रकाशन इतिहास में सबसे तेज़ी से बिकने वाली पुस्तक श्रृंखला**

### नागाओं का रहस्य
### (शिव रचना त्रयी की किताब 2)

कुटिल नागा योद्धा ने अपने मित्र बृहस्पति की हत्या कर दी है और अब उसकी पत्नी सती के पीछे पड़ा है। शिव, जो बुराई के प्रसिद्ध विनाशक हैं, अपने राक्षसी विरोधियों को ढूँढ़ लेने तक चैन से नहीं बैठेंगे। प्रतिशोध की प्यास उन्हें सर्प प्रजाति के लोगों नागाओं के द्वार तक ले जायेगी। शिव रचना त्रयी की दूसरी किताब में, भयंकर युद्ध लड़े जायेंगे और कुछ चौंकाने वाले रहस्यों से पर्दा उठेगा।

### वायुपुत्रों की शपथ
### (शिव रचना त्रयी की किताब 3)

शिव नागाओं की राजधानी पंचवटी तक जा पहुँचते हैं, और अपने वास्तविक शत्रु के विरुद्ध धर्मयुद्ध की तैयारी करते हैं। नीलकंठ नाकाम नहीं हो सकते चाहे इसकी जो भी क़ीमत चुकानी पड़े। अपनी हताशा में, वे वायुपुत्रों से सम्पर्क करते हैं। क्या वे सफल हो पायेंगे? और बुराई से लड़ने की वास्तविक क़ीमत क्या होगी? इन सभी रहस्यों का जवाब पाने के लिए इस बैस्टसैलिंग शिव रचना त्रयी का अन्तिम भाग पढ़ें।

## राम चंद्र श्रृंखला

**भारतीय प्रकाशन इतिहास में दूसरी सबसे तेज़ी से बिकने वाली पुस्तक श्रृंखला**

### राम—इक्ष्वाकु के वंशज
### (श्रृंखला की किताब 1)

वे अपने देश से प्रेम करते हैं और क़ानून के लिए अकेले डटकर खड़े रहते हैं। उनके भाई, उनकी पत्नी सीता, और अराजकता के अँधकार के विरुद्ध लड़ाई। वे हैं राजकुमार राम। क्या वे दूसरों द्वारा उन पर उछाली गयी कीचड़ से उबर पायेंगे? क्या सीता के प्रति उनका प्रेम उन्हें उनके संघर्षों से पार लगा सकेगा? क्या वे उस राक्षस राजा रावण को हरा पायेंगे जिसने उनका बचपन नष्ट कर दिया था? क्या वे विष्णु की नियति को पूरा कर पायेंगे? अमीश की नयी राम चंद्र श्रृंखला के साथ एक और ऐतिहासिक सफ़र की शुरुआत करें।

### सीता—मिथिला की योद्धा
### (श्रृंखला की किताब 2)

खेतों में एक परित्यक्त बच्ची मिलती है। उसे दूसरों द्वारा नज़रअन्दाज़, कमज़ोर राज्य मिथिला के शासक गोद ले लेते हैं। किसी को विश्वास नहीं है कि यह बच्ची कुछ विशेष कर पायेगी। लेकिन वे ग़लत हैं। क्योंकि वह कोई साधारण लड़की नहीं है। वे सीता हैं। एक अनोखी बहु-रेखीय कथा शैली के माध्यम से, अमीश आपको राम चंद्र श्रृंखला के ऐतिहासिक जगत की गहराइयों में और अन्दर तक ले जाते हैं।

## रावण—आर्यवर्त का शत्रु
### (शृंखला की किताब 3)

रावण मनुष्यों में विशालतम बनने, विजयी होने, लूटपाट करने, और उस महानता को हासिल करने के लिए दृढ़संकल्प है जिसे वह अपना अधिकार मानता है। वह विरोधाभासों, नृशंस हिंसा और अथाह ज्ञान से भरपूर व्यक्ति है। ऐसा व्यक्ति जो प्रतिदान की आशा के बिना प्रेम करता है और बिना पश्चाताप हत्या कर सकता है। *राम चंद्र शृंखला* की इस तीसरी किताब में, अमीश ने लंका के राजा रावण के व्यक्तित्व के विभिन्न पहलुओं को उभारा है। क्या वह इतिहास का सबसे बड़ा खलनायक है या परिस्थितियों का मारा?

## लंका का युद्ध
### (शृंखला की किताब 4)

सीता का अपहरण हो गया। उन्होंने बेख़ौफ़ रावण को चुनौती दी कि वो उनका वध कर दे—उन्हें राम के समर्पण की अपेक्षा अपनी मृत्यु मंज़ूर थी। राम स्वयं संताप और क्रोध में घिरे थे। उन्होंने युद्ध की तैयारी कर ली। क्रोध ही उनका ईंधन है। और शांतिपूर्ण ध्यान उनका मार्गदर्शक। रावण ने खुद को अपराजित मान लिया था। उसने सोचा था कि वो राम को समर्पण के लिए मजबूर कर देगा। लेकिन उसे नहीं पता था...

## कथेतर

### अमर भारत

भारत को खोजें देश के कहानीकार अमीश के साथ, जो आपको तीखे लेखों, स्पष्ट भाषणों और बुद्धिमत्तापूर्ण बहस के द्वारा देश को एक नये ढंग से समझने में मदद करते हैं। *अमर भारत* में, अमीश आकर्षक रूप से आधुनिक दृष्टिकोण के साथ एक प्राचीन संस्कृति का विस्तृत ख़ाका खींचते हैं।

### धर्म

अमीश और भावना भारतीय दर्शन की कुछ मुख्य अवधारणाओं को खंगालने के लिए भारत के प्राचीन महाकाव्यों के अनमोल ख़ज़ाने के विशाल और जटिल संसार में गहरे उतरते हैं। हम सही और ग़लत में कैसे भेद कर सकते हैं? उत्तर निहित हैं हमारी इन मनपसंद कहानियों की सीधी-सरल और ज्ञानपूर्ण व्याख्याओं में, जो प्रस्तुत कर रहे हैं बहुत प्यारे ऐसे काल्पनिक पात्र जिन्हें जानने में आपको बहुत आनंद आएगा।

## भारत गाथा

### महाराजा सुहेलदेव

गज़नी के महमूद के लगातार हमले भारत के उत्तरी क्षेत्रों को कमज़ोर कर देते हैं और कई पुराने साम्राज्य खत्म हो जाते हैं। इसके बाद तुर्क देश के सबसे पवित्र मन्दिरों में से एक, सोमनाथ में भगवान शिव के भव्य मन्दिर पर हमला कर उसे नष्ट कर देते हैं। भारी निराशा से भरे इस काल में एक योद्धा राष्ट्र की रक्षा के लिए सामने आता है। *महाराजा सुहेलदेव*—एक प्रचंड विद्रोही, एक करिश्माई नेता, एक पक्का देशभक्त। साहस और वीरता की इस रोमांचक महागाथा को पढ़िये, जो शेर के सामान उस निडर योद्धा की कहानी और बहराइच के महासंग्राम की याद दिलाती है।